矿井通风与安全

廉战军　主编

山西出版传媒集团
山西人民出版社
山西科学技术出版社

图书在版编目（CIP）数据

矿井通风与安全 / 廉战军主编. -- 太原 ：山西人民出版社，山西科学技术出版社 2014. 6

山西省煤炭中等职业教育系列教材

ISBN 978-7-203-08516-4

Ⅰ. ①矿… Ⅱ. ①廉… Ⅲ. ①矿山通风-岗位培训-教材②矿山安全-岗位培训-教材 Ⅳ. ①TD7

中国版本图书馆CIP数据核字(2014)第092941号

矿井通风与安全

主　　编：廉战军
责任编辑：李建业

出 版 者：山西出版传媒集团·山西人民出版社·山西科学技术出版社
地　　址：太原市建设南路21号
邮　　编：030012
发行营销：0351-4922220　4955996　4956039
0351-4922127　(传真)　4956038(邮购)
E-mail:　sxskcb@163.com　发行部
sxskcb@126.com　总编室
网　　址：www.sxskcb.com

经 销 者：山西出版传媒集团·山西人民出版社
承 印 厂：山西惠民印务有限公司

开　　本：787mm×1092mm　1/16
印　　张：20.5
字　　数：460千字
印　　数：1—3000册
版　　次：2014年6月 第1版
印　　次：2014年6月 第1次印刷
书　　号：ISBN 978-7-203-08516-4
定　　价：52.00元

《山西省煤炭中等职业教育系列教材》编委会

前　言

为认真落实山西省政府、山西省煤炭厅对煤炭行业从业人员素质提升的指示精神，适应山西省煤炭资源整合、企业兼并重组后现代化矿井建设对技术技能型人才的迫切需求，推进全省煤矿从业人员“人本安全、培训教育、素质提升”工程实施，促进煤矿企业人才队伍“变招工为招生”素质专业化目标实现，按照课程改革、课堂教学改革方案的要求，加快中等职业教育“送教下矿”培养模式的教材改革，使之适应煤炭工业机械化、信息化、现代化建设的人才需求，按照煤矿生产、建设、安全管理实际和对从业人员的具体要求，在认真调研、广泛征求意见的基础上，我们组织骨干教师对2010版山西省煤矿关键岗位从业人员中等职业教材进行了重新修订。

本系列教材在编写修订过程中着重突出以下特点：1.参照教学计划和教学大纲执行两个课改方案要求；2.新技术、新装备、新工艺单独成章，提高学生对现代化矿井的综合认知；3.将“山西省煤矿六个标准”按各专业要求编入其中，并融入“人人都是通风员”的思想理念；4.编入了企业现场实用的系统知识、技能、工艺；5.教材每章均按系统理论、核心知识点、专业技能训练三部分编写，突出技能训练内容，同时编有复习题，新增了讨论题，力求实现理论联系实际的教学目的；6.本系列教材力求简洁、实用、通俗易懂。

本书主编：廉战军

编写人员在教材修订过程中，得到了有关领导和专家的支持、帮助，并参考了大量的文献资料和煤矿企业技术资料。在此，向提供帮助的有关专家、领导及企业表示诚挚的感谢！

希望各位教师、企业工程技术人员、专家能够结合煤矿企业发展现状，将更为先进的、适用的专业技术内容提供给我们。

由于时间仓促，编者水平有限，书中难免有不妥之处，恳请广大师生、企业工程技术人员批评指正。

目 录

第五章 矿井通风系统

第六章 掘进通风

第七章 矿井通风管理

第八章 矿井瓦斯防治

第九章　矿尘及其防治

第十章　矿井防灭火技术

第十一章　矿井防治水

第十二章　矿山救护

第十三章　矿井通风与安全新技术、新装备、新工艺简介

第十四章　山西省煤矿“六个标准”涉及内容

绪 论

在矿井生产和建设过程中，经常要受到瓦斯、粉尘、水、火、顶板冒落等自然灾害的威胁。如果不注意安全生产，就会发生事故，使生产活动难以按计划连续、均衡地进行，使生产停止，资源和设备遭受损失，井下从业人员的生命和健康受到威胁。矿井通风与安全则是贯彻党的安全生产方针，采取种种有效措施和技术手段，以确保矿井安全生产。因此，《矿井通风与安全》这门主要的专业技术课程是煤炭职业中等专业技术学校采煤专业及相关专业的一门重要的专业课程。

矿井通风的基本任务：(1)供人呼吸。即供给井下足够的新鲜风流，以满足井下工作人员对氧气的需求量。为此，《规程》明文规定，井下每人每分钟的供风量不得低于4m³。(2)冲淡和排除瓦斯。即供给井下足够的风量，将采掘工作面及其他用风地点风流中的瓦斯、炮烟、粉尘及其他有毒有害气体的浓度稀释到《规程》规定和卫生允许的浓度以下，然后由回风井巷排出地面。(3)创造良好的矿井气候条件。矿井气候条件主要是指煤矿井下空气的温度、湿度和风流速度三者综合作用对人体散热的影响。因为人的正常体温为36.5℃~37℃，温度过高或过低都会使人感到不舒服，使人感到最舒服的温度为15℃~20℃。同样空气中水蒸气含量的大小不但直接影响人的情绪，尤其是当湿度过高时，直接影响人体以汗液蒸发的形式散发多余的热量，还直接影响到人体健康，这是由于人们长期在阴冷潮湿的环境中工作，极易患风湿性关节炎，还间接影响到人的工作效率。人感觉最舒服的湿度为50%~60%。风速不但影响人体散热还直接影响到矿井的安全生产。(4)增强矿井的防灾、抗灾能力。如采用分区通风或独立通风，则各生产区域和各采掘工作面都能获得独立的新鲜空气，各个生产区域和各采掘工作面乃至整个矿井的防灾、抗灾能力就大大增强了；若采用串联通风，则其安全系数就会相对降低。长期以来，在煤炭行业流传着一句行话叫做“十次爆炸，九缺风”，即每一次的矿井瓦斯(煤尘)爆炸事故，直接原因各有不同，但究其根源，都是由于通风不良而造成的。由此可看出矿井通风工作对于矿井安全生产的重要性。只要搞好了矿井通风及其管理工作，一般来讲，可以避免三大事故的发生，即瓦斯爆炸事故、煤尘爆炸事故和矿井自然火灾事故。因此，我们所说的“一通三防”工作，即加强矿井通风，防治瓦斯、防治粉尘和矿井防灭火。

矿井通风理论知识主要包括：矿井空气、矿井风量计算及测定、矿井通风压力与阻力、矿井通风动力、矿井通风系统、掘进通风与矿井通风管理等内容。在矿井风量计算及测定一章中,主要安排了生产矿井总需供风量的计算方法。因为新建(设计)矿井风量计算方法及矿井通风的设计工作都是由有资质的设计单位来负责完成,因此作为职业中专采煤专业主要掌握生产矿井风量的计算方法就足够用了。

安全是指不发生人员伤亡和物质损毁的状况。安全生产是党和国家的一贯方针,煤矿安全技术知识是用来研究各种灾害事故的发生规律、影响因素,事故造成的危害,事故发生前的预兆或初期征兆;各种灾害事故的预防措施;万一事故发生时的应急措施;事故发生后的处理方法;井下从业人员的自救与互救等。

通风管理是煤矿安全生产的关键环节。为有效防范和坚决遏制煤矿生产安全事故,山西省煤炭厅决定,在全省煤矿推行“人人都是通风员”理念。

(1)推行“人人都是通风员”理念的重要意义。“人人都是通风员”理念的精神实质是以人为本、安全发展,本质内涵是人人有责、齐抓共管,核心要素是通风管理、全员参与,根本要求是过程控制、超前预防。这一理念不仅强调“通风”是煤矿安全生产的重要内容,而且突出人人在煤矿安全工作中的主体地位,是对新时期煤矿通风管理客观规律的科学认知和准确把握,是对新时期煤矿通风管理实践经验的基本概括和高度总结。在全省煤矿推行“人人都是通风员”理念,是着眼于煤矿瓦斯等级管理的新要求,加强通风管理和瓦斯防治的重要举措;是着眼于提升员工素质预防事故的新需要,增强全员通风知识和管理能力的有效手段;是着眼于当前建设现代化矿井的新形势,强化安全责任全员化和现场管理标准化的根本措施,对于加强煤矿安全生产工作具有现实意义。

(2)推行“人人都是通风员”理念的目标要求。推行“人人都是通风员”理念,重点要围绕人人都懂通风知识、人人都会通风管理、人人都抓通风安全的工作目标,按照人人都懂通风基础知识、懂瓦斯基本常识、懂瓦斯防治标准,人人都会使用瓦检仪器,会识别瓦斯隐患,会采取避灾措施和人人都能做到无风、微风不作业、做到瓦斯超限不作业、做到粉尘超标不作业的岗位标准,以井下作业人员为重点,全面覆盖从业人员,具体达到以下要求:

①普及通风知识,提高全员安全素质。将《人人都是通风员·煤矿安全新论》和《煤矿安全规程》作为基本教材,把煤矿“一通三防”的系统理论、管理规定、专业技能、岗位责任、瓦检仪器使用、瓦斯治理技术、典型事故案例、事故防范措施和井下电气知识等作为基础内容,开展知识大培训。

②主动排查隐患,解决现场安全问题。坚持把隐患排查治理作为安全生产的有效手段,运用所学知识,能主动识别瓦斯隐患,采取安全防范措施,及时消除隐患,自觉做到不安全不生产,预防和减少事故发生。

③强化责任落实,构建齐抓共管格局。紧紧抓住责任落实这个关键环节,建立健全各项政策规定和规章制度,使管安全、抓落实成为员工的行为准则和自觉行动,构建起以“专人专

管”为基础、“全员参与”为导向的安全工作大格局。

④形成长效机制，促进企业安全发展。始终坚持“人人都是通风员”理念指导安全生产工作，形成人人有责、人人负责、人人尽责的安全生产长效机制，促进企业健康可持续发展，加快实现煤矿安全生产形势的根本好转。

因此，对于中职教育来讲，作为综采专业和通风专业的学生，人人都要通过基础理论学习，首先必须掌握最基本的通风理论知识，所有专业人员必须做到人人掌握煤矿安全技术知识。本教材基本上能满足上述要求。

本教材为了更好地结合职业教育的特点，以便于学生既能比较系统地掌握各章节的理论知识，又能较快地掌握重点知识内容，特意在各重点章节的内容中安排了专业核心知识点和专业技能训练内容，以便于在学习过程中容易抓住重点和迅速提高业务技术水平，更好地服务于煤矿，为振兴我们的煤炭事业和国家经济的更好更快发展，做出应有的贡献。

第一章　矿井空气

第一部分　系统理论知识

第一节　空气的主要物理性质

人们生活离不开空气，井下工人同样一时一刻都离不开空气。离开空气，人类将无法生存。通风的基本任务之一就是供人呼吸。而矿井通风研究的对象就是空气，因此本课程的学习，必须掌握以下空气几个重要的物理性质，以便于后面课程的学习。

一、空气的比容

质量为M(kg)的空气占有的空间(或容积)为V(m^3)。则空气的比容(又名容积度)v，就是V和质量M之比。或者说是单位质量空气所占的容积，即：

$$v=V/M, m^3/kg \tag{1-1}$$

二、空气的密度

空气的密度ρ是指单位容积空气的质量，即：

$$\rho=M/V, kg/m^3 \tag{1-2}$$

也就是比容的倒数。故空气的比容和密度是两个相互依存的参数。

三、空气的重率

质量为1kg的空气受1m/s²加速度的作用而产生的重力G为1N(牛顿)。即：

$$G=Mg, N。\quad 1kgf/s^2=1N \tag{1-3}$$

空气的重率(又名容重或重度) γ是指单位容积空气的重力，即：

$$\gamma=G/V。N/m^3 \tag{1-4}$$

将(1-2)和(1-3)式代入上式，得：

$$\gamma=\rho g, N/m^3 \tag{1-5}$$

上式就是空气重率和空气密度的关系式。

在公制单位中，重力G的计算单位是kgf(公斤力)。1kgf是指质量为1kg的空气受9.80665m/s^2重力加速度的作用而产生的重力，即：

1kgf=1kg×9.80665m/s^2=9.80665N(在我国境内，可用1kgf=9.8N)。

按我国法定单位计算：若已知1m^3空气的重力G=11.76N，则相应的空气质量为：

$M=G/g$=11.76/9.8=1.2kg。

空气的密度　$\rho=M/V$=1.2/1=1.2kg/m^3。

空气的重率　$\gamma=\rho/g=1.2\times9.8=11.76N/m^3$。

在标准大气状态下（$Po=101325Pa$；$t=0℃$；$\varphi=0\%$）空气的密度为：$\rho=1.293kg/m^3$。

标准矿井空气（$Po=101325Pa$；$t=20℃$；$\varphi=60\%$）的密度为：$\rho=1.2kg/m^3$。

湿空气密度与重率的测算：

（一）湿空气密度的测算

由物理学中的气体状态方程式与道尔顿定理推出，湿空气密度的测算公式为：

$$\rho=\frac{3.484(P-0.3779\varphi P_{sa})}{273.15+t},kg/m^3 \tag{1-6}$$

式中　t——实测的摄氏温度，℃；

φ——空气的相对湿度，%；

P——空气的绝对压力，Kpa；

P_{sa}——饱和水蒸气的绝对压力，Kpa。

例如，在井下某处测得：$t=18℃$，$\varphi=90\%$，$P=101.325Kpa$；根据$t=18℃$，查表1-9得：$P_{sa}=2.0662Kpa$，则用（1-6）式算得湿空气的密度为：

$$\rho=\frac{3.484(101.325-0.3779\times90\%\times2.0662)}{273.15+18}$$

$$\approx1.2kg/m^3。$$

（二）湿空气重率的测算

将（1-6）式代入（1-5）式得：

$$\gamma=\frac{34.1664(P-0.3779\varphi P_{sa})}{273.15+t} \tag{1-7}$$

用上例的实测数代入上式，可算得：

$$\gamma\approx11.8\ N/m^3。$$

上面算得的$\rho=1.2kg/m^3$和$\gamma=11.8N/m^3$即为标准矿井空气的密度和重率，分别代表平原矿井湿空气密度和重率的平均值。因一般情况下的平原矿井，井下各处ρ和γ的变化范围约为上述两个值的6%~8%，因此做平原新矿井的通风设计时，可把上述两个数值当做常数使用。但对于高原的新矿井，则不宜这样使用。例如我国六枝矿区海拔约为1360m，大气压力约为91.1925Kpa（=648mmHg），若取$\varphi=90\%$，$t=18℃$，$Psa=2.0662Kpa$（=15.5mmHg），分别代入（1-6）~（1-7）各式，可算得$\rho\approx1.02kg/m^3$；$\gamma\approx10.1N/m^3$。

昆明、拉萨附近的矿区，ρ和γ的数值更小。故对于高原矿区，新井通风设计工作上要用的ρ和γ平均值，须根据当地条件另定。

四、气体的相对密度

单位容积某种气体的密度与相同条件下（P、V、T）空气的密度之比。

换句话来说：就是在压力温度相同的条件下，某种气体的密度与空气的密度之比。

相对密度是个比值，所以相对密度没有单位。

在标准大气状态下空气的密度为$1.293kg/m^3$（即大气压力$Po=760mmHg=101325Pa$；空气

温度t=0℃;相对湿度为φ=0%)。

那么相对密度的计算公式为:

$$d=\frac{\rho}{1.293} \tag{1-8}$$

式中　　d——某种气体的相对密度;

ρ——在标准大气状态下某种气体的密度,Kg/m³。

例:甲烷气体在标准大气状态下的密度为:

ρ_{CH_4}=0.7162kg/m³,则甲烷气体的相对密度为:

$$d_{CH_4}=\frac{\rho_{CH_4}}{1.293}=\frac{0.7162}{1.293}\approx 0.554$$

上述计算方法为物理计算法,化学计算法将更方便、实用。即某种气体的相对密度为这种气体的分子量与空气平均分子量的比值。因为空气为混合气体,其平均分子量为28.9,其计算方法如下:

例如:CH_4的分子量为16,则CH_4的相对密度为:

$$d_{CH_4}=\frac{16}{28.9}\approx 0.554$$

同理可求得CO、CO_2.NO_2.SO_2.H_2S、NH_3.H_2的相对密度分别为:0.97;1.52;159;2.21;1.18;0.59;0.07。

空气另外几个重要的物理性质还有:比热、黏性、压力、湿度等,在后面有关章节中再详细叙述。另外空气还有一个特点是:热胀冷缩,还具有流动性。

第二节　矿井空气的主要成分

矿井空气主要来源于地面,因此要研究矿井空气的成分,首先必须了解地面空气。地面上的正常空气,叫做大气。但是,地面空气进入井下后,要发生一系列的变化。通常把进入井下的地面空气称为矿井空气。

一、地面空气

在某一地区,地面空气的成分基本上是一定的。它主要是由氧气、氮气和二氧化碳三种气体组成的混合物。其组成情况详见表1-1。

上表中,惰性气体是指氦(He)、氖(Ne)、氩(A)、氪(Kr)、氙(Xe)、氡(Rn)。所谓惰性气体,就是它们的化学性质极不活泼,在一般情况下不与任何物质发生化学反应。另外,在地面空气中还有一些微量的稀有气体,如:甲烷(CH_4)、臭氧(O_3)、氢气(H_2)、二氧化氮(NO_2)、氨气(NH_3)、二氧化硫(SO_2)、一氧化碳(CO)、气态钾(K)等。

体积浓度表示某种气体在空气的总体积中所占的百分比;质量浓度表示某种气体的质

量在空气的总质量中所占的百分比。我国主要采用体积浓度。

表1-1 地面空气组成成分一览表

气体名称	体积浓度(%)	质量浓度(%)
氮气(N_2)	78.13	75.55
氧气(O_2)	20.90	23.10
二氧化碳(CO_2)	0.03	0.05
惰性气体与稀有气体的总和	0.94	1.30

二、地面空气进入井下后的变化

地面空气进入井下后,发生了一系列的物理和化学等方面的变化。这样使原来的空气成分种类增加,各种气体成分的浓度也发生了变化。最显著的变化是:氧气浓度降低,二氧化碳浓度升高。

实际上,就空气成分而言:

井下空气成分=大气+矿井瓦斯

矿井瓦斯就是指在煤矿生产和建设过程中,由煤、岩体内涌出的以甲烷气体为主的煤层气(即各种有害气体的总称)。

(一)物理方面的变化

(1)混入各种有毒有害气体。如甲烷(CH_4)、二氧化碳(CO_2)、硫化氢(H_2S)等。它们是在井下采掘生产过程中由煤、岩体中放出混入到入井空气中的。这些有害气体是由古代植物在形成煤的过程中所产生的。

(2)混入固体颗粒。在采掘生产过程中产生的岩尘、煤尘等悬浮在矿井空气中。

(3)气象方面的变化。地面空气进入井下后,空气在温度、压力、湿度等气象方面均发生了一系列的变化。

井下特点:冬暖夏凉、冬干夏湿。地面空气进入井下后,在温度和湿度方面均发生了明显的变化,这是由于岩石的自动调温作用造成的。如:在夏季,地面空气温度比较高,比井下岩石温度高,地面空气进入井下后岩石要大量吸热,使入井空气温度降低;在冬季,地面空气温度比较低,比井下岩石温度低,地面空气进入井下后岩石大量放出热量,使入井空气温度升高。

压力变化:我国95%以上的矿井都采用抽出式通风(负压通风)方法,而在山西是100%的矿井都采用抽出式通风方法。

抽出式通风方法,即在矿井主要通风机工作的状态下,井下空气压力低于地面空气压力的通风方法,因此称为负压通风。

压入式通风方法,即在矿井主要通风机工作的状态下,井下空气压力高于地面空气压力的通风方法,因此称为正压通风。

不论是采用负压通风还是正压通风,地面空气进入井下后,在压力上都发生了明显的变化。

(二)化学方面的变化

(1)氧气(O_2)量减少,二氧化碳(CO_2)量增加。这是由于煤、坑木等有机物的氧化,爆破工作以及井下工作人员的呼吸等都是消耗氧气而产生二氧化碳气体。

(2)产生一氧化碳(CO)气体。这是由于爆破工作中发生不完全爆炸(爆燃、爆轰、爆缓)以及煤炭的不完全氧化和不完全燃烧都能产生一氧化碳气体,另外井下机械润滑油的高温裂解也能产生一氧化碳气体。

(3)生成二氧化硫(SO_2)气体。这是由于含硫矿物的氧化及燃烧或者在含硫矿物中爆破,都会产生二氧化硫气体。

(4)硫化氢(H_2S)气体的生成。井下火区的氧化、含硫矿物的水解、井下坑木的腐烂等都会产生硫化氢气体。

(5)二氧化氮(NO_2)气体的产生。它主要是由矿用炸药爆炸所产生。

(6)产生氨气(NH_3)和氢气(H_2)。火区的氧化可产生氨气;井下蓄电池充电硐室发生电解水反应,可产生氢气。

三、井下空气主要成分的性质、对人体的影响及检测方法

(一)氧气(O_2)

(1)性质:

①物理性质:它是一种无色、无味、无臭、无毒的气体。其相对密度为1.11,即比空气稍重一点,掌握了这个特点对人是有益的。比如在井下发生了火灾,暂时退不出去,可爬到水沟上面,这样能坚持比较长的时间,这是由于氧气比空气重,发生火灾时,井巷空气中氧气的消耗量比较大,这时水沟中溶解的微量氧气可由水中冒出。

②化学性质:其化学性质较为活泼,常温、常压状态下可使许多的物质氧化而损坏。

(2)用途:供人呼吸、助燃、助爆。人在休息时平均需氧量为0.25L/min,而在工作或行走时平均需氧量为1L/min~3L/min。因此,为了保证人体需氧量的要求,必须保证井下每人每分钟供给的空气的体积数不得低于4m³,这也是通风的首要任务。

(3)对人体的影响:人的生命是靠食物、水以及空气中的氧气来维持的。空气中的氧浓度降低,对人体的影响极大,当氧浓度降到一定值时,人的生命将会终止。表1–2中的数据表明氧浓度对人体造成的直接影响。

表1–2　　氧气含量对人体的直接影响

氧气浓度(%)	对人体的影响
17	静止时无影响,但在工作时能引起喘息,呼吸困难,心跳加快
15	呼吸及脉搏跳动急促,感觉及判断能力减弱,失去劳动能力
10~12	失去知觉,时间稍长即有生命危险
6~9	短时间内死亡

氧气(O_2)浓度低于18%的环境一般称为缺氧环境。

因此,《煤矿安全规程》第100条明文规定:采掘工作面的进风流中,氧气浓度不低于20%,二氧化碳浓度不超过0.5%。

(4)检测方法:

① 用AQX-1型数字式氧气浓度计检测。该仪器为防爆式本质安全型,以3倍液晶数字显示所测的氧气浓度,其测定范围为0~25%,仪器的传感元件为化学燃料电池。

② 用AY-1型氧气检测仪检查。AY-1型氧气检测仪主要用于煤矿井下采煤工作面,回风道、采空区、瓦斯抽放管道及瓦斯(煤尘)爆炸、火灾等各类事故灾区的空气中氧气浓度的测定,也可用于石油化工、隧道、船舶、仓库等各类作业环境中氧气浓度的测定。AY-1型氧气检测仪没有外接附加电源,为安全火花型,可以在含有各类可燃、可爆气体的环境中使用,而不受其他气体的干扰。该仪器具有体积小、重量轻、指示连续直观、携带方便等优点。

③用SJY-93瓦斯、氧气检测仪检查。SJY-93瓦斯、氧气检测仪主要用于煤矿井下对瓦斯和氧气的浓度进行检测。当瓦斯或氧气的浓度超限时,该仪器可自动进行声光报警。这样,可以加强煤矿井下通风管理,从而增强煤矿井下生产的安全性。

(二)氮气(N_2)

N_2也是一种无色、无味、无臭、无毒的气体,其相对密度为0.97,几乎与空气一样重,所以能均匀分布在矿井空气中。其化学性质极不活泼,在常温、常压状态下几乎不与任何物质发生化学反应。正因为它的这个特点,它对物质具有保护作用,起到阻止氧化的作用。可以设想一下,如果没有氮气,全是氧气,那么许多物质将不复存在(金属、木料等)。

氮气不能燃烧,亦不助燃,也不能供人呼吸,在正常情况下,氮气对人体无害,但在井下废旧巷道或隔离的火区内,可积聚大量氮气,使这一环境中氧的含量相应减少,可使人因缺氧而窒息死亡。河南平顶山矿务局一矿,1982年9月7日因主通风机停风,致使采空区积聚的氮气大量逸出,造成采煤工作面综采支架安装人员缺氧窒息死亡的重大伤亡事故,此教训应认真吸取。

(三)二氧化碳(CO_2)

(1)性质:二氧化碳是一种无色、略带酸味的气体,它无毒,亦属于一种窒息性气体。其相对密度为1.52,比空气重,不助燃,不燃烧,不能供人呼吸。

(2)积聚情况:因CO_2比空气重,常积聚在巷道底板附近或下山底端没有风流的地方以及一些低洼处。

(3)对人体的影响:因二氧化碳属于煤矿井下的窒息性气体,因此不具有毒性。但二氧化碳微溶于水,其水溶液称为碳酸。

$$\underset{\text{二氧化碳}}{CO_2} + \underset{\text{水}}{H_2O} = \underset{\text{碳酸}}{H_2CO_3}$$

而人的呼吸道中都含有一定量的水分,通过人的呼吸,二氧化碳进入呼吸道生成碳酸,所以二氧化碳对人的呼吸道具有刺激作用,当人体肺泡中二氧化碳增多时,能刺激呼吸神经中枢,因而引起呼吸频繁。所以在急救受某些有毒气体中毒的患者时,常常首先让其吸入含有0.5%二氧化碳的氧气,以增强呼吸。当空气中二氧化碳气体浓度过高时,又会相应降低这一环境中的氧浓度而会使人感到不舒服直至窒息死亡。二氧化碳气体对人体的影响详见表1-3。

表1-3　　空气中二氧化碳浓度对人体的影响

空气中二氧化碳含量(%)	对人体的影响
1	呼吸急促
3	呼吸量增加2倍,易发生疲劳现象
5	呼吸感到困难,耳鸣,感到血液流动加快
10	头昏,出现昏迷状态
10~20	呼吸处于停止状态,失去知觉
20~25	窒息死亡

因此,《煤矿安全规程》第139条规定:采掘工作面风流中二氧化碳浓度达到1.5%时,必须停止工作,撤出人员,查明原因,制定措施,进行处理。

(4)二氧化碳的主要来源:

①大气层中的CO_2随进风流进入煤矿井下;

②爆破工作产生;

③瓦斯、煤尘爆炸产生;瓦斯、煤尘爆炸后,在其气体产物中含有大量的CO_2和CO;

④煤、坑木等有机物的氧化可产生CO_2;

⑤人员呼吸;

⑥由煤、岩体内放出;

⑦矿井水(主要是酸性水)遇碳酸性岩石(方解石、石灰石等)分解产生等。

(5)CO_2浓度的检测方法:

①用光学瓦斯检定器间接检测空气中的CO_2气体浓度;

②用CO_2气体检定管配合多种气体检定器检测。

四、煤矿井下主要有害气体

在煤矿井下主要有八大有害气体,即:

甲烷(CH_4)、一氧化碳(CO)、二氧化氮(NO_2)、二氧化硫(SO_2)、硫化氢(H_2S)、氨气(NH_3)、氢气(H_2)、二氧化碳(CO_2)。

这里所说的是在煤矿井下主要有八大有害气体,但不能说只有八种有害气体。因为在氧化氮中主要以NO_2为主,但还有NO、N_2O_3、N_2O_4等,有时井下还会出现少量的乙烷(C_2H_6)、乙烯(C_2H_4)、乙炔(C_2H_2)等烷烃类。

下面分别介绍八大有害气体的性质、危害、来源、对人体的影响及检测方法。

(一)甲烷(CH_4)

化学名叫"甲烷",俗称"沼气"。其性质、危害、来源、对人体的影响及检测方法我们在后面安全部分将作详细介绍。

(二)一氧化碳(CO)

1.性质

CO是一种无色、无味、无臭的气体。其相对密度为0.97,差不多与空气一样重,它极难溶于水,能燃烧,能爆炸,有剧毒。正因为CO与空气几乎一样重且极难溶于水,也就是其危害之所在，井下一旦出现CO，它能均匀地分布在矿井空气中，只要有暴露的空间，它就可以进入，让人防不胜防。在这方面有过深刻的教训。1988年7月4日山西省朔州市平鲁区某矿发生一起CO中毒死亡事故，造成9名矿工中毒死亡。

为何说CO有剧毒，一方面表现在它能均匀地分布在矿井空气中且其极难溶于水；另一方面CO与人体血液中红血球的亲和能力比O_2与红血球的亲和能力大250～300倍，换句话来说，就是人体血液吸收CO的速度比吸收O_2的速度快250～300倍。这样就会使血液缺氧而中毒死亡。

一氧化碳气体的爆炸界限为12.5%～75%。

2.中毒症状：见表1-4

表1-4　空气中CO对人体的影响

空气中CO的浓度(%)	对人体的影响
0.016	数h后有头痛、心跳、耳鸣等轻微中毒症状
0.048	1h可引起轻微中毒症状
0.128	0.5～1h引起意识迟钝、丧失行动能力等严重中毒症状
0.40	短时间失去知觉、抽筋、假死；30min内即死亡

《规程》规定：井下空气中CO浓度不得超过0.0024%。

3.中毒特征

嘴唇呈桃红色、两颊有红斑点。

平常所说的“煤气中毒”，主要是指CO中毒，因为煤气中一般含有7%的一氧化碳气体。

4.井下空气中CO气体的主要来源

(1)井下火灾(不完全燃烧，即供氧量不足，便产生一氧化碳)；

(2)瓦斯、爆尘爆炸(供氧量不足，发生不完全爆炸，也产生一氧化碳)；

(3)井下爆破工作；

(4)煤炭缓慢氧化、自燃；

(5)机械润滑油的高温裂解也能产生一氧化碳。

5.一氧化碳浓度的测定

一般多采用比长式CO检定管配合多种气体检定器进行检定。

(三)二氧化硫(SO_2)

1.性质

SO_2是一种无色、有强烈的硫磺燃烧臭味和酸味的气体，相对密度为2.21，易溶于水，不燃、不爆，但具有毒性。溶于水后的水溶液有腐蚀性，可腐蚀钢轨、水泵、水管等。

2.对人体的影响

二氧化硫对人的眼睛、呼吸道有强烈的刺激作用，矿工习惯上称它为“瞎眼气体”。

SO_2与人的眼、鼻、喉、气管、呼吸道接触后生成亚硫酸，有腐蚀作用，严重时会引起肺水肿。

$$SO_2 + H_2O = H_2SO_3$$

二氧化硫　水　亚硫酸

但亚硫酸又很不稳定，在常温下就能被空气中的氧气氧化为硫酸。

$$2H_2SO_3 + O_2 = 2H_2SO_4$$

亚硫酸　　氧气　　硫酸

二氧化硫对人体的影响如表1-5所示。

表1-5　　**SO_2对人体的影响**

空气中SO_2浓度(%)	对人体的影响
0.0005	能闻到硫磺燃烧的酸臭味
0.002	对眼和呼吸器官有刺激作用
0.005	引起急性支气管炎及肺水肿，并在短时间内死亡

《规程》规定：井下空气中SO_2的浓度不得超过0.0005%。

3.井下空气中SO_2的来源

(1)含硫矿物的氧化或自燃；

(2)由煤、岩体中放出；

(3)在含硫矿物中爆破等都能产生二氧化硫。

4.检测方法

用比长式SO_2检定管配合多种气体检定器进行检定。

(四)二氧化氮(NO_2)

1.性质

NO_2是一种红褐色或者棕红色有刺激性的腥、辣、酸、臭味的气体。相对密度为1.59，不助燃、不燃烧、不爆炸，极易溶于水，有强烈的毒性。

2.井下空气中NO_2的来源

NO_2主要是矿用炸药爆炸后的产物。因为我国矿用炸药最主要的成分为硝酸铵，硝酸铵爆炸后直接产生大量的NO_2气体。因此必须注意爆破后的通风问题。

$$4NH_4NO_3 \xlongequal{\text{爆炸}} 2NO_2 + 3N_2 + 8H_2O$$

硝酸铵　　二氧化氮　氮气　　水

3.二氧化氮对人体的影响

NO_2极易溶于水而生成硝酸，对人的眼、鼻、呼吸道及肺部有强烈的刺激作用与腐蚀作用，能引起肺部水肿，使血液中毒直至死亡。

$$3NO_2 + H_2O = 2HNO_3 + NO$$

二氧化氮　水　　硝酸　　一氧化氮

4.二氧化氮的中毒特征

手指、头发呈黄褐色。中毒症状见表1-6。

表 1-6　　NO_2对人体的影响

NO_2浓度(%)	主要症状
0.004	2～4h内不致显著中毒,6h后出现中毒症状,咳嗽
0.006	短时间内喉咙感到刺激、咳嗽、胸痛
0.01	强烈刺激呼吸器官,严重咳嗽、呕吐、腹泻、神经麻木
0.025	短时间内死亡

《规程》规定:井下空气中二氧化氮气体浓度不得超过0.00025%。

5.检测方法

用比长式NO_2气体检定管配合多种气体检定器检定二氧化氮气体浓度。

(五)硫化氢(H_2S)

1.性质

硫化氢是一种无色、微甜、有强烈的臭鸡蛋味的气体,其相对密度为1.18,易溶于水,能燃烧,能爆炸,有剧毒。

2.硫化氢气体对人体的危害

硫化氢具有强烈的毒性,它的毒性比一氧化碳的毒性还大。硫化氢溶于水后的水溶液叫氢硫酸,其危害见表1-7。

表 1-7　　H_2S对人体的影响

H_2S浓度(%)	主要症状
0.0001	有强烈的臭鸡蛋味
0.01	流唾液和清鼻涕,瞳孔放大,呼吸困难
0.05	严重中毒,失去知觉,抽筋,瞳孔放大,甚至死亡
0.1	短时间内死亡

《规程》规定:井下空气中H_2S的浓度不得超过0.00066%。

3.井下空气中H_2S的来源

(1)直接由煤、岩体内放出;

(2)坑木腐烂也产生H_2S;

(3)含硫矿物的水解亦能产生H_2S。

4.检测方法

用比长式H_2S检定管配合多种气体检定器可检查矿井空气中H_2S的浓度。

(六)氢气(H_2)

氢气是整个宇宙中最轻的一种气体,过去曾叫“轻气”。

1.性质

H_2亦是一种无色、无味、无臭、无毒的气体，相对密度为0.07，能燃烧，能爆炸，它最易点燃，燃点为300℃。

2.井下空气中氢气的主要来源

井下蓄电池充电硐室发生电解水反应，可产生氢气。

$$\underset{\text{水}}{2H_2O} \xlongequal{\text{电解}} \underset{\text{氢气}}{2H_2} + \underset{\text{氧气}}{O_2}$$

《规程》规定：井下空气中，氢气的浓度不得超过0.5%。

（七）氨气（NH_3）

1.性质

氨气是一种无色、有氨水的辛辣臭味的气体，其相对密度为0.59，易溶于水，能燃烧，能爆炸，具有毒性。

2.对人体的影响

NH_3能刺激人的皮肤及上呼吸道，重者死亡。

《规程》规定：井下空气中氨气的浓度不得超过0.004%。

3.井下空气中氨气的主要来源

（1）爆破时生成；

（2）有机物的氧化腐烂；

（3）火区氧化等都能产生氨气。

4.检测方法

用比长式NH_3检定管配合多种气体检定器进行检测。

（八）二氧化碳（CO_2）

二氧化碳既是地面空气的主要成分，亦是煤矿井下主要的八大有害气体之一，其性质、危害、来源及检测方法，在前面井下空气的主要成分中已详细作了介绍，在此就不再重复了。

第三节 矿井气候条件

矿井气候条件是指煤矿井下空气的温度、湿度、风速三者综合作用对人体散热的影响。矿井气候条件同人体的热平衡状态有着密切的联系，它直接影响着井下工作人员的身体健康和矿井的安全生产。

一、温度的影响

井下空气温度过高或者过低都会使人感到不舒服，影响工人的劳动效率。实践证明，使人感到最舒服的空气温度为15℃~20℃。

《煤矿安全规程》第102条规定：进风井口以下的空气温度必须在2℃以上；生产矿井采

掘工作面空气温度不得超过26℃;机电设备硐室的空气温度不得超过30℃。

人吃进食物在体内氧化和分解,产生热量。其中约有1/3的热量用于人体,维持生命,保持一定体温并进行各种劳动,其余的2/3的热量属于富余热量要散发到体外。人不论在休息和工作时,体内在不断地产生和散失热量,以保持人体的热平衡,使体温保持在36.5℃~37℃。

人体散热是通过传导、对流、辐射、汗液蒸发和呼吸带出等方式进行的。其中最主要的散热方式是对流、辐射和汗液蒸发3种形式。

空气温度过高,使人体汗液不易蒸发,出汗少,使皮肤调节体温的功能失常,而使人性情烦躁、疲倦、昏昏欲睡、食欲不振。因此人在这种环境中作业,容易发生事故。日本北海道7个矿井的调查资料表明:在30℃~37℃以上的工作面工作较30℃以下工作面工作的事故增加1.5~2.3倍。

因此,《煤矿安全规程》第102条规定:采掘工作面的空气温度超过30℃、机电设备硐室的空气温度超过34℃时,必须停止作业。

影响井下空气温度的因素主要表现在以下几个方面:

(1)地面温度

矿井空气来源于地面,故地面空气温度对井下空气温度是有直接影响的。冬季地面气温低,冷空气进入矿井后会使井下空气温度降低,如不预热,入风井会有结冰现象。夏季地面空气温度高,热空气进入井下后会使空气温度升高,特别是浅井,因为空气与岩石无充分的热交换时间,一般是井下的气温随地面季节不同而变化,冬季气温低,夏季气温高。

(2)岩层温度

岩层温度对矿井空气温度有很大的影响,是矿井空气中的主要热源,约占50%~60%。

①变温带:距地表较浅的地带。一般距地表20m左右,其温度随地面季节温度的变化而变化,因此称这个地带为变温带。

②恒温带:一般在距地表20~30m深度的地带,岩层的温度基本上是常年稳定不变的,因此称这个地带为恒温带。某地区恒温带的温度等于该地区年平均地表温度。

③增温带:在恒温带以下,岩层温度随着深度的增加而升高,不受地面季节温度变化的影响,因此称为增温带。

当地面空气进入井下后,因与岩层有温差,故在流动的同时,岩层与空气间以传导、对流和辐射三种方式进行热交换。这一定厚度的岩壁称为调温圈,它对井下气温起到调节作用。如井巷内气温低于岩壁温度,则岩石放热,使入井空气温度逐渐升高;反之,则岩壁吸热,使入井空气温度逐渐降低。该调温圈顺风流方向,厚度逐渐减少,最终可能消失,即岩壁温度接近于原始岩温。在增温带,由于岩温较高,对矿井空气而言,起升温作用。

(3)空气的压缩与膨胀

空气由上向下流动时,由于空气受到压缩而产生热量。一般垂深每增加100m,其空气温度可升高1℃左右;空气由下向上流动时,因空气压力降低、体积膨胀而吸热,使空气温度降低,平均每升高100m,空气温度将下降0.8℃~0.9℃。

（4）氧化生热

井下的煤炭、坑木、硫化矿物、油垢等都能被空气中的氧气氧化而产生热量。例如：在$1m^3$空气中由于煤的氧化而使二氧化碳浓度增加0.01%（2g）时，能产生18KJ的热量，而这些热量能使$1m^3$空气的温度升高14.5℃。

（5）水分蒸发

水分蒸发能从空气中吸收热量使空气温度降低。每蒸发1kgH_2O可吸收2.5KJ的热量，能使$1m^3$空气的温度降低1.9℃。

（6）通风强度

通风强度是指单位时间内进入井巷风量的大小。温度较低的空气流经井下巷道或工作面时，由于热交换的作用能吸收热量，所以流经井巷或工作面的风量越大，即通风强度越大，吸收的热量也就越多。相反，当温度较高的空气进入井下巷道时，会使井下空气温度升高，且此时的通风强度越大，则井下空气温度就会越高。由此可见，加大通风强度对井下气候条件有着显著的影响。

（7）机电设备散热

电动机在运转过程中的发热及设备的机械摩擦、碰撞的生热，对矿井空气起到升温作用。随着矿井机械化程度的不断提高，机电设备散热在矿井空气升温的热源中占有较大的比例。

（8）其他因素

人体散热、地下水的作用、爆破生热、压风管道散热等等，也对矿井空气温度造成一定的影响。

综上所述，矿井空气温度受到多种因素的影响，其中有升温的因素，也有降温的因素。但实践证明，升温因素大于降温因素。因此，矿内空气温度是随着风流经过距离的加长而逐渐升高的。如果矿井开采深度较大，进风线路又较长时，风流流经一定距离后（约1000~2000m），不论是冬季还是夏季，随着风路的加长，气温逐渐升高。因为采煤工作面升温因素较多，所以一般是整个风流路线上气温最高的区段。回风线路上因通风强度大，加以水分蒸发吸热及空气膨胀，气温略有下降，但常年基本变化不大。

二、湿度的影响

空气湿度是指空气中所含的水蒸气量。其表示方法如下：

（1）绝对湿度fa——单位容积或单位质量的湿空气中所含水蒸气质量的绝对值（g/m^3或g/kg）。含一定量水蒸气的空气，当其温度升高时，则容积增大，fa值变小。

（2）饱和绝对湿度fs——单位容积或单位质量湿空气中所含饱和水蒸气的质量（或水蒸气最大质量）的绝对值（g/m^3或g/kg）。

空气温度升高时，容积增大，空气分子间的孔隙增大，容纳水蒸气量增大。即气温越高，fs值就越大。在标准大气压的条件下，不同气温时的fs如表1–9所示。

（3）相对湿度φ——在同温同压下，空气的fa值与fs值的百分比。即：

$$\varphi=\frac{fa}{fs}\times 100\% \tag{1-8}$$

式中 φ——相对湿度，%；

fa——单位容积空气中实际含有水蒸气质量（即绝对湿度），g/m^3；

fs——在同一温度下空气中的饱和水蒸气量（由表1-9查得），g/m^3。

由上式可知，当$\varphi=0$时，$fa=0$，意即空气中没有水蒸气，是绝对干燥的空气；当$\varphi=100\%$时，$fa=fs$，意即空气中所含水蒸气量已达到饱和程度，在一定的温度和压力条件下，fs值是常数，则由此式可知，φ与fa成正比，意即空气的φ值越大，其fa值越大，空气就越潮湿。

一般所说的湿度都是指相对湿度。在矿井中，采掘工作面的湿度一般可达80%~90%，而在矿井总回风流中，湿度一般都在95%以上，甚至高达100%，每天由回风井排出地面的回风流中，其水蒸气量可达几十到几百吨。对人体而言，感到最舒服的湿度为50%~60%。

相对湿度的测定方法，在本章专业技能训练内容中将作详细介绍。

三、风速的影响

空气流动速度的大小，对矿井的安全生产和人体健康有着极为密切的关系。

风速过低——有害气体和悬浮在矿井空气中的粉尘（即浮尘）得不到有效的排除，容易造成局部瓦斯积聚，有引起瓦斯爆炸的危险性，同时也不利于人体散热。

风速过高——会造成沉积在巷道底板处的粉尘（即落尘）飞扬起来，影响人体健康，并有引起煤尘爆炸的危险性。同时风速过高，会造成人体散热量过大，造成人着凉、感冒。因此风速应在一定的合理范围之内。

所以，《煤矿安全规程》对井巷中最高和最低允许风速作了明确的规定，详见表1-8。

表1-8　井巷中的允许风速

井巷名称	允许风速（m/s）	
	最低	最高
无提升设备的风井	—	15
专为升降物料的井筒	—	12
风桥	—	10
升降人员和物料的井筒	—	8
主要进、回风巷	—	8
架线电机车巷道	1.0	8
输送机巷道，采区进、回风巷	0.25	6
采煤工作面、掘进中的煤巷和半煤岩巷	0.25	4
掘进中的岩巷	0.15	4
其他人行道	0.15	—

另外，《煤矿安全规程》第101条还规定：设有梯子间的井筒或修理中的井筒，风速不得超过8m/s；无瓦斯涌出的架线电机车巷道中的最低风速不得低于0.5m/s；综合机械化采煤工

作面，在采取煤层注水和采煤机喷雾降尘等措施后，最大风速可达5m/s。

综上所述，对于人体散热而言，风速越高，即单位时间内的换气次数越多，就越有利于人体散热，但风速不能过高，必须符合《规程》之规定。

第二部分　专业技能训练

一、一氧化碳浓度测定

检测仪器由检定管和采样器两部分组成。

(一)检定仪器

1.检定管

通常采用比长式CO检定管,其结构如图1-1所示。

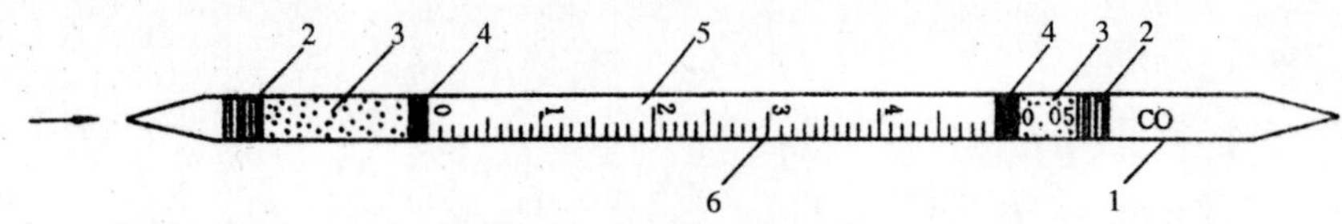

图1-1　检定管结构示意图

1——外壳;2——堵塞物;3——保护胶;4——隔离层;5——指示胶;6——指示被测气体浓度的刻度

2. 吸气装置

吸气装置有DQJD-1型多种气体检定器,XD-1型气体检测器和J-1型采样器。目前在矿井中广泛采用J-1型采样器配合比长式CO检定管来检查矿井空气中CO浓度(在实验室可用标准气样)。下面我们只介绍J-1型采样器采样方法。

J-1型采样器外部结构如图1-2所示。J-1型采样器实质上是一个抽气(取样)唧筒,它是由铝合金管及气密性良好的活塞4组成。抽取一次气样为50ml,在活塞上有10等分刻度,表示吸入气样为毫升数;采样器前端的三通阀门3有3个不同位置:阀把平放时,吸取气样,阀把拨向垂直位置时,推动活塞即可将气体通过检定管插孔2压入检定管,阀把位于45°位置时,三通阀门处于关闭状态,便于将气样带到安全地点进行检定。

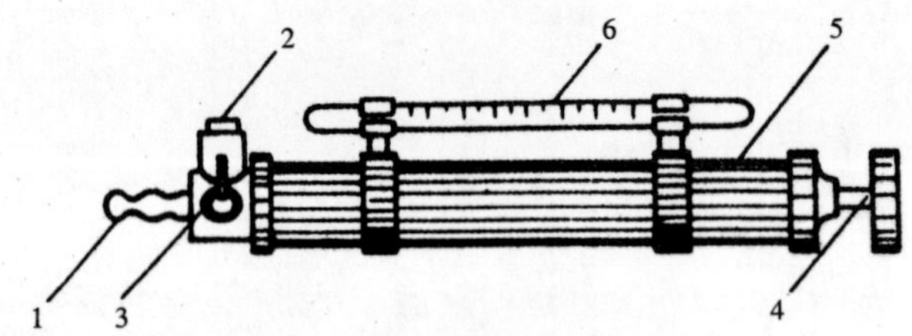

图1-2　J-1型采样器结构示意图

1——气样入口;2——检定管插孔;3——三通阀把;4——活塞杆;5——吸气筒; 6——温度计

(二)检定方法

第一步采样:将三通阀把3置于水平位置,拉动活塞几次,将唧筒中余气排除。然后将气体入口1与CO容器(可用标准气样)的胶皮管连接,拉动活塞,含CO的气体即进入唧筒,将三通阀把3置于45°位置,防止跑气。

第二步送气：将检定管两端切开，按进气方向将检定管插于唧筒的出气口2（要插紧，不能漏气）。然后将三通阀把由45°位置置于垂直位置（与唧筒90°位置），按检定管上规定的送气时间（一般100s）将气样均匀地送入检定管，然后拔出检定管读数。

第三步读取浓度值：检定管上印有浓度标尺。浓度标尺零线一端称为下端，测定上线一端称为上端。送气后由变色环（或变色柱）上端所批示的数字，可直接读取被测CO气体的浓度值。

（三）注意事项

（1）用上述相同的方法可以分别测定CO_2、NO_2、SO_2、H_2S、NH_3气体的浓度。测哪种气体的浓度时，必须用哪种气体的检定管。如测H_2S气体浓度，必须用H_2S检定管，同时还应注意检定管的检定范围以及送气时间的具体要求。

（2）每种气体的检定管生产厂家都注明了它的测定范围。我们在使用前必须明确这一点。如西安煤矿仪表厂生产的CO检定管按测定范围的不同分为3种规格，即：

C_1D型　　范围为：0.0005%~0.01%；

C_1Z型　　范围为：0.05%~0.1%；

C_1G型　　范围为：0.05%~1%。

二、空气湿度测定

（一）测定仪器

（1）手摇湿度计，如图1-3所示。

（2）风扇湿度计，如图1-4所示。

这里要特别说明的是：两种仪器工作原理基本相同，不同点是：一种是手动的，另一种是机械（或电动）的。

（二）测定方法

下面我们以手摇湿度计为例介绍其测定方法。

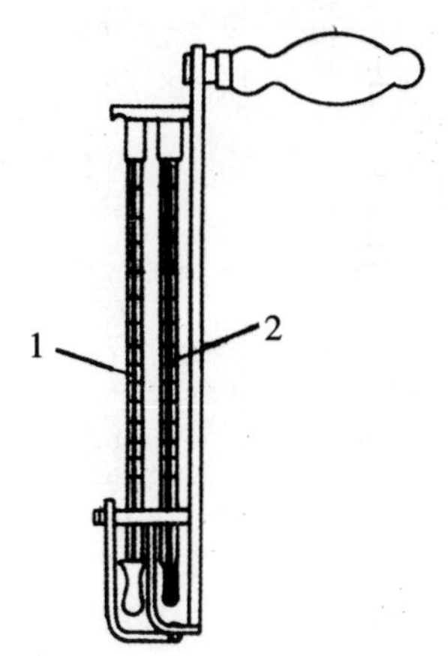

图1-3　手摇温度计

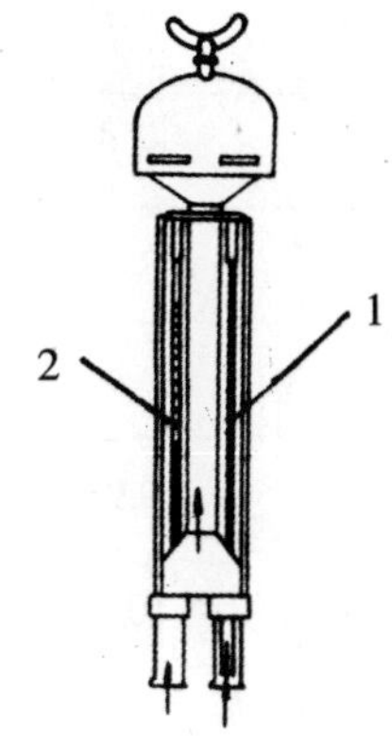

图1-4　风扇湿度计

1——湿温度计；2——干温度计

（1）先从盒中取出手摇湿度计；

(2)检查仪器的完好性,两支温度计读数是否正常;

(3)在一支温度计的水银球上包裹上纱布,用滴管吸上水挤在纱布上使之湿润;

(4)测定时手握摇把以150r/min的速率旋转1~2min。由于湿纱布上的水分蒸发,吸收了热量,使湿温度计的读数值下降,与干温度计的读数之间形成一个差值。根据干温度计的读数与干湿温度计的读数差,查表1-10,而可求得相对湿度。

表1-9　在标准大气压下不同温度时的饱和水蒸气量、饱和水蒸气压力

温度(℃)	饱和水蒸气量(g/m^3)	饱和水蒸气压力(Pa)	温度(℃)	饱和水蒸气量(g/m^3)	饱和水蒸气压力(Pa)
-20	1.1	128	14	12.0	1597
-15	1.6	193	15	12.8	1704
-10	2.3	288	16	13.6	1817
-5	3.4	422	17	14.4	1932
0	4.9	610	18	15.3	2065
1	5.2	655	19	16.2	2198
2	5.6	705	20	17.2	2331
3	6.0	757	21	18.2	2491
4	6.4	811	22	19.3	2638
5	6.8	870	23	20.4	2811
6	7.3	933	24	21.6	2984
7	7.7	998	25	22.9	3171
8	8.3	1068	26	24.2	3357
9	8.8	1143	27	25.6	3557
10	9.4	1227	28	27.0	3784
11	9.9	1311	29	28.5	4010
12	10.0	1402	30	30.1	4236
13	11.3	1496	31	31.8	4490

例如:在井下某处用手摇湿度计测得干温度计读数为23℃,湿温度计读数为21℃,则干湿温度计的读数差为:$\Delta t = t_{干}-t_{湿}$=23−21=2℃,则由干温度计的读数$t_{干}$=23℃和干、湿温度计的读数差Δt=2℃,由表1-10中可直接查得:相对湿度φ = 83%。

表 1-10　　由干、湿温度读数查相对湿度

干温度计读数(℃)	干、湿度计读数差(℃)								干温度计读数(℃)	干、湿度计读数差(℃)							
	0	1	2	3	4	5	6	7		0	1	2	3	4	5	6	7
	相对湿度(%)									相对湿度(%)							
0	100	81	63	46	28	12	—	—	18	100	90	80	72	63	55	48	41
5	100	86	71	58	43	31	17	4	19	100	91	81	72	64	57	50	41
6	100	86	72	59	46	33	21	8	20	100	91	81	73	65	58	50	42
7	100	87	74	60	48	36	24	14	21	100	91	82	74	66	58	50	44
8	100	87	74	62	50	39	27	16	22	100	91	82	74	66	58	51	45
9	100	88	75	63	52	41	30	19	23	100	91	83	75	67	59	52	46
10	100	88	77	64	53	43	32	22	24	100	91	83	75	67	59	53	47
11	100	88	79	65	55	45	35	25	25	100	92	84	76	68	60	54	48
12	100	89	79	67	57	47	37	27	26	100	92	84	76	69	62	55	50
13	100	89	79	68	58	49	39	30	27	100	92	84	77	69	62	56	51
14	100	89	79	69	59	50	41	32	28	100	92	84	77	70	64	57	52
15	100	90	80	70	61	51	43	34	29	100	92	85	78	71	65	58	53
16	100	90	80	70	61	53	45	37	30	100	92	85	79	72	66	59	53
17	100	90	80	71	62	55	47	40									

而将φ=83%，再代入相对湿度计算公式：

$$\varphi=\frac{fa}{fs}\times 100\%$$

可得：绝对湿度为：

$fa=0.83fs$，再由表 1-9 查 23℃时的饱和绝对湿度为 20.4g/m^3，则该处的绝对湿度为：

$fa=0.83\times 20.4=16.93$ g/m^3。

风扇湿度计与手摇湿度计的操作方法基本相同。让风扇湿度计（图 1-4）运转 2min 后读数、计算、查表即可。

第三部分　专业核心知识点

本章核心知识点主要有以下内容

1.标准大气状态下和标准矿井空气的密度。

2.什么是标准大气状态？什么是标准矿井空气(矿内标准状态)？

3.《规程》对CO、NO_2、SO_2、H_2S、NH_3浓度的规定。

4.矿井气候条件的定义。

5.《规程》对矿井空气温度的规定。

6.《规程》对各种井巷风速的规定。

7.《规程》对采掘工作面进风流中O_2和CO_2浓度的规定。

复习题

1.通风的基本任务有哪些？

2.什么是安全？

3.什么是空气密度？在标准大气状态下和标准矿井空气的密度分别是多少？

4.什么是标准大气状态？

5.什么是标准矿井空气(矿内标准状态)？

6.地面空气主要由哪些成分组成？它们的体积浓度分别为多少？

7.地面空气进入井下后主要发生了哪些方面的变化？

8.进风流中与地面空气相比较主要有哪些特点？

9.氧气低于多少的环境称为缺氧环境？

10.《规程》对CO、NO_2、SO_2、H_2S、NH_3的浓度如何规定？

11.煤矿井下主要的八大有害气体是指哪八种气体？

12.在八大有害气体中哪些属于窒息性气体？

13.在八大有害气体中哪些具有爆炸性？

14.在八大有害气体中哪些气体比空气轻？

15.在八大有害气体中哪些气体比空气重？

16.CO和H_2S都是剧毒气体，H_2S的毒性比CO的毒性还大，但为何说在煤矿井下CO比H_2S的危害大？

17.CO中毒有哪些特征？

18.NO_2中毒有哪些特征？

19.一般俗称的“瞎眼气体”是指哪种气体？

20.H_2S气体主要有哪些性质？

21.什么是矿井气候条件？
22.《煤矿安全规程》对矿井空气温度如何规定？
23.什么是风速？风速的高低对人体散热有哪些影响？
24.人体散热最主要的三种途径是指哪三种途径？
25.影响矿井空气温度的因素主要有哪些方面？
26.什么是变温带？
27.什么是恒温带？
28.什么是增温带？
29.采煤工作面、掘进中的煤巷和半煤岩巷的允许风速范围为多少？
30.掘进中的岩巷的允许风速范围为多少？
31.主要进、回风巷的最高风速不得超过多少？
32.风桥中的最高风速不得超过多少？
33.架线式电机车巷道的允许风速范围为多少？
34.在煤矿井下主要的八大有害气体中，哪些气体属于有毒气体？

讨论题

1.影响矿井空气温度的因素有哪些方面？
2.影响空气湿度的因素有哪些方面？
3.影响井巷风速的因素有哪些方面？

第二章　生产矿井风量计算及测定

第一部分　系统理论知识

第一节　生产矿井风量计算

生产矿井风量计算的目的：随着旧采区的报废、新采区的投产，矿井风流路线的长度发生了变化，矿井地质条件也发生了变化，瓦斯涌出量的大小也可能发生变化。因此在新采区投产之前，必须根据矿井的实际情况，重新计算矿井总需供风量和全矿通风总阻力，为矿井主要通风机工况点的合理调整提供依据。

《煤矿安全规程》第103条规定：矿井需要的风量应按下列要求分别计算，并选取其中的最大值：(1)按井下同时工作的最多人数计算，每人每分钟供给风量不得少于4m³。(2)按采煤、掘进、硐室及其他地点实际需要风量的总和计算。各地点的实际需风量，必须使该地点风流中的瓦斯、二氧化碳、氢气和其他有害气体的浓度、风速以及温度、每人每分钟的供风量符合本规程的有关规定。按实际需要计算风量时，应避免备用风量过大或过小。煤矿企业应根据具体条件制定风量计算方法，至少每5年修订一次。

一、按井下同时工作的最多人数计算

$$Q=4NK,\ \mathrm{m^3/min} \tag{2-1}$$

式中　Q——矿井总需供风量，$\mathrm{m^3/min}$；

4——每人每分钟的供风量，$\mathrm{m^3}$；

N——井下同时工作的最多人数，人；

K——矿井通风系数，包括矿井内部漏风和配风不均匀因素。一般可取K=1.20~1.25。

二、按采煤、掘进、硐室及其他地点实际需要风量的总和计算

$$Q=(\Sigma Q_{采}+\Sigma Q_{掘}+\Sigma Q_{硐}+\Sigma Q_{其他})K,\ \mathrm{m^3/min} \tag{2-2}$$

式中　Q——矿井总需供风量，$\mathrm{m^3/min}$；

$\Sigma Q_{采}$——采煤工作面实际需要风量的总和，$\mathrm{m^3/min}$；

$\Sigma Q_{掘}$——掘进工作面实际需要风量的总和，$\mathrm{m^3/min}$；

$\Sigma Q_{硐}$——硐室实际需要风量的总和，$\mathrm{m^3/min}$；

$\Sigma Q_{其他}$——其他用风点实际需要风量的总和，$\mathrm{m^3/min}$；

K——与上相同。

（一）采煤实际所需风量的计算

采煤实际需要的风量，应按矿井各个采煤工作面实际需要的风量总和计算，即：

$$\Sigma Q_{采}=(Q_{采1}+Q_{采2}+\cdots\cdots+Q_{采n})K_{采备}, m^3/min \quad (2-3)$$

式中　$Q_{采1}$、$Q_{采2}$——分别为各个采煤工作面实际需要的风量，m^3/min；

$K_{采备}$——备用工作面系数，一般取$K_{采备}$=1.1。当备用工作面已单独计算风量列入上式时，则$K_{采备}$=1.0。

每个采煤工作面实际需要的风量，应按瓦斯（二氧化碳）涌出量、爆破后的有害气体的生成量以及工作面的气温、风速和人数等分别进行计算，并取其最大值。

（1）按瓦斯涌出量计算：

$$Q_{采}=100Q_{CH_4采}K_{采通}, m^3/min \quad (2-4)$$

式中　$Q_{采}$——某采煤工作面实际需要的风量，m^3/min；

100——按照将瓦斯稀释100倍来配风；

$Q_{CH_4采}$——该采煤工作面的绝对瓦斯涌出量，m^3/min；

$K_{采通}$——采煤工作面通风系数，包括瓦斯涌出不均衡和备用风量等因素。是指在正常生产条件下采煤工作面的最大绝对瓦斯涌出量与其平均绝对瓦斯涌出量的比值，应根据实际考查的结果来确定。一般可取$K_{采通}$=1.2~2.1。

按二氧化碳涌出量计算采煤工作面实际所需风量时，与按瓦斯涌出量计算基本相同。一般只按瓦斯涌出量计算，如果是瓦斯矿井中的高二氧化碳矿井，应按二氧化碳涌出量计算。

（2）按工作面同时工作的最多人数计算：

$$Q_{采}=4N, m^3/min \quad (2-5)$$

式中　4——《规程》规定的每人每分钟的供风量，$m^3/min\cdot人$；

N——采煤工作面同时工作的最多人数，人。

（3）按炸药消耗量计算：

$$Q_{采}=25A, m^3/min \quad (2-6)$$

式中　A——采煤工作面同时一次爆破的最大炸药用量，Kg；

25——每Kg炸药爆炸后的供给风量，$m^3/min\cdot Kg$。

（4）按工作面温度计算：

采煤工作面应有良好的气候条件，其工作面空气温度与风速的关系应符合表2-1的要求。

$$Q_{采}=60V_{采}S_{采}, m^3/min$$

式中　$V_{采}$——采煤工作面的风速，m/s（由表2-1查得）；

$S_{采}$——采煤工作面的平均断面积，m^3。是工作面最小控顶断面积与最大控顶断面积的平均值。

（5）按风速进行验算：

根据《煤矿安全规程》第101条的规定：采煤工作面、掘进中的煤巷和半煤巷的允许风速范围为0.25m/s～4m/s。即最低风速不得低于0.25m/s，最高风速不得超过4m/s，见表2-1。

表2-1　　　　采煤工作面空气温度与风速关系

采煤工作面的空气温度(℃)	采煤工作面的风速$V_{采}$(m/s)
<15	0.3~0.5
15~18	0.5~0.8
18~20	0.8~1.0
20~23	1.0~1.5
23~26	1.2~1.8

①按最低风速验算,每个采煤工作面的最低风量为:

$$Q_{采} \geqslant 15S_{采}, m^3/min \quad (2-7)$$

式中　$S_{采}$——取最大控顶距的断面积,m^2;

15——最低风速,m/min,即0.25m/s。

②按最高风速验算,每个采煤工作面的最高风量为:

$$Q_{采} \leqslant 240S_{采}, m^3/min \quad (2-8)$$

式中　$S_{采}$——最小控顶距的断面积,m^2;

240——最高风速,m/min,即4m/s。

注意:进行风速验算前,由上述四套公式的计算结果中,取最大风量值进行极限风速验算。

(二)掘进工作面所需风量的计算

掘进工作面所需风量,应按矿井各个独立通风的掘进工作面实际需要风量的总和计算。即:

$$\Sigma Q_{掘} = (Q_{掘1} + Q_{掘2} + \cdots\cdots Q_{掘n})K_{掘备}, m^3/min \quad (2-9)$$

式中　$Q_{掘1}$、$Q_{掘2}$——各独立通风的掘进工作面实际需要的风量,m^3/min;

$K_{掘备}$——备用掘进工作面系数,一般取$K_{掘备}$=1.2。

当备用工作面已单独计算风量列入上式时,$K_{掘备}$=1.0。

每个独立通风的工作面实际需要的风量,应按瓦斯(二氧化碳)涌出量、炸药用量、局部通风机的实际吸风量、工作面最多人数和对风速的规定要求分别计算,并取其中的最大值。

(1)按掘进工作面最多人数计算:

$$Q_{掘} = 4N, m^3/min \quad (2-10)$$

式中　4——《规程》规定的每人每分钟的供风量,m^3/min·人;

N——掘进工作面同时工作的最多人数,人。

(2)按瓦斯涌出量计算:

$$Q_{掘} = 100Q_{CH_4掘}K_{掘通}, m^3/min \quad (2-11)$$

式中　100——按照将瓦斯稀释100倍供风;

$Q_{CH_4掘}$——该掘进工作面的绝对瓦斯涌出量,m^3/min;

$K_{掘通}$——掘进工作面的通风系数,主要包括瓦斯(二氧化碳)涌出不均衡和备用风量等因素,应根据实际考查的结果确定,一般可取$K_{掘通}$=1.5~2.0。

(3)按炸药用量计算：

$$Q_{掘}=25A, m^3/min \tag{2-12}$$

式中 25——每kg炸药爆炸后的供风标准，$m^3/min \cdot kg$；

A——掘进工作面同时一次爆破的最大炸药用量，kg。

(4)按局部通风机的实际吸风量计算：

$$Q_{掘}=Q_{通}IC, m^3/min \tag{2-13}$$

式中 $Q_{通}$——掘进工作面所用局部通风机实际吸入的风量，m^3/min；

I——1个掘进工作面同时工作的局部通风机的台数，台；

C——掘进工作面防止局部通风机循环风系数，一般可取C=1.1~1.2。

局部通风机的吸入风量$Q_{通}$，可根据所用局部通风机的型号确定，如下为FBD系列防爆对旋局部通风机的最大吸入风量参数。

FBDNo5	5.5×2KW	可取	250 m^3/min
FBDNo5	7.5×2KW	可取	280 m^3/min
FBDNo5.6	11×2KW	可取	390 m^3/min
FBDNo5.6	15×2KW	可取	430 m^3/min
FBDNo6.3	18.5×2KW	可取	480 m^3/min
FBDNo6.3	22×2KW	可取	550 m^3/min
FBDNo6.3	30×2KW	可取	570 m^3/min
FBDNo7.1	30×2KW	可取	600 m^3/min

(5)按风速验算：

根据《煤矿安全规程》第101条规定，岩巷掘进工作面的最低允许能速为0.15m/s；煤巷和半煤岩巷掘进工作面的最低允许风速为0.25m/s；所有采掘工作面的最高允许风速为4m/s。因此：

①岩巷掘进时，掘进工作面的风量$Q_{掘}$应满足：

$$9S_{掘} \leq Q_{掘} \leq 240S_{掘}, m^3/min \tag{2-14}$$

式中 $S_{掘}$——掘进巷道通风断面积，m^2；

9——最低风速m/min即0.15m/s；

240——最高风速m/min即4m/s。

②煤巷、半煤岩巷掘进时，掘进工作面的风量$Q_{掘}$应满足：

$$15S_{掘} \leq Q_{掘} \leq 240S_{掘}, m^3/min \tag{2-15}$$

式中 15——最低允许风速m/min即0.25m/s。

(三)硐室实际所需风量的计算

硐室实际所需风量应按矿井各个独立通风硐室实际需要风量的总和计算，即：

$$\sum Q_{硐}=Q_{硐1}+Q_{硐2}+\cdots\cdots+Q_{硐n}, m^3/min \tag{2-16}$$

式中 $Q_{硐1}$、$Q_{硐2}$……——各个独立通风的硐室实际需要的风量，m^3/min。

各个独立通风硐室实际需要的风量，应根据不同类型的硐室分别进行计算。

(1)井下爆炸材料库风量的确定：

井下爆炸材料库实际所需要的风量按每小时4次的换气量计算，即：

$$Q_{爆}=4V/60=0.07V,\ m^3/min \quad (2-17)$$

式中　V——包括联络巷道在内的井下爆炸材料库的总容积，m^3。

《煤矿安全规程》第130条规定：必须保证爆炸材料库每小时能有其总容积4倍的风量。

另外，井下爆炸材料库实际所需要的风量，亦可按经验值确定：

大型爆炸材料库取：100m³/min ~ 150 m³/min；

中小型爆炸材料库取：60m³/min ~ 100 m³/min。

(2)发热量大的机电设备硐室(如水泵房、空气压缩机房等)实际所需要的风量可按机电设备运转的发热量计算，即：

$$Q_{机电}=\frac{3600W\theta}{1.2\times1.014\times60\times\Delta t},\ m^3/min \quad (2-18)$$

式中　W——机电硐室中同时运转的电动机的总功率，KW；

θ——机电硐室的发热系数，应根据实际考查的结果确定，一般可取：空压机房θ=0.2~0.23；水泵房θ=0.02~0.04；

Δt——机电硐室进、回风口之间的温差，℃；

1.2——标准矿井空气密度，kg/m³；

1.014——空气定压比热，kJ/kg·k。

(3)其他硐室实际需要的风量，可按经验值确定，如：

采区绞车房或变电所可取60m³/min~80 m³/min；

充电硐室应按其回风流中氢气浓度低于0.5%计算，但不得小于100 m³/min；或按经验值确定为100m³/min~200 m³/min。

(四)其他用风点实际所需风量的计算

其他用风点实际所需风量，应按矿井各其他独立用风地点所需风量的总和计算，即：

$$\sum Q_{其他}=Q_{其他1}+Q_{其他2}+\cdots\cdots+Q_{其他n},\ m^3/min \quad (2-19)$$

式中　$Q_{其他1}.Q_{其他2}\cdots\cdots$——各其他独立用风点实际所需要的风量，m³/min。

每个其他独立用风地点实际需要的风量，应根据瓦斯涌出量和风速分别进行计算，并取其最大值。

(1)按瓦斯涌出量计算：

$$Q_{其他}=133Q_{CH_4其他}K_{通·其他},\ m^3/min \quad (2-20)$$

式中　$Q_{其他}$——各其他独立用风点实际所需要的风量，m³/min；

133——按照将瓦斯稀释133倍供风；

$Q_{CH_4其他}$——各其他独立用风地点的绝对瓦斯涌出量，m³/min；

$K_{通·其他}$——其他用风点的通风系数。一般可取$K_{通·其他}$=1.2~1.3。

(2)按风速验算：

《煤矿安全规程》第101条规定：其他通风人行巷道的最低允许风速为0.15m/s。因此，其他用风地点实际需要的风量$Q_{其他}$应满足：

$$Q_{其他} \geqslant 9S_{其他}, \mathrm{m^3/min} \tag{2-21}$$

式中　9——最低风速不得低于9m/min，即0.15m/s；

$S_{其他}$——其他用风地点井巷通风断面积，m^2。

第二节　矿井风量测定

空气在井巷中流动的快慢程度，称为风流速度，简称风速，它是指在单位时间内空气流经井巷的距离，单位为：m/s。井巷中实际通过的空气的流量的大小，称为风量，它是指在单位时间内流经井巷某断面空气的体积数，常用单位为：m^3/s或m^3/min。井巷中的风速和风量是矿井通风强度的主要参数，它们是否符合矿井生产上的要求，这就要求通过测风才能确定。

测风的意义（目的）主要有：

(1)检查全矿井的总进风量以及分配到井下各用点的实际配风量是否满足生产要求；

(2)检查通过各井巷的实际风速是否符合《煤矿安全规程》之规定；

(3)检查矿井的漏风情况。

测量通过各个井巷的实际风速和通过各井巷的实际风量是矿井通风工作的基本操作技能之一，也是检查、分析、改善矿井通风工作的重要手段。

《煤矿安全规程》第105条规定：矿井必须建立测风制度，每10天进行1次全面测风。对采掘工作面和其他用风地点，应根据实际需要随时测风，每次测风结果应记录并写在测风地点的记录牌上。应根据测风结果采取措施，进行风量调节。

测风时，都必须在测风站内进行。那么要测风，首先必须在各主要进风巷道内建立测风站。

一、测风站的位置和要求

(1)测风站要设在平直的巷道中；如料石砌碹和混凝土砌碹巷道，可直接选一段平直的巷道作为测风站，如果在木支架或金属支架巷道中，可设木板（或白铁皮）测风站。背板要与巷道壁接触严密，使经过巷道的风量全部经过测风站。如图2-1所示。

(2)测风站本身长度不得小于4m。

(3)测风站前后10m范围内不得有拐弯和堆放杂物。

(4)测风站四壁要光洁。

(5)测风站要挂记录牌、编号、记录。

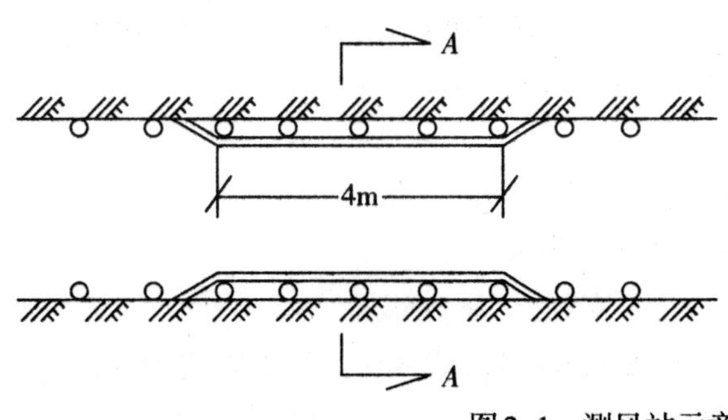

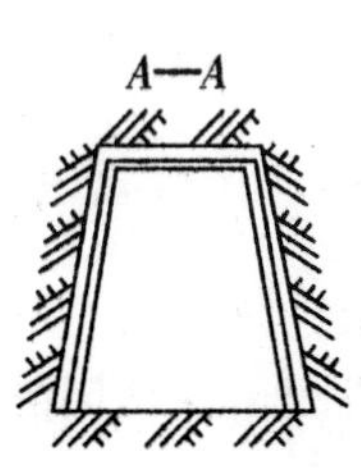

图2-1　测风站示意图

测风站牌板的内容安排表。详见表2-2。

表2-2　　测风记录牌

巷道断面积(S)：　m^2	CO_2浓度：　%
平均风速(v)：　m/s	
风量(Q)：　m^3/s	
空气温度(t)：　℃	测定人：
CH_4浓度：　%	测定时间：____月____日____时

在一般情况下，矿井空气中的有害气体主要是甲烷(CH_4)和二氧化碳(CO_2)气体。其他有害气体出现的机会不多或者浓度极低，影响不大。但在特殊情况下会出现的其他有害气体，如火区严重的矿井，往往多产生一氧化碳(CO)剧毒气体。如果其他有害气体对矿井能够造成一定的危害，那么这些有害气体的浓度也要填写在记录牌的内容中。具体哪些有害气体还要在记录牌的内容中加以体现，必须经过认真测定来确定，这就要看该矿井的实际情况以及测风的具体位置而定。

二、巷道断面上的风速分布情况

空气在井巷中流动时，由于空气本身的黏性和井巷壁面粗糙程度的影响，风速在井巷断面上的分布是不均匀的。一般在巷道断面的中心(轴心)部位风速是最高的，而靠近巷道四周(壁面)附近风速是最低的。如图2-2所示。

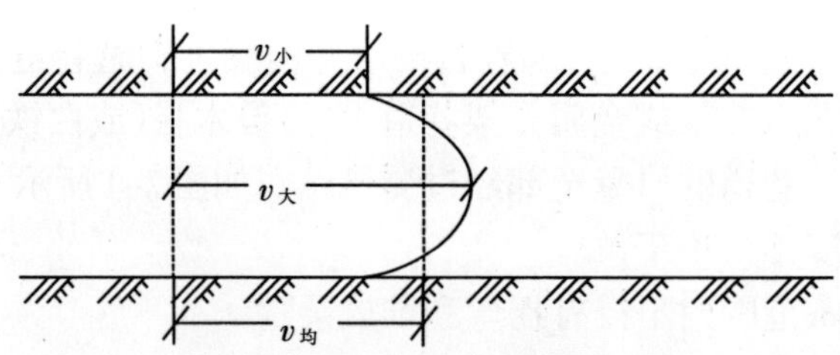

图2-2　井巷中的风速分布情况

在实际的测风工作中，虽然风速在井巷断面上的分布是不均匀的，但必须想方设法测算出其平均风速。

三、测风仪器、仪表

(一)风表

我国目前使用的风表有四大类型，它们分别是：机械叶式风表；电子叶式风表；热效式风表；涡频式风表。而在我国矿井中主要使用的是机械叶式风表。在机械叶式风表中又分为翼式和杯式两种。翼式风表只计数不计时，即翼式风表不带计时器，在使用中还需配合秒表使用；杯式风表自带计时器，但缺点是体积较大，携带不太方便。翼式风表体积较小，携带方便，广泛应用于矿井中的风速测定。详见图2-3。它是利用叶片在风流中的转动来测定风速的。

（二）秒表

秒表是用来配合翼式风表测风使用的。

四、风表的测定范围

从风表的测定范围不同来划分，目前主要有：高速风表、中速风表和微速风表3种类型，其测定范围分别为：

高速风表：$v > 10$m/s；

中速风表：v=0.5~10m/s；

微速风表：v=0.3~0.5m/s。

在不同的测风地点测风时，必须使用不同的风表，千万要注意其测定范围。如在高速风流区测风必须用高速风表，千万不能用微速风表，这是因为微速风表的叶轮叶片的轴特别细，遇到高速风流可将其吹断；同样也不能用高速风表测微速风流，这是因为高速风表误差比较大。高速风表一般在两个地方可用：①无提升设备的风井和风硐；②专为升降物料的井筒。

五、风表校正曲线

由风表测出的风速并不是真正的风流速度，这是因为风表在转动过程中不可避免地产生机械摩擦的影响，或者风表磨损、生锈及进入矿尘而不准。因此每只风表在出厂前或者使用一段时间后都要进行风表校正。新买的风表本身自带校正曲线。如果风表在使用半年或一年以后，原来的校正曲线就不能用了，该风表必须重要校正，绘制出新的校正曲线。

要注意每个风表都有它的校正曲线，用风表测出的风速是风表的指示风速，一般称它为表速，然后由表速查该风表的校正曲线查出实际的风速，我们称之为真风速，详见图2-6。

$v_{表}$——风表的指示风速，m/s；

$v_{真}$——实际风速，m/s；

α——表明风表启动初速的正常数，决定于风表的惯性和摩擦阻力。

例：在某测风站内测得的结果为$v_{表}$=7m/s，由该风表的校正曲线上查得$v_{真}$=8m/s（专业技能训练部分图2-6）。

第二部分　专业技能训练

一、测风仪器

下面以翼式风表（如图2-3）为例说明在井下巷道中如何测风。

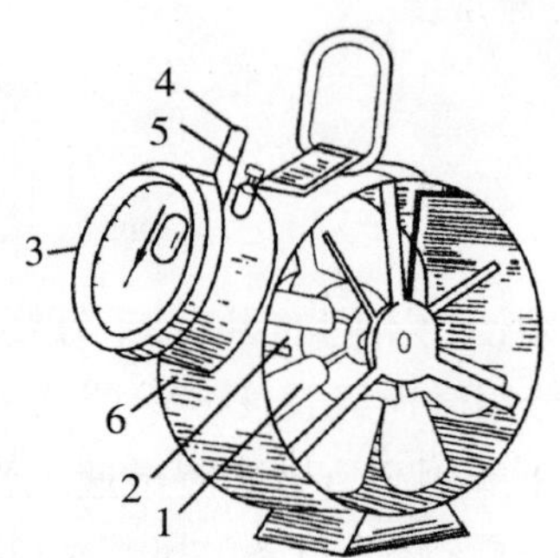

图2-3　翼式风表

1——叶轮；2——蜗杆轴；3——计数器；4——开关；5——回零压杆；6——护壳

在测风前，必须按下回零压杆使指针回零。然后检查一下秒表，看是否能正常工作。

二、测风方法

（一）按风表的移动线路划分

1. 线路法

使风表在一定的时间（1min）内，按一定的线路均匀地移动。如图2-4所示。

2. 定点法

将巷道断面划分为若干格，使风表在每格内停留相等的时间进行测定，然后算出其平均值，如图2-5所示。

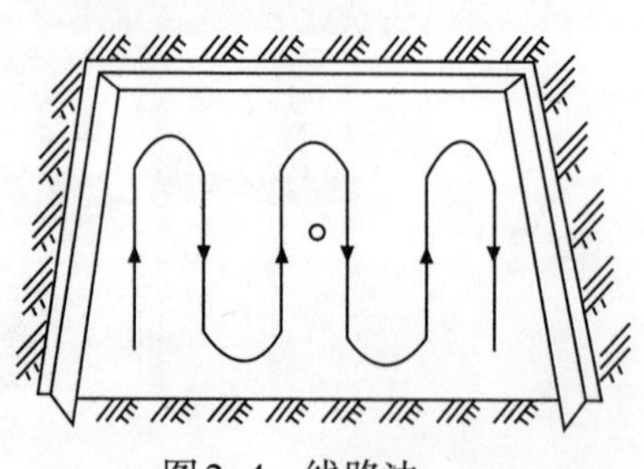

图2-4　线路法

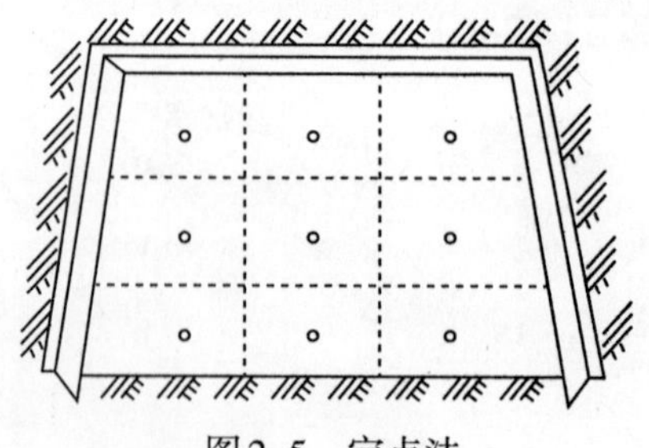

图2-5　定点法

$$\text{即}\ v=\frac{v_1+v_2+\cdots\cdots+v_9}{9},\ \text{m/s} \tag{2-22}$$

式中　v_1、v_2——分别在每格内测得的风速，m/s。

(二)按测风员与井巷的相对位置划分

1.迎面法

测风员面对风流，手持风表，将手臂向人体正前方伸直进行测风。

这种测风方法，由于测风员站立于巷道中，身体始终挡住了风流方向，使测得的风速比实际风速要小。所以这种测风法的结果要乘以1.14的校正系数，才是真正的表速。

2.侧身法

测风员面向巷道壁站立，手持风表，将手臂与风流垂直方向（测风员正前方）伸直，然后再用线路法或者分格定点法进行测风。

由于这种测风方法测风员始终占据着被测巷道断面的一部分通风断面积，增大了风速，因此这种测风方法其结果要乘一个小于1的系数才是真正的风速。其校正系数为：

$$K=\frac{S-0.4}{S} \tag{2-23}$$

式中　K——侧身法测风校正系数；

S——被测巷道的通风断面积，m^2；

0.4——人体侧面的表面积，即人体所占据的巷道通风断面积，m^2。

如：某测风站的通风断面积为$8m^2$，则用侧身法测风的校正系数为：

$$K=\frac{8-0.4}{8}=0.95$$

实际上在煤矿现场测风员广泛采用线路法和侧身法。就是按风表的移动线路广泛采用线路法；按测风员与井巷的相对位置广泛采用侧身法。因为这种方法操作简单、方便。

三、风速计算

风速计算，亦称为测风的三大步骤，即：

(1)先算风表的指示风速（即表速）。

计算方法如下：

$$v_{表}=\frac{n}{t},\ \text{m/s} \tag{2-24}$$

式中　$v_{表}$——风表指示风速，m/s；

n——风表刻度盘读数，m；

t——测风时间，一般为1min即60s。

所以上述公式亦可表示为：

$$v_{表}=\frac{n}{60},\ \text{m/s} \tag{2-25}$$

(2)求真风速。

由表速$v_{表}$查该风表的校正曲线得出真风速$v_{真}$。如图2-6所示。

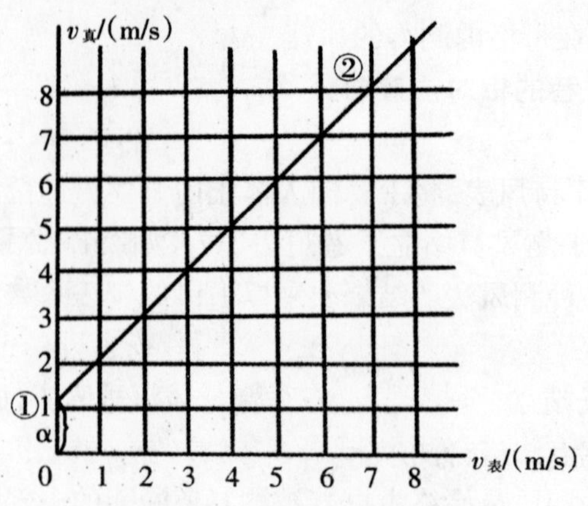

图2-6　某风表校正曲线

例：由2-25式计算的风表指示风速为$v_{表}$=7m/s，则由图2-6中可查得实际风速为$v_{真}$=8m/s。

(3)计算平均风速。

将实际风速(即真风速)$v_{真}$乘以测风校正系数即得实际平均风速。即：

$$v=K\cdot v_{真}，\text{m/s} \tag{2-26}$$

式中　v——通过井巷的实际平均风速，m/s；

$v_{真}$——风表测得的实际风速，m/s；

K——测风的校正系数。它们的取值分别为：

迎面法——K=1.14；

侧身法——$K=\dfrac{S-0.4}{S}$。

注意事项：

(1)在不同的地点测风时，要选用合适的风表(高、中、微速)，注意其测定范围；

(2)测风前首先要将风表指针回零；

(3)用常用的侧身法测风时，要使风表迎着风流，并与风流方向垂直，不得歪斜；

(4)等风表叶轮在风流中运转平稳后，同时打开计数器(风表)和计时器(秒表)；

(5)必须在1min内使风表按预定路线均匀地走完全程，同时关闭计数器和计时器；

(6)测风时风表不能离人体太近，以免影响测定结果的准确性；

(7)同一测风点测风不得少于3次，其相对误差不得超过5%，然后取其平均值。

五、通过井巷断面的风量计算

测算出通过井巷某断面的平均风速以后，再乘以被测巷道的通风断面积，即得其风量值，即：

$$Q=v\cdot S，\text{m}^3\text{/s} \tag{2-27}$$

式中　Q——通过某井巷的风量，m^3/s；

S——某井巷的巷道通风断面积，m^2；

v——通过该井巷的平均风速，m/s。

将公式2-27变化以后可得：

$$v=\frac{Q}{S}\text{ ,m/s} \tag{2-28}$$

由上式可以看出影响井巷风速的直接因素有以下两个方面：

(1)风速与通过井巷的风量成正比。即:在井巷通风断面积不变的情况下,通过井巷的风量越大,则风速越高;反之,通过井巷的风量越小,则风速越低。

(2)风速与井巷的通风断面积成反比。即:在通过井巷的风量不变时,井巷断面积越大的地方,则风速越低,反之,井巷断面积越小的地方,则风速越高。

因此可以说:通过巷道风速的大小,直接与该井巷通过的风量的大小和该井巷本身的通风断面积有关。对于矿井气候条件的改善,一般湿度难以控制,采掘工作面的湿度都比较大,尤其是回风大巷与回风井中的空气湿度都在90%以上,甚至高达100%。那么要控制矿井气候条件,主要是从温度和风速两个方面来考虑调节,由此可看出风速对矿井安全生产和气候条件影响的重要性。

第三部分　专业核心知识点

本章核心知识点主要有以下内容

1.生产矿井风量计算方法；

2.测风方法；

3.通过井巷断面风量计算及影响风速的因素。

4.测风的意义及《规程》对测风的规定。

复习题

1.什么是风速？其符号和计量单位如何表示？

2.什么是风量？其符号和计量单位如何表示？

3.《煤矿安全规程》对生产矿井的风量计算方法是如何规定的？

4.测风的意义有哪些？

5.《煤矿安全规程》对矿井测风是如何规定的？

6.测风仪表目前有哪四大类型？我国矿井目前广泛采用哪种风表？

7.高、中、微速风表的测定范围分别为多少？

8.按风表的移动线路不同来划分，有哪两种不同的测定方法？测风员广泛采用哪一种测风方法？

9.按测风员与井巷的相对位置不同来划分，有哪3种不同的测风方法？测风员广泛采用哪一种测风方法？

10.某长壁炮采工作面，其绝对瓦斯涌出量为3.5 m^3/min，工作面采高为2.0m，最小和最大控顶距分别为3.2m和5.2m，工作面同时一次爆破的最大炸药消耗量为20kg，工作面平均温度为23℃，该工作面同时工作的最多人数为35人。经实际考察，该工作面通风系数为1.7。试确定该采煤工作面实际所需风量。

讨论题

1.目前生产矿井风量计算方法存在哪些问题或不足？

2.采用线路法测风应注意哪些事项？

3.定点法测风一般在哪些情况下使用？

第三章 矿井通风压力与通风阻力

第一部分 系统理论知识

空气的一个显著特点就是具有流动性，它能在外力作用下连续不断地流动。

煤矿井下之所以能有风流流动，其根本原因是供风地点与大气之间有了压力差使空气失去了原有的平衡状态，产生了空气流动。

通风压力——矿井空气借以流动的力量，简称风压或压力，其主要是由矿井主要通风机的工作风压造成的。

通风阻力——巷道壁、支架、运输工具以及空气分子之间的相互摩擦与碰撞等形成的对风流流动的阻止作用。

通风压力与通风阻力二者之间的关系是：必须以通风压力来克服通风阻力，空气才能沿井巷流动，它们是一对作用力与反作用力的关系。

第一节 矿井通风压力

空气的流动总是从压力大（能量高）的地方流向压力小（能量低）的地方。风流之所以能从进风井口流入，从出风井口排出，就是因为两井之间存在空气压力（能量）差，即矿井通风压力。

一、空气压力概念

（一）压力概念

设有一底面积为Sm^2、高为Zm的圆柱形水箱，里面盛满水。如图3-1所示。

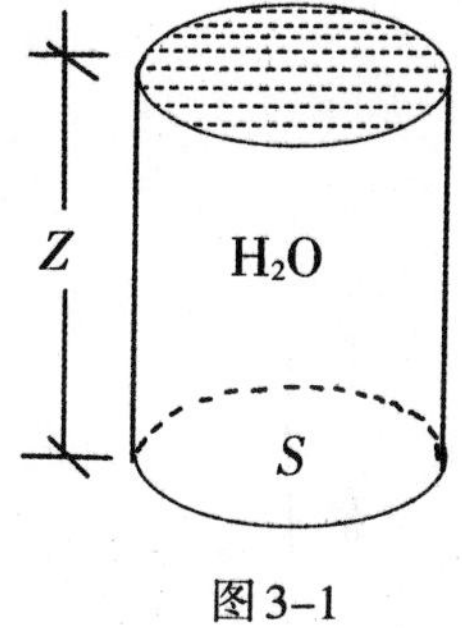

图3-1

水的重率为γ（kgf/m^3），由于水箱中的水受到重力的作用，其重量全部垂直向下压在水箱的底面上，那么水对水箱底部单位面积上所施加的力P为：

$$P=\frac{Z\times S\times\gamma}{S}$$

$$=Z\cdot\gamma,\text{kgf/m}^2。\qquad(3-1)$$

注：此处重率γ采用的是公制单位。因为重率的国际单位为N/m^3。

由3-1式可知，单位面积上的作用力即称为压力，这在物理学上称为压强，而在工程上就称为压力。所以我们通风学上所说的压力，指的就是单位面积上的作用力。

由上式还可以看出：压力与承受面积（底面积）无关，只与高度和重率有关。空气柱所产生的压力与水柱产生的压力原理是一样的，因为它们都是流体，具有许多相同的共性。压力的最基本的单位就是 kgf/m^2。

(二)压力的计量单位及其换算

空气压力的单位很多，如 kgf/m^2（千克力/米²）、kgf/cm^2（千克力/厘米²）、mbar（毫巴）、mmHg（毫米汞柱）、mmH_2O（毫米水柱）、Pa（帕斯卡）等。其中Pa为国际单位。

1.用毫米水柱（mmH_2O）表示压力单位

那么1毫米高的水柱所产生的压力有多大呢？下面通过例子加以推导。

设有一个长、宽、高均为1m的正方体水箱，里面盛满水，如图3-2所示。

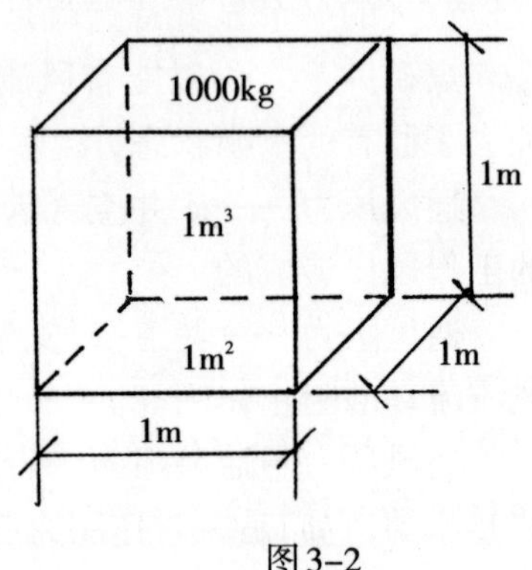

图3-2

那么，水箱的底面积为 $1m^2$，水箱的容积正好为 $1m^3$，而水的重率为 $1000kgf/m^3$，那么水箱中的水正好为1000kg。而这1000kg的力全部压在 $1m^2$ 的底面积上，换句话来讲，就是 $1m^2$ 的底面积上要承受于1000kgf的力。

水箱的高为1m，可看为1m高的水柱。因而可得出如下关系式：

$$1m（即1000mm）H_2O = 1000kgf/m^2 \tag{3-2}$$

上式说明：1m（即1000mm）高的水柱所产生的压力相当于 $1m^2$ 的底面积上承受于1000kg的压力。

在上式两边同除以1000可得：

$$1mmH_2O = 1kgf/m^2 \tag{3-3}$$

上式说明：$1mmH_2O$ 所产生的压力相当于 $1m^2$ 的底面上承受1kg的力。

需要说明的是：mmH_2O 虽然不是压力的国际单位，但它与国际单位Pa之间换算非常方便，且《规程》规定，主要通风机房必须安装水柱计。

《煤矿安全规程》第123条规定：主要通风机房内必须安装水柱计、电流表、电压表、轴承温度计等仪表。

2.用毫米汞柱（mmHg）表示压力单位

因为压力与承受面积无关，只与高度和重率有关。而汞（Hg）的重率是水的重率的13.595倍，如果在图3-2的水箱中将 H_2O 换成Hg可推出：

$$1mmHg = 13.595mmH_2O = 13.595kgf/m^2 \tag{3-4}$$

上式说明：1mm高的Hg柱所产生的压力，相当于13.595mm高的 H_2O 柱所产生的压力或相当于 $1m^2$ 的底面积上承受于13.595kg的压力。

3.大气压力

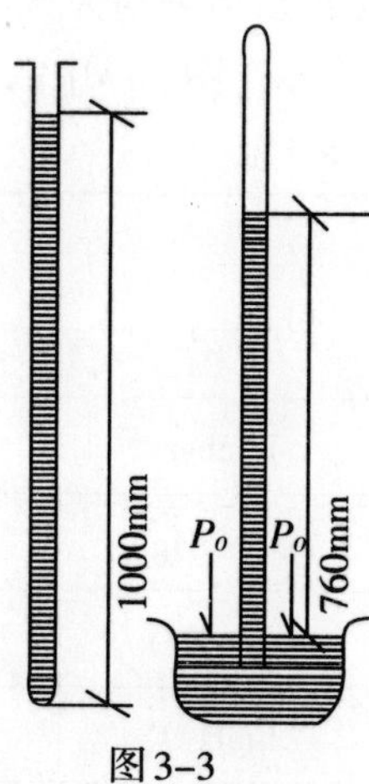

图3-3

地球周围包围着很厚的大气层，因其受到地心引力的作用而呈现出压力，这种大气层呈现的压力称为大气压力。

那么，1个标准大气压力又相当于多大的压力呢？

在北纬45°的海平面上，当空气温度为0℃时，海平面上的大气压为760 mmHg，我们将此压力称为一个标准大气压力（也称为物理大气压）。故此得知：

1个标准大气压 Po =760 mmHg。 (3－5)

在实验里也可以近似地做这个实验。如图3-3所示，把一个1m长，一端密闭的玻璃管内装满汞(Hg)，然后用食指堵住开口倒立在汞槽中，放开食指，此时管内1m(1000mm)长的汞柱下降到760mm的高度就停止不动了，即这760 mmHg与外界空气产生了压力平衡，也就是说，这个支持汞柱不再下降的力量，就是从高空到汞槽面这个空气柱的压力。

采用国际单位后，1个标准大气压力 P_o=101324.96Pa。可近似认为：海平面以上1000m高处的大气压力 P= 0.88Po，Pa；海平面以下1000m深处的大气压力 P' =1.126P_o，Pa。

数字较大的压力可用KPa（千帕）来计算，即：

$$1\text{KPa} = 1000\text{Pa} \tag{3-6}$$

综上所述，压力单位之间的互换为：

$$1P_o= 760\ \text{mmHg}\ ; \tag{3-7}$$

$$1\ \text{mmHg} = 13.595\ \text{mmH}_2\text{O}\ ; \tag{3-8}$$

$$1\ \text{mmH}_2\text{O} = 9.80665\text{Pa}\ ; \tag{3-9}$$

$$1P_o= 101324.96\text{Pa}\ 。 \tag{3-10}$$

在一些近似计算中，可认为：

$$1\ \text{mmHg} = 13.6\ \text{mmH}_2\text{O}\ ; \tag{3-11}$$

$$1\ \text{mmH}_2\text{O} = 9.8\ \text{Pa}\ ; \tag{3-12}$$

$$1P_o= 101325\text{Pa}\ 。 \tag{3-13}$$

以上几种压力计量单位的换算关系如表3-1所示。

(三)压力的测算基准

由于压力的测算基准不同，压力可分为绝对压力和相对压力。

1.绝对压力

绝对压力是以真空零点作为测压基准所测得的压力。由于以真空为零点，所以绝对压力永远是正值。由于绝对压力值较大，其计量单位常用mmHg来表示。图3-4中的 P_A、P_B 和 P_0 都是绝对压力。

2.相对压力

相对压力是以当地同标高（即回风井口位置高程）的大气压力为基准所测得的压力。其数值是表示某一空间或一容器中的绝对压力高于或低于当地同标高（高程）大气压力的数值。由此可见，当绝对压力不变时，相对压力值是随大气压力的变化而变化的。由于相对压力是绝对压力与大气压力比较后的差值(压差),故其数值较小,其单位一般多用mmH_2O(或Pa)表示。图3-4中的h_a、h_b均为相对压力。

表3-1　　压力单位换算表

	帕斯卡(Pa)	毫巴(mbar)	mmHg(0℃)	mmH_2O(4℃)
1 Pa	1	0.01	0.0075	0.10197
1 mbar	100	1	0.75	10.197
1 mmHg	133.322	1.33322	1	13.595
1 mmH_2O	9.80665	0.09807	0.07356	1
1 mH_2O	9806.65	98.0665	73.556	1000
1 工程大气压	98066.5	980.665	735.56	104
1 物理大气压	101.325×10^3	1.01325×10^3	760	10332

	mmH_2O(4℃)	工程大气压(kg/cm^2)	物理大气压(大气压)
1 Pa	10.197×10^{-5}	10.197×10^{-6}	98.7×10^{-7}
1 mbar	1019.7×10^{-5}	1019.7×10^{-6}	9870×10^{-7}
1 mmHg	0.013595	0.00136	0.001316
1 mmH_2O	0.001	10^{-5}	0.9678×10^{-4}
1 mH_2O	1	0.1	0.09678
1 工程大气压	10	1	0.9678
1 物理大气压	10.332	1.0332	1

由于相对压力的值是一个压差值,因此其值有正、负之分。如矿井采用压入式通风方法,则井下空气压力高于同标高的当地大气压力,则其相对压力值为正值,称为正压通风,如图3-4中的h_a;当矿井采用抽出式通风方法时,则井下空气压力低于当地同标高的大气压力,其相对压力值为负值,称为负压通风,如图3-4中的h_b。相对压力与绝对压力的关系式为:

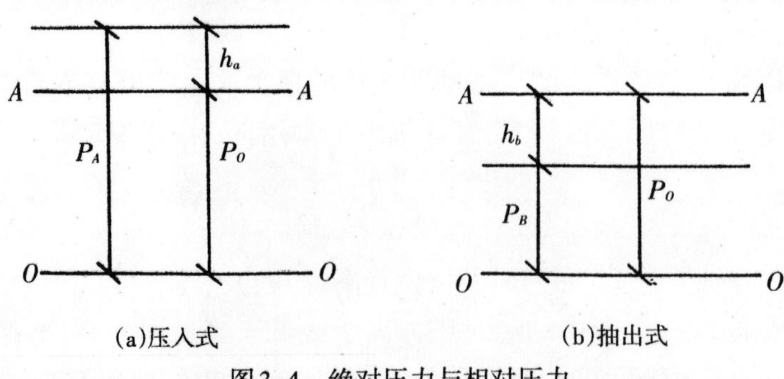

(a)压入式　　(b)抽出式

图3-4　绝对压力与相对压力

$$h=P-P_o \tag{3-14}$$

式中　h—— 相对压力；

P—— 绝对压力；

P_o—— 当地同标高的大气压力。

例题：某矿井井口标高（高程）为 + 800m，大气压力 P_o =730 mmHg，矿井空气的平均重率为 1.2kgf/m³，若空气不流动，求位于-200m 的井底大气压力（即绝对压力）为多少。

解：位于-200m 深处井底的大气压力（绝对压力）为：

$$\begin{aligned} P &= P_o + Z\gamma / 13.6 \\ &= 730 + 1.2 \times \frac{800+200}{13.6} \\ &= 803.53 \text{ mmHg} \\ &= 107094 \text{ Pa} \end{aligned}$$

即井底位置的绝对压力（大气压力）为 107094 Pa。

二、井巷风流中任一断面上实际存在的三种压力

（一）静压

静压是指空气对巷道壁的碰撞以及空气分子之间的互相碰撞所产生的压力。亦称为静压能。

静压的实质是：由于空气无规则的热运动而产生的。

静压的特点：

（1）巷道中不论是静止的空气还是流动的空气，均有静压存在；

（2）静压强度在各个方向上是相等的；

（3）静止垂直作用于巷道壁。

（二）动压（亦称为速压）

动压是指空气对与其垂直或者具有一定角度（亦称相交平面）的平面所施加的压力。亦称为动压能。

动压的特点：

（1）动压是由空气的流动而产生；人在风流中就能感到这种压力的存在。风速越高，则动压越大；风速为零，则动压为零。因此动压没有绝对与相对之分。

（2）动压对与其风流相平行的平面不施加压力，即动压只对与其相交的平面施加压力。这也就是后面要讲的皮托管的工作原理。

（3）动压永远为正值。由于风速越低，动压则越小；风速越高，则动压越大；风速为零，则动压为零。所以动压值绝对不会出现负数。

动压的计算公式为：

$$h_v= \frac{\rho v^2}{2}, \text{ Pa} \tag{3-15}$$

式中　h_v—— 动压，Pa；

ρ ——空气密度，kg/m³一般可取 ρ= 1.2kg/m³；

v—— 空气的平均流速既风速，m/s。

（三）位压

位压是指由于空气柱的高差而造成的压力，它是由空气柱自身的重量而产生的。亦称

为位压能。

位压的特点：

(1)不论空气是否流动，只要有高差就有位压存在。

(2)水平巷道的位压差为零。

(3)位压包含在下断面的静压之中。如图3–5所示。

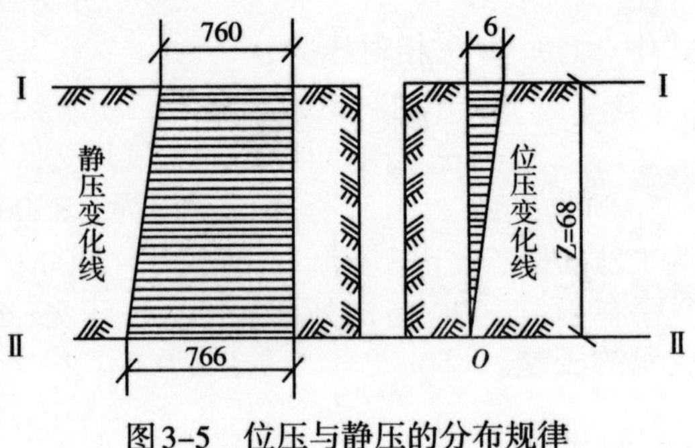

图3–5 位压与静压的分布规律

某立井井筒深度为68m，当地同标高的大气压力为$Po = 760$mmHg，Ⅰ–Ⅰ断面与Ⅱ–Ⅱ断面之间空气柱的平均重率为$\gamma_{\text{Ⅰ-Ⅱ}}$，那么：

Ⅰ–Ⅰ断面对Ⅱ–Ⅱ断面的位压为：

$$P_{位} = Z \cdot \gamma_{\text{Ⅰ-Ⅱ}} / 133.322 = \frac{68 \times 11.76}{133.322} = 6 \text{ mmHg}$$

而这6 mmHg的位压包含在Ⅱ–Ⅱ断面的静压之中了。

三、测压仪器

(一)普通空盒气压计

普通空盒气压计又称为真空盒气压计或无液气压计。

(1)用途：测空气的绝对静压力(即大气压力)。

(2)构造：主要有真空盒、传动机构、指针、刻度盘、温度计等。如图3–6所示。

(3)工作原理：由于大气压力的变化，使真空盒压缩或膨胀，带动连杆传动机构使指针发生偏转。

(4)测定范围：600 ~ 800 mmHg。度盘最小分度值为0.5 mmHg。

(5)使用方法：将仪器平放在测点上，直接读出绝对静压值，然后再根据温度及仪器本身的误差进行校正。单位：mmHg。

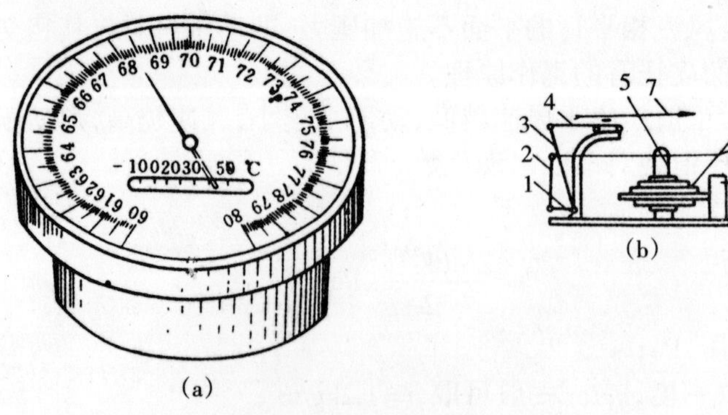

图3–6 空盒气压计

(a)外形图；(b)构造原理示意图

1、2、3、4——传动机构；5——拉杆；6——真空膜盒；7——指针；8——弹簧

(二)U型垂直压差计

(1)用途:测某点的相对压力及两点间的压差。

(2)构造:主要由U型玻璃管和刻度尺所组成。如图3-7所示。因其U型玻璃管中加入蒸馏水,故又称为U型水柱计,为了便于读数,往往在蒸馏水中加入微量的红颜料。

(3)使用方法:将玻璃管一端用塑料软管连到测点上,另一端与大气相通,则测得某点的相对压力值;将玻璃管两端分别用两条塑料软管(胶皮管)连接到两个不同的测点上,则测得两点间的压差。

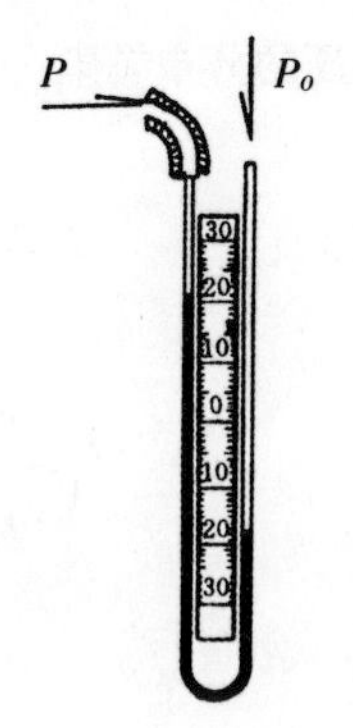

图3-7　U型垂直压差计

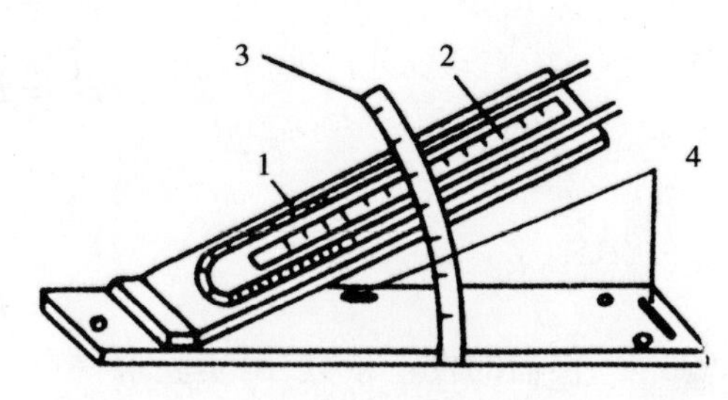

图3-8　U型倾斜压差计

1——U型玻璃管;2——刻度尺;3——游尺;4——水准指示器

(三)U型倾斜压差计

U型倾斜压差计的基本构件U型玻璃管与U型垂直压差计是相同的。只是在测量压力时为了减小读数的误差,将U型管放在倾斜的位置来使用,如图3-8所示。

测量时其倾斜角度可以根据实际需要进行调节,压差计显示的读数为倾斜液柱值,必须将其结果换算为垂直读数,可用下式计算出实际压差值:

$$h = L \cdot \triangle \cdot g \cdot \sin\alpha \text{ ,Pa} \tag{3-16}$$

式中　L——倾斜压差计的读数,毫米液柱;

$\triangle$——仪器所灌液体的密度与水的密度的比值;

g——重力加速度,m/s^2,一般可取9.80;

α——仪器的倾角。

(四)单管倾斜压差计

单管倾斜压差计测压原理如图3-9所示。它是由一个具有大断面的容器A(面积为F_1)与一个小断面的倾斜管B(面积为F_2)互相连通,并在其中装有适量酒精的仪器。若在P_1与P_2(设$P_1 > P_2$)的压差作用下,具有倾斜角度α的管子B内的液体在垂直方向升高了一个高度Z_1,而容器A内的液体下降了Z_2,这时仪器内液面的高差为:

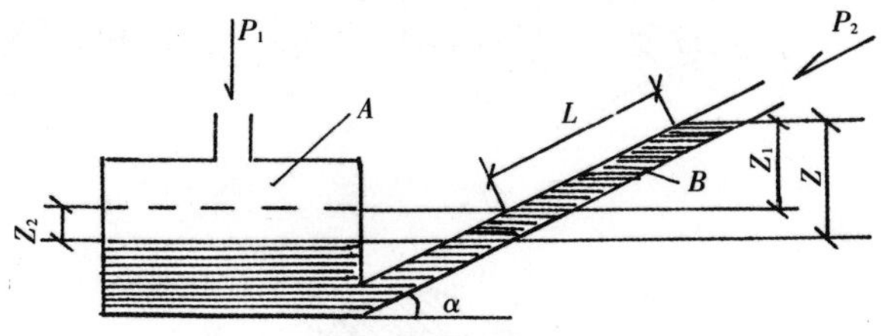

图3-9　单管倾斜压差计测压原理

$$Z = Z_1 + Z_2$$

由于A容器液体下降的体积与B管液体上升的体积相等,即:

$$Z_2F_1 = LF_2$$

所以 $$Z_2 = L\frac{F_2}{F_1}$$

又因为 $$Z_1 = L\sin\alpha$$

因此 $$Z = Z_1 + Z_2 = L(\sin\alpha + \frac{F_2}{F_1})$$

那么 P_1 与 P_2 之间的压差 h 为：

$$h = Z \cdot \triangle \cdot g = L \cdot \triangle \cdot g(\sin\alpha + \frac{F_2}{F_1})$$

令 $$K = \triangle(\sin\alpha + \frac{F_2}{F_1})$$

则 $$h = K \cdot L \cdot g, \text{Pa} \tag{3-17}$$

式中 K——仪器的校正系数，由实验求得；

L——倾斜管上的读数，毫米液柱；

g——重力加速度，m/s，一般取9.80。

我国煤矿常用的单管倾斜压差计有YYT—B型、Y—61型、M型、KSY型等。Y—61型单管倾斜压差计的结构如图3-10(*a*)所示。在其三角形的底座1上装设容器2与带刻度的玻璃管3，并有胶皮管4及注液孔螺钉5，三通旋塞6及零位调整螺钉7，仪器的底座上有水准泡8和调平螺钉9。玻璃管3的倾角可借弧形板10与销钉来调节。为了读数的准确性，玻璃管3上装有活动游标11。零位调整螺钉7的下部是一个浸入液体的圆柱体，若转动螺钉7就可以改变柱体浸入液体的深度，从而易使液体对准零位。

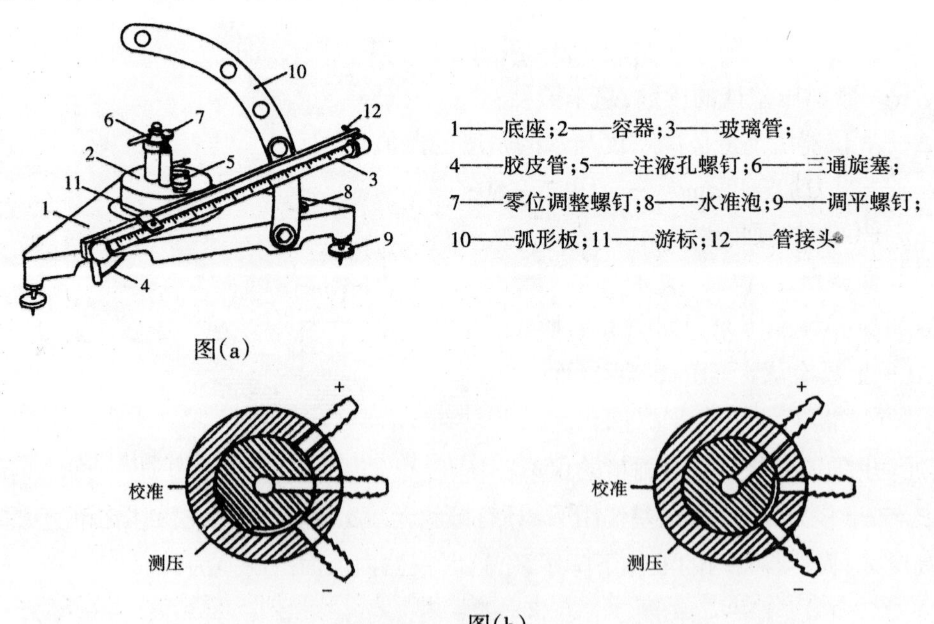

图3-10 Y—61型单管倾斜压差计

三通旋塞如图3–10(b)所示。当手柄转至“校准”位置时，即图3–10(b)左，容器2经过中心孔和中间管接头与大气相通，此时可转动零位调平螺钉7使液柱对零，当手柄转至“测压”位置，即图3–10(b)右，容器2经过中心孔与“+”压管接头相通，同时“–”压管接头与中间管接头也相通，如被测压力高于大气压力时，将被测压力管子接在“+”压管接头上，如被测压力低于大气压力时，应先用胶皮管将中间管接头与玻璃管3上端的管接头12接通，然后将被测压力管子接在“–”压管接头上；如测量压力差时，则将被测的高压管子接在“+”压管接头上，将低压管子接在“–”压管接头上。

（五）皮托管（又称B托管）

（1）用途：皮托管是用来传递绝对压力的。严格上来讲，皮托管不是测压仪器，它是用来导压的。用它和U型垂直压差计及塑料软管（胶皮管）配套来测相对全压、动压及相对静压、静压差等。

（2）构造：皮托管由内外两小管组成。内管前端有中心孔与标有“＋”号的管脚相通；外管前端不通，在其外壁上开有4～6个小孔与标有“－”号的管脚相通；内外管之间互不相通，如图3–11所示。

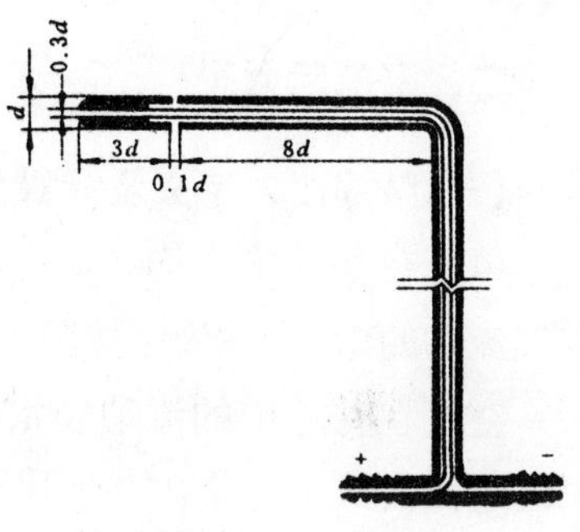

图3–11　皮托管

（3）原理：由于外管与前端不通，而外管外壁上的小眼与风流方向平行，因此外管只接受风流的静压，内管（中心孔）正对风流接受风流的静压与速压（即全压）。因此，从“＋”号管脚出来的是风流的静压与速压之和（即全压），从“–”号管脚出来的只是风流的静压。

用各种测压仪器具体的测压方法，详见本章第二部分：专业技能训练知识。

第二节　矿井通风阻力

风流要由矿井巷道中流过，就必然要遇到阻力。因此必须用通风压力来克服通风阻力风流才能沿井巷流动。那么只要计算出矿井的通风总阻力，就知道全矿井需要多大的风压了，并据此对矿井主要通风机的工况点进行合理的调整。矿井通风阻力包括摩擦阻力和局部阻力两大类型，它们都与风流的流动状态有关，其中摩擦阻力是矿井通风阻力的主要构成部分。下面将对风流的流动状态、摩擦阻力、局部阻力进行分析与计算。

一、风流的流动状态

风流的流动状态主要有层流与紊流两种状态。

层流——是指流体各层的质点互不混合，质点运动的轨迹为直线或有规则的平滑曲线，并与管道轴线方向基本平行。

紊流——是指流体的质点强烈互相混合，质点的流动轨迹极不规则，除了沿流动总方向发生位移外，还有垂直于流动总方向的位移，且在流动体内部存在着时而产生、时而消失的旋涡。

流体的流动状态受着流体的速度、粘性和管道尺寸的影响，而在井巷风流中，风速的影响是其关键之所在。通过科学计算，风流由层流向紊流过渡的平均风速为0.019m/s；巷道内的风流呈完全紊流状态的平均风速为0.95m/s。

井巷中最低风速都在0.15m/s～0.25m/s，而且大多数井巷的断面都大于2.5m²，所以大多数井巷中的风流不会出现层流，只有风速很小的漏风风流，才可能出现层流；井下风流的风速大多都在0.95m/s以上，所以井下风流多数是紊流，只有极少一部分风流可能处于向完全紊流的过渡状态。

综上所述：井巷风流的流态都必须是紊流状态。

二、摩擦阻力

（一）摩擦阻力定义及计算公式

风流在井巷中作均匀流动时，风流与巷道四壁以及空气分子之间的摩擦而产生的阻止空气流动的力量，称为摩擦阻力。

空气在井巷中的流动和水在管道中流动很相似，所以由水力学中计算水流沿途水头损失的达西公式推导出矿井通风中摩擦阻力的计算公式为：

$$h_{摩}=\frac{\alpha LU}{S^3}Q^2 \text{ ,Pa} \tag{3-18}$$

式中　$h_{摩}$——某段井巷的摩擦阻力，Pa；

α——该段井巷的摩擦阻力系数，N·s²/m⁴（生产矿井根据矿井实测通风资料确定，亦可参照表3-2）；

L——该段井巷的长度，m；

U——井巷断面的周长，m（梯形巷道$U=4.16\sqrt{S}$，三心拱形巷道$U=4.1\sqrt{S}$，半圆拱形巷道$U=3.84\sqrt{S}$）；

S——该段井巷的通风断面积，m²（梯形巷道$S=a+b/2\cdot h$；三心拱形巷道$S=b(0.26b+h)$。其中h——巷道净高，b——巷道宽度）；

Q——通过该段井巷的风量，m³/s。

上述计算公式是矿井通风学中最重要的公式之一。它说明了克服摩擦阻力所损失的能量（或所需要的风压）与井巷有关参数及风量之间的关系。且摩擦阻力是矿井通风阻力中最主要的阻力，在全矿通风总阻力中，摩擦阻力占到80%～90%。

生产矿井常用井巷的摩擦阻力系数α值，可参照表3-2。

选用表3-2 α值时，应考虑以下几点影响因素：

（1）巷道断面比较大的取小值，巷道断面比较小的取大值。

（2）地质条件复杂、使用年限长、维修条件不好的井巷，选取大值；反之，则选取小值。

（3）当巷道有堵塞时，应增大α值。堵塞程度不严重时，可增加0.0010～0.0029；堵塞严重时，可增加0.0029～0.0098。

（4）在装有胶带输送机的巷道，α值可增加0.0147～0.0200；设有风管、水管、台阶的巷道，α值可增加0.0098。

表3-2　　常用井巷摩擦阻力系数α值

序号	井巷支护方式	α值($N·s^2/m^4$)	序号	井巷支护方式	α值($N·s^2/m^4$)
1	木支柱采煤工作面	0.0441	10	在煤层内沿走向无支架巷道	0.0059
2	金属支柱采煤工作面 {炮采 普通机采	0.0294～0.0343 0.0441～0.539	11	混凝土砌碹壁面光滑巷道	0.0029～0.0039
3	木支架巷道	0.0137～0.0196	12	混凝土砌碹壁面不光滑巷道	0.0049～0.0069
4	金属支护巷道	0.0029～0.0039	13	有提升设备的主付井筒	0.0343～0.0392
5	料石砌碹巷道	0.0049～0.0059	14	无提升设备的混凝土砌碹井筒	0.0020～0.0030
6	毛料石砌碹巷道	0.0059～0.0078	15	无提升设备的料石碹井筒	0.0039
7	混凝土棚子巷道	0.0088～0.0186	16	有简单设备的立风井	0.0200
8	锚杆喷浆巷道	0.0078～0.0118	17	钢丝绳罐道井筒	0.0098～0.0147
9	在岩层内沿走向无支架巷道	0.0078	18	木支架小风井	0.0157

（二）降低摩擦阻力的措施

降低矿井通风阻力，对安全（自然发火和瓦斯）和经济（降低通风电费）都具有重要的意义。前面已经提到，摩擦阻力是矿井通风阻力的主要组成部分。因此要以降低摩擦阻力为重点，同时还应注意降低某些风量较大井巷的局部阻力。根据3-18式可知，要降低摩擦阻力必须从以下几个方面来进行考虑：

1.降低井巷摩擦阻力系数

降低井巷摩擦阻力系数的实质就是尽量选用较为光滑的井巷支护材料。例如：甲、乙两条规格尺寸和通过的风量都相同的巷道，支护方式都是混凝土砌碹。但甲巷的壁面抹灰浆，并注意施工质量，壁面也比较光滑，其摩擦阻力系数为$\alpha_{甲}$= 0.00392 $N·s^2/m^4$（见表3-3）；乙巷不抹灰浆，施工质量比较差，壁面比较粗糙，其摩擦阻力系数为$\alpha_{乙}$ = 0.00686 $N·s^2/m$（见表3-3）。$\alpha_{乙}$比$\alpha_{甲}$大75%，因此，乙巷比甲巷的摩擦阻力和通风电费都大75%。此例充分说明，选择摩擦阻力系数较小的支护材料，注意施工质量和维修质量，尽可能使井巷壁面平整光滑，这些都是降低摩擦阻力系数方面不可忽视的措施。因此，对于主要的井巷，要尽可能采用砌碹的支护方式；对于无支护的巷道，要尽可能使壁面平整；对于用棚子支护的采区巷道，也要尽可能使支架整齐，背好帮顶。

2.扩大巷道断面

由3-18式可以清楚地看出：摩擦阻力与井巷通风断面积的3次方成反比，也就是说，在其他条件不变的前提下，若将井巷通风断面积S在原来的基础上扩大一倍（如由$5m^2$扩大至$10m^2$），则该段井巷所产生的摩擦阻力比原来要降低8倍；但实际上井巷断面的扩大必然会导致井巷断面周长的扩大，而摩擦阻力只与周长的一次方成正比，也就是它们的阶程是不同的，如果考虑到周长的增加对摩擦阻力扩大的因素，实际情况是：当井巷断面积在原来的基础上扩大一倍，那么这段井巷产生的摩擦阻力比原来实际减少5.65倍。由此可见，扩大井巷通风断面积，是降低摩擦阻力最积极、最有效的措施，改造通风困难的矿井，几乎都要采用这种措施。例如把某些总回风道的断面扩大；必要时，甚至开掘并联巷道。在矿井通风设计工作中，要根据使用年限、开掘费、维护费和通风电费等因素，选定主要回风道和总回风道的经济断面（即总费用最小的断面）。

3.选用周界长度较小的井巷断面形状

井巷断面的周长与摩擦阻力的一次方成正比，在断面积相等的前提下，以圆形断面的周长为最小，拱形次之，梯形最大。例如：在断面积都为$8m^2$的情况下，圆形断面的周长为：$U=3.544\sqrt{S}=10m$；三心拱形的周长为：$U=4.1\sqrt{S}=11.6m$；半圆拱形的周长为：$U=3.84\sqrt{S}=10.9m$；梯形巷道的周长为：$U=4.16\sqrt{S}=11.8m$。因此，在井巷断面形状的设计中，要尽量采用圆形或与圆形断面相近的断面形状，以最大限度地缩小井巷断面的周长，进而减小其摩擦阻力。所以，对于立井井筒和风硐都要采用圆形断面，主要的运输大巷和主要的回风大巷或总回风巷道一般都采用拱形断面；只有在采区内部服务年限不长、通过的风量不大的巷道可采用梯形断面。

4.尽量减小巷道的长度

因巷道的长度和摩擦阻力成正比，在进行矿井通风系统设计时，在满足矿井开拓、开采需要的条件下，要尽可能缩短风路的长度。例如，中央并列式通风系统的阻力过大时，到矿井生产后期阶段，可改为两翼对角式通风系统，最大限度地缩短风流长度。另外，在矿井测量、井巷施工中，要保证其精确度，尽量避免走弯路。

5.避免通过井巷的风量过大

井巷产生的摩擦阻力与通过该段井巷风量的2次方成正比，在其他条件不变的情况下，当通过井巷的风量增加1倍，则该段井巷所产生的摩擦阻力增加4倍。从冲淡和排除瓦斯的角度来讲，风量越大，将瓦斯稀释的程度就越大，则瓦斯浓度将越低。但并不是说风量越大就越好，首先风量过大，会造成风速超限、大量扬起粉尘，会给人体健康和矿井安全生产造成隐患；另一方面，风量过大，会使摩擦阻力过大，造成矿井通风费用过大。因此，风量满足生产要求即可，没有必要过大，所以在措施中，要尽可能使矿井总进风早分开，并使矿井的总回风晚汇合。

三、局部阻力

（一）定义

局部阻力是指空气流经井巷的某些局部地点，因涡流与冲击等原因造成的一种能量损失，这种损失就称为局部阻力损失或局部阻力。

(二)井下容易产生局部阻力的地点

(1)巷道断面的突然扩大或缩小,如风桥处,如图3-12所示。

(2)巷道的拐弯或分岔处,如图3-13所示。

(3)巷道堆积物以及调节风窗、风硐等处。在巷道堆积物处容易使空气产生涡流。如图3-14所示。

图3-12　风桥局部阻力

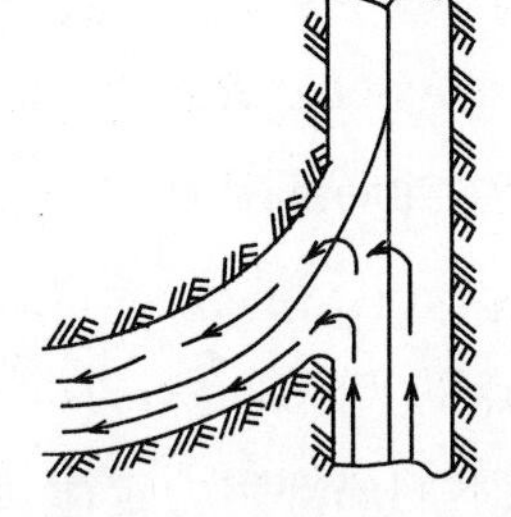

图3-13　交叉处局部阻力

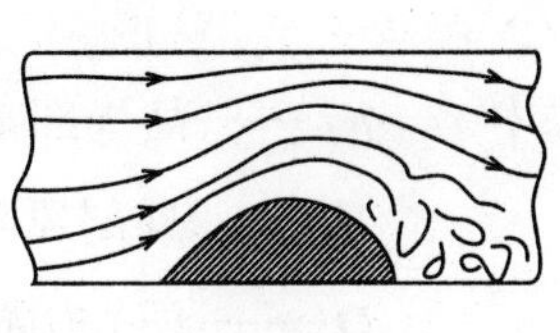

图3-14　阻碍物局部阻力

(三)局部阻力定律

实验证明,在完全紊流状态下,不论井巷局部地点的断面、形状和拐弯如何变化,所产生的局部阻力$h_{局}$,都和局部地点的前面或后面断面上的速压hv_1或hv_2成正比。如图3-15所示。突然扩大的巷道,该局部地点的局部阻力为:

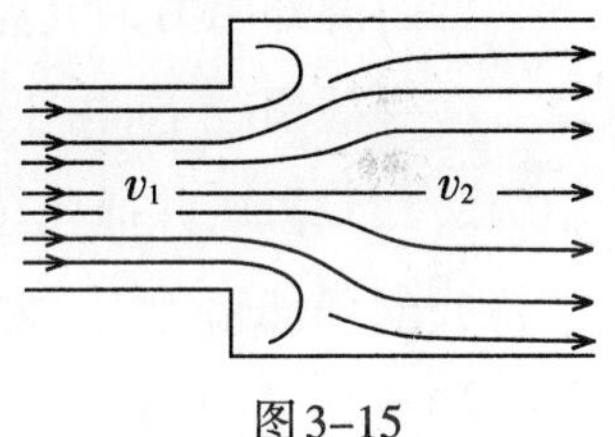

图3-15

$$h_{局}=§_1 hv_1 =§_2 hv_2 =§_1 \frac{\rho v_1^2}{2} = §_2 \frac{\rho v_2^2}{2},\text{Pa} \tag{3-21}$$

式中　$h_{局}$——某点所产生的局部阻力,Pa;

ρ—— 局部地点的空气密度,kg/m³,一般可取$\rho = 1.2\text{kg/m}^3$;

$v_1.v_2$—— 分别是局部地点前后断面上的平均风速,m/s;

$§_1.§_2$—— 局部阻力系数,无因次,分别对应于$hv_1.hv_2$。对于形状和尺寸已定型的局部地点,这两个系数都是常数,但它们彼此不相等,可任用其中一个系数和相对应的速压计算局部阻力。

若通过某局部地点的风量是$Q(\text{m}^3/\text{s})$,前后两个断面积是S_1和$S_2(\text{m}^2)$,则两个断面上的平均风速为:

$$v_1 = Q/S_1,\text{m}^3/\text{s}\ ;v_2 = Q/S_2,\text{m}^3/\text{s}$$

将以上两式代入3-21式,得:

$$h_{局}= §_1 \frac{Q^2\rho}{2S_1^2}=§_2\frac{Q^2\rho}{2S_2^2},\text{Pa} \tag{3-22}$$

令

$$R_{局}=\S_1\frac{\rho}{2S^2_1}=\S_2\frac{\rho}{2S^2_2},\mathrm{N\cdot s^2/m^8} \tag{3-23}$$

式中　$R_{局}$—— 局部风阻，$\mathrm{N\cdot s^2/m^8}$。当局部地点的规格尺寸和空气密度都不变时，$R_{局}$是一个常数。

将3–23式代入3–22式，得：

$$h_{局}=R_{局}\cdot Q^2,\mathrm{Pa} \tag{3-24}$$

式中　$h_{局}$——某局部地点产生的局部阻力，Pa；

$R_{局}$——局部风阻，$\mathrm{N\cdot s^2/m^8}$；

Q——通过该局部地点的实际风量，$\mathrm{m^3/s}$。

3–24式表示完全紊流状态下的局部阻力定律，它和完全紊流状态下的摩擦阻力定律一样，当$R_{局}$一定时，$h_{局}$和Q的二次方成正比。

（四）局部阻力的计算方法

在一般情况下，由于井巷内风流的速压较小，所产生的局部阻力也较小，井下各处局部阻力之和只占矿井通风总阻力的10%～20%左右，故在矿井通风设计工作中，不逐一计算井下各处的局部阻力，只在这个百分数范围内估计一个总数。但对于掘进通风用的风筒和风量大的井巷，由于其中风流的速压较大，有时就有必要逐一计算局部阻力。

计算局部阻力时，用3–21式较为简便，先要根据井巷局部地点的特征，对照实验所得的表3–3和表3–4，查出局部阻力系数的近似值，然后用图表中所对应的相应风速计算即可。

表3–3　　各种巷道突然扩大与突然缩小的ξ值（光滑管道）

S_1/S_2	1	0.9	0.8	0.7	0.6	0.5	0.4	0.3	0.2	0.1	0.01	0
S_1 v_1 S_2	0	0.01	0.04	0.09	0.16	0.25	0.36	0.49	0.64	0.81	0.93	1.0
S_2 v_1 S_1	0	0.05	0.10	0.15	0.20	0.25	0.30	0.35	0.40	0.45	0.50	

表3–3表示巷道局部地点小断面S_1和大断面S_2的比值相同时，突然缩小比突然扩大的局部阻力系数要小；表3–4第一项所示的进风口比最后一项所示的出风口的局部阻力系数也要小。这是因为风流突然缩小时，所产生的冲击现象没有风流突然扩大时那么急剧的原因。

表3-4　　其他几种局部阻力的ξ值(光滑管道)

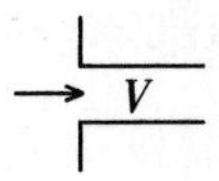	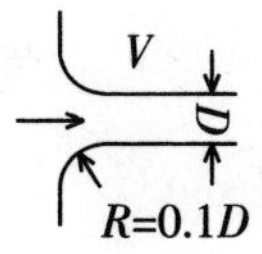	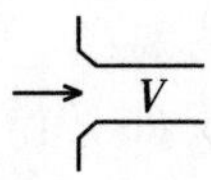	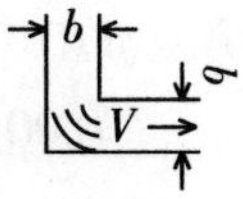	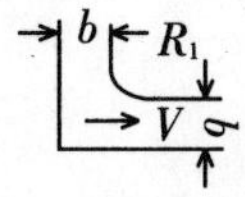	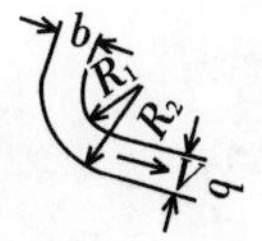
0.6	0.1	0.2	有导风板0.2 无导风板1.4	$R_1=\frac{1}{3}b$, 0.75; $R_1=\frac{2}{3}b$, 0.52;	$R_1=\frac{1}{3}b$, $R_2=\frac{3}{2}b$, 0.6; $R_1=\frac{2}{3}b$, $R_2=\frac{17}{10}b$, 0.3
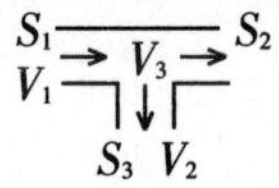	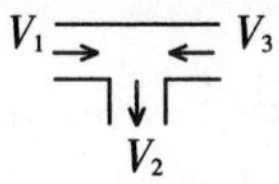	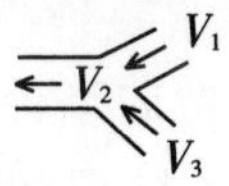	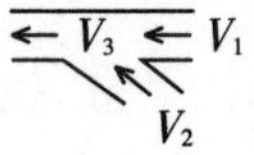	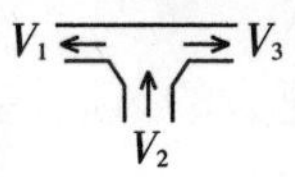	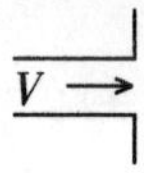
3.6,当$S_2=S_3$, $V_2=V_3$时	2.0 当风速为V_2时	1.0 当$V_1=V_3$时	1.5 当风速为V_2时	1.5 当风速为V_2时	1.0

例如:某进风井内的风速为v=6m/s,井口空气密度为ρ=1.2kg/m³,井口净断面积为13.8m²,查表3-4可知,该井口风流突然收缩的局部阻力系数为0.6,则该井口的局部风阻和局部阻力分别为:

$$R_{局}=\S\frac{\rho}{2S^2}$$
$$=0.6\times1.2/(2\times13.8)^2$$
$$=0.000945\ \mathrm{N\cdot s^2/m^8}$$
$$h_{局}=R_{局}Q^2$$
$$=R_{局}(v\cdot S)^2$$
$$=0.000945(6\times13.8)^2$$
$$=6.48\mathrm{Pa}$$

如果上例的条件是相同的出风井口,查表3-4知该井口风流突然扩大的局部阻力系数是1.0,则该出风井口的局部风阻和局部阻力分别为:

$$R_{局}=\S\frac{\rho}{2S^2}$$
$$=1.0\times1.2/(2\times13.8)^2$$

$$
\begin{aligned}
&=0.001575\ \mathrm{N \cdot s^2/m^8} \\
h_{局}&=R_{局}Q^2 \\
&=R_{局}(v \cdot S)^2 \\
&=0.001575\times(6\times13.8)^2 \\
&=10.8\ \mathrm{Pa}
\end{aligned}
$$

由以上结果可明显看到：出风井口产生的局部风阻和局部阻力比进风井口要大。这也充分印证了风流由大断面到小断面产生的局部阻力比风流由小断面流向大断面产生的阻力要小。

（五）降低局部阻力的措施

由于局部阻力与风速的二次方成正比，亦与通过该处的风量的二次方成正比。因此对于风速高、风量大的井巷，更要注意降低局部阻力，具体措施如下：

（1）要尽可能避免断面的突然扩大或突然缩小；在不同断面的交汇处要有斜线过渡。

（2）要尽量避免直角拐弯（90° 转弯），在拐弯处的内侧和外侧要做成斜面和或圆弧形。拐弯的弯曲半径要尽可能加大，还可设置挡风板。

（3）尽可能避免井巷的突然分岔和突然汇合，在分岔和汇合处的内侧要做成斜面或圆弧形。

（4）对于风速大的风筒，要悬挂平直，拐弯的弯曲半径要尽可能加大。

（5）在主要巷道内不得随意停放车辆、堆放木材或器材，必要时应把正对风流的固定物体做成流线型。

四、生产矿井通风阻力计算

（一）计算目的

对于现有的生产矿井而言，是对矿井主要通风机的工况点的合理调整提供依据。因为随着旧采区的报废、新采区的投产，一方面地质条件发生了变化，第二方面是通风线路的长度也发生了变化，矿井通风阻力也随之发生变化。

（二）计算原则

生产矿井的全矿通风总阻力计算，按照新采区投产时的巷道布置系统图，选一条风路最长（即通风阻力最大）的风路，分段计算井巷的摩擦阻力（由进风井开始直至回风井口），然后依次相加，即得矿井摩擦总阻力，然后再考虑一定比例的局部总阻力，最后再将两部分阻力加起来，即得生产矿井全矿通风总阻力。

首先由生产矿井新采区投产前的巷道布置图，绘制出相对应的矿井通风系统图和通风网路图。图3-16为某矿新采区投产后的全矿通风网路图。

因并联网路风压相等，在计算摩擦阻力时，遇到并联风路，只计算并联分支中阻力比较大的一条分支风路的阻力。如图3-18中，从进风井口开始分为①—②段、②—③段、③—④段、④—⑤段，⑤—⑥段直至回风井口，计算原则就是：风流走单线，分段进行计算，依次相加。将各段井巷的参数及计算结果汇总到表3-5中。

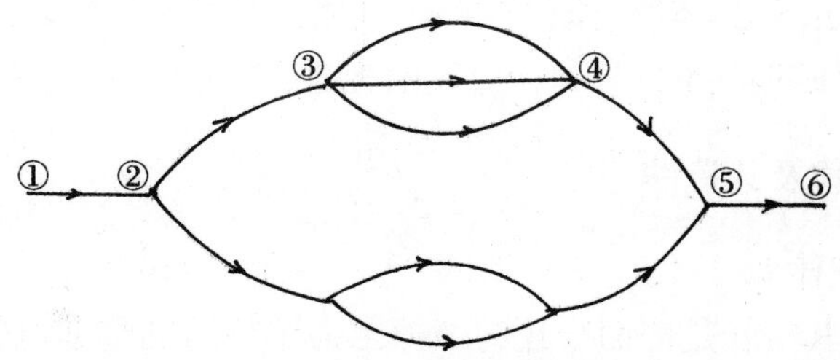

图3-16　通风网路图

表3-5　　　　**井巷摩擦阻力统计表**

井巷区段序号	巷道名称	支护形式	α $(N\cdot s^2/m^4)$	L (m)	U (m)	S (m^2)	S^3 (m^6)	$R_{摩}$ $(N\cdot s^2/m^8)$	Q (m^3/s)	Q^2 (m^6/s^2)	$h_{摩}$ (Pa)	v (m/s)
①-②												
②-③												
③-④												
④-⑤												
⑤-⑥												
⑥-⑦												
……												

每段井巷产生的摩擦阻力大小的计算，是根据下式分别进行计算的。

$$h_{摩}=\frac{\alpha\cdot L\cdot U}{S^3}\cdot Q^2\text{ ,Pa}$$

由上式计算各段井巷的摩擦阻力时，千万要注意，由于并联网路的风量要进行合理的分配，因此通过每段井巷的风量是不相同的，各段井巷的参数也不相同。所以在计算各段井巷的摩擦阻力时，必须分别用各段井巷的实际的α、L、U、S及通过该段井巷的实际风量Q。

再如图3-16③—④段风路中，实际是三个不同的用风点并联连接，因此③—④段也只是计算三条风路中阻力最大的一条分支风路，其他两条分支风路将不予以考虑(也没有必要)。

各段风路中的摩擦阻力算完后，将它们依次相加起来，既得到全矿摩擦总阻力$\sum h_{摩}$，即：

$$\sum h_{摩}=h_{摩①-②}+h_{摩②-③}+\cdots\cdots+h_{摩(n-1)-(n)}\text{,Pa} \tag{3-25}$$

前面曾经说过，在矿井通风设计中，一般只详细计算摩擦阻力，局部阻力不分别进行详细的计算，只是按照摩擦总阻力的10%～20%计入矿井通风总阻力。因此，全矿井通风总阻力为：

$$\begin{aligned}h_{阻}&=\sum h_{摩}+\sum h_{局}\\&=\sum h_{摩}+(10\sim20)\%\sum h_{摩}\\&=(1.1\sim1.2)\sum h_{摩}\text{ ,Pa}\end{aligned} \tag{3-26}$$

上式表明：计算出全矿摩擦总阻力后，再乘以1.1～1.2的系数，即为矿井通风总阻力。一般矿井在通风容易时期乘1.1；矿井在通风困难时期乘1.2。

五、通风阻力定律及其特性

（一）通风阻力定律

通风阻力定律，其实就是前面所述的摩擦阻力定律和局部通风阻力定律的综合。也就是通风阻力h、风阻R和风量Q三个参量之间相互依存的规律。即：

$$h=RQ^2,\ \text{Pa} \tag{3-27}$$

式中 h —— 风压，Pa（与通风阻力等值）；

R —— 风阻，$N\cdot s^2/m^8$；

Q —— 风量，m^3/s。

若某一井巷通过一定的风量，则同时产生摩擦阻力和局部阻力，则h和R分别是该井巷的通风总阻力和总风阻。对一个矿井来说，h、R和Q分别代表该矿井的通风总阻力、总风阻和总风量。

（二）矿井总风阻

由通风阻力定律公式：

$$h=R\cdot Q^2,\ \text{Pa} \quad 可得：$$

$$R=\frac{h}{Q^2},\ N\cdot s^2/m^8 \tag{3-28}$$

上式表示矿井在某一时期的总风阻，由于在该时期矿井通风总阻力h和矿井的总进风量值Q是一定的，因此R为一定值。如$R=0.5$，将其代入通风阻力定律公式$h=R\cdot Q^2$，将得到$h=0.5Q^2$。

由$h=0.5Q^2$可知：它是一个不定方程，那么给出一个风量值，将得到对应的一个风压值，这样在直角坐标系中即可以找到一个坐标点；如果给出一系列的风量值，将得到一系列对应的风压值，这样在直角坐标系中将得到一系列的点；然后用一根平滑的曲线将这一系列的点连起来，将得到风阻曲线，如图3-17所示。

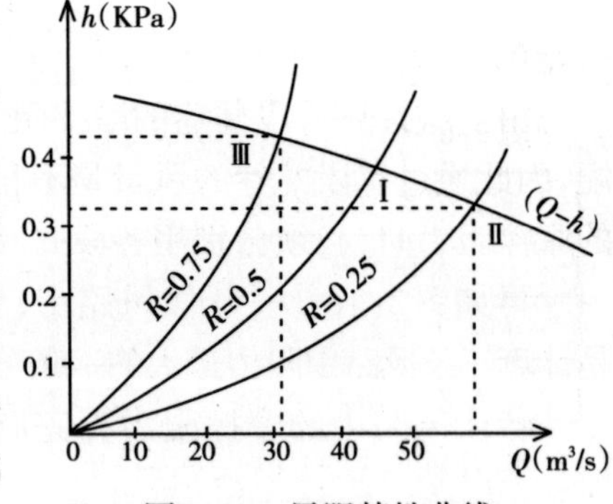

图3-17 风阻特性曲线

图中0-Ⅰ即为$R=0.5$的风阻特性曲线，用相同的方法我们亦可绘制出$R=0.25$的风阻特性曲线（0-Ⅱ）；$R=0.75$的风阻特性曲线（0-Ⅲ）。

由图3-17可以看出：当风阻值越小（如$R=0.25$），则风阻曲线越平缓（靠近横坐标），此时矿井通风比较容易；当风阻值越大时（如$R=0.75$），则风阻曲线越立陡（靠近纵坐标），此时矿井通风越困难。因此，风阻可以作为衡量矿井通风难易程度的一个重要的指标。

风阻曲线与风机个体风压曲线[如图3-17中的（Q—h）]的交点，称为风机的工况点，从图中我们可以看到在工况点Ⅱ时，风机运转能以较小的风压消耗，提供较大的风量，使矿井通风容易；而在工况点Ⅲ时，风机运转是以较大的风压消耗，提供较小的风量，矿井通风困难。从这一角度又充分体现了风阻值可以作为衡量矿井通风的难易程度的指标。

(三)矿井等积孔

为了更形象地反映矿井的通风难易程度，习惯上又引用了一个与风阻值相当、意义相同的假想的孔口的面积值(m^2)来表示井巷或矿井通风的难易程度。这个假想的孔口叫做井巷或矿井的等积孔(又名当量孔)。

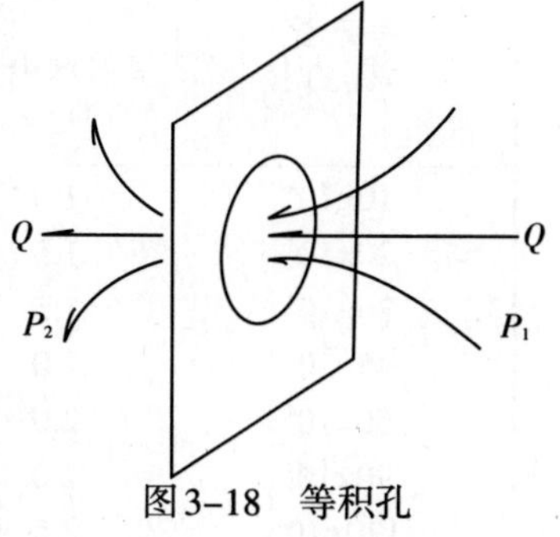

图3-18　等积孔

等积孔是设想在一个很薄很薄的薄板上有一个面积为Am^2的孔，如图3-18所示。当孔两侧的静压差等于井巷或矿井的风压降(即阻力)，通过该孔的风量等于井巷或矿井的风量时，则称该孔的面积Am^2为该井巷或矿井的等积孔。

等积孔的值可用下式计算：

$$A=\frac{1.1896Q}{\sqrt{h}}\ ,\mathrm{m}^2 \tag{3-29}$$

式中　Q—通过井巷或矿井的风量，m^3/s；

h—井巷或矿井的通风阻力，Pa。

由于$h=RQ^2$，代入3-31式可得：

$$A=\frac{1.1896}{\sqrt{R}}\ ,\ \mathrm{m}^2 \tag{3-30}$$

上式表示A和R成反比。即井巷或矿井的R值越大，则A值就越小，表示该井巷或矿井通风越困难；反之，当R值越小，则A值就越大，那么该井巷或矿井通风就越容易。

通过以上分析，衡量矿井通风难易程度的两个重要的指标就是矿井总风阻(R)和矿井等积孔(A)。1873年缪尔格(Murgue)根据当时的生产情况，提出了如表3-6所示的衡量矿井通风难易程度的分级标准，作为当时的矿井通风设计和生产管理方面的参考，至现在还具有一定的参考价值和指导意义。

表3-6　　矿井通风难易程度

矿井通风阻力等级	通风难易程度	等积孔A(m^2)	风阻值R($N\cdot s^2/m^8$)
大阻力矿	困难	<1	>1.42
中阻力矿	中等	1~2	1.42~0.35
小阻力矿	容易	>2	<0.35

矿井的等积孔不仅和瓦斯的等级有关，而且和产量、开采强度有关。对于产量和通风线路相同的矿井，瓦斯等级高者，吨煤供风量必大，则矿井总风压和吨煤通风电费都较大；对于瓦斯等级相同，但产量大者，开采规模较大，通风路线较长或风量比较集中，则矿井总风压和吨煤通风电费都较大；对于瓦斯等级和产量相同的矿井，开采深度大者，通风路线较长，则矿井总风压和吨煤通风成本都较大。为了有利于管理瓦斯、漏风、预防自然发火以及避免通风电费太大，要求瓦斯等级高、产量大、开采深度大的矿井，等积孔要适当加大。我国煤矿类型繁多，有必要结合我国的实际情况，重订各类矿井等积孔的合理值。为此，参考了大量文献中的统计资料，根据上述观点，提出了表3-7所列的初步意见以供参考。

表3-7　　矿井等积孔的合理值范围

年产量(t/a)	瓦斯矿井		高瓦斯矿井		附注
	A的最小值(m^2)	R的最大值($N \cdot s^2/m^8$)	A的最小值(m^2)	R的最大值($N \cdot s^2/m^8$)	
10×10^4	1.0	1.42	1.0	1.42	允许外部漏风10%时,须在A的最小值中减小5%;R的最大值中增加10%。允许外部漏风15%时,须在A的最小值中减小10%;R的最大值中增加20%。
20×10^4	1.5	0.63	2.0	0.35	
30×10^4	1.5	0.63	2.0	0.35	
45×10^4	2.0	0.35	3.0	0.16	
60×10^4	2.0	0.35	3.0	0.16	
90×10^4	2.0	0.35	4.0	0.09	
120×10^4	2.5	0.23	5.0	0.06	
180×10^4	2.5	0.23	6.0	0.04	
240×10^4	2.5	0.23	7.0	0.03	
300×10^4	2.5	0.23	7.0	0.03	

六、矿井通风阻力测定

(一)测定目的

(1)检查矿井通风系统中通风阻力的大小及其分布情况是否合理;

(2)为经济合理地改善矿井通风系统提供依据;

(3)提供实际的井巷摩擦阻力系数,为矿井通风设计、网络解算、均压防灭火提供可靠的基础资料。

《煤矿安全规程》第119条规定:新井投产前必须进行1次矿井通风阻力测定,以后每3年至少进行1次。矿井转入新水平生产或改变一翼通风系统后,必须重新进行矿井通风阻力测定。

(二)测算方法

1.用倾斜压差计测算

测压仪器和测点的布设如图3-19所示。

在1、2两个测点各安置一个静压管,静压管位于巷道中心部位并正对风流方向(即尖部迎风,管轴和风流方向平行),在测点2后面至少10m的地方安稳压差计,使其倾斜角度为β,管内两液面相齐,用长短两根内经为3~4mm的胶皮管把两根静压管分别和压差计U形管两端连接起来。那么U形管内两个液面将出现高差。为了确保其精确度,第二次交换接头再测一次,取两次的平均值。

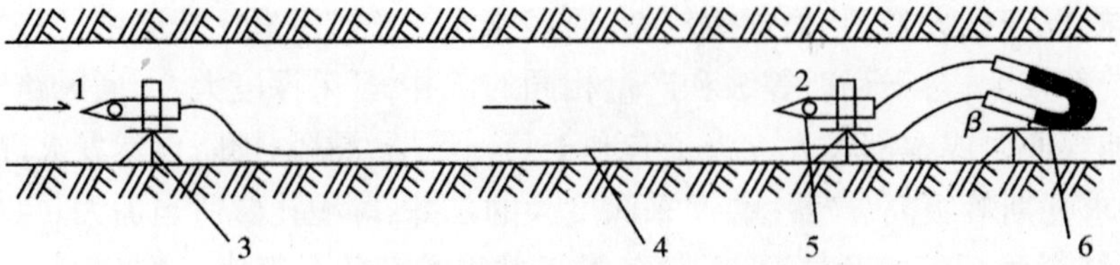

图3-19

1、2——两个测点;3——三脚架;4——胶皮管;5——静压管;6——U形倾斜压差计在各测点同时要测出平均风速、温度、湿度、气压、巷道断面、周长、两测点间的距离等，将其填入表3-8、3-9和3-10中。

表3-8　　通风阻力测定记录表

测点序号	点间距离(m)	测定地点	井巷规格						风速(m/s)			风量(m³/min)	倾斜压差计读数(Pa)			倾角
			上宽(m)	下宽(m)	垂高(h)	斜高(m)	断面(m²)	周长(m)	第一次	第二次	平均值		第一次	第二次	平均值	度
1																
2																
3																

表3-9　　大气状况记录表

测点	干温度(℃)	湿温度(℃)	干湿温差(℃)	相对湿度(%)	大气压力(Pa)
1					
2					
3					

表3-10　　通风阻力整理计算表

测点序号	井巷断面形状与支护	通风阻力(Pa)	平均风量(m³/s)	风阻(N·s²/m⁸)	空气密度(kg/m³)	备注
1						
2						
3						

测定前后几点注意事项：

①为了使胶皮管中的空气与巷道中的空气密度相同，以减少误差，用气筒将软管内原有空气压出，换入被测的巷道空气；

②静压管的尖端部位必须正对风流方向，以免受速压的影响；

③胶皮管内不能进入泥水，以免堵塞胶皮管；

④应将胶皮管悬挂起来，以免人踏车压；

⑤在每一处测定时，压差计与胶皮管接头至少交换两次，读两个数据，取其平均值，如果两次读数差大于5%时，应查明原因，并重新进行测定。

2.气压计测定法

近年来我国已成功研制出数字显示气压计，如WB-1型，其测定时的精度非常高。用该仪器进行通风阻力测定时，其测定方法主要有以下两种：

(1)同时读数法

如在测点1、2分别用两台WB-1型气压计约好时间同时读数，两读数的差值即为两测点间的静压差(换算成国际单位Pa),同时用有关仪器分别测出两点的空气密度、温度、风速及两点间的高差。

(2)井口基点法

井口基点法是为了避免地面大气压的变化对测定结果的影响而采用的方法。

具体做法是:用两台气压计,一台设在地面井口附近基点,一台在井下沿着各测点分别测压力,每隔10~15min同时读数,这样大气压力变动对各测点的测定结果影响极小。

(三)选择测量路线和测点的布设

选定测量路线前应对井下通风系统的实际情况做详细的调查研究,并参看矿井通风系统图,根据不同的测量目的选择测量路线。若测全矿通风总阻力,应首先选择风路最长、风量最大的主干线为主要测量路线,然后再决定其他若干次要路线,以及那些必须测量的局部阻力区段;若是局部区段的阻力测定,则根据需要仅在该区段内选择测量路线。

选择好测量路线后,按下列原则布置测点:

(1)在风路的分岔或汇合地点必须布置测点。如果在分风点或合风点流出去的风流中布置测点时,测点距分风点或合风点的距离不得小于巷道宽度B的12倍;如果在流入分风点或合风点的风流中布置测点时,测点距分风点或合风点的距离一般可为巷道宽度B的3倍,如图3-20所示。

(2)在并联风路中,只沿一条路线测量风压,因为并联风路中各分支风路的风压均相等。其他风路只布置测风点,测出风量,以根据相同的风压来计算各分支巷道的风阻。

(3)如果巷道线路较长且漏风较大时,测点的间距宜尽量缩短,以便逐步追查漏风情况。

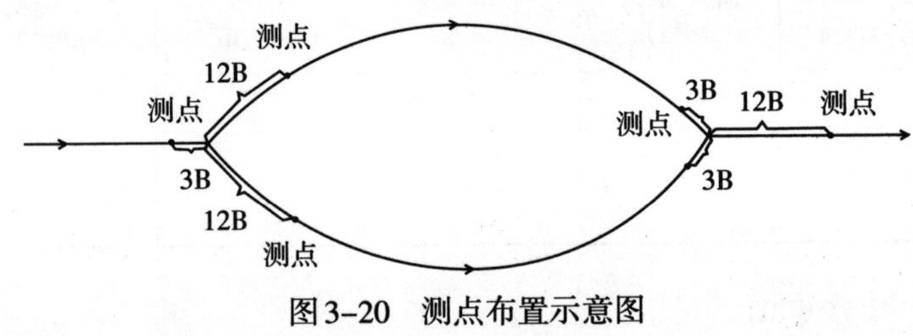

图3-20　测点布置示意图

(4)安设静压管(或皮托管)时,在测点之前至少有3m长的巷道支架必须支护良好,不能有空顶、空帮、凹凸不平或堆放杂物等情况。

(5)在局部阻力特别大的地方,应在其前后设置两个测点进行测量。

(6)测点应按顺序编号。

(7)为减少正式测量时的工作量,可提前将测点间距、巷道断面测出。

(8)待测量路线的测点位置选好后,要用不同颜色绘成测量路线示意图,并将测点位置、间距、标高和编号注入图中。

在前面曾提到,生产矿井摩擦阻力的计算,要用矿井实测的摩擦阻力系数。如在一条平直的巷道的两点间测出其静压差,即为这两点间井巷的摩擦阻力(平直的巷道中没有局部阻力),即可用下式求出这种支护材料的井巷摩擦阻力系数。由公式3-18可得:

$$\alpha_{摩}=\frac{h_{摩}S^3}{L\cdot U\cdot Q^2},\ \mathrm{N\cdot s^2/m^4}$$

式中　$\alpha_{摩}$——某种支护材料井巷的摩擦阻力系数$N·s^2/m^4$;

$h_{摩}$——井巷摩擦阻力(即两点间的静压差),Pa;

S——井巷通风断面积,m^2;

L——两测点间井巷长度,m;

U——井巷断面周长,m;

Q——通过该段井巷的风量,m^3/s。

第二部分　专业技能训练

这部分内容要求我们掌握各种不同的测压方法。

一、绝对静压、动压和绝对全压的测定

(一)测巷道风流中某点空气的绝对静压P_s

(1)仪器:空盒气压计;

(2)方法:直接把空盒气压计平放在测点上,用手指轻轻敲击刻度盘,然后直接读数,最后乘以该真空盒的温度校正系数即可。其直接单位为mmHg。

(二)测巷道风流中某点空气的动压h_v(或P_v)

(1)仪器:风表和秒表;

(2)方法:先用风表测出巷道断面上的实际平均风速,然后代入下面公式计算。

$$h_v=\frac{\rho v^2}{2},\ \text{Pa}$$

一般取$\rho=1.2\ \text{kg/m}^3$。

(三)绝对全压P_t

无论是抽出式通风还是压入式通风方法,都满足下列关系式,即:

$$P_t=P_s+P_v(\text{或}h_v),\text{mmHg}$$

将上面测算出的绝对静压P_s和动压h_v直接代入上式即可。但要注意单位的统一,即将上面算出的动压h_v的单位由Pa换算成mmHg。

二、相对静压、动压和相对全压的测定

(一)仪器

皮托管1个、3支U型垂直压差计和塑料软管。

(二)测定地点

风硐或风筒。

(三)测定方法

关系式:　　抽出式$h_t=h_s-h_v$,mmH_2O

　　　　　压入式$h_t=h_s+h_v$,mmH_2O

式中　h_t——相对全压,mmH_2O;

h_s——静压,mmH_2O;

h_v——动压,mmH_2O。

压入式的测定方法如图3-21所示。

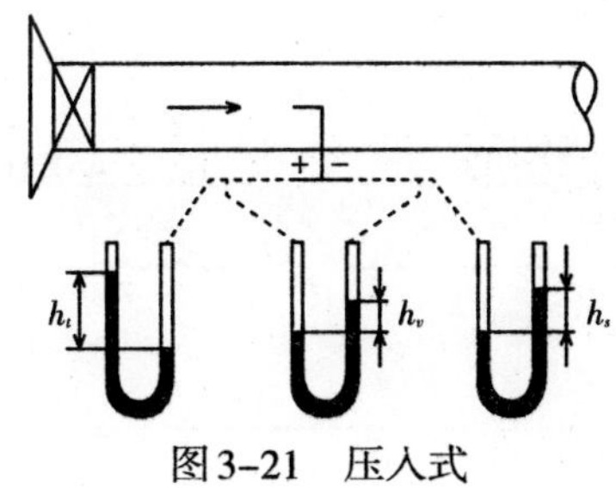

图3-21　压入式

测定中使用的皮托管如图3-22所示。

抽出式的测定方法如图3-23所示。

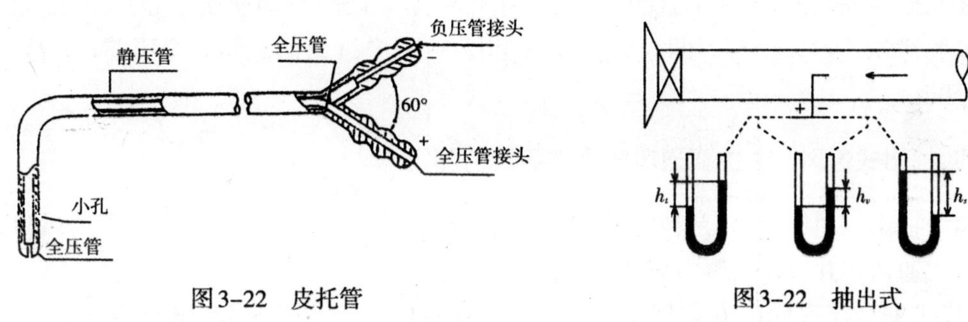

图3-22　皮托管　　图3-22　抽出式

若实验设备用的是单斜管(单管倾斜压差计),则在同一地点可分别测出相对全压h_t、相对静压h_s和动压h_v。如图3-24、3-25、3-26所示。

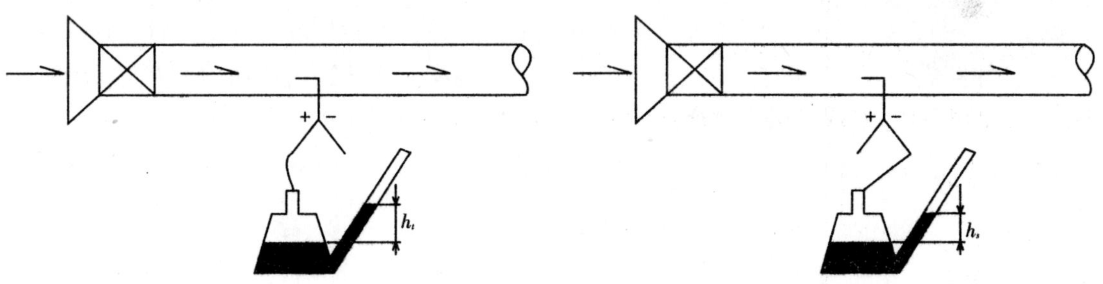

图3-24　压入式通风某点相对全压的测定　　图3-25　压入式通风某点相对静压的测定

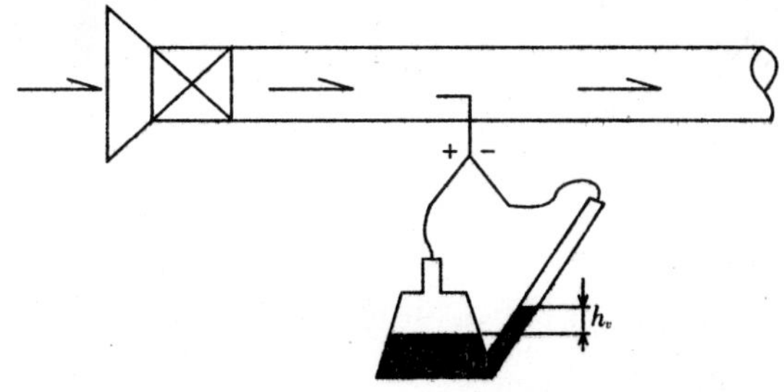

图3-26　压入式通风某点速压的测定

三、两点间压力差的测定

如图3-27、3-28所示。

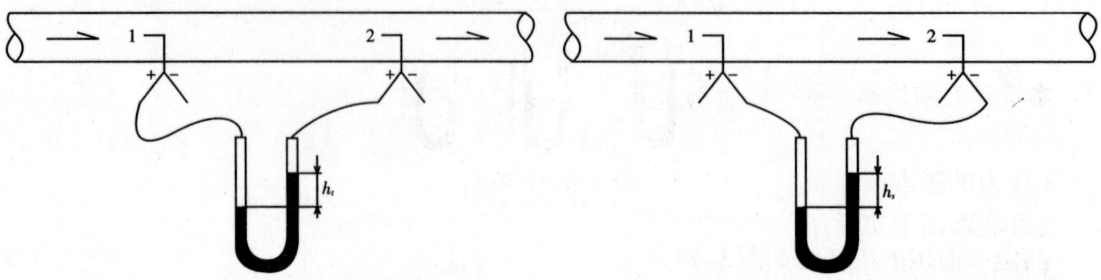

图3-27　巷道(或管道)中测两点间的全压差　　图3-28　巷道(或管道)中测两点间的静压差

在此需要说明的是:在平直的管道中,由于各点风速相等(即速压相等),因此两点间的全压差和静压差是完全相等的。如图3-29和图3-30中,1、2两点间的全压差h_t和静压差h_s是相等的。

四、抽出式通风矿井主要通风机工作静压的测定

由于抽出式通风矿井,是利用矿井主要通风机的工作静压来克服全矿井的通风阻力,因此抽出式通风矿井一般只测主要通风机的工作静压。

《煤矿安全规程》第123条规定:主要通风机房内必须安装水柱计、电流表、电压表、轴承温度计等仪表。

为了测得矿井主要通风机附近的相对静压,使用如图3-29所示的方法安设水柱计(即U形垂直压差计)。具体做法是:在风硐的内壁上固定一圈外经为4～6mm的闭合的铜管,并在铜管上等距离钻8个垂直于风流方向的小孔(眼经为1～2mm),再用一根铜管与这一圈铜管连通,并穿出硐壁与胶皮管相连,胶皮管的另一端与矿井主要通风机房内的U型垂直压差计相连。这样,压差计的读数(两个液面的高差)就是安设铜管断面的相对静压值(mmH_2O)。

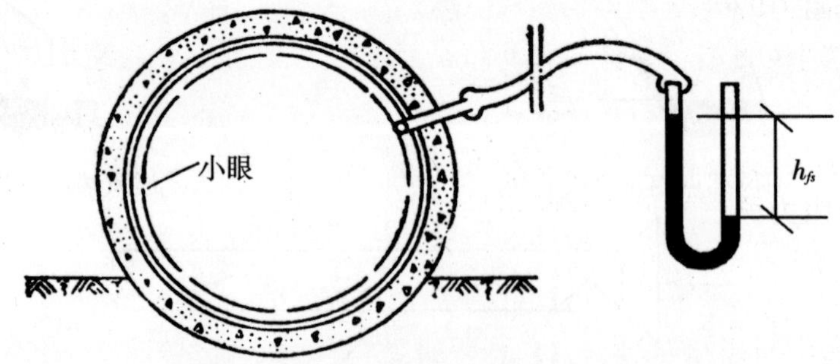

图3-29　矿井主要通风机水柱计的安设

若在胶皮管上再分出一个头,连接到矿井负压传感器上,则可直接读出矿井主要通风机的工作静压值为多少千帕(KPa)。

图3-31中的h_{fs}表示矿井主要通风机的工作静压。

第三部分 专业核心知识点

本章核心知识点主要有以下内容

1.压力的基本概念及压力单位之间的互相换算；
2.井巷断面上实际存在的三种压力；
3.矿井摩擦阻力的计算方法及降低矿井摩擦阻力的措施；
4.井下哪些地点容易产生局部阻力？降低矿井局部阻力的措施。
5.衡量矿井通风难易程度的两个重要指标。

复习题

1.什么是通风压力、通风阻力？
2.通风压力与通风阻力两者之间是一种什么关系？
3.什么是绝对压力、相对压力？
4.什么是静压？静压主要有哪些特点？
5.什么是动压？动压主要有哪些特点？
6.什么是位压？位压主要有哪些特点？
7.空盒气压计是来测哪一种压力的？
8.测相对压力和压差的仪器主要有哪些？
9.皮托管的作用是什么？
10.什么是层流、紊流？
11.什么是摩擦阻力、局部阻力？
12.降低摩擦阻力的措施有哪些？
13.降低局部阻力的措施有哪些？
14.衡量矿井通风难易程度的两个重要的指标分别是什么？用它们如何衡量矿井通风的难易程度？
15.《煤矿安全规程》对矿井通风阻力测定是如何规定的？
16.矿井通风阻力测定的目的有哪些？

讨论题

1.通风压力与通风阻力之间是一种什么关系？
2.什么是通风机的工况点？
3.什么是等级孔？用他如何衡量矿井通风难易程度？

第四章　矿井通风动力

第一部分　系统理论知识

空气之所以能在井巷中流动，是由于通风压力作用的结果。而矿井通风压力主要是由矿井主要通风机动力的作用而造成的。也就是说，由通风动力而提供通风压力，由通风压力来克服矿井通风阻力，风流才能够沿井巷形成位移。

矿井通风的动力来源于两个方面：一是自然风压；二是机械风压。《煤矿安全规程》第121条规定：矿井必须采用机械通风。但机械通风的矿井仍然客观上存在着自然风压的影响。因此有必要了解一下自然风压的作用原理。

第一节　自然风压

一、自然风压的产生及其特点

自然风压的形成，其实质是由于进风井井口与回风井井口的位置高差（高程不同）和进回风井空气的温差而产生的。如图4-1所示。

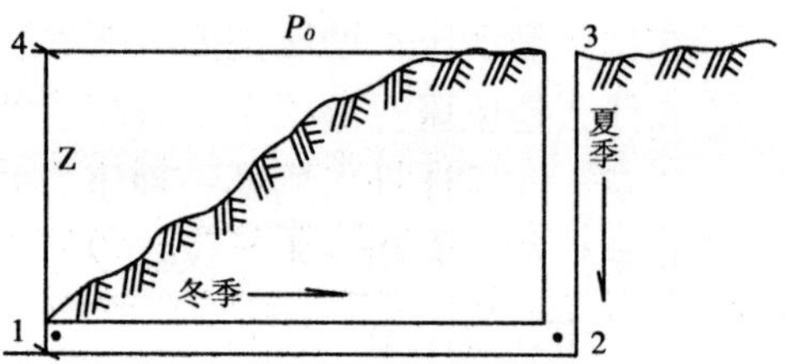

图4-1　自然风压产生的原因分析

平硐井口1与立井井口3的井口高程差为Zm，在3点同标高的3—4平面的大气压力P_0是相等的。但在3—4平面以下，由于井内外空气的温度、湿度等是不同的，则1—4空气柱和2—3空气柱空气的密度和重率不相等，这样就造成了1和2点的压力差（能量差），形成了空气的流动。

矿井自然风压（实质上是个压差）的大小和方向，主要取决于矿井进、回风侧空气的温度差和矿井深度（井筒垂直深度），温差越大，矿井越深，自然风压越大。在冬季，由于地面空气温度低，其空气的密度和重率较大，则空气柱1—4比空气柱2—3重，因而空气由平硐进入，立井排出。夏季则与之相反。而在春秋两季，由于地面空气温度与立井井筒2—3的空气温度相差不大，因而在春秋两季自然风压将微乎其微。在山区，由于昼夜之间的温差比较大，所以在山区会出现晚上风流由平硐进入，立井排出；而在白天，因地面空气温度升高，风流将发生改变，即由立井进入，而由平硐排出，也就是在山区会出现白天和黑夜自然风压的作用方向相反。

在机械通风矿井，仍然存在着自然风压的影响，其大小随着风量的变化而变化的。如果在立井井口安设矿井主要通风机（通过风硐引出，立井井口安设井口防爆门）。如图4-2所示。回风井的空气温度一般常年保持不变，而进风流的空气温度受地面空气温度影响随季节的变化而变化。

在冬季，若矿井主要通风机的工作风量(Q_f)越大，进风流空气温度(t)就越低，则进、回风井的空气的温度差就越大($\Delta t=t_1-t_2$)，自然风压值就越大，即自然风压随风量的增加而增大。此时，由于自然风压的作用方向与矿井主要通风机的风压作用方向相同，即自然风压帮助矿井主要通风机工作。

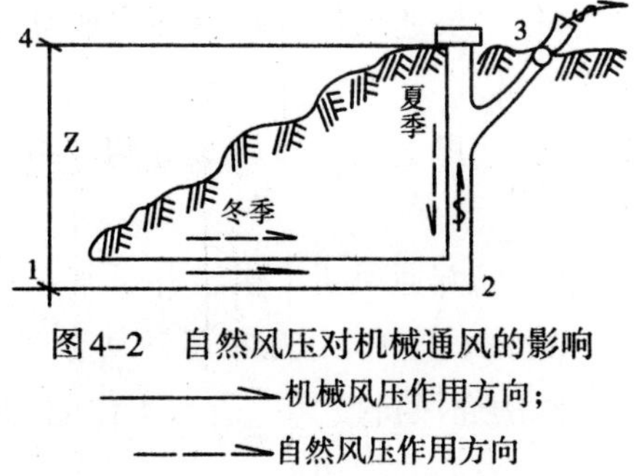

图4-2　自然风压对机械通风的影响
——→机械风压作用方向；
— — →自然风压作用方向

在夏季，由于地面空气温度高，自然风压的作用方向与矿井主要通风机的风压作用方向相反，即自然风压削弱矿井主要通风机的风压，当矿井主要通风机的工作风量越大时，则自然风压抵抗机械通风的力量将越大。总之，在冬季自然风压帮助矿井主要通风机工作，在夏季自然风压阻止矿井主要通风机工作，也就是说，在夏季机械风压既要克服全矿通风总阻力，还要克服自然风压。

二、自然风压的利用

在深井中自然风压一般常年都在帮助矿井主要通风机工作，这是由于空气由进风井井筒向井下流动过程中，空气柱受到压缩，使空气柱的密度和重率都增大；而回风流由回风井井筒向地面流动过程中，使空气产生膨胀，这样回风流中空气柱的密度和重率将会减少，即使两井口没有位置高差，也会产生自然风压，只是在季节发生变化时，其自然风压的大小将会发生改变。

《煤矿安全规程》第124条规定：主要通风机停止运转期间，对由1台主要通风机担负全矿通风的矿井，必须打开井口防爆门和有关风门，利用自然风压通风；对由多台主要通风机联合通风的矿井，必须正确控制风流，防止风流紊乱。

第二节　矿井主要通风机及其附属装置

矿井通风的主要动力就是矿井主要通风机，利用其机械风压给空气一定的能量，用于克服矿井通风阻力，使空气不断地由进风井送于煤矿井下，然后再分配到井下各用风点，将冲洗了采掘工作面以后的污风流由回风井排出地面。由于矿井主要通风机常年不停地运转，其耗电量约占到矿井总用电量的20%～30%，个别矿井可高达50%，因此，对矿井主要通风机的合理选型和合理有效使用，不仅对确保矿井安全生产，而且在降低吨煤成本上也具有相当重要的意义。

一、矿用通风机的构造与分类

(一)矿用通风机的分类

1.按服务范围不同划分

矿用通风机按其服务范围不同分为3类：

(1)主要通风机。担负整个矿井或矿井的一翼或一个大区域通风的通风机,称为矿井主要通风机。

(2)辅助通风机。安装在煤矿井下,用于较大范围调节风量用的通风机,称为矿井辅助通风机。

(3)局部通风机。供给井下某一局部地点通风的通风机,称为矿井局部通风机。

2.按构造和工作原理不同划分

矿用通风机按其构造和工作原理的不同分为两类:

(1)离心式通风机;

(2)轴流式通风机。

(二)离心式通风机的构造及工作原理

离心式通风机的构造如图4-3所示。

离心式通风机主要由叶轮(亦称工作轮)螺形外壳、扩散器、前导器、制动器等部件组成。作为主要通风机,风机与电机是两个独立的部分,电动机与风机的传动方式,分为间接传动(三角皮带连接)和直接传动(轴传动)。图中表示的是直接传动方式。离心式风机的叶轮是由固定在机轴上的轮毂以及安装在轮毂上的一定数量的机翼形叶片构成的,作为矿用离心式风机都是采用后倾式叶片。因为后倾式的特点是工作风压不是很大,但其工作风量比较大。空气进入风机的形式,有单侧吸入和双侧吸入两种,在其他条件相同的情况下,双吸风口风机的动轮宽度和工作风量是单吸口风机的两倍。在吸风口与叶轮之间还装有前导器,使进入叶轮的气流发生旋绕,以达到调节风压的目的。当电动机和其传动装置带动叶轮在机壳中旋转时,叶片流道间的空气随叶轮叶片的旋转而一起旋转,获得离心力,经叶端被抛出叶片流道,流到螺形外壳里。在机壳内空气流速逐渐减小,压力升高,然后经扩散器排出。与此同时,在叶片的入口即叶根处形成负压,使吸风口处的空气自叶根处进入叶道,从叶端流出,如此形成连续不断的流动。

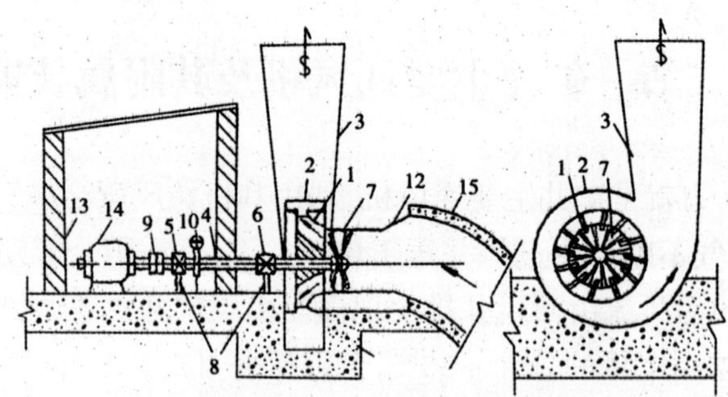

图4-3 离心式通风机构造示意图

1——叶轮;2——螺形外壳;3——扩散器;4——轴;5——止推轴承;6——径向轴承;7——前导器;8——机架;9——联轴节;10——制动器;11——机座;12——吸风口;13——机房;14——电动机;15——风硐

我国生产的离心式风机的型号比较多。矿用离心式风机主要有:4-72-11型、G4-73-11型、K4-73-01型等。其中4-72-11型生产厂家早已不生产了,但还有个别的老矿井还在使用;G4-73-11型和K4-73-01型是4-72-11型的改进型。下面就这两种改进型的离心式风机说明它们参数的含义：

1.G4-73-11型矿用离心式通风机

这种系列的风机，它的特点是单面吸入式，共有12个机号，下面我们就以№18说明一下该风机各参数的含义：

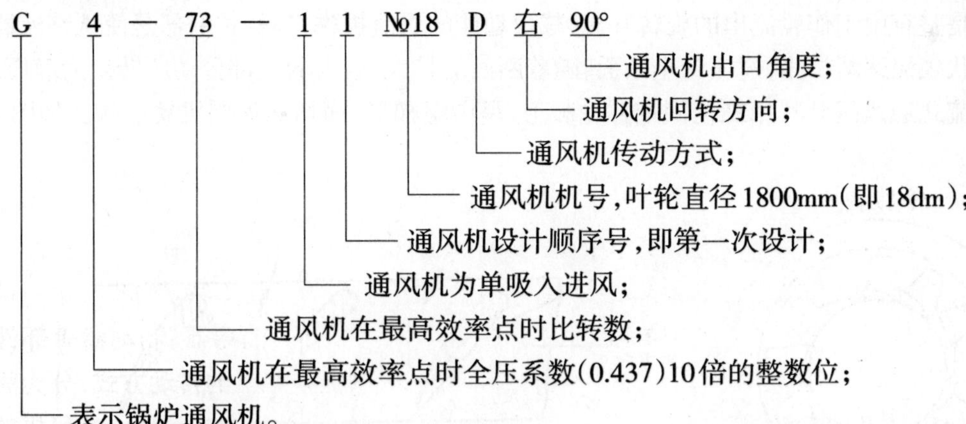

2.K_4-73-01 №32型风机参数

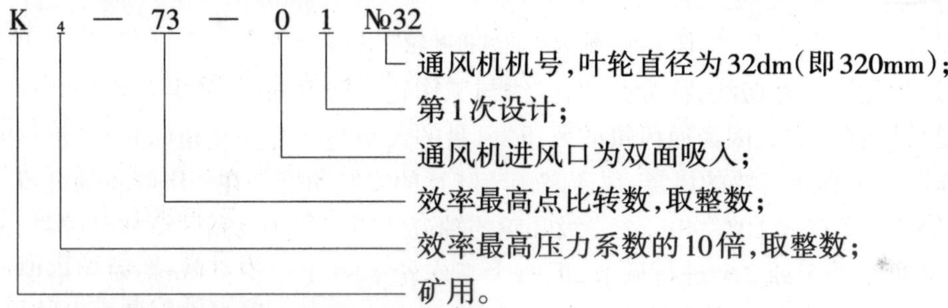

(三)轴流式通风机的构造及工作原理

轴流式通风机的构造如图4-4所示。它主要由集风器、流线体、工作轮（叶轮）扩散器、制动器等部件所组成。

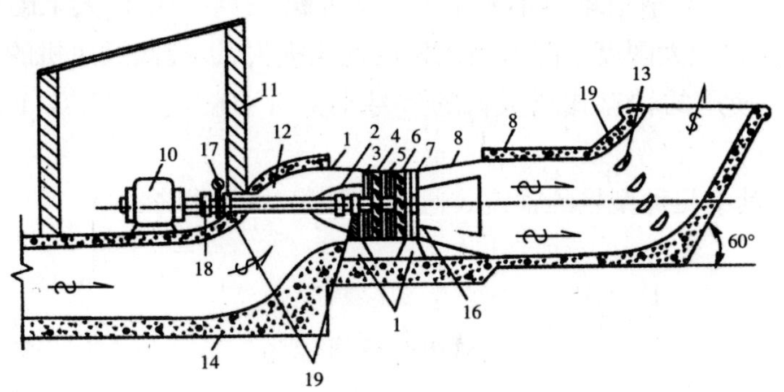

图4-4　轴流式通风机的构造

1——集风器；2——流线体；3——前导器；4——第一级工作轮；5——中间整流器；6——第二级工作轮；7——后整流器；8——环形或水泥扩散器；9——机架；10——电动机；11——通风机房；12——风硐；13——导流板；14——基础；15——径向轴承；16——止推抽承；17——制动器；18——齿轮联轴节；19——扩散塔

进风口是由集风器和疏流罩构成的断面逐渐缩小的环行通道，以使进入工作轮的风流均匀，用以减少阻力，提高运转效率；工作轮是由固定在轴上的轮毂和以一定角度范围安装在其上面的叶片所组成。工作轮（叶轮）有一级和二级两种，二级工作轮产生的风压是一级的2倍，工作轮的作用是为了增加空气的压力；整流器安装在每一级工作轮之后，为固定轮，其作用是整直由工作轮流出的旋转气流，减少动能的涡流损失；环行扩散器是使从整流器流出的环状气流逐渐扩张，过渡到全断面，随着断面的扩大，空气的一部分动压转换为静压。

轴流式通风机叶片用螺栓固定在轮毂上，呈中空梯形，横切面如同机翼形状。如图4-5所示。

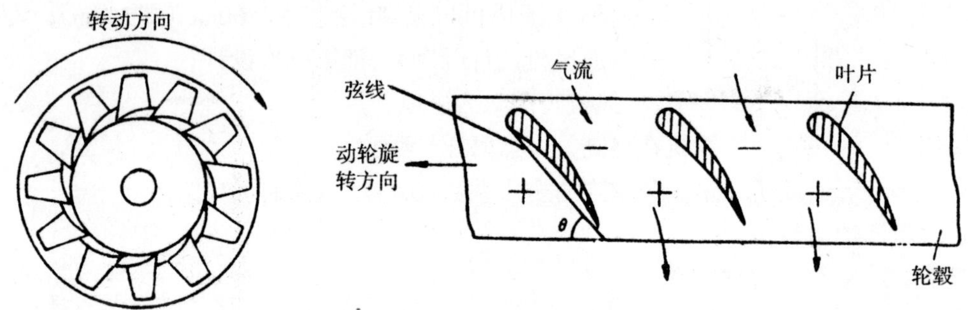

图4-5　轴流式通风机叶轮叶片

在叶片迎面侧作一外切线，称为弦线，弦线与工作轮旋转方向（u）的夹角称为叶片安装角（θ），θ角是可以调节的。因为通风机的风压、风量的大小与叶片安装角（θ）有着密切的关系，所以工作时可根据所需要的风量、风压来调节叶片的安装角度。在一级叶轮的轴流式通风机中，θ角的调整范围是10°～40°；在二级叶轮的轴流式通风机中，θ角的调整范围是15°～45°，可按相邻角度差5°或2.5°进行调节，但每个工作轮上的叶片安装角θ必须严格保持一致。为了减少能量损失和提高通风机的运转效率，轴流式通风机还设有集风器和流线体。集风器是在通风机入风口处呈喇叭圆筒状的机壳，以引导气流均匀平滑地流入工作轮，流线体是位于第一级工作轮前方的呈流线型的半球状罩体，安装在工作轮的轮毂上，用以避免气体与轮毂之间的冲击。扩散塔本身不属于风机构件，它是生产单位人工砌筑的轴流式通风机的附属装置，是用以最大限度地降低通风机的速压损失，以提高通风机的工作静压。

我国生产矿井使用的轴流式通风机的型号主要有：1K58、2K58、GAF、BD、2K60、62A、KZS等。

下面我们介绍其中几种型号的轴流式通风机参数，以供参考。

（1）1K58型

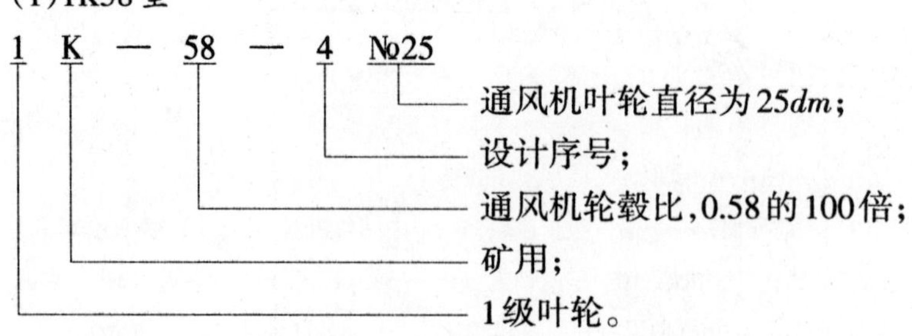

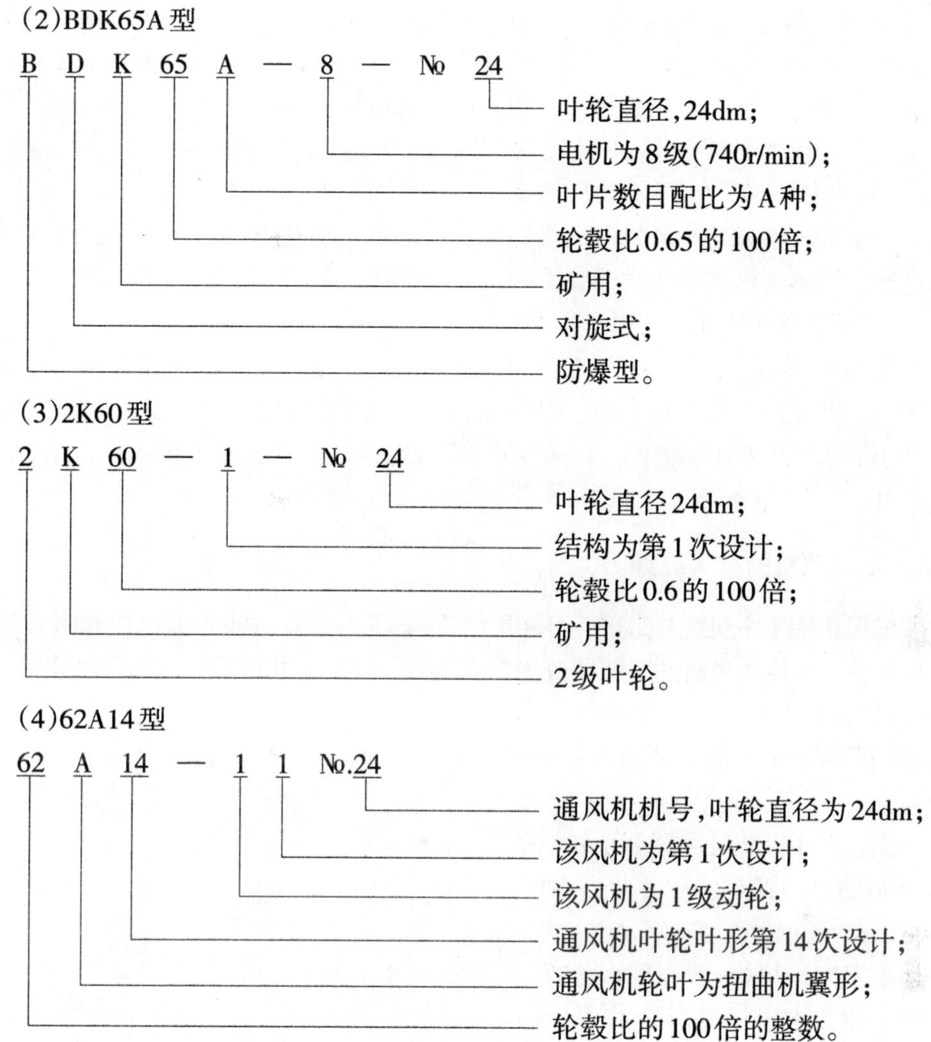

其中BD或BDK系列属于我国生产的高效节能矿用对旋式主要通风机,其主要特点是:风机和电机是一体的,最高静压效率可达85%,噪音不大于85d_B(A)。

对旋式通风机由集流器、一级通风机、二级扩散器和扩散塔组成。风机采用对旋式结构,一、二级叶轮相对安装,旋转方向相反,叶片采用机翼形扭曲叶片,叶片也互相反向,这样就省去了一般轴流式通风机的中、后导叶,减少了压力损失,提高了风机效率。每一级叶轮采用悬臂结构,各安装在隔爆电机上,形成两台独立的通风机,即没有传统的长轴传动,也没有联轴器,结构简单,工作效率高。隔爆型电机安装在风机主风筒内密闭罩中,密闭罩具有一定的耐压性能,可使电机与通风机流道中含瓦斯的空气隔绝,同时还起到一定的散热作用。密闭罩有三根导管,既起支撑作用,又可使风机的主风筒与大气相通,使新鲜空气流入密闭罩中,罩内空气可保持正压状态,使得电机始终处于瓦斯浓度小于1.0%的条件下工作,符合安全防爆要求。在风机主风筒中还设置有稳流环,使得在通风机的性能曲线中无驼峰区,无喘震,在任何阻力情况下均可稳定运行。该系列的通风机噪音较低,其绝大多数型号在无消声装置的情况下,噪音均可低于90d_B(A)。通风机叶轮叶片安装角度可以调整,其调整范围一般分为25°、30°、35°、40°及45°五个调整角度。一、二级叶轮叶片安装角度可以一致，也可不同，又可调节为≤45°范围内任意角度运行。该系列风机可以单级运行，也可以双级运行，因此可调范围极广，一般在矿井投产初期阶段只运行一级。该类型的通风机扩散器和通风机均安装在带轮的平板车上，下设轨道，安装和维修都非常方便，可以利用反转风机进行反风，反风率均在70%以上，不需要反风道及通风机的基础，也可以不要主通风机房，只需建造电控值班室。该系列的通风机电动机轴承和电动机定子有测温装置，可遥测和报警，其电机轴承还配备了不停机注油和排油管装置。该系列的通风机属于我国新一代的矿用主要通风机，目前广泛应用于中小型矿井。

按照过去的观点，离心式主要通风机，主要适合于中小型矿井使用；轴流式主要通风机主要适合于大型矿井使用。但近年来，我国生产的大型高效离心式通风机，适合于特大型矿井，其配套电动机功率可达1000KW以上；矿用防爆对旋轴流式主要通风机问世以来，主要用于中小型矿井。

二、矿井主要通风机的附属装置

矿井主要通风机除了主机之外，还有一些重要的附属装置。矿井主要通风机和附属装置统称为通风机装置。主要通风机的附属装置主要有风硐、扩散器、井口防爆门和反风装置。

（一）井口防爆门

井口防爆门是在装有矿井主要通风机的井口上，安装的为防止瓦斯、煤尘爆炸毁坏通风机的安全装置。

斜井、平硐的井口防爆门一般都比较简单，直接设一道大铁门作为井口防爆门即可。立井井口防爆门一般采用钟形防爆门，如图4-6所示。

防爆门1是用钢板焊成，四周用6或8组钢丝绳（6组夹角为60°，8组夹角为45°）绕过滑轮3，用平衡锤4牵住防爆门，其下端放入井口圈2的凹槽中，凹槽中要加上足够深度的液体，以防漏风，液柱的高度大于井内外两侧的静压差。

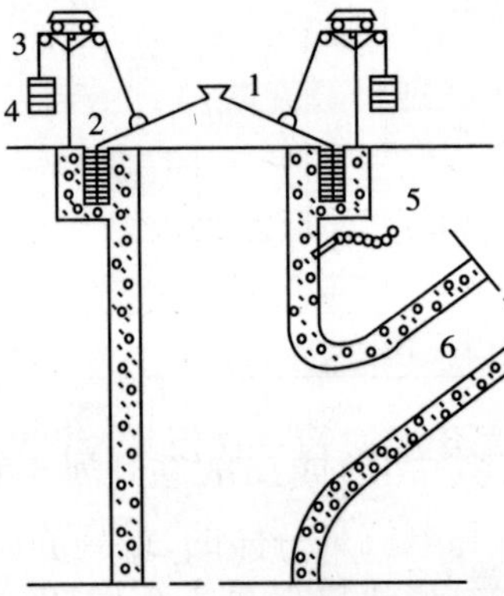

《煤矿安全规程》第121条规定：装有主要通风机的出风井口应安装防爆门，防爆门每6个月检查维修一次。

图4-6　立井井口防爆门

1——防爆门；2——水封槽；3——滑轮器；4——配重锤；5——安全锚链；6——风硐

对立井井口防爆门主要有以下要求：

（1）防爆门必须正对出风井井口，不得歪斜；

（2）防爆门的面积要大于出风井口断面积；

（3）从出风井与风硐的交叉点到防爆门的距离应比从该交叉点到主要通风机吸风口的距离至少短10m；

（4）防爆门必须有足够的强度，并有防腐和防抛出的措施；

（5）防爆门要封闭严密，以防漏风，要定期补充液体；

（6）井口壁四周还应该安装一定数量的反风锚链（如图4-6中的5）。当反风时用它拉紧防爆门，以防掀起防爆门造成风流短路。

（二）风硐

风硐是矿井主要通风机与风井之间的一段联络巷道，属于引导风流的设施，如图4–6中的6所示。由于全矿井风量最大的地方就是风硐，因此对风硐的设计和施工质量要求都比较高。良好的风硐应满足下列要求：

（1）风硐必须要有足够大的通风断面积，其风速不得超过15m/s（《规程》第101条规定）；

（2）风硐最好选用圆形断面；

（3）风硐不宜过长，内壁要光滑，不得堆放杂物，其阻力一般不得超过100～200Pa；

（4）风硐与风井井筒连接处要平缓，避免断面的突然扩大或者突然缩小；

（5）风硐本身及风硐内的调节闸门等装置，结构要严密，以防止大量漏风。

（三）扩散器

扩散器是一种通风断面积逐渐扩大的通风构筑物。其作用是：最大限度地减小通风机的速压损失，以提高通风机的工作静压。

离心式通风机扩散器断面逐渐扩大的扩散角（或敞角）一般为6°～8°，扩散器入口断面与出口断面之比为3/4。如图4–7所示。

轴流式通风机的外接扩散器，一般用混凝土砌筑，其各部分尺寸如表4–1所示。扩散器的形状与尺寸如图4–8所示。

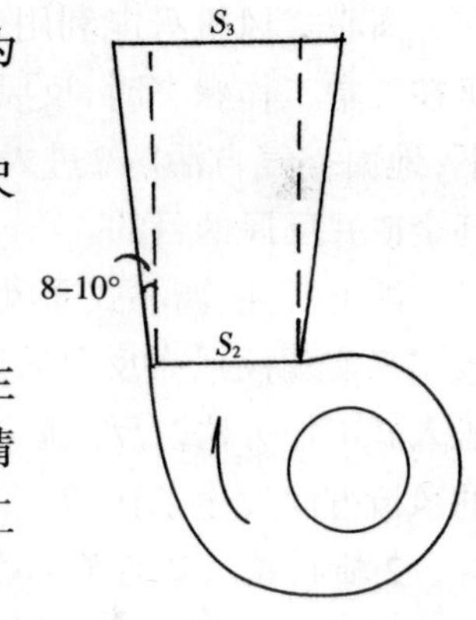

图4–7　离心式风机扩散器

（四）反风装置

当矿井在进风井口附近、进风井井筒、井底车场及其附近的主要进风巷道发生特大火灾、瓦斯或煤尘爆炸事故时，为了防止灾情扩大和最大限度减少人员伤亡，为灾害事故的处理和矿山救护工作创造有利条件，有时需要采取措施改变巷道中的风流方向。

《煤矿安全规程》第122条规定：生产矿井主要通风机必须装有反风设施，并能在10min内改变巷道中的风流方向；当风流方向改变后，主要通风机的供给风量不应小于正常供风量的40%。每季度至少检查一次反风设施，每年应进行一次反风演习；矿井通风系统有较大变化时，应进行一次反风演习。

表4–1　　轴流式通风机外接扩散器的各部分尺寸（m）

动轮直径(D)	1.2	1.8	2.4	2.8
A	2	2	2	2
B	1.8	2.7	3.6	4.2
C	3.0	4.5	6.0	7.2
E	2.5	3.8	5.0	6.0
F	2.6	4.0	5.5	6.5
a_1	3°	3°	3°	3°
a_2	≤45°			
扩散器总长	约为动轮直径的8倍			

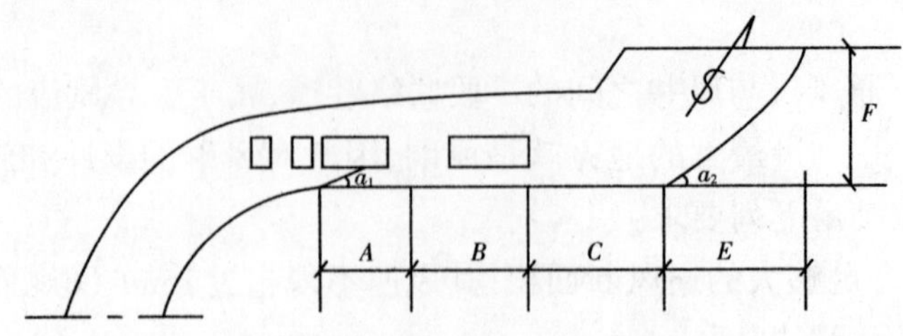

图4-8　轴流式通风机外接扩散器

1.离心式主要通风机的反风

一方面由于离心式风机的叶轮叶片安全角是固定不变的，因此离心式风机不能用调节叶片安装角的方法实现反风；另一方面由于矿用离心式风机一般都采用的是后倾式叶片，一旦反转（逆向旋转），风机的工作风压相当高，风机提供的风量（工作风量）将微乎其微，因此离心式风机也不能利用反转风机的方法实现反风。

离心式风机只能利用旁侧反风道和反风门的方法实现全矿反风，如图4-9所示。通风机在正常工作状态时，反风门1和2处于实线位置；在反风时将反风门1提起，把反风门2放下，地面空气自活门2进入通风机，再由活门1进入旁侧反风道3，压入回风井流入井下，达到全矿井反风的目的。

综上所述，离心式通风不能用反转风机的方法实现反风，只能通过旁侧反风道和两道反风门来实现反风。反风后风机的工作方法亦发生了变化，即由原来的抽出式工作方法变为压入式工作方法。反风后原来的进风井变为回风井，而原来的回风井变为进风井，整个矿井的风流方向发生了逆转。

2.轴流式主要通风机的反风

轴流式通风机由于其本身的结构和工作原理的不同，其反风方法比较多，主要有3种不同的反风方法，分别介绍如下：

（1）反转风机反风：

这种方法就是反转风机的叶轮旋转方向进行反风。其方法就是调换电动机电源的任意两相接线，使电动机旋转方向发生改变，从而改变矿井主要通风机叶轮的旋转方向，从而改变矿井风流的流动方向，使全矿井风流方向发生改变。这种方法的优点是：操作简单、方便；缺点是反风以后的反风量比较低，尤其是过去的一些老型号的轴流式风机，风机反转以后的反风量满足不了《规程》的要求。一些新型号的轴流式风机，反风后的风量能满足《规程》规定。

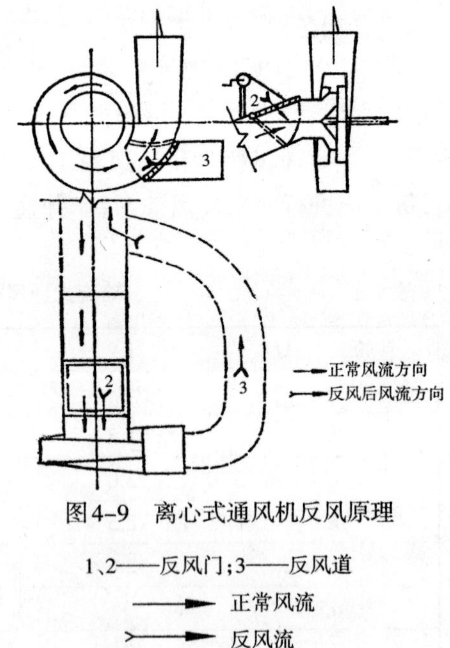

图4-9　离心式通风机反风原理

1、2——反风门；3——反风道

正常风流

反风流

（2）调节通风机叶轮叶片安装角度反风：

我国目前生产的新型轴流式通风机，在其运行过程中，采用电动控制、液压调节的方法，使风机在运行过程中，使叶片安装角度发生改变，从而达到反风的目的。

(3)利用备用风机风道做反风道进行反风：

这种反风方法其实质和离心式通风机的原理基本相同。如图4-10所示。

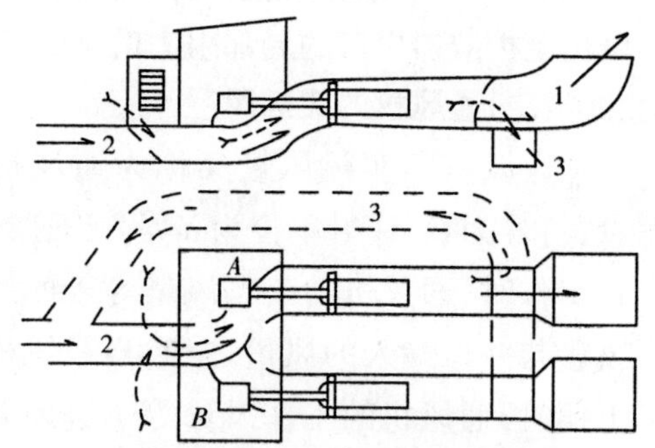

图4-10　轴流式通风机的反风装置

1、2——反风门；3——旁侧反风道；

A、B——电动机；

——→正常通风风流；

－－－→反风风流；

在通风机正常工作状态时，反风门1、2位于实线位置，风流方向如实线箭头方向所示；反风时，可提起反风门1，放下反风门2，如图中虚线箭头方向所示，地面空气经百叶窗、活门2进入通风机，再由活门1进入备用风机风道（即旁侧反风道3），进入回风井压入井下，达到全矿井反风的目的。

三、通风机的实际参数

通风机的参数包括理论参数和实际参数。通风机的理论参数是在3个假设条件（通风机内没有能量损失、风流在通风机内是稳定连续流动、动轮叶片无限多且其厚度忽略不计）下的参数，包括理论风压、理论风量和理论功率。

通风机的实际参数（亦称为工作参数）包括通风机的实际风压、实际风量、实际功率和实际效率等。在此主要介绍通风机的实际参数。

（一）通风机的实际风压

通风机在运行过程中，由于风流在通风机内受到叶片迅速不断的打击而快速流动，而且不断发生方向和速度的变化，以致产生较大的风压损失，所以其实际风压与理论风压相差比较大，这项风压损失相当复杂，无法计算。因此通风机的实际风压只能通过实测求得。因而必须找出测算式，而这种测算式又和通风机工作方法（指压入式、抽击式和压抽混合式）有关。

通风机的理论风压减去自通风机进风口3到扩散器出风口2之间的风压损失，剩余的风压叫做抽击式通风机装置的全风压h_{ft}。

通风机的风压包括通风机的全压、静压和动压。因为出风口断面2和入风口断面3之间的高差较小，其位压可忽略不计。

单位体积的空气流经风机后，风机对空气做功获得的总能量（静压和动压之和）称为风机的全压，单位为Pa。其关系为：

$$h_{ft}=h_{fs}+h_{fv}\text{ , Pa} \tag{4-1}$$

式中　h_{ft}——通风机的工作全压，Pa；

h_{fs}——通风机的工作静压，Pa；

h_{fv}——动压，Pa。

图4-11中风机房U型水柱计显示的压力实际上是3点的静压，与通风机的工作静压h_{fs}有点差异，但其差值很小。因此$h_{s3}\approx h_{fs}$，一般可以认为h_{s3}就是风机的工作静压h_{fs}。

压入式与抽出式通风方法的不同点是：压入式是利用通风机的全风压h_{ft}来克服全矿井

通风阻力的；抽出式是利用通风机的工作静压 h_{fs} 来克服全矿井的通风阻力的，动压 h_{fv} 只是克服由风机至扩散器出口的局部阻力的。

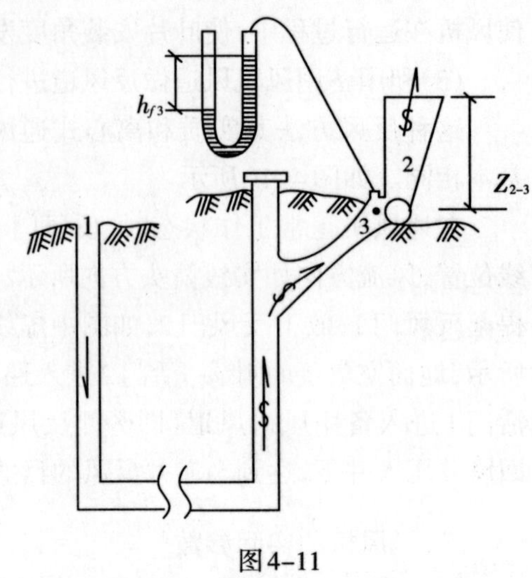

图4-11

1——进风井口；2——扩散器

3——测压点

（二）通风机的实际风量

通风机的实际风量又称为通风机的工作风量，符号为 Q_f，计量单位为 m³/s。当通风机做抽出式工作时，通风机的工作风量等于回风井的总回风量与井口漏入的风量之和；当通风机做压入式工作时，通风机的工作风量等于进风井的总进风量与井口漏风量之和，即：

抽出式：$Q_f = Q_{回} + Q_{外漏}$，m³/s （4–2）

压入式：$Q_f = Q_{进} + Q_{外漏}$，m³/s （4–3）

（三）通风机的实际功率

通风机的实际功率包括输入功率（又叫轴功率）N_{fi} 和输出功率（又叫空气功率）N_{fo} 两种。

通风机的输入功率 N_{fi} 是指风机轴上实际得到的功率，是由电功率计算而来的，如下式：

$$N_{fi} = \frac{\sqrt{3}\, IVCOS\varphi}{1000}\eta_e \cdot \eta_t, \text{KW} \quad (4\text{–}4)$$

式中 N_{fi}——通风机输入功率，KW。

V——电压，V。

I——电流，A。

η_e——电动机效率，由电工手册查得。

η_t——传动效率，通风机与电动机之间是直接传动（轴传动）时，η_t=1.0；通风机与电动机之间是间接传动（三角皮带传动）时，$\eta_t = 0.95$。

$cos\varphi$——功率因数，由电工手册查得。

通风机的输出功率 N_{fo} 又分为通风机装置全风压的空气功率 N_{fot} 和通风机装置静风压的空气功率 N_{fos}，是指通风机对空气所做的功，分别用下式计算：

$$N_{fot} = \frac{h_{ft} Q_f}{1000}, \text{KW} \quad (4\text{–}5)$$

$$N_{fos} = \frac{h_{fs} Q_f}{1000}, \text{KW} \quad (4\text{–}6)$$

式中 N_{fot}——通风机装置的全压输出功率，KW；

N_{fos}——通风机装置的静压输出功率；KW；

Q_f——通风机工作风量，m³/s；

h_{ft}——通风机的工作全压，Pa；

h_{fs}——通风机的工作静压，Pa。

（四）通风的实际效率

通风机的实际效率又称为通风机的工作效率。风流在通风机装置内不仅有能量损失，而且还存在机械磨损（在轴承上和油料箱中）和容积损失（风流在通风机装置内的漏损），由于这些损失的实际存在，通风机装置的输出功率N_{fo}必然小于通风机装置的输入功率N_{fi}，两者之间的比值反映了通风机的实际工作质量。此比值称为通风机装置的工作效率。其计算公式如下：

$$\eta_{ft}=\frac{N_{fot}}{N_{fi}}=\frac{h_{ft}\cdot Q_f}{1000\,N_{fi}} \tag{4-7}$$

$$\eta_{fs}=\frac{N_{fos}}{N_{fi}}=\frac{h_{fs}\cdot Q_s}{1000\,N_{fi}} \tag{4-8}$$

式中　η_{ft}——通风机装置的全压工作效率；

η_{fs}——通风机装置的静压工作效率。

（五）通风机的转速

通风机每分钟的转数，叫通风机的转速，符号为n，单位为r/min。

上述5种参数直接反映了通风机的性能和质量的好坏，同时亦是通风机选型的重要依据。

四、通风机的实际特性

通风机的实际特性可用通风机的实际工作风量分别与通风机装置的风压、输入功率、效率的3种曲线来表示。由于不同的通风机（类型不同、叶片形状不同、叶轮和前导器的叶片角度不同等）内部的能量损失不同，每台通风机的实际特性曲线就不同，因此上述3种特性曲线分别叫做风机的个体风压特性曲线、个体功率特性曲线和个体效率特性曲线。这3种特性曲线是对矿井主要通风机的合理选型及通风机工况点的合理调整的必备的技术资料。

（一）个体风压特性曲线

由于风流在每台通风机内部的能量损失无法计算，所以每台通风机的个体风压特性曲线只能通过实测得出。即在某工作方式的一定转数条件下，用前面我们介绍的有关计算公式测出一系列相应的装置的全风压或装置的静风压与风量值时，然后在坐标纸上描绘成一曲线。在现有的矿井主要通风机的工作方法多采用抽出式，因此绘出静压曲线即可；当矿井采用压入式通风方法时，则应绘制全压特性曲线。

图4-12为某离心式通风机的个体特性曲线，反映了该通风机的个体静压曲线、个体功率曲线和个体静压效率曲线。其中个体静压h_{fs}曲线与风阻R曲线的交点，称为风机在矿井某个生产时期的工况点。

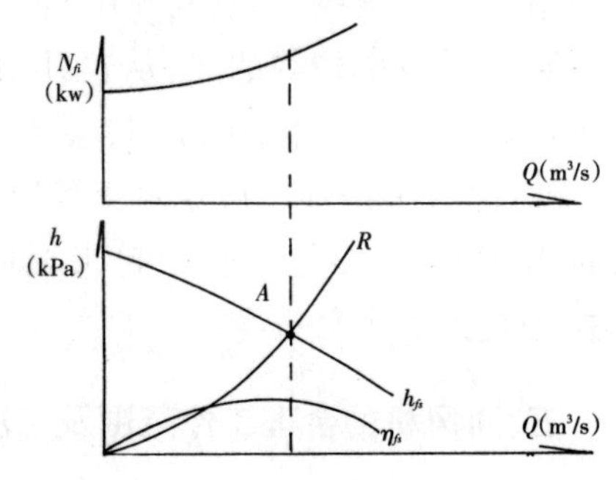

图4-12　离心式通风机个体特性

离心式通风机叶片分为后倾式、径向式和前倾式3种不同的状态。其中径向式和前倾式风机的工

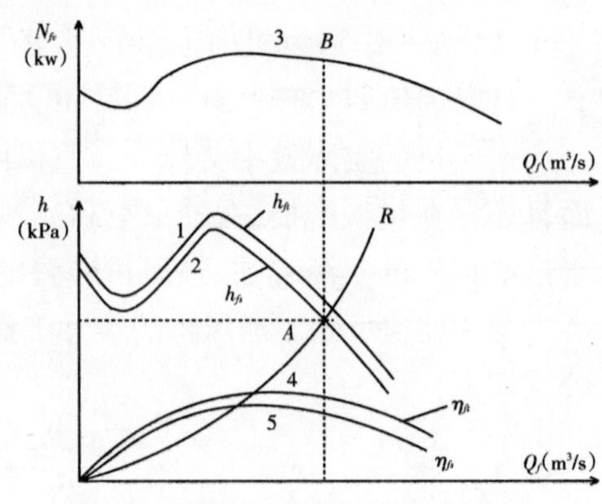

图4-13　轴流式通风机实际特性曲线

作风压比较大，但工作风量比较低，属于高压风机，一般均为非矿用风机。而矿用离心式通风机，要求其工作压力不是很高，但工作风量必须足够大。故矿用离心式通风机一般均用后倾式叶片。图4-12即为后倾式叶片的矿用离心式风机的实际特性曲线。

图4-13为某轴流式通风机的实际特性曲线，图中分别反映了该型号风机的全压个体风压曲线和静压个体风压曲线。其风压曲线上有一段马鞍形（又称驼峰区）曲线，这一区段属于风机的不稳定区间，风机在该区域运行时，会出现风机的风量忽大忽小，声音忽大忽小，因此风机不能在该区段内进行运行，也就是说，风机的工况点不能位于该区域。

（二）个体功率特性曲线

通风机的个体功率曲线也要通过实测求得。也就是在测定风压和风量的同时，用上述有关公式测算出通风机的输入功率（轴功率）N_{fi}，进而描绘出该风机的功率曲线。由图4-13中可看出，风压随着风量的增加而下降，使功率随着风量的增加而下降。因此在风机的合理工作范围（最低效率的0.6以上，最高风压的0.9以下）内，随着通风机工作风量的增加，通风机的工作风压与输入功率的消耗将逐渐下降。

（三）个体效率特性曲线与等效率曲线

通风机的个体效率特性曲线可按上述有关计算公式进行计算后来绘制。如图4-13中的全压效率曲线4是根据全风压特性曲线1与输入功率特性曲线3的相应各坐标值，按前面所述的计算公式的计算结果而绘制的；静压曲线5是根据静压特性曲线2与输入功率3，按前面所述的计算公式的计算结果而绘制的。

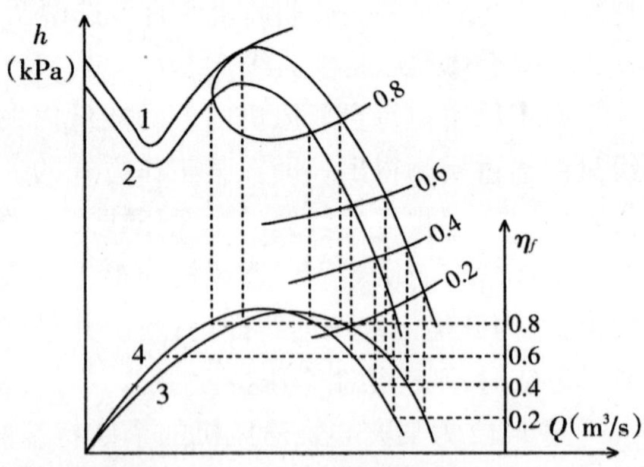

图4-14　轴流式通风机等效率曲线

对于轴流式通风机还需绘制出等效率曲线，如图4-14所示。图中1和2分别是轴流式通风机叶轮叶片两个相邻的不同安装角的个体风压特性曲线。3和4分别是相应的效率曲线。其等效率曲线的绘制方法是：自各效率值画水平虚线，分别与3和4曲线相交，可得到几对效率相等的点，从这几对交点处作垂直虚线分别与相应的1和2曲线相交，又在1和2曲线上得到几对效率相等的交点，然后把效率相等的交点连接起来，即得出图4-14中几条等效率曲线。

五、通风机的合理工作范围及工况点

为了使矿井主要通风机运转稳定，通风机运转的工作风压不能超过其最高风压的0.9

倍，对于轴流式通风机而言，通风机的工况点（工作点）绝不允许落在马鞍形的区域内。另外，为了矿井主要通风机的经济、合理的运转，主要通风机运转的静压效率不得低于0.6。这个所谓的0.6～0.9即为该型号矿井主要通风机上、下曲线的合理工作范围；由于受到动轮和叶片等部件的结构强度所限，通风机动轮的转数不能超过它的额定转数，轴流式通风机除转数有限制以外，最大的叶片安装角度为45°，超过45°的叶片安装角度时，通风机的运转就不稳定。为了通风机工作的合理及经济，一级动轮的轴流式通风机，其叶片安装的最小角度θ不应小于10°；二级动轮的轴流式通风机，其叶片安装的最小角度θ不应小于15°。10°（或15°）～45°即为该型号轴流式通风机左、右的合理工作范围。

如图4-15所示的影线部分（上、下、左、右）即为该型号轴流式通风机个体特性曲线上的合理工作范围。

如图4-13所示的风阻特性曲线R与通风机的个体风压曲线2的交点A，即为矿井在某个生产时期的工况点，该工况点应位于图4-15的影线范围之内。图4-15表示二级动轮的轴流式通风机的合理工作范围。一级动轮的叶片安装的最小角度应不小于10°。

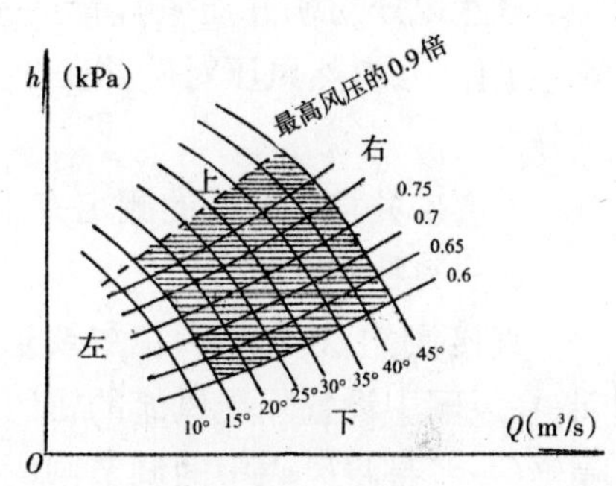

图4-15 轴流式通风机的合理工作范围

六、矿井主要通风机的工作风压与矿井通风阻力的关系

（一）抽出式通矿井

抽出式通风矿井，是用矿井主要通风机的工作静压来克服全矿通风总阻力的。即：

$$h_{fs} = h_{阻} + \triangle h \pm h_{自} \text{ ,Pa} \tag{4-9}$$

（二）压入式通风矿井

压入式通风矿井，是用矿井主要通风机的全风压来克服全矿通风总阻力的。即：

$$h_{ft} = h_{阻} + \triangle h \pm h_{自} \text{ ,Pa} \tag{4-10}$$

式中 h_{fs}——矿井主要通风机工作静压，Pa；

h_{ft}——矿井主要通风机的全风压，Pa；

$h_{阻}$——全矿井通风总阻力，Pa；

$\triangle h$——通风装置的内部阻力，Pa；

$h_{自}$——自然风压。

当自然风压的作用方向与通风机风压作用方向相同时，取“-”号；当自然风压的作用方向与通风机的风压作用方向相反时，取“+”号。在矿井通风设计时，一般都按照自然风压阻止风机工作（取“+”号）来考虑风机的最小工作静压。风机的内阻和自然风压一般按照100～200 Pa估算（在设计时），但也可通过实测获得（生产矿井）。

第二部分　专业技能训练

自然风压的测定

自然风压对矿井通风有着重要的影响，因此在矿井通风设计以及生产矿井日常的通风管理工作中，自然风压对矿井安全生产方面的影响应引起足够的重视，应对自然风压进行定时分析。

生产矿井自然风压的测定方法主要有两种，即直接测定法和间接测定法。

（一）直接测定法

直接测定法是在矿井主要通风机停止运转期间，在风硐中设置隔绝风流的密闭，将矿井风流严密隔绝（一般是将风硐中的调节闸门全部放下，达到严密不漏风），然后用U型垂直压差计测出密闭两侧的静压差，该静压差即是矿井在该生产时期的自然风压值（自然风压的大小和方向随季节的变化而变化）。实际上将风硐中的调节闸门完全关闭，在风机房U型水柱计上即可读出矿井在该时刻的自然风压值，如图4-19所示。

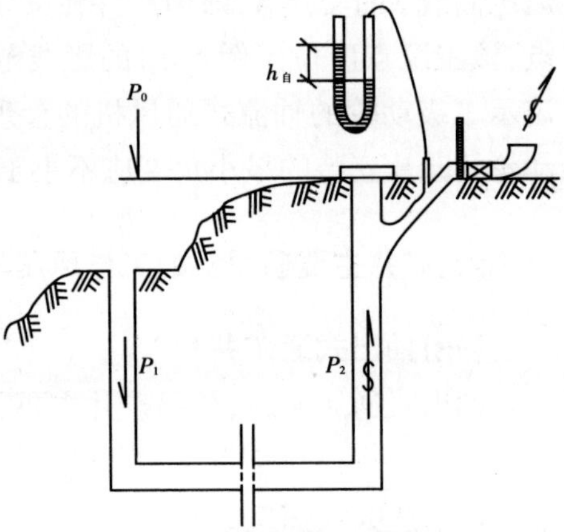

图4-19　自然风压的直接测定法

（二）间接测定法

下面以抽出式通风矿井为例，说明一下在风机正常工作的状态下，如何测定自然风压。如图4-20所示，由前面介绍的相关计算公式可知：风硐中通风机入口风流的相对全压与自然压的代数和等于矿井通风总阻力，即：

$$h_t + h_自 = RQ^2, \text{Pa} \tag{4-11}$$

式中　h_t——风硐中风流的相对全压，Pa；

$h_自$——自然风压，Pa；

R——矿井总风阻，$N \cdot s^2/m^8$；

Q——矿井总风量，m^3/s。

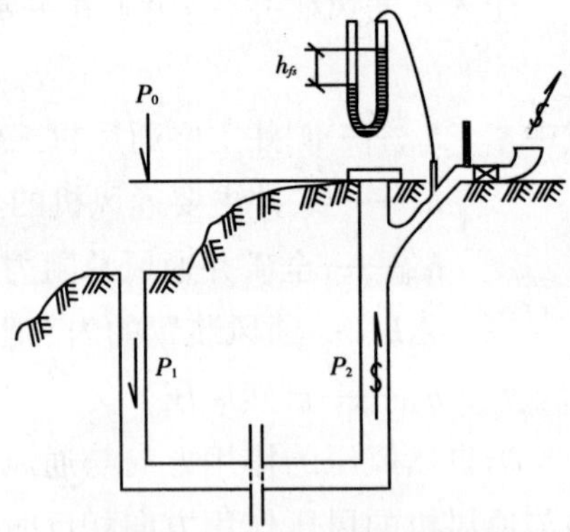

图4-20　自然风压的间接测定法

测定步骤如下：

（1）在风硐中用风表测出其平均风速υ（m/s）。

（2）用风硐中的平均风速乘以风硐通风断面积（m^2），算出通过风硐的风量Q（m^3/s），即风机的工作风量Q_f。即：

$$Q_f = \upsilon \cdot S, \text{m}^3/\text{s}$$

(3)在风机房U型水柱计上读出相对静压值h_{fs}值,其值大约为风硐内的相对静压值h_s。

(4)算出风硐中的速压h_v,即:

$$h_v = \frac{\rho V^2}{2}, \text{Pa}$$

(5)算出风硐内的相对全压值h_t,即:

$$h_t = h_s + h_v, \ \text{Pa}$$

(6)停止主通风机运转后,则风硐中测出其自然风速$v_{自}$,计算出自然通风的风量,即:

$$Q_{自} = v_{自} \cdot S, \text{m}^3/\text{s} \quad 可得:$$

$$h_{自} = RQ_{自}^2 \tag{4-12}$$

由4-11式与4-12式可得:

$$h_{自} = h_t \frac{Q_{自}^2}{Q_f^2 - Q_{自}^2}, \ \text{Pa}$$

第三部分　专业核心知识点

本章核心知识点主要有以下内容

1.自然风压的主要特点；
2.矿用通风机的分类；
3.矿井主要通风机的附属装置及作用；
4.通风机的实际工作参数；
5.通风机的工况点；
6.通风机的合理工作范围；
7.通风机的风压与矿井通风阻力的关系。

复习题

1.自然风压有哪些特点？
2.矿井主要通风机在停风期间，如何利用自然风压通风？
3.矿用通风机按其服务范围大小不同，分为哪几种通风机？
4.矿用通风机按其构造和工作原理的不同，分为哪几种通风机？
5.离心式通风机和轴流式通风机，在风机启动前，风硐中的调节闸门应该全部打开还是全部关闭？
6.G4-73-11№18离心式通风机各个参数的含义分别代表什么？
7.BDK65A-8-№24轴流式通风机各个参数的含义分别代表什么？
8.矿井主要通风机的附属装置主要有哪些？
9.井口防爆门的作用是什么？
10.对立井井口防爆门主要有哪些要求？
11.连接主要通风机与回风井之间的风硐应满足哪些要求？
12.扩散器的作用是什么？
13.《煤矿安全规程》对矿井反风是如何规定的？
14.矿井主要通风机都有哪些反风方法？
15.矿井主要通风机的工作参数有哪些？
16.什么是风机的静压？
17.什么是通风机的输入功率？
18.什么是通风机的输出功率？
19.什么是通风机的工作效率？

20.什么是通风机的工况点？

21.通风机的合理工作范围是什么？

22.离心式通风机为何不能利用反转风机的方法实现全矿反风？

23.抽出式与压入式通风矿井分别由矿井主要通风机的何种压力来克服全矿通风总阻力？

讨论题

1.自然风压对机械通风矿井有何影响？

2.在什么情况下需要实现全矿反风？

3.如何确定矿井主要通风机的工况点和合理工作范围？

4.为何离心式通风机不能利用反转风机的方法进行全矿反风？

第五章 矿井通风系统

第一部分 系统理论知识

矿井通风系统是为了保证井下各生产水平、各生产区域、各采区和各采掘工作面以及其他用风地点有足够的新鲜空气，将冲洗了各用点以后的污浊空气由回风井排出井外。矿井通风系统是指矿井通风方法、通风方式、通风网络和通风设施的总称。

《煤矿安全规程》第107条规定：矿井必须有完整的独立通风系统。改变全矿井通风系统时，必须编制通风设计及安全措施，由企业技术负责人审批。

对矿井通风系统的基本要求是：系统简单、技术合理、安全可靠和经济效益好。

第一节 矿井通风方法

矿井通风方法是指矿井主要通风机的工作方法，按其工作方法的不同，分为抽出式、压入式和压抽混合式3种不同的工作方法。

一、抽出式通风方法

如图5-1所示。抽出式通风方法是把矿井主要通风机安设在回风井口附近，并通过风硐与回风井筒连接在一起。当矿井主要通风机在工作状态时，造成了煤矿井下风流中任意一点的空气压力都低于当地同标高的大气压力（即低于井口的大气压力），使煤矿井下空气处于负压状态。由于进风井口的空气压力大于出风井风硐的空气压力，因此地面空气由进风井口导入煤矿井下，然后分配到井下各采区、各采掘工作面及井下其他用风地点，冲洗了各用风点以后的污浊空气（即回风流）由回风井巷、回风井及风硐经风机排出地面。因为矿井作抽出式通风时，造成煤矿井下所有地点的空气压力低于地面空气压力，其相对压力$h=P-P_0$永远小于零（是个负数），所以习惯上亦把抽出式通风方法称为负压通风。

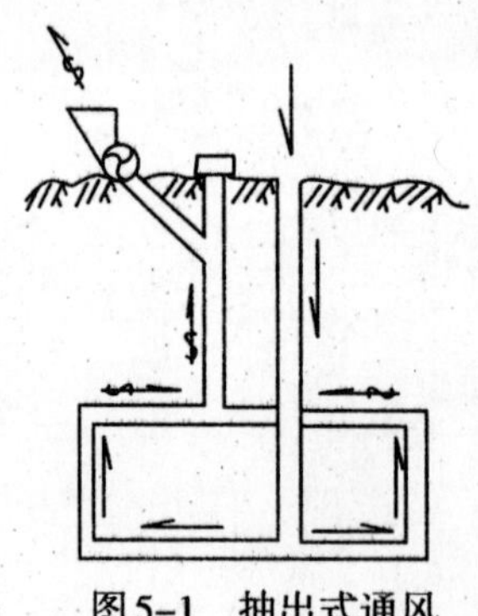

图5-1 抽出式通风

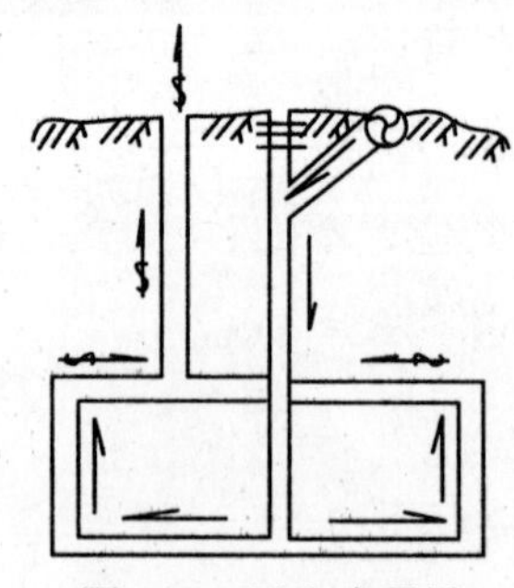

图5-2 压入式通风

二、压入式通风方法

如图5-2所示。压入通风方法是将矿井主要通风机安装在进风井口附近,由风硐与进风井筒连接在一起。在压入式通风机工作状态下,造成煤矿井下任何一点风流中的空气压力均高于当地同标高的大气压力(即高于井口位置的大气压力),使井下空气处于正压状态,由于主要通风机的机械能量把地面空气压入风硐,造成进风井、风硐的空气压力大于回风井口的压力,造成地面空气由进风井流入井巷,再分配到井下各采区、各采掘工作及其他用风地点,将冲洗了采掘工作面及其他用风点以后的回风流由回风井口直接排出地面。由于压入式通风方法的相对压力$h=P-P_0$永远为正值(大于零),因此习惯上称之为正压通风。

(2)一旦风机停止运转,井下空气压力将会突然降低,这样一来,在风机停风期间,断层、裂隙、地质钻孔、古空区等处的瓦斯会大量涌入井下巷道。因此传统的观点认为,压入式通风方法不利于井下瓦斯管理。所以我国的矿井极少采用压入式通风方法。

三、压抽混合式通风方法

压抽混合式通风方法是在进风井一侧和回风井一侧都安设矿井主要通风机,地面新鲜空气由进风井一侧的矿井主要通风机压入煤矿井下,再分配到井下各采区、各采掘工作面及其他用风地点,冲洗了井下各用风点以后的污浊空气(即回风流),由回风井安设的矿井主要通风机抽出地面。这是一种通风机的联合工作方法,两台主要通风机属于串联工作。

第二节 矿井通风方式

矿井通风方式是指矿井进风井井筒与回风井井筒在整个井田范围内的布置方式。根据进风井和回风井在井田范围内的相互位置关系不同,矿井通风方式可分为中央式、对角式、区域式和混合式4种不同的方式。

一、中央式通风方式

中央式通风方式是指进风井与回风井大致位于井田沿走向方向的中央。根据回风井沿煤层倾斜方向的位置不同,中央式又分为中央并列式和中央分列式两种不同的方式。

(一)中央并列式

中央并列式通风方式是指:进风井与回风井不但位于井田煤层走向的中央,而且还位于沿井田煤层倾斜方向的中央。即进风井与回风井都大致位于整个井田的中央。如图5-3.图5-4所示。图5-3是斜井中央并列式通风方式的示意图。图5-4是立井中央并列式通风方式的示意图。

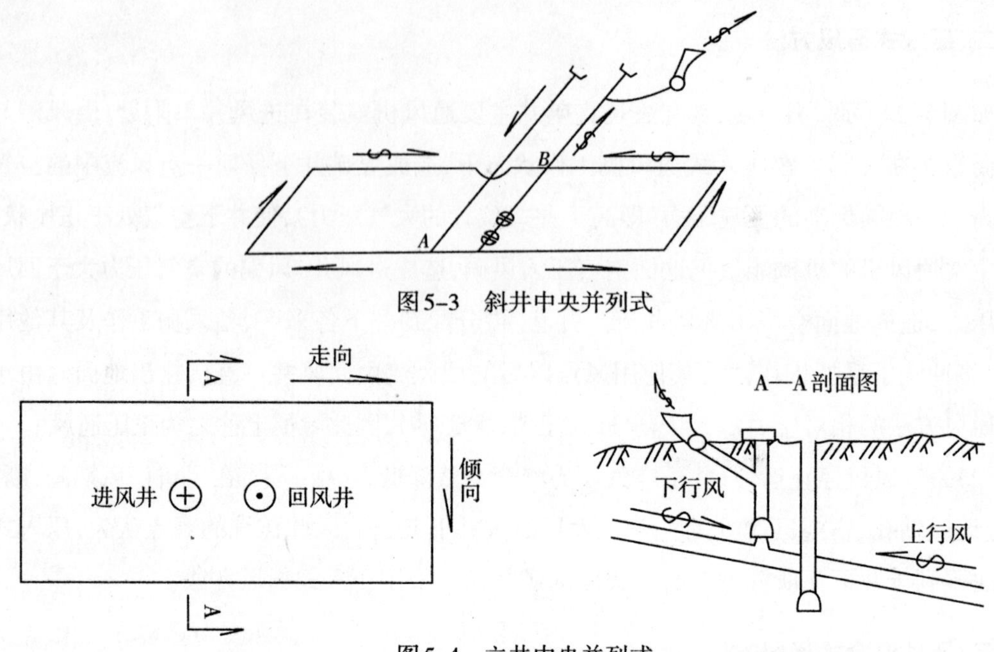

图5-3　斜井中央并列式

图5-4　立井中央并列式

图中只反映了一个进风井筒，实际上往往一个进风井筒是不够用的。如斜井为皮带井，井筒宽度又不够，因此该斜井一般只能运煤兼行人，还需一个与之并列的副斜井，该斜井属于辅助提升井，可以下放材料，向外排矸石，还可兼作行人，在通风方面也是进风井；对于立井而言，如果进风井为主提升井，且为箕斗提升，那么该井筒只能提煤，还需与之并列布置一个副提升井，在通风方面亦是进风井。因此，不论有几个进风井筒，只要他们都布置在井田中央，回风井亦位于井田中央，都属于中央并列式。

进风井井筒与回风井井筒之间的间隔距离一般为30～60m。《煤矿安全规程》第18条规定：每个生产矿井必须至少有两个能行人的通达地面的安全出口，各个出口间的距离不得小于30m。对于立井井筒而言，如果只有两个井筒（一进一回），那么这两个井筒中都应设梯子间，梯子间一般垂深不超过8m设一平台。如果万一发生特大瓦斯、煤尘爆炸事故，矿井供电系统和提升系统遭到破坏，井下工作人员可借助梯子间靠人工的方式到达地面。

（二）中央分列式

中央分列式通风方式又称为中央边界式通风方式。中央分列式是指进风井位于井田中央（既位于沿煤层走向的中央，又位于沿煤层倾斜方向的中央），回风井位于沿煤层走向的中央、倾斜方向的上部边界。如图5-5所示。

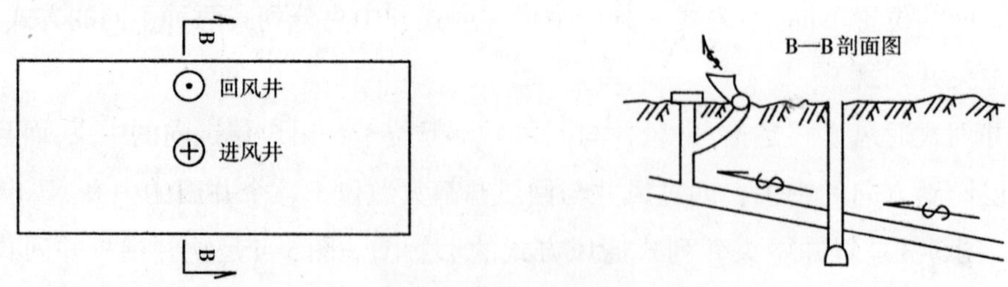

图5-5　立井中央分列式

二、对角式通风方式

对角式通风方式是指进风井大致位于井田中央，回风井分别位于井田上部(沿煤层浅部)沿走向的两翼上。根据回风井沿走向的位置不同，又分为两翼对角式和分区对角式两种。

(一)两翼对角式

两翼对角式通风方式是指进风井位于井田中央，两个回风井分别位于井田浅部(倾斜方向的上部边界)两翼边界附近或两翼边界采区的中央，如图5-6所示。

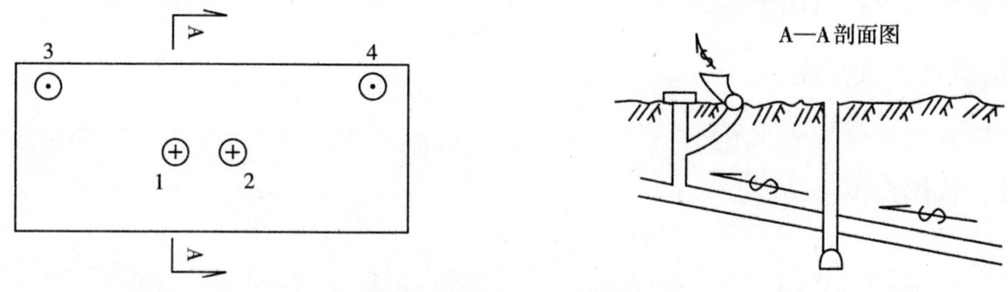

图5-6　两翼对角式通风方式

1.2——进风井;3.4——回风井

(二)分区对角式

分区对角式通风方式是指进风井位于井田中央，在每个采区的井田浅部(倾斜方向的上部边界)各开一个回风井，如图5-7所示。其剖面图与中央分列式的剖面图基本相同，但有着本质的不同，由平面图中我们可清楚地看到，它是在每个采区的上部边界各有一个回风井。但应该注意的是，这些回风井不是同时开出来的，有几个采区同时生产，就有几个回风井，随着每个采区的报废(采区开采结束)，其采区内的回风井随之报废。分区对角式兼有中央式的优缺点和两翼对角式的优缺点。

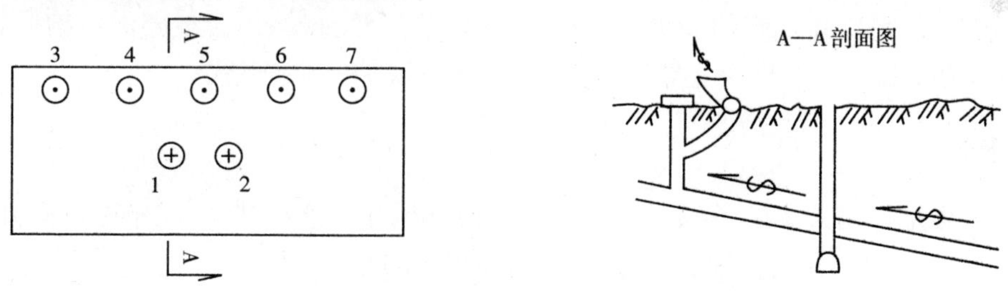

图5-7　分区对角式通风方式

1.2——进风井;3.4.5.6、7——回风井

三、混合式通风方式

混合式通风方式是上述几种通风方式中两种或两种以上的混合应用。如中央并列式与中央分列式(边界)式的混合布置，可命名为:中央—边界式，如图5-8所示;中央并列式与两翼对角式的混合布置 ，可命名为:中央—对角式，如图5-9所示。

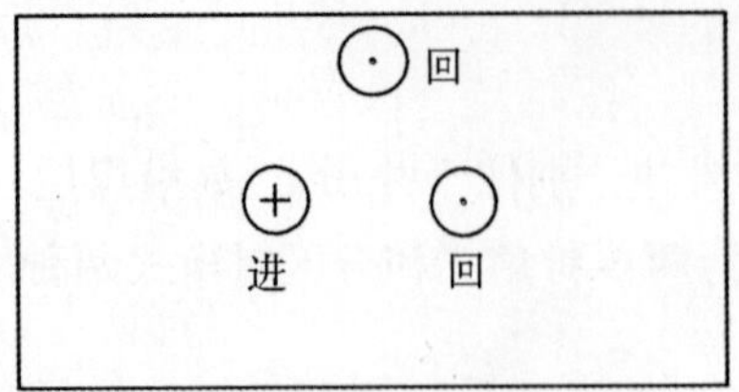

图5-8　中央—边界式

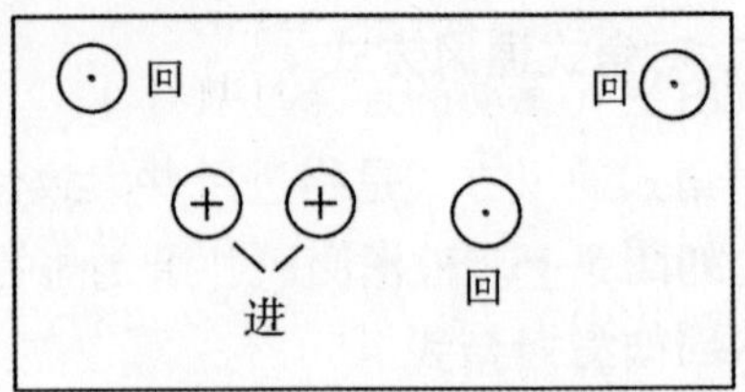

图5-9　中央—对角式

混合式通风方式适用于老井深采和改扩建矿井。

四、区域式通风方式

区域式通风方式是在井田的每一个生产区域分别开进风井与回风井，分别构成独立的通风系统。如图5-10所示。

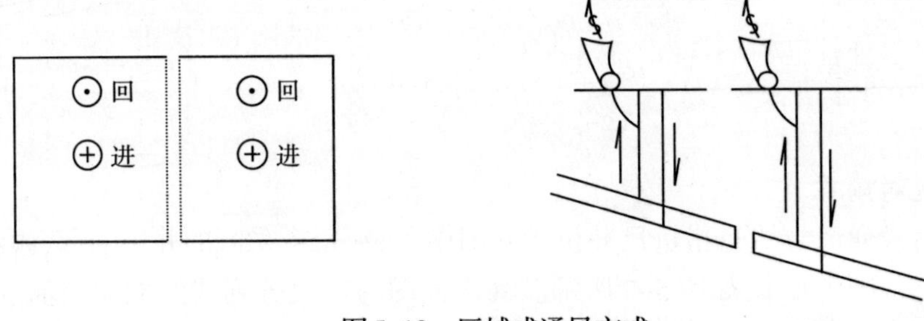

图5-10　区域式通风方式

第三节　通风网路的基本形式及其特性

矿井空气按照矿井生产的要求在井巷中流动时，风流分岔、汇合线路的结构形式，称为矿井通风网路。矿井通风网路主要有串联、并联和角联3种基本形式。

一、串联

串联连接是指两条或两条以上的风路（巷道）首尾互相连接在一起、中间没有分支风路进行通风的一种连接形式，俗称"一条龙"通风。如图5-11所示。串联连接有以下主要特性：

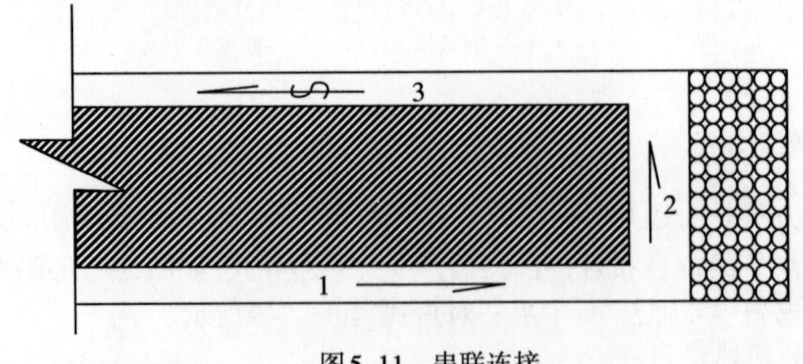

图5-11　串联连接

(一)总风量与分风量的关系

由空气流动的连续性规律可知:串联风路的总风量等于通过各段风路上的风量,即:

$$Q_{串}=Q_1=Q_2=\cdots\cdots=Q_n, \mathrm{m^3/s} \tag{5-1}$$

如图5-11中,采煤工作面运输巷、采煤工作面、采煤工作面回风巷这3段巷道通过的风量从理论上讲是相等的。

(二)总风压与分风压的关系

根据风压叠加原理可知:串联风路的总风压等于各段风路上的分风压之和,即:

$$h_{串}=h_1+h_2+\cdots\cdots+h_n, \mathrm{Pa} \tag{5-2}$$

由于空气流经井巷时要克服巷道的阻力,当这段井巷有多大阻力时,空气流过这段井巷就会有多大的压力损失(又称风压降),流经井巷的距离越长其压力损失就会越大。

(三)总风阻与分风阻的关系

串联风路的总风阻等于串联风路各段风路上的分风阻之和,即:

$$R_{串}=R_1+R_2+\cdots\cdots+R_n, \mathrm{N\cdot s^2/m^8} \tag{5-3}$$

它的推导过程很简单,根据矿井通风阻力定律$h=RQ^2$可知:

$$h_{串}=R_{串}Q_{串}^2;h_1=R_1Q_1^2;h_2=R_2Q_2^2;\cdots\cdots h_n= R_nQ_n^2$$

再将它们代入(5-2)式可得:

$$R_{串}Q_{串}^2=R_1Q_1^2+R^2Q_2^2+\cdots\cdots+R_nQ_n^2$$

而由(5-1)式可知:$Q_{串}=Q_1=Q_2=\cdots\cdots=Q_n$

再代入上式可得:$R_{串}=R_1+R_2+\cdots\cdots+R_n$

(四)总等积孔与分等积孔的关系

串联风路总等积孔2次方的倒数等于各段风路分等积孔2次方的倒数之和,即:

$$\frac{1}{A_{串}^2}=\frac{1}{A_1^2}+\frac{1}{A_2^2}+\cdots\cdots+\frac{1}{A_n^2} \tag{5-4}$$

因为$A=\dfrac{1.1896}{\sqrt{R}}$,则$\mathrm{R}=\dfrac{(1.1896)^2}{A^2}$代入(5-3)式

可得:

$$\frac{1}{A_{串}^2}=\frac{1}{A_1^2}+\frac{1}{A_2}+\cdots\cdots+\frac{1}{A_n^2}$$

即

$$A_{串}=\frac{1}{\sqrt{\dfrac{1}{A_1^2}+\dfrac{1}{A_2^2}+\cdots\cdots+\dfrac{1}{A_n^2}}}, \mathrm{m^2}$$

这里需要特别说明的是:串联连接和串联通风不是一个概念。串联连接是必要的(必不可少的),而串联通风是有害的。

串联通风是指新鲜风流流经用风点或区域后,其回风流不直接进入矿井回风系统,而是

又进入下一个用风点的通风方法。如图5-12所示。

《煤矿安全规程》第114条规定：采掘工作面应实行独立通风。同一采区内，同一煤层上下相连的两个同一风路中的采煤工作面、采煤工作面与其相连接的掘进工作面、相邻的两个掘进工作面，布置独立风系统有困难时，在制定措施后，可采用串联通风，但串联通风的次数不得超过一次。开采有煤（岩）与瓦斯（二氧化碳）突出危险的煤层时，严禁任何两个工作面之间串联通风。

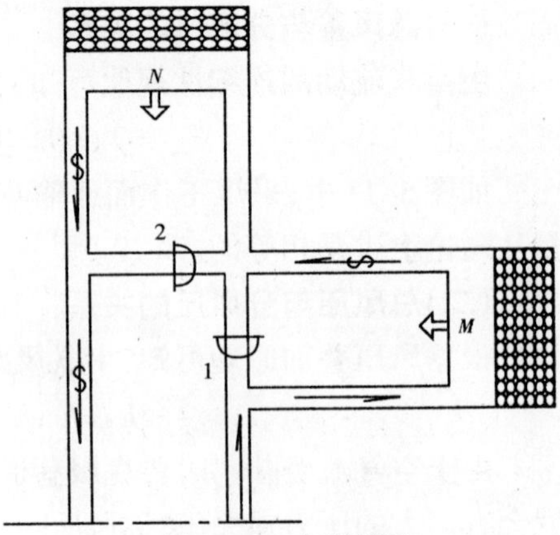

图5-12　串联通风

串联通风主要有以下危害：

（1）被串联工作面工作人员始终吸炮烟。即前一个工作面（如图5-12中的M工作面）产生的炮烟、瓦斯、粉尘及其他有毒有害气体直接进入下一个工作面（如图5-12中的N工作面），故使被串联工作面空气质量下降。

（2）串联风路比并联长，风阻值大，影响采区供风量。

（3）一旦发生矿井火灾、瓦斯（煤尘）爆炸事故，串联工作面之间难以相互隔绝，扩大灾害范围。

如果采用串联通风，还必须在进入被串联工作面的风流中装设甲烷断电仪，且瓦斯和二氧化碳浓度都不得超过0.5%。

二、并联

并联连接是指两条或者两条以上的风路由某一点分开，又在另一点汇合，其中间没有交叉巷的连接形式。如在图5-12中的两个串联工作面之间架设一处风桥，去掉1和2两处的风门，则两个工作面便形成了并联连接，即独立通风，如图5-13所示。

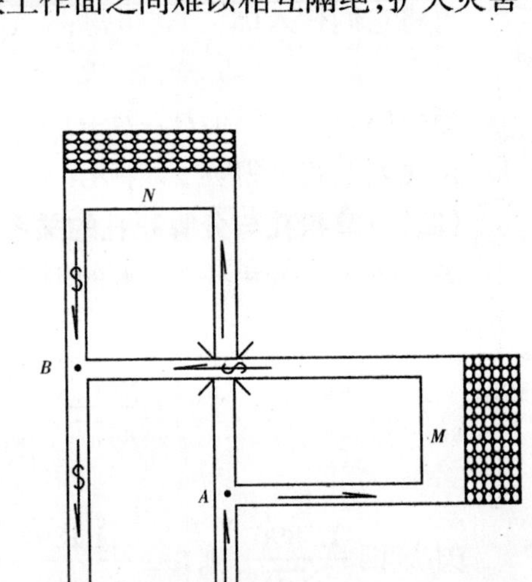

图5-13　并联连接

通过前面的介绍，串联连接与串联通风不是同一概念。但并联连接和并联通风的定义相同。图5-13是并联连接的通风系统示意图，其通风网路图如图5-14所示。

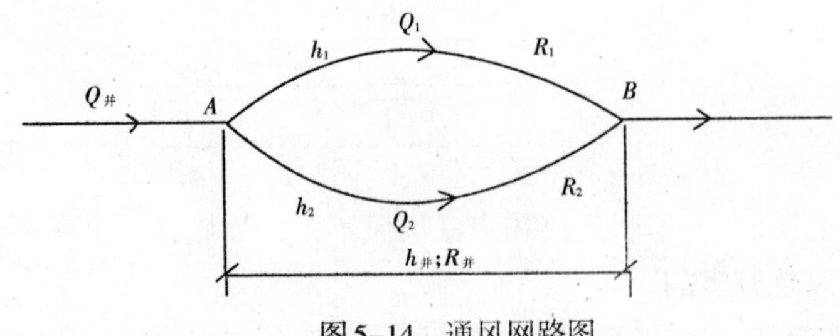

图5-14　通风网路图

并联网路主要有以下特性：

(一)总风量与分风量的关系

根据风量平衡定律可知：并联网路的总风量等于并联各分支风路的分风量之和。即：

$$Q_{并}=Q_1+Q_2+\cdots\cdots+Q_n,\ \mathrm{m^3/s} \tag{5-5}$$

(二)总风压与分风压的关系

根据风压平衡定律可知：并联网路的总风压等于任一并联分支风路的风压。即：

$$h_{并}=h_1=h_2=\cdots\cdots=h_n,\ \mathrm{Pa} \tag{5-6}$$

(三)总风阻与分风阻的关系

并联风路总风阻平方根的倒数，等于并联各分支风路分风阻平方根的倒数之和。即：

$$\frac{1}{\sqrt{R_{并}}}=\frac{1}{\sqrt{R_1}}+\frac{1}{\sqrt{R_2}}+\cdots\cdots+\frac{1}{\sqrt{R_n}} \tag{5-7}$$

其推导过程如下：

根据通风阻力定律 $h=RQ^2$ 得 $Q=\frac{\sqrt{h}}{\sqrt{R}}$ 则有：

$$Q_{并}=\frac{\sqrt{h_{并}}}{\sqrt{R_{并}}},Q_1=\frac{\sqrt{h_1}}{\sqrt{R_1}},Q_2=\frac{\sqrt{h_2}}{\sqrt{R_2}}\cdots\cdots Q_n=\frac{\sqrt{h_n}}{\sqrt{R_n}}$$

将它们代入(5-5)式可得：

$$\frac{\sqrt{h_{并}}}{\sqrt{R_{并}}}=\frac{\sqrt{h_1}}{\sqrt{R_1}}+\frac{\sqrt{h_2}}{\sqrt{R_2}}+\cdots\cdots+\frac{\sqrt{h_n}}{\sqrt{R_n}}$$

由于并联网路风压相等，将(5-6)式代入上式可得：

$$\frac{1}{\sqrt{R_{并}}}=\frac{1}{\sqrt{R_1}}+\frac{1}{\sqrt{R_2}}+\cdots\cdots+\frac{1}{\sqrt{R_n}}$$

将上式两边同时平方并取倒数化简可得：

$$R_{并}=\frac{R_1}{\left(1+\sqrt{\frac{R_1}{R_2}}+\sqrt{\frac{R_1}{R_3}}+\cdots\cdots+\sqrt{\frac{R_1}{R_n}}\right)^2},\ \mathrm{N\cdot s^2/m^8} \tag{5-8}$$

在上式中若 $R_1=R_2$，两条风路并联连接，则有：

$$R_{并}=\frac{R_1}{\left(1+\sqrt{\frac{R_1}{R_2}}\right)^2}=\frac{1}{4}R_1,\ \mathrm{N\cdot s^2/m^8}$$

这就说明了，若两段风阻相等的巷道并联连接，并联以后的总风阻是每段巷道风阻值的 $\frac{1}{4}$；同理，如果是3段风阻值都相等的巷道并联连接，那么其总风阻值是每段巷道风阻值的 $\frac{1}{9}$，如果是 n 条风阻值均相等的巷道并联连接，那么其总风阻值是每段巷道风阻值的

$\frac{1}{n^2}$，即：

$$R_{并}=\frac{R_1}{n^2}=\frac{R_2}{n^2}=\cdots\cdots=\frac{R_n}{n^2},N\cdot s^2/m^8$$

由此可知：并联的分支风路越多，则其风阻值就越小，矿井通风则越容易。

并联连接与并联通风的定义是相同的。对于大范围内的并联通风，《规程》上称之为分区通风；对于采区内部之间的并联通风，《规程》上称之为独立通风。

《煤矿安全规程》第113条规定：生产水平和采区必须实行分区通风。

《煤矿安全规程》第114条规定：采掘工作面应实行独立通风。

并联通风（即分区通风和独立通风）主要有以下优点：

①并联的分支风路越多，则风阻值就越小，通风就越容易，通风费用就越低。

②并联风路各分支风路上都能获得独立的新鲜风流。

③并联风路有利于风流控制和风量调节，容易做到风量的按需分配。

④一旦发生特大井下火灾、瓦斯（煤尘）爆炸事故，并联风路容易做到相互隔绝，将事故控制在最小范围。

⑤并联风路经济合理，增强了矿井的防灾、抗灾能力。

（四）总等积孔与分等积孔的关系

并联网路的总等积孔等于并联各分支风路的分等积孔之和。即：

$$A_{并}=A_1+A_2+\cdots\cdots+A_n,m^2 \tag{5-9}$$

其推导过程如下：

由等积孔的计算公式 $A=\frac{1.1896Q}{\sqrt{h}}$ 可得：

$$Q=\frac{A\sqrt{h}}{1.1896}$$

那么5-5式可表示为：

$$\frac{A_{并}\sqrt{h_{并}}}{1.1896}=\frac{A_1\sqrt{h_1}}{1.1896}+\frac{A_2\sqrt{h_2}}{1.1896}+\cdots\cdots\frac{A_n\sqrt{h_n}}{1.1896}$$

而并联风路风压相等，即：

$$h_{并}=h_1=h_2=\cdots\cdots=h_n$$

所以：

$$A_{并}=A_1+A_2+\cdots\cdots+A_n$$

上式说明：并联网路的分支风路越多，则其等积孔值就越大，那么矿井通风就越容易。

三、角联

角联是指在并联连接的两条分支风路之间，还有一条或者几条风路相连通的连接形式。如图5-15所示。

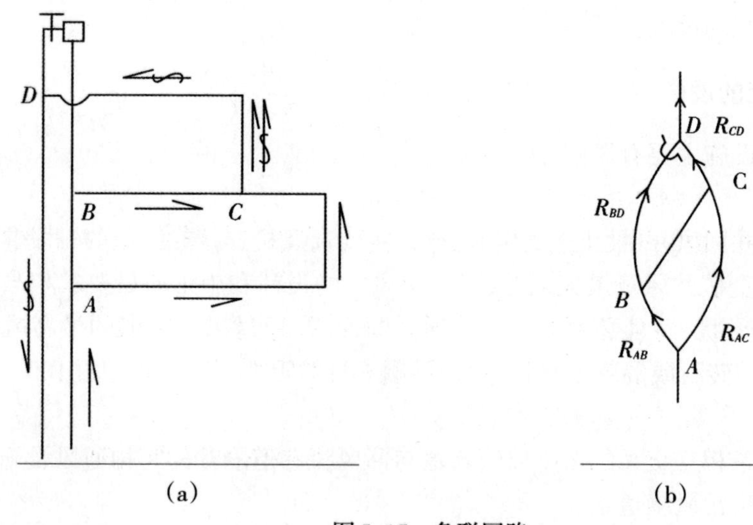

图5-15　角联网路

角联规律：

角联巷道(5-15中的BC巷道)中风流方向的变化取决于各邻近巷道风阻值的比例关系。其规律如下：

(1)风流由B点向C点流动(B点压力高于C点时)

满足：
$$\frac{R_{AB}}{R_{BD}} < \frac{R_{AC}}{R_{CD}}(R\text{值小,压力损耗小})$$

(2)风流由C点向B点流动(C点压力高于B点时)

满足：
$$\frac{R_{AB}}{R_{BD}} > \frac{R_{AC}}{R_{CD}}$$

(3)B、C间无风(B、C两点压力相等,即无压差)

满足：
$$\frac{R_{AB}}{R_{BD}} = \frac{R_{AC}}{R_{CD}}$$

结论：角联风路不稳定,也就是说角联通风是有害的。因此,在矿井设计时,除矿井总进风与总回风一侧可以存在角联风路以外,采区内部之间绝不允许存在角联网路。

实际上由于矿井内部漏风的影响,生产矿井实际存在角联网路,这是由于通风设施不严密等情况所产生的。因此在矿井生产过程中要加强矿井通风设施管理。

第四节　矿井通风设施

通风设施是矿井通风系统的重要组成部分,又称为通风构筑物或风流控制设施。井下巷道纵横交错,有些地点的风流需要加以引导,有些地点需要予以隔绝,而且各个工作地点所需风量不尽相同,这样就需要在井下不同的地点构筑必要的通风设施,对风流的流量及流向加以引导和控制,使其按照生产系统拟定的方向和路线流动。

矿井通风设施按其作用的不同,一般分为三大类型,即:引导风流的设施、隔断风流的设施和调节控制风流的设施。

一、引导风流的设施

引导风流的设施主要有风硐、风桥等。

(一)风硐

风硐是将矿井回风井(抽出式通风)与矿井主要通风机连接在一起的一段巷道。因为通过风硐的风量是全矿井风量最大之处,因此对风硐的设计和施工质量要求相当高。风硐最好采用圆形断面形状,而且必须有足够的通风断面积,通过风硐风流的最高风速不得超过15m/s,且必须采用砖石或混凝土材料建筑,风硐本身的阻力一般不得超过100 ~ 200Pa。

(二)风桥

风桥是将两条相互交叉的新鲜风流巷道与回风流巷道隔开的一种通风设施。其行风原则为:新风桥下流,污风绕道走。

按照风桥的服务年限和通过的风量大小不同,风桥一般分为绕道式风桥、混凝土预制风桥和铁筒风桥3种类型。《规程》101条规定:风桥中的最高风速不得超过10m/s。

(1)绕道式风桥,如图5-16所示。

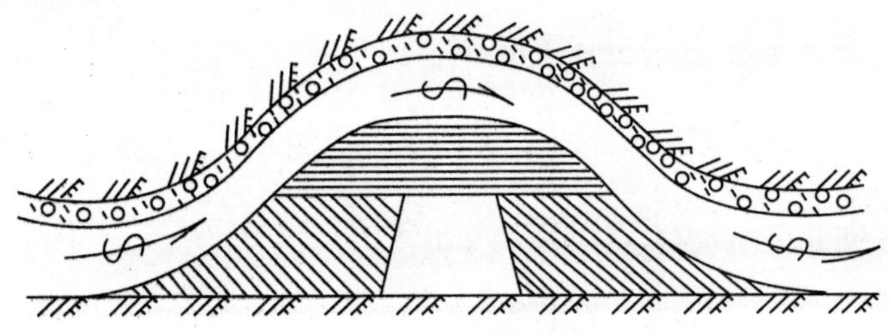

图5-16　绕道式风桥

当服务年限很长,通过的风量在20 m^3/s 以上时,适合采用绕道式风桥。进、回风巷之间必须有足够厚度的煤岩柱,以防漏风。风桥必须有足够的通风断面积,以保证风桥本身的阻力不得超过150 Pa。绕道式风桥一般为服务于全矿井(或某一生产水平)的整个服务年限。

(2)混凝土风桥,如图5-17所示。

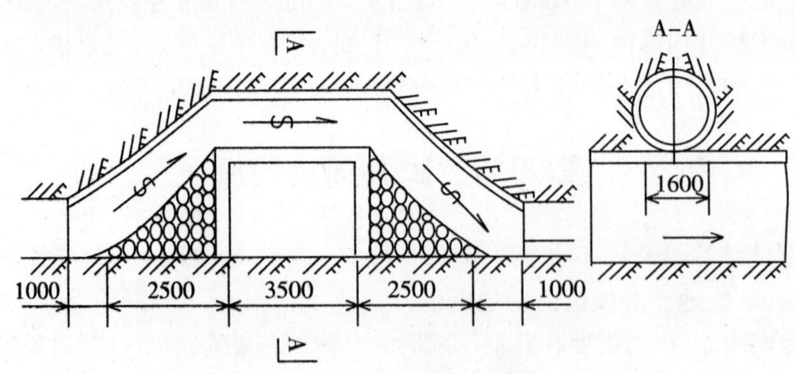

图5-17　混凝土风桥

当其服务年限比较长，通过的风量在10m³/s～20 m³/s时，适合采用混凝土风桥。如服务于一个采区时可采用。因为一个采区的服务年限一般为5～6年。

(3)铁筒风桥，如图5-18所示。

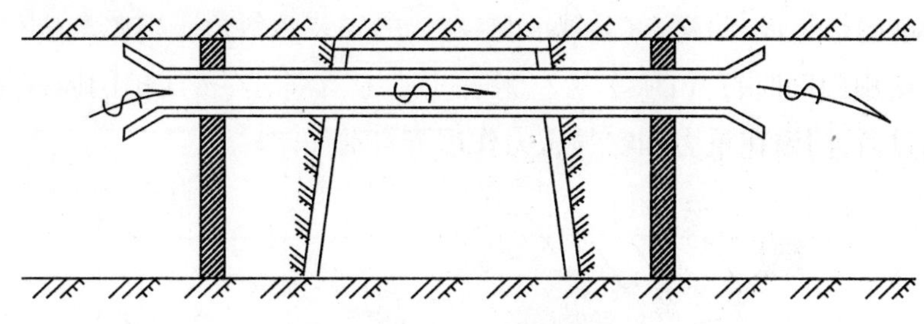

图5-18　铁筒风桥

一般服务期限短，通过的风量在10 m³/s以下时，适合采用铁筒风桥，如服务于一个采煤工作面。因为一个采煤工作面的服务期限一般为5～6月。

二、隔绝风流的设施

隔绝风流的设施，主要有井口防爆门、风门和密闭。井口防爆门在矿井主要通风机的附属装置内容中已介绍过，下面主要介绍风门和密闭。

(一)风门

既要隔断风流，又要行车和行人的巷道，就必须设置风门。风门的门扇必须安设在挡风墙墙垛的门框上。墙垛可用砖、石、木段或水泥砌筑。

风门按其所用材料的不同可分为木板风门、金属风门和混凝土预制风门3种。

风门按其操作方式不同可分为人工风门、半自动风门和全自动风门3种。

1.人工风门

人工风门一般也称为普通风门，一般多用木板制成。大多采用双层木板(每层板厚15mm)错缝或单层木板(板厚30mm)对口的单扇或双扇结构，多用在以行人为主、辅助运输的地点。如图5-19所示，这是一种单扇木质沿口普通风门。这种风门的结构特点是门扇与门框呈斜面沿口接触，接口处有可靠性衬垫，接触严密，一般可用两年左右。

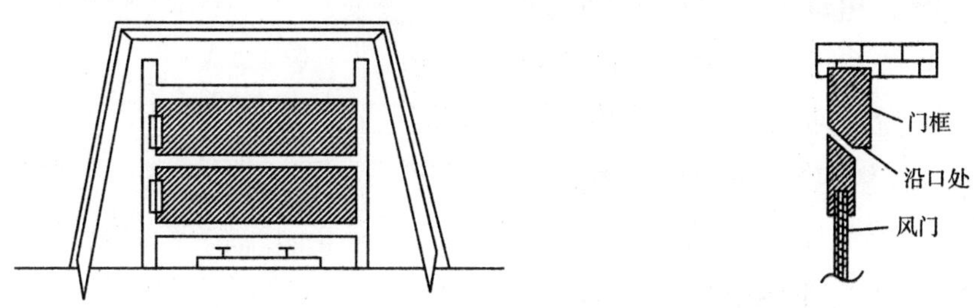

图5-19　木质沿口风门

人工风门的门扇要迎风安设并朝顺风方向有80°～85°的安装倾斜角度，以便靠重力的作用自动关闭。每一处的风门最少应设置两道，以防风门打开时造成风流短路。

2.半自动风门

半自动风门是通过机械传动的方式来操控风门的，又称为机械自动风门。在机械传动式的自动风门中常采用撞杆式的自动风门，如图5-20所示。

它是由两扇门板组成，门框和门轴呈80°～85°的安装倾斜角。当矿车从右侧通过时，车体挤压撞杆使两扇门同时打开；矿车从左侧通过时，矿车撞击、挤压护门撞杆将两扇门同时打开。矿车通过后，门扇在重力和空气压力作用下自动关闭。

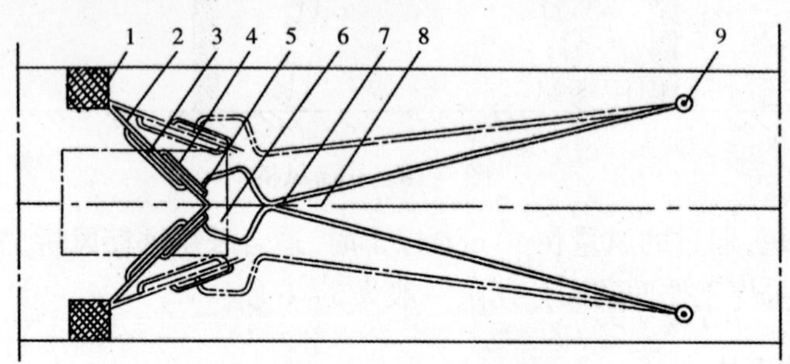

图5-20 撞杆式自动门

1——门框；2——门扇；3——护门撞杆；4——滑道；5——滑滚；6——矿车；

7——推门撞击杠杆；8——轨道中心线；9——推门撞击杠杆立轴

3.全自动风门

全自动风门有光电感应式、超声波电动式、水动式、气动式风门。实践证明，超声波电动自动风门具有防尘、防潮、防爆、使用寿命长等优点。下面以超声波电动风门为例，介绍一下其工作原理。

①超声波电动风门工作原理。

超声波电动风门的工作原理，就是将电能通过超声波发射装置转变成机械波，机械波又通过超声波接收机转变为电信号，从而控制风门的动力（电动机）开关，使风门开启和关闭。

②超声波电动风门的组成。

超声波电动风门的平面布置图如图5-21所示。超声波电动风门由控制系统、执行系统、传动系统和风门等四大部件所组成。其中控制系统包括直流电源（由电源转换器供给）超声波继电器（由超声波发射装置和接收机组成）和延时电路（装于电器控制箱中）。执行系统包括执行机构（由接点、线圈、开关等组成，装于电器控制箱中）和电动机。传动系统包括传动丝杠、滑块、钢丝绳和导向轮。风门包括风门、铰链及弹簧。

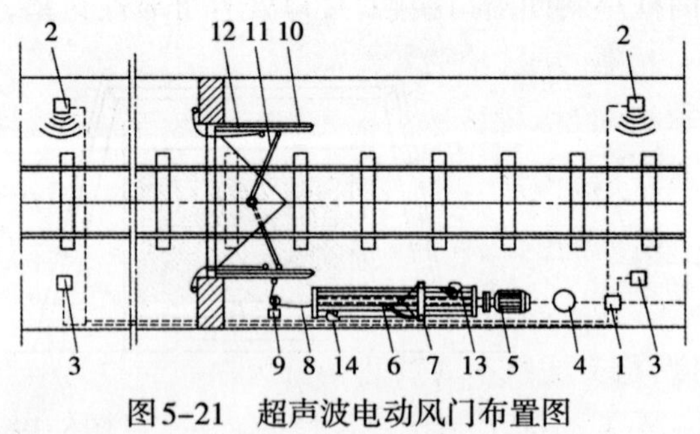

图5-21 超声波电动风门布置图

③超声波电动风门的操作程序。

超声波电动风门的主要电路系统示意图，如图5-22所示。正常工作时合上开关K，输入的交流电源通过变压器、整流滤波电路(由桥式整流电路滤波电容C_2及限流电阻R_8组成)向延时电路和超声波继电器供以直流电源。将超声波发射装置和接收机分别装设在巷道两边。当没有人、车通过时,发射机发射的超声波信号,由接收机正常收到,因而接收机中的中间继电器不作为,从而使风门处于原有的关闭状态;当有人、车通过时,挡住了超声波信号,接收机收不到信号,因而接收机中的中间继电器动作,则延时电路常开接点J_1闭合,三极管BG_4立即导通,使延时继电器J_2吸合,与此同时电解电容C_3充电。当J_2吸合时,执行机构部分的切换接点J_2' 立即断开倒向下方,则交流电流电源电压经过①—②—③构成通电回路,此时交流接触器吸力线圈B通电,从而使交流接触器B闭合,驱动电动机正转。电动机经对轮带动丝杠旋转,致使套在丝杠上的滑块水平向电动机方向移动,滑块上系有钢丝绳通过导向轮牵引风门打开。当滑块碰上行程开关$L\times B$时,行程开关就断开。使①—②—③回路断电,从而交流接触器B断开,电动机停止运转。

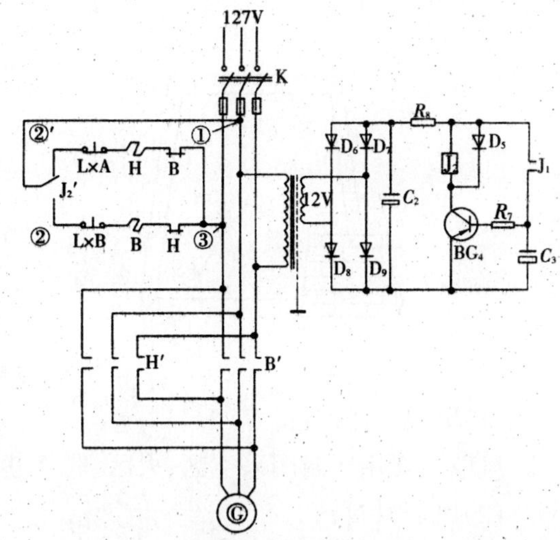

图5-22　超声波电动风门主要电路系统图

当人或车通过后,接收机正常收到超声波信号,因而接收机中的中间继电器恢复原状,则延时电路常开接点J_1立即断开,此时全靠电解电容C_3放电维持延时继电器J_2吸合,延迟时间的长短,根据需要决定于基极电阻R_7的阻值以及C_3电容值的选择。当放电完毕,延时继电器J_2释放,切换接点J_2' 倒向上方,使电源电压经过①—②′—③构成通电回路,因交流接触吸力线圈H通电,从而使交流接触器H闭合,故驱动电动机反转,滑块向风门方向水平移动,钢丝绳放松,风门靠负压以及门上弹簧的拉力作用关闭。当滑块碰上行程开关$L\times A$时,行程开关就断开,使①—②′—③回路断电,从而使交流接触器H断开,电动机停止运转。

光电感应(光电管控制)的全自动风门的组成、工作程序和超声波控制的自动风门原理基本相同,不同的是使用光源和光敏电阻代替超声波发射机和接收机而已。光电风门的主要缺点是受到井下空气中的水雾、粉尘的影响,而且它不防潮、不具防爆性能、使用寿命短。

对风门的安装方面主要有以下要求:

①同一巷道内最少应设置两道风门,在行车巷道,两道风门之间的距离应大于1列车的长度,行人或行车时禁止两道风门同时打开。

②人工风门应迎风开启,使风门承受风流压力,关闭更为严密,门框应朝顺风方向倾斜80°~85°,以使风门靠重力的水平分力自动关闭。

(二)风墙

风墙又称为挡风墙或者密闭。如图5-23所示。

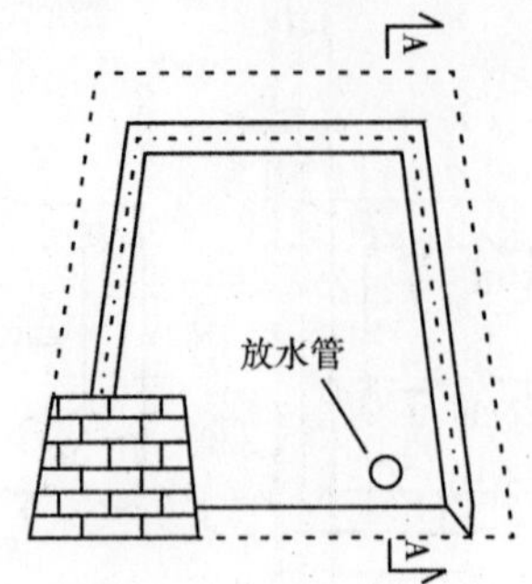

图5-23 风墙

(1)风墙的作用:

风墙主要用于封闭采空区、火区、联络巷道等。

(2)风墙材料:

①用砖、料石、混凝土等材料砌筑的永久风墙;

②用板材、木柱配黄泥砌筑的临时风墙;

③用麻袋(编织袋)装入黄土或砂子做成的耐爆墙。

(3)对永久风墙(密闭)的质量要求:

①必须用不燃性材料建筑,严密不漏风,墙体厚度不小于0.5m;

②密闭前无瓦斯积聚,密闭前5m内巷道支护完好,无片帮、冒顶,无杂物、积水和淤泥;

③密闭周边要掏槽,见硬底、硬帮,与煤岩接实,并抹有不少于0.1m的裙边;

④密闭内有水的要设反水池或反水管,有自然发火煤层的采空区密闭要设观测孔、注浆孔,孔口封堵要严实;

⑤密闭前要设栅栏、警标、说明牌板和检查箱,墙面平整,无裂缝、重缝和空缝等。

《煤矿安全规程》第118条规定:控制风流的风门、风桥、风墙、风窗等设施必须可靠。不应在倾斜运输巷中设置风门,如果必须设置风门,应安设自动风门或设专人管理,并有防止矿车或风门碰撞人员以及矿车碰坏风门的安全措施。

三、风量调节设施

(一)风硐中的调节闸门

离心式矿用主要通风机在启动时,调节闸门要全部关闭,等风机运转平稳后,再将闸门慢慢提起,提到风机的工作风量满足矿井需要的位置为止;轴流式矿用主要通风机在启动时,要将风硐中的调节闸门全部打开,等风机运转平稳后,再将闸门慢慢往下放,放到矿井主要通风机的风量满足矿井需要的风量位置为止。

风硐中的调节闸门可用于调节矿用主要通风机的工作风量。

(二)风窗

风窗是在风门的上部安装一个带活动窗板控制的调节窗口。

风窗主要用于采区内部之间的风量调节,详见第七章矿井通风管理。

第五节　矿井通风系统图及通风网路图

矿井通风系统图与矿井通风网路图的绘制目的，是为了便于矿井通风管理，预防和处理灾害事故。

《煤矿安全规程》第120条规定：矿井通风系统图必须标明风流方向、风量和通风设施的安装地点。必须按季度绘制通风系统图，并按月补充修改。多煤层同时开采的矿井，必须绘制分层通风系统图。矿井应绘制矿井通风系统立体示意图和矿井通风网络图。

一、通风系统平面图

（一）绘制方法

矿井通风系统平面图是在采掘工程平面图上标上风流方向、风量及各种通风设施的布设地点即可。

（二）特点

(1)通风系统平面图要按照一定的比例来绘制；

(2)通风系统平面图反映准确的地理坐标，反映各种通风设施的准确位置；

(3)通风系统平面图必须用双线条表示井巷。

（三）适用条件

矿井井巷布置系统相当复杂的矿井，适合采用矿井通风系统平面图来反映矿井实际通风情况。

二、矿井通风系统平面示意图

图5-24为立井两翼对角式通风系统平面示意图；图5-25为斜井中央并列式通风系统平面示意图。

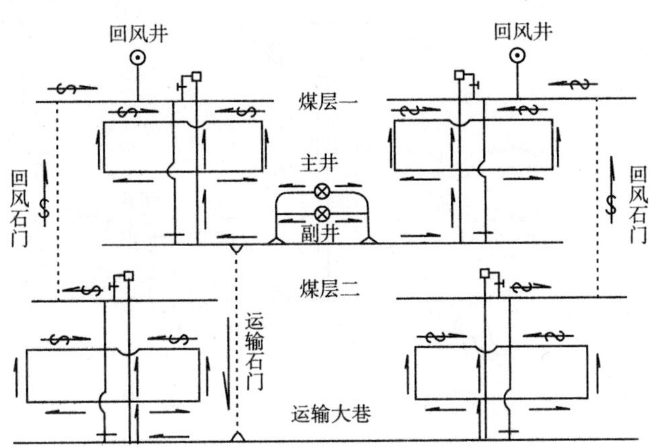

图5-24　立井两翼对角式通风系统平面示意图

通风系统平面示意图是根据采掘工程平面图中实际通风井巷的平面相对位置，用不按比例的单线（或双线）条绘制而成的，但井巷的大致方位和井巷间的相对位置不得搞错。图上要标明风流方向等通风系统所必须具有的内容。

三、通风系统立体示意图

通风系统立体示意图是根据矿井各煤层、各井巷的立体相对位置，以轴侧投影方式，用不按一定比例的单线(或双线)条绘制而成，具有立体感。同样应反映通风系统的有关内容，如图5-26所示。

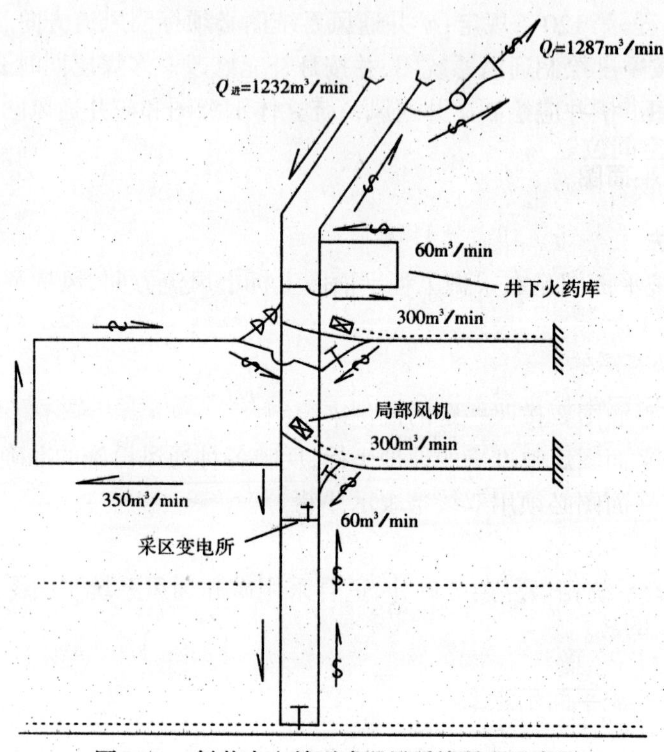

图5-25 斜井中央并列式通风系统平面示意图

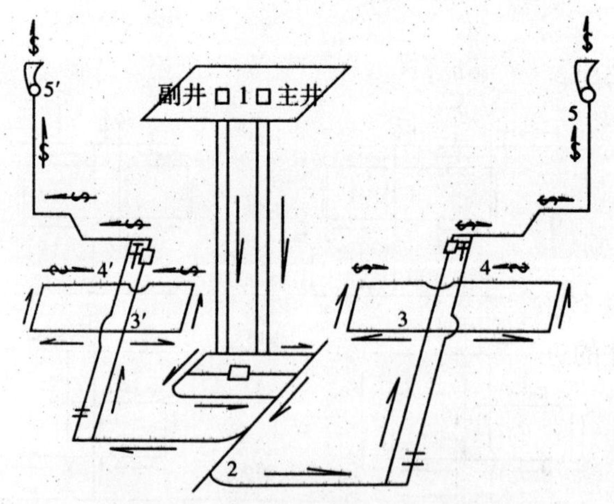

图5-26 通风系统立体示意图

四、通风网路图

图5-27是图5-26相对应的通风网路图。

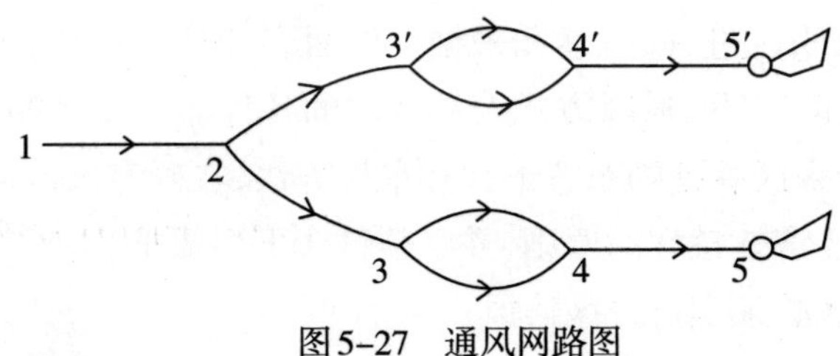

图5-27　通风网路图

(一)通风网路图的特点

(1)不按一定的比例绘制;

(2)不反映空间位置关系;

(3)全部用单线条来表示井巷;

(4)使煤矿井下风路更加清晰明确,便于通风网路解算及分析研究问题;

(5)图上必须标明风流方向、通过各段井巷的风量、各段井巷的风阻值、各调节风门位置等。

(二)通风网路图的绘制方法

(1)在矿井通风系统图上,沿风流(由进风开始)流动路线将各分岔点和汇合点依次编号,再沿编号顺序将风流流动路线按各分岔、汇合的结构依次绘成单线图,并在各线段上标明风流方向、巷道风阻值、通过各段井巷的风量及通风阻力等数值。

(2)相距很近的几个分点(或汇点),可简化为一个点,某些局部地区的若干并联(并列)线路可简化为一根单线,但应注明此线段始末两点的编号,线段上所标注的风阻、风量及阻力值应为此区段的总风量、总风阻及总阻力。

(3)无通风机工作的几个标高相差不大的井口,在网路图上可闭合为一点,因为它们的压力相同(同为当地同标高的大气压力P_0)。

(4)通风网路图上的线条要画得圆滑、均匀,并联风路最好画成互相对称的圆弧曲线,以使网路图显得美观。

(5)主要漏风地段及主要通风设施应在网路图上表现出来。

第六节　采区通风系统

生产矿井一般都有几个采区同时生产和准备。每一个采区都是矿井通风系统中的一个独立的通风区域;每个采区有采煤工作面、备用工作面、掘进工作面、机电硐室及其他用风地点,它们各自与矿井的进风巷和回风巷相通。采区通风系统的合理与否,直接影响着矿井的安全生产。

一、采区通风系统的基本要求

采区通风系统是指新鲜风流由矿井主要进风巷道进入采区进风巷,然后分配到采区内部各采掘工作面、机电硐室及其他用风点,清洗了采掘工作面以后的回风流由各工作地点的回风道流入采区回风巷,由采区回风巷排入矿井回风巷,完成整个采区的通风任务。

采区通风系统包括采区进、回风巷和采掘工作面进、回风巷道的布置方式，采区通风巷道之间的连接形式，各工作面的通风方式及采区内的各种通风设施的布设地点等内容。采区通风系统主要取决于采区巷道的布置形式和采煤方法，在确定采区通风系统时，必须遵守技术合理、安全可靠和经济效益好的原则，并必须符合下列要求：

(1)生产水平和采区必须实行分区通风；

(2)采区进、回风巷必须贯穿整个采区，严禁一段为进风巷、一段为回风巷；

(3)采掘工作面应实行独立通风；

(4)采掘工作面的进风和回风不得经过采空区或冒顶区；

(5)控制风流的风门、风桥、风墙、风窗等设施必须可靠；

(6)采空区必须及时封闭。必须随采煤工作面的推进逐个封闭通至采空区的连通巷道。采区开采结束后45天内，必须在所有与已采区相连通的巷道中设置防火墙，全部封闭采区。

二、采区进、回风巷道的布置方法

(一)输送机上山进风、轨道上山回风

皮带输送机上山进风、轨道上山回风的采区巷道布置系统如图5-28所示。

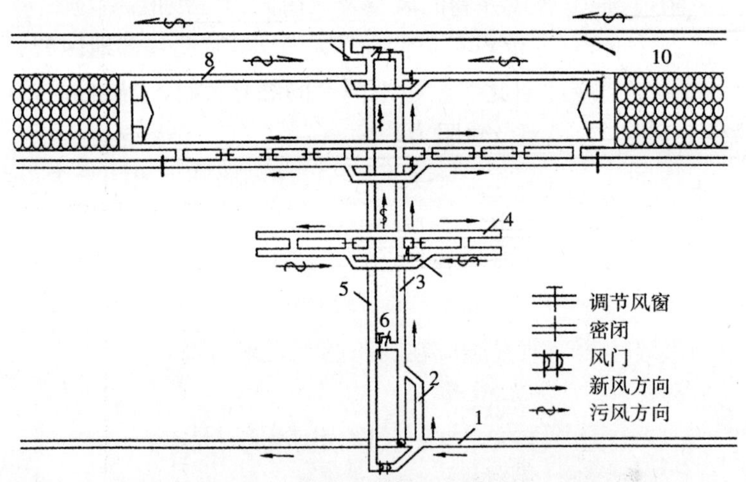

图5-28　输送机上山进风采区通风系统

1——进风大巷；2——进风联络巷；3——运输机上山；4——运输机平巷；5——轨道上山；6——采区变电所；7——采区绞车房；8——工作面回风巷；9——回风石门；10——总回风巷

这种采区的布置方式，由于风流方向与运煤方向相反，容易扬起煤尘，使风流中的煤尘浓度大，而且在煤炭的运输过程中煤炭往外放散的瓦斯流回采煤工作面，使采煤工作面风流中瓦斯浓度升高。另一个方面是，煤炭氧化及输送机散发的热量对工作面来说，是一个升温因素，影响工作面的气候条件。另外这种布置方式还需要在轨道上山的下部车场内安设风门，由于频繁通车，易使风门损坏，需要加强通风设施管理，防止漏风引起风流短路，以确保每个工作场所达到足够的风量。

(二)轨道上山进风,输送机上山回风

这种布置方式要求轨道上山要有足够的宽度,因为在巷道中既要架设皮带输送机(或刮板输送机),又要铺设轨道(运送材料)。采用轨道上山进风,输送机上山回风,运煤方向与风流流动方向相同,避免了运输机上山进风运煤方向与风流流动方向相反的缺点。但这种布置方式因输送机布置在回风流中,安全性能比较差,而且还要在轨道上山的中部和上部的甩车场设置风门,因其风门数量比较多,管理的不好易形成漏风,另一方面采区溜煤眼也可能产生漏风。因此这种布置方式管理比较复杂,且安全性能比较差。

(三)输送机上山与轨道上山同时进风,一条或两条专用上山回风

这种布置方式,在所有的上山的下部都不需要设置风门,有利于风流控制,减少了漏风,增大了采区有效风量率,而且安全可靠。但这种布置方式仍然存在运煤方向与风流动方向相反的问题,而且还需要在轨道上山的中部及上部甩车场设置大量的风门。

对于煤层群联合开采布置的采区、厚煤层分层开采的采区以及综合机械化采区等,由于产能集中,瓦斯涌出量大,供风量大,以及受到允许风速的限制等因素,有时也是为了最大限度降低矿井及采区的通风阻力,往往需要开掘3条或者3条以上的上山作为采区的进风巷或回风巷。

在具体选择采区通风系统时,应从安全、可靠和经济等各个方面全盘予以考虑,根据煤层赋存条件、煤层瓦斯含量、开采方法、采煤工艺、顶板管理方式及地温等方面来确定。在采区瓦斯涌出量大、煤尘爆炸性危险性大、工作面空气温度比较高的采区,采用轨道上山进风、输送机上山回风的采区通风系统较为合理;在采区的瓦斯涌出量小、煤尘爆炸危险性小,工作面空气温度比较低,而且巷道通风断面大而风速比较低,并具备洒水降尘措施的采区,采用输送机上山进风、轨道上山回风的采区通风系统比较合理;煤层群联合开采布置的采区,采用输送机上山与轨道上山同时进风,专用回风上山回风的采区通风系统较为合理。《煤矿安全规程》第113条规定:高瓦斯矿井、有煤(岩)与瓦斯(二氧化碳)突出危险的矿井的每个采区和开采容易自然煤层的采区,必须设置至少一条专用回风巷;低瓦斯矿井开采煤层群和分层开采采用联合布置的采区,必须设置一条专用回风巷。

三、采煤工作面的通风系统

采煤工作面的通风系统是由工作面的进风巷、工作面和回风巷所组成。当工作面采用走向长壁后退式开采时,采煤工作面的通风方式主要有U形通风系统、U+L形通风系统、Z形通风系统、Y形通风系统和W形通风系统等。

(一)U形通风系统

采煤工作面采用U形通风系统如图5-29所示。

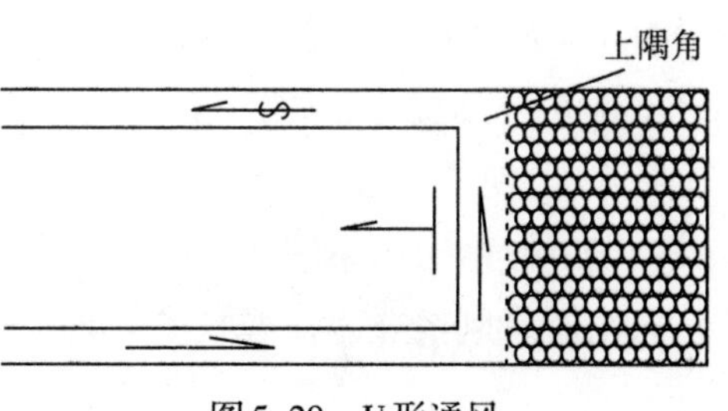

图5-29　U形通风

这种通风系统的优点是系统简单,采空区漏风小,通风管理容易。其缺点主要是在工作面上隅角附近,由于风速较低或处于完全停止状态,易形成局部瓦斯积聚,直接影响到采煤工作面的安全生产。这里所说的局部瓦斯积聚,是指在体积大于$0.5m^3$的空间范围内瓦斯浓度达到或超过2.0%的现象。当瓦斯涌出量不大时，为防止工作面上隅角的风流停滞区形成局部瓦斯积聚，可设纵风风幛或导风筒将其排出。

(二)U+L形通风系统

采煤工作面采用U+L形通风系统如图5-30所示。这种通风系统习惯上又称为尾巷排除法。新鲜风流由进风巷(运输顺槽)进入采煤工作面，其回风流一部分由回风巷(回风顺槽)排出，而另一部分则由尾巷排出，这种方法从根本上解决了采煤工作面上隅角瓦斯积聚的问题，而且回风巷为双巷布置使采煤工作面风阻值降低，使采煤工作面和采区的通风等积孔值增大，使采区乃至整个矿井通风容易。两回风巷之间用贯眼贯通，暂时不用的贯眼要用风门或风墙予以封闭，采空区后方的尾巷部分(贯眼后面靠采空区部分)要及时封闭，以免出现盲巷。

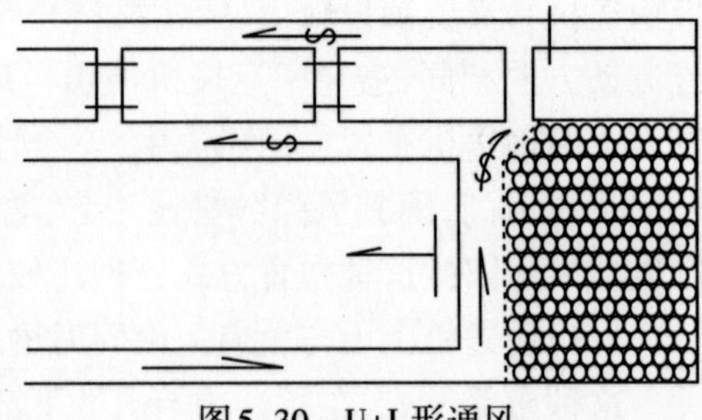

图5-30　U+L形通风

(三)Z形通风系统

采煤工作面采用Z形通风系统如图5-31所示。这种布置方式，使采煤工作面的回风由采空区所留设的回风巷和采区边界回风上山排出。这种方式能利用采空区漏风将瓦斯冲洗到工作面回风道，从而避免了采空区瓦斯涌入工作面及工作面上隅角。但这种方式首先要沿空留巷，回风巷矿山压力比较大，维护比较困难，另一方面向采空区漏风，有引起煤炭自燃的危险性。因此这种方式不适合容易自燃和自燃煤层的开采。

(四)Y形通风系统

采煤工作面采用Y形通风系统如图5-32所示。

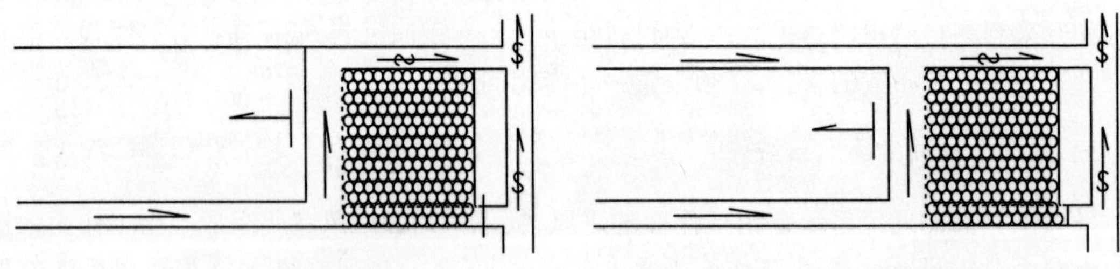

图5-31　Z形通风　　　　图5-32　Y形通风系统

采煤工作面瓦斯涌出量比较大时，当采用Z形通风系统仍然不能降低工作面回风巷道中的瓦斯浓度时，可采用Y形通风系统，该系统形成了工作面两进一回，上部进风巷可引入少量风流，大量新鲜风流主要由下部进风巷道导入。该方式能有效降低工作面回风流中的瓦斯浓度，使其不得超过1.0%。但这种方式仍然存在Z形通风的不足。

(五)W形通风系统

W形通风系统适合于双工作面，如图5-33所示。

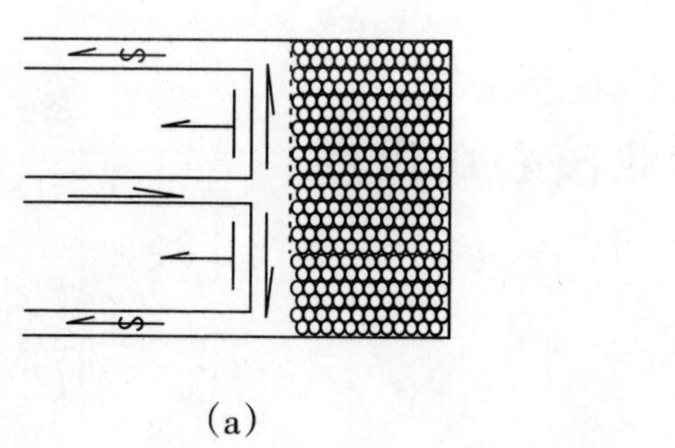
(a)

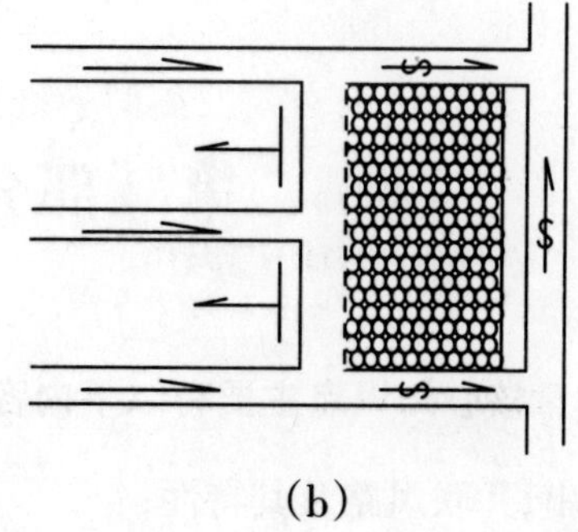
(b)

图5-33　W形通风

图5-33(a)通风系统是采用新鲜风流沿中间巷道进入，由上、下工作面沿上、下风巷排出；亦可以采用两进一回的形式，即新鲜风流由中间巷和下部巷道进入两工作面，回风流由上部回风巷排出。它适用于瓦斯涌出量较小的双工作面。图5-33(b)所反映的通风系统，新鲜风流分别由上、中、下三条巷道送入双工作面，回风流由沿采空区留设的上、下回风巷与采区边界回风上山排出，这种通风系统适用于瓦斯涌出量较大的双工作面，它兼有Y形通风系统和Z形通风系统的优缺点。

第二部分　专业核心知识点

本章核心知识点主要有以下内容

1.串、并联风路及其特性；
2.矿井通风设施及其要求；
3.矿井通风系统图与通风网路图的绘制方法及其要求；
4.采煤工作面通风系统的具体方法及优缺点；
5.矿井通风系统的内容。

复习题

1.对矿井通风系统的基本要求是什么？
2.什么是矿井通风系统？
3.什么是矿井通风方法？
4.矿井主要通风机有哪三种不同的工作方法？
5.什么是矿井通风方式？目前主要有哪些不同的通风方式？
6.什么是中央并列式通风方式？
7.什么是中央分列式通风方式？
8.什么是两翼对角式通风方式？
9.什么是通风网路？其主要形式有哪些？
10.什么是串联连接？什么是串联通风？
11.串联通风主要有哪些危害？
12.串联连接主要有哪些特性？
13.并联连接主要有哪些特性？
14.什么是角联？角联风路主要有哪些特点？
15.矿井通风设施主要有哪些？各有哪些作用？
16.矿井通风系统上主要应反映哪些内容？对通风系统图的绘制方面有哪些规定？
17.通风网路图主要有哪些特点？
18.采煤工作面通风系统主要有哪些布置方式？

讨论题

1.为何我国目前广泛采用抽出式通风方法？
2.中央式与对角式矿井通风方式相比较而言，哪种矿井通风方式矿井的抗灾能力强？
3.U形、U+L形、Y形工作面通风系统各有哪些利弊？
4.采煤工作面上行风与下行风各有哪些优缺点？

第六章　掘进通风

第一部分　系统理论知识

在矿井生产和建设过程中，需要开掘大量的井巷。矿井的开拓工作是为了形成新的生产水平和新的采区；采区巷道的施工是为了形成新的采煤工作面。在巷道施工时，为了确保巷道中人员的呼吸，将巷道中由煤岩体内涌出的瓦斯和爆破过程中产生的炮烟、粉尘及其他有害气体稀释并由掘进巷道排出，同时保证掘进巷道有良好的气体条件。这样就必须保证连续不间断地向掘进巷道供给新鲜空气，对这种独头巷道的通风称为掘进通风或矿井局部通风。

第一节　掘进通风方法

掘进通风方法，按照其通风动力来源的不同，主要分为矿井全风压通风、局部通风机通风和引射器通风3种不同的方法。其中局部通风机通风是其最主要的通风方法。

一、矿井全风压通风

矿井全风压通风，就是直接利用安装在地面的矿井主要通风机造成的风压借助风筒、风幛等设施，将新鲜空气直接导入掘进巷道，将冲洗了掘进巷道以后的回风流由掘进巷道排出，引入矿井回风系统。具体的方法有：纵向风幛通风、风筒导风、平行巷道通风和钻孔通风。

(一)纵向风幛通风

如图6-1所示，在掘进巷道中设置风幛，将巷道中间隔开分成两部分。一部分进风，另一部分回风。图6-1(a)为木板风幛；图6-1(b)为风墙风幛。

1.纵向风幛通风的适用条件

纵向风幛通风适用于送风距离不大，一般巷道长度在200m以内，以60～100m为最佳，并且选在巷道顶板稳定、压力较小的巷道。实际工作中，一般适合于掘进巷道的初期开口阶段或者长度不大的硐室掘进最为适宜。当送风距离不太大时，如掘进巷道的初期开口阶段或长度不太大的硐室掘进，用帆布风幛比较合适；当送风距离比较大时，用砖石结构的风幛较为合适。

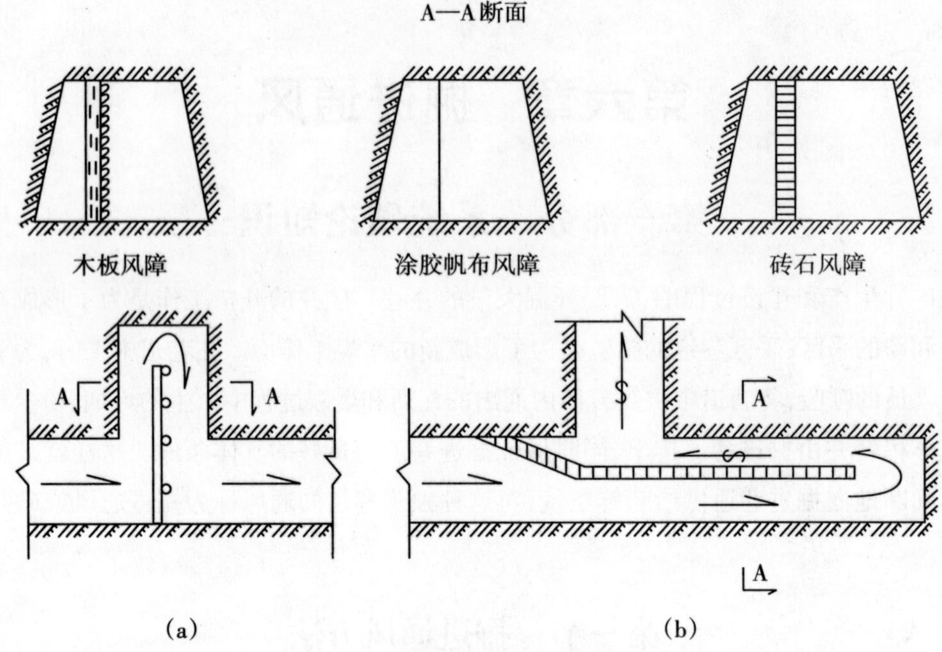

图6-1　纵向风幛通风

2.风幛材料及选择原则

风幛材料可用木板、荆笆、砖石、塑料布等。用木板和荆笆材料时，必须用黄泥抹严密，以防漏风。风幛材料的选用，本着漏风小、经久耐用、就地取材的原则。

纵向风幛通风的主要优点：在掘进巷道不需要安装局部通风设备，故其安全性能好。其主要缺点就是人为增大了通风阻力。

(二)风筒导风

将风筒迎着风流方向设置，将新鲜风流由风筒导入掘进工作面，回风流由掘进巷道排出。具体方法有最大速压法、挂风帘法和设风门、风墙法。

1.最大速压法

将风筒进风口设置在进风巷道风速最高处，如图6-2所示。

2.挂风帘法

在主巷道中挂设风帘，迫使新鲜风流由风筒导入掘进工作面，回风流沿回风巷道排出，如图6-3所示。

3.设风门、风墙法

用风门、风墙法比挂风帘法迫使新鲜空气进入掘进巷道效果更好，如图6-4所示。

图6-4(a)为风门、风墙设在掘进巷道沿主巷道的进风一侧，这种方法是风筒进风，掘进巷道回风；图6-4(b)是风门、风墙设在掘进巷道沿主巷道的回风一侧，这种方法是新鲜风流由掘进巷道送入掘进工作面，回风流由风筒排出。要注意风筒要紧跟掘进工作面，随着掘进工作面的向前推进，风筒要及时接入，以防风流短路。

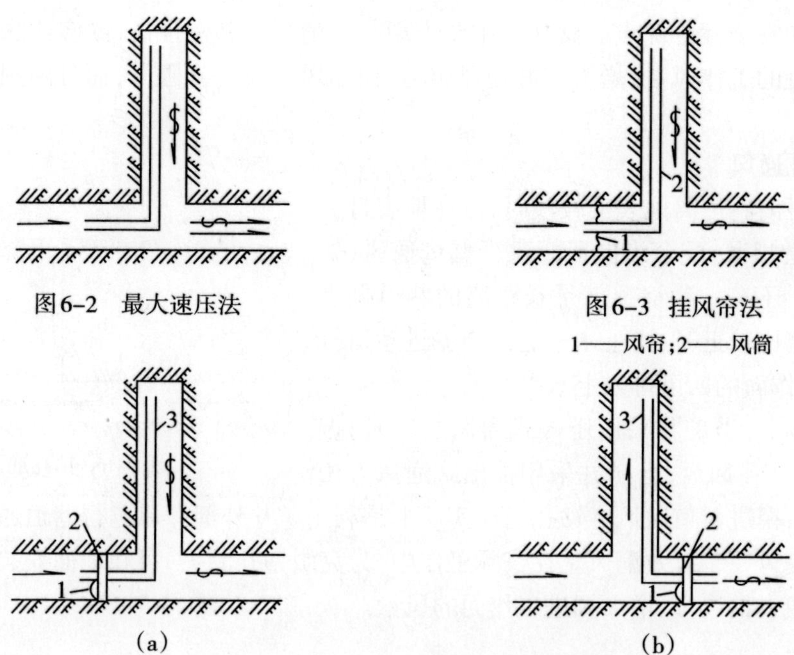

图6-2　最大速压法

图6-3　挂风帘法

1——风帘；2——风筒

图6-4　设风门、风墙法

1——风门；2——风墙；3——风筒

(三)平行巷道通风

利用平行通道通风的方法，即主、副两条平行巷道同时进行的双巷掘进，如图6-5所示。两条平行巷道一般相距10～30m，每隔一定的距离(50～60m)开掘横贯连通。除靠近工作面的横贯外，其余的横贯都要砌筑风墙(或风门)予以封闭。

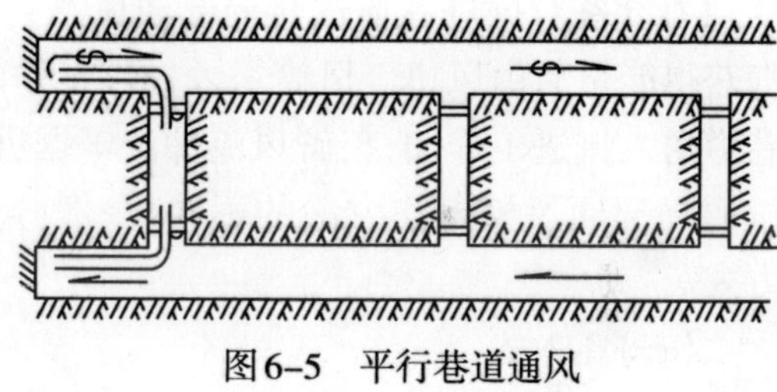

图6-5　平行巷道通风

其中一条掘进巷道与矿井进风巷道相通，另一条掘进巷道与矿井回风巷道相通，这样就可以利用矿井主要通风机在此处造成的风压进行掘进通风。其实质是利用进风巷道口与回风巷道口之间的压差进行双巷通风。

1.平行巷道通风的适用条件

(1)瓦斯、冒顶严重及有透水危险的长距离巷道掘进，要求在掘进主巷道的同时必须与之并列掘一副巷，以便于多一个安全出口。在此情况下，如果条件具备，可采用平行巷道通风。

(2)开拓部署要求的两条并列巷道，如运输大巷与回风大巷、运输上山与回风上山并列布置，在掘进施工时，两个掘进队齐头并进向前掘进，每隔一定的距离用贯眼贯通，以保证每个掘进工作面有两个安全出口，在通风时如果使用局部通风机不方便，可以采用平行巷道通风。

2.平行巷道通风的优缺点

由于平行巷道通风是利用矿井主要通风机产生的风压进行巷道通风，因此具有通风的连续可靠性和安全性等优点。其缺点主要表现在它消耗矿井总风压，或多或少地影响到矿井主要通风机的工作风量，增大矿井通风阻力，使通风距离受到限制，而且两掘进工作面属于串联通风。

（四）钻孔通风

掘进长距离巷道离地表又较浅时，可在地表打钻孔与掘进巷道相通，配合纵向风幛进行掘进通风，如图6–6所示。还有一种情况就是长距离的巷道掘进离上水平巷道比较近时，由上水平巷道向掘进巷道打钻孔，掘进工作面的回风排入上水平巷道。

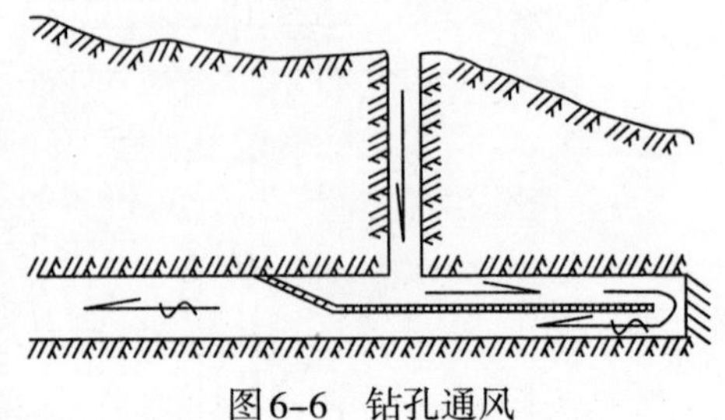

图6–6　钻孔通风

在图6–6中，当矿井采用压入式通风方法时，掘进巷道进风，钻孔回风；当矿井采用抽出式通风方法时，钻孔进风，掘进巷道回风。钻孔通风实质上是利用矿井外部漏风进行巷道通风的一种方法。但这种漏风属于有效漏风。在实际工作中，为克服钻孔阻力，可在地面安装局部通风机由钻孔压风或者抽风，以增大掘进工作面的风量。

二、局部通风机通风

当利用矿井全风压通风的方法满足不了长距离掘进巷道所需风量时，就必须借助专门的动力设备对掘进巷道进行局部通风。它是利用局部通风机的动力对空气所做的功，使空气获得能量后由风机经风筒送入掘进工作面，回风流由掘进巷道排出；或者新鲜风流由掘进巷道送入掘进工作面，新鲜风流冲洗了掘进工作面以后，回风流由风筒经局部通风机抽出。按照局部通风机工作方法的不同，一般分为压入式、抽出式和压抽混合式3种不同的工作方式。

（一）压入式

压入式局部通风机通风方式如图6–7所示。局部通风机和启动装置安设在进风巷道中，距掘进巷道回风口的距离在10m及其以上的位置，局部通风机把新鲜风流由风筒送入掘进工作面，冲洗了掘进工作面以后的回风流由掘进巷道排出。风筒出口至射流方向的最远距离称为射流的有效射程，其计算公式如下：

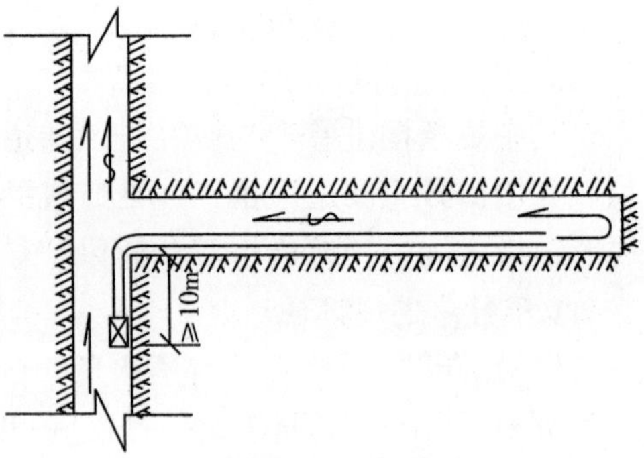

$$L_{有效}=(4\sim5)\sqrt{S},\mathrm{m} \tag{6–1}$$

图6–7　压入式

式中　$L_{有效}$——风流由风筒末端至前方的有效射程，m；

S——掘进巷道通风断面积，m^2。

在有效射程以外的独头巷道会出现循环涡流区，为了有效地排出炮烟、粉尘及其他有害气体，风筒末端离掘进工作面的距离应小于有效射程$L_{有效}$。

压入式工作方式有以下优点：

（1）新鲜空气先集中从风筒末端以自由射流的状态射向掘进工作面，风流的有效射程长，一般可达7～8m，对冲淡和排除掘进工作面的瓦斯、粉尘、炮烟及其他有害气体具有良好的效果。

(2)由于局部通风机安设在新鲜风流(进风)巷道中，经过局部通风机的风流为新鲜空气，因此其安全性能好。

(3)压入式局部通风机工作方式可以使用柔性风筒，安装方便，成本低，适用性强。

压入式工作方式具有如下缺点：

压入式局部通风机工作方式，由于炮烟是由掘进巷道排出，污染范围广，通风排烟时间长，巷道卫生条件差，恶化作业环境，影响掘进速度的提高和作业人员的身体健康。

(二)抽出式

抽出式局部通风机工作方式如图6-8所示。局部通风机安装在回风巷道中，距离掘进巷道口(进风口)10m及其以上的位置。新鲜风流由掘进巷道进入掘进工作面，冲洗了瓦斯、粉尘、炮烟及其他有害气体以后的回风流由风筒经局部通风机抽出。

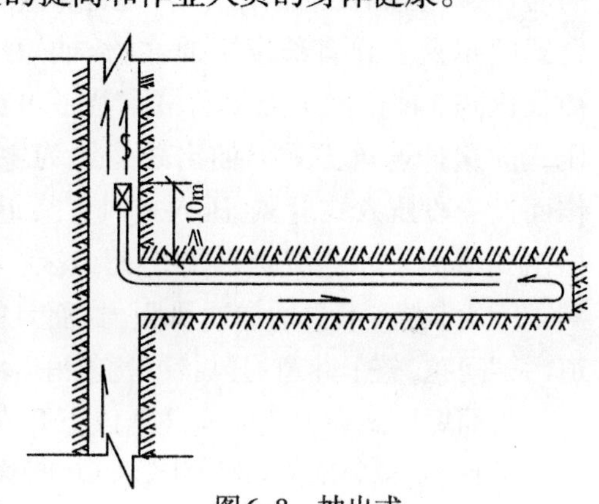

图6-8 抽出式

这种通风方式，在风筒吸入口附近形成一股流入风筒的风流，离风筒吸入口越远风速越小，只在距离风筒吸入口一定距离内具有吸入炮烟的作用，该段距离称为有效吸程，可用下式计算：

$$L_{有效}=1.5\sqrt{S}\text{, m} \tag{6-2}$$

式中 $L_{有效}$——有效吸程，m；

S——掘进巷道通风断面积，m^2。

在抽出式局部通风机有效吸程以外的独头巷道形成循环涡流区，该区域炮烟处于停滞状态。为了避免这种不良现象的发生，抽出式通风风筒的吸入口距掘进工作面的距离应小于其有效吸程，这样才能达到良好的通风效果。

抽出式局部通风机工作方式主要有以下优点：

(1)掘进工作面产生的炮烟、粉尘、瓦斯及其他有害气体，由风筒经局部通风机抽出，新鲜风流由掘进巷道送入工作面，这样就保证了掘进巷道为进风巷道，掘进巷道卫生条件比较好。

(2)由于污风是由风筒经局部通风机抽出，其通风排烟时间短。

(3)这种通风方式，排烟的长度仅为掘进工作面至风筒吸入口的长度，排烟速度快，有利于提高掘进速度，工作效率高。

抽出式局部通风机工作方式主要有以下缺点：

(1)回风流由风筒经风机抽出，降低了局部通风机使用寿命，而且有引起瓦斯、煤尘爆炸的危险性，故其安全性能差。

(2)风筒末端的有效吸程短，一般大约为3～4m。如风筒末端距离工作面的距离较大，有效吸程外有形成空气的涡流停滞区，通风效果不佳；如把风筒尽可能靠近工作面，又易被爆破崩落的煤块砸坏。

(3)抽出式局部通风机工作方式只能使用刚性风筒(金属风筒或带钢性圈的柔性风筒),其造价、成本高。

(三)压抽混合式

压抽混合式局部通风机工作方式,是由压入式和抽出式两台局部通风机联合工作,因此兼有二者的优缺点。这种方式适用于大断面、长距离的岩、半煤岩和瓦斯涌出量不大的煤巷掘进。混合式的布置方式有长压短抽式、长抽短压式和长抽长压式3种不同的布置方式。图6–9为长抽短压式。这种通风方式以抽出式通风为主,靠近工作面设一段压入式通风,压入式风筒靠近工作面,抽出式风筒在压入式风筒的后面,这种方法不需配备除尘装置,不会增加通风阻力,而且能解决巷道污染问题,整个巷道通风状况比较好。

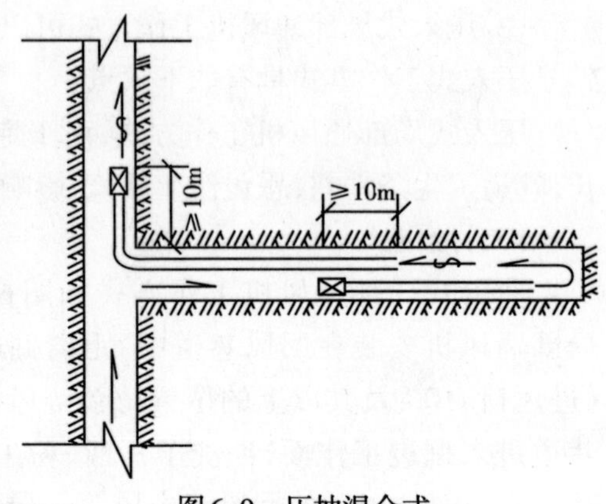

图6–9 压抽混合式

长抽短压式在使用时应注意以下几点:

(1)压入式局部通风机的进风口(吸风口)距抽出式风筒的吸入口不得小于10m。

(2)抽出式局部通风机应安设在距离掘进巷道口10m以外的回风巷道中。

(3)为了防止产生循环风,矿井全风压的供风量必须大于抽出式局部通风机的实际吸入风量;抽出式局部通风机的实际吸入风量必须大于压入式局部通风机的工作风量。即:

$$Q_{主} > Q_{抽} > Q_{压}, \mathrm{m^3/s}$$

式中 $Q_{主}$——主巷道中的风量,即矿井全风压供给该处的风量,$\mathrm{m^3/s}$;

$Q_{抽}$——抽出式局部通风机工作风量,$\mathrm{m^3/s}$;

$Q_{压}$——压入式局部通风机工作风量。

《煤矿安全规程》第127条规定:掘进巷道必须采用矿井全风压通风或局部通风机通风。煤巷、半煤岩巷和有瓦斯涌出的岩巷的掘进通风方式应采用压入式,不得采用抽出式;如果采用混合式,必须制定安全措施。瓦斯喷出区域和煤(岩)与瓦斯(二氧化碳)突出煤层的掘进通风方式必须采用压入式。

由此可知,局部通风机的工作方式广泛采用压入式,因其安全性能好。新型对旋局部通风机被广泛使用以后,混合式局部通风机工作方式的适用范围将越来越小。

另外,为了确保掘进通风的安全性,掘进工作面都应采用独立通风。如图6–10所示。

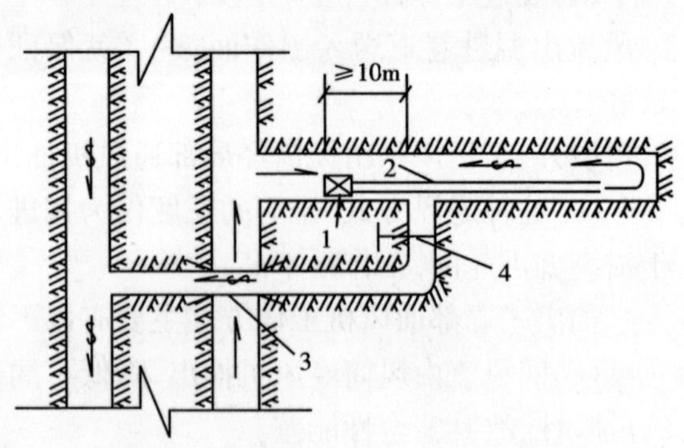

图6–10 独立通风的掘进工作面

1——局部通风机;2——风筒;3——风桥;4——调节风窗

由图中可看出新鲜空气由主进风巷进入掘进巷道,由压入式局部通风机经风筒压送到掘进工作面，冲洗了掘进工作面以后的炮烟、瓦斯、粉尘及其他有害气体以后的回风流，由掘进巷道回风道排入矿井回风系统。局部通风机及启动装置必须布置在距掘进巷道回风口10m以外的新鲜风流中。为了保证矿井全风压的供风量满足局部通风机实际所需风量（吸入风量）及掘进巷道局部通风进风口与掘进巷道回风口之间巷道的最低风速不低于0.25m/s的要求，还必须在掘进巷道回风道安设调节风窗，控制掘进巷道口的进风量满足通风的要求。因此，掘进巷道口的送入风量必须满足：

$$Q_{掘} \geqslant Q_f + 0.25S,\ \mathrm{m^3/s}$$

式中　$Q_{掘}$——掘进巷道口的送入风量（由调节风窗调控），$\mathrm{m^3/s}$。

Q_f——局部通风机的实际吸入风量（工作风量），$\mathrm{m^3/s}$。

0.25——煤巷、半煤岩巷的最低风速不得低于0.25m/s；若为岩巷掘进，其最低风速不得低于0.15m/s。即掘进巷道进风量不但要满足局部通风机实际吸入风量的要求，还要确保安设局部通风机与掘进巷道回风口之间巷道的最低风速不得低于煤巷为0.25m/s，岩巷为0.15m/s。

S——掘进巷道通风断面积，$\mathrm{m^2}$。

三、引射器通风

引射器通风的原理如图6–11所示。它是利用喷嘴1喷出高压流体（高压水或高压气体），在喷嘴射流的周围造成负压而吸入空气，并在混合管内混合，将能量传给被吸入的空气，使之具有通风压力，以克服风筒阻力，达到通风的目的。

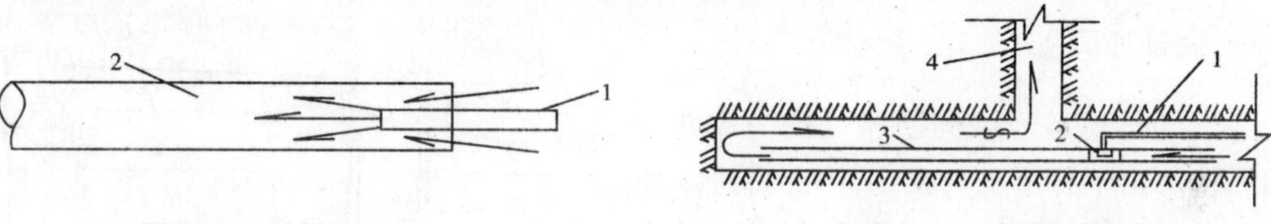

图6–11　引射器

1——喷嘴；2——混合管

图6–12　引射器通风

1——水管；2——引射器；3——风筒；4——掘进巷道回风道

引射器通风全部采用压入式，其布置方法如图6–12所示。矿井中应用的引射器，有水力引射器和压气引射器两种形式，从能量消耗的角度分析，压气引射器经济上不太合理，水力引射器经济上比较合理。其工作原理为：矿井压力水（或压缩空气）由水管1压入到引射器2，由喷嘴高速喷出，这样就在风筒3的进风口附近形成负压区，因此带动新鲜风流由风筒进风口导入风筒，送入掘进工作面，冲洗了掘进工作面以后的瓦斯、炮烟、粉尘及其他有害气体的回风流，由掘进巷道回风道4排出。

水力引射器又称为水力通风机，图6–13为抚顺矿务局各矿曾经设计使用的水力通风机。

采用引射器进行掘进工作面通风时，其主要的优点表现在：掘进巷道及其附近无掘进通风设备和电气设备，无噪音，通风的安全可靠性能好。同时采用引射器通风，还能起到降温、降尘的作用。其主要缺点是风压低、风量小、通风效率低，

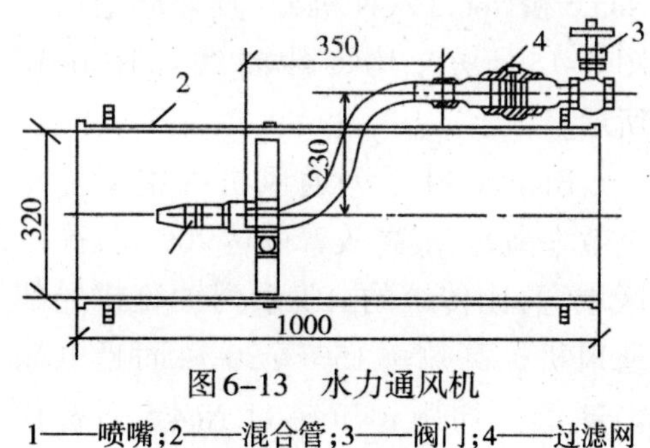

图6–13　水力通风机

1——喷嘴；2——混合管；3——阀门；4——过滤网

需要高压水源或高压气源(空气压缩机),如果用高压水源作为动力,还存在巷道积水问题。在实际应用中,为满足掘进通风需要可采用多喷嘴串联工作。上述通风方法适用于掘进距离不大、需要风量不太大的高瓦斯矿井或煤与瓦斯突出矿井的巷道掘进。

四、扩散通风

对于掘进巷道开口的初始阶段或长度极短的硐室掘进,可采用扩散通风,如图6-14所示。扩散通风其实质是一种分子交换的形式,即氧气由主巷道向硐室内交换,硐室内的污浊空气向硐室外的主巷道交换。

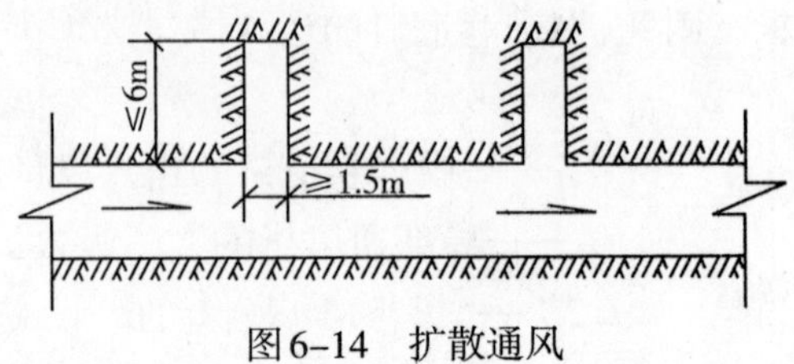

图6-14　扩散通风

《煤矿安全规程》第132条规定:井下机电设备硐室应当设在进风风流中;该硐室采用扩散通风的,其深度不得超过6m、入口宽度不得小于1.5m,并且无瓦斯涌出。……采区变电所必须有独立的通风系统。

第二节　掘进通风设备

掘进通风设备主要由局部通风机和风筒所组成,其附属装置包括启动开关、除尘器、消声器及风电闭锁装置等。

一、局部通风机

井下局部地点通风的通风机称为矿井局部通风机。由于井下空间狭小,因此掘进工作面的通风对局部通风机的要求是:局部通风机体积要尽可能小、风压高、效率高、噪音低、性能可靠、坚固耐用且具有防爆性能。

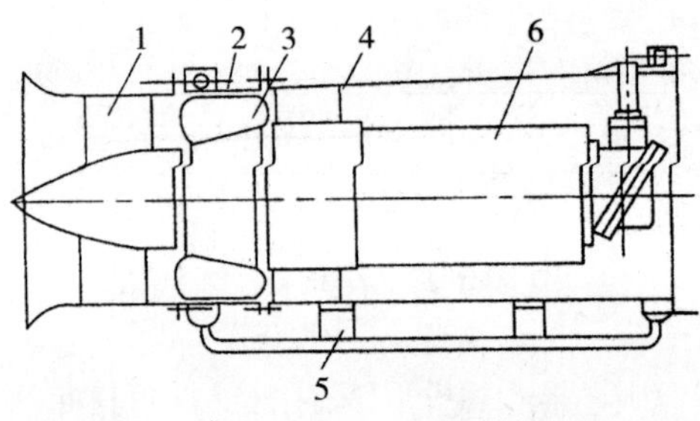

图6-15　BKJ66—11局部通风机结构示意图

1——前风筒;2——主风筒;3——叶轮;4——后风筒;5——滑架;6——电动机

(一)BKJ66-11型矿用轴流式通风机

BKJ66-11型矿用轴流式通风机是我国近年来生产的新型局部通风机,该型号通风机主要有No3.6、No4.0、No4.5、No5.0、No5.6和No6.3六种机号,其外部结构如图6-15所示,其特性曲线如图6-16所示。

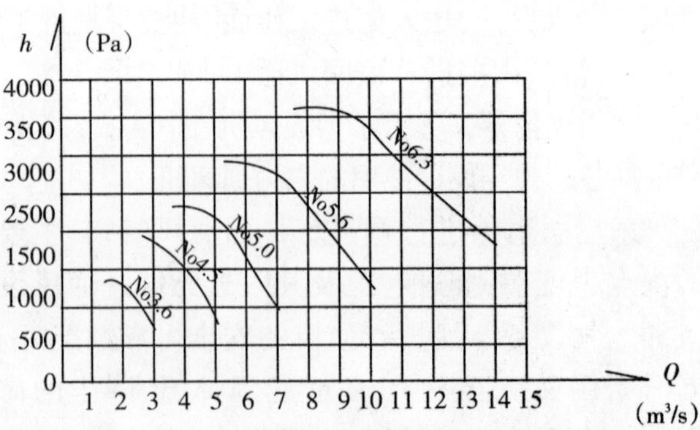

图6-16　BKJ66系列局部通风机特性曲线图

BKJ66-11系列通风机的主要优点是效率高,其最高效率可达90%,且高效区域宽,比传统的JBT系列轴流式局部通风机提高效率15%~30%,而且电能消耗低。如用BKJ66-11 No4.5型替代

JBT–52型，电动机功率可由11KW降至8KW。而且JBT系列局部通风机早已不生产了，目前要求全部淘汰。另外BKJ66–11局部通风机噪音低，比JBT系列局部通风机噪音可降低6～8dB(A)。

BKJ66–11系列通风机的工作风量、工作风压、功率等参数见表6–1。

表6–1　　BKJ66–11型局部通风机性能参数表

型号	风量 (m^3/min)	全风压(Pa)	功率 (kW)	转速(r/nin)	动轮直径(m)
BKJ66–11 No3.6	80～150	600～1200	2.5	2950	0.36
BKJ66–11 No4.0	120～210	800～1500	5.0	2950	0.40
BKJ66–11 No4.5	170～300	1000～1900	8.0	2950	0.45
BKJ66–11 No5.0	240～420	1200～2300	15	2950	0.50
BKJ66–11 No5.6	330～570	1500～2900	22	2950	0.56
BKJ66–11 No6.3	470～800	2000～3700	42	2950	0.63

(二)日产MF–A对旋局部通风机

MF–A低噪音对旋系列局部通风机，是由日本生产制造的，其结构如图6–17所示。

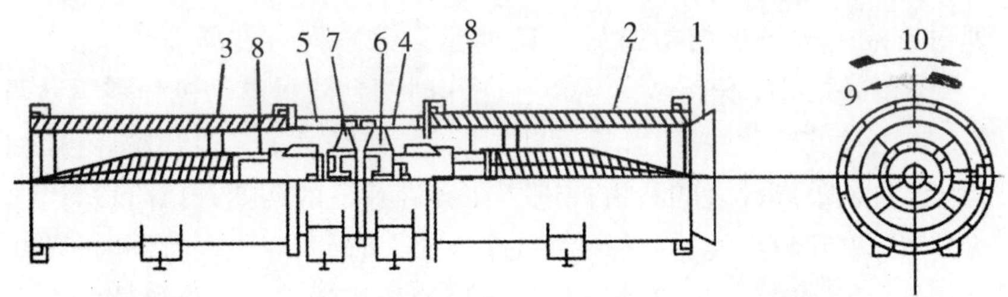

图6–17　MF–A对旋轴流式局部通风机结构图

1——吸风口；2——吸风侧吸声罩；3——出风侧吸声罩；4——1号电机罩；5——2号电机罩；6——一级叶轮；7——二级叶轮；8——电动机；9——一级叶轮旋转方向；10——二级叶轮旋转方向

MF–A系列低噪音局部通风机的主要优点是：通风机叶轮可更换，性能多样化，部件通用化，而且维护方便。该系列通风机的噪音比较小，仅有70dB(A)，而且消音材料容易更换，以确保风机维持长期在低噪音的状态下工作；该类型的通风机风压与运转效率比传统旧型号风机效率高出10%，风压增加10%～20%左右；该系列通风机由外壳将两台电动机和叶轮对接成一体，一端安装扩压风筒，另一端安装固定导向叶轮，根据其送风距离的不同，可单级运转，也可双级运转，也可在安装固定导向叶片装置后分成两台局部通风机使用，既经济又合理。其性能参数见表6–2。

表6-2　　MF-A系列低噪声对旋轴流式局部通风机性能参数

型号	口径 (mm)	风量 (m^3/min)	全压 (Pa)	噪声 〔dB(A)〕	转数 (r/min)	电动机 〔Kw(P)×2〕	质量 (kg)
MFA40P_2—SC_4	400	150	1962	68 71	3000 3600	5.5(2)×2	410
MFA50P_2—SC_4	500	300	3924	72 78	3000 3600	15(2)×2	750
MFA60P_2—SC_6	600	400	2943	78 79	3000 3600	15(2)×2	825
MFA60P_2—SC_5	600	500	4905	76 78	3000 3600	30(2)×2	825
MFA90P_2—SC_5	900	700	3433. 5	78 77	3000 3600	30(4)×2	825
MFA90P_2—SC_5	900	1000	2943	81 82	1500 1800	37(4)×2	2035
MFA100P_2—SC_5	1000	1100	2943	79 80	1500 1800	37(4)×2	2035
MFA100P_2—SC_5	1000	1100	4905	85 85	1500 1800	55(4)×2	3700

（三）FD-1对旋式局部通风机

FD-1系列对旋局部通风机结构如图6-18所示。该系列对旋局部通风机由集风器、电动机、叶轮、消声层和机壳等部分组成。风机在工作时两台防爆电动机分别驱动两个旋转方向相反的叶轮旋转，空气流经第一级叶轮后获得能量，又经过第二级叶轮后再次获得能量，因此该风机适用于通风距离较大的巷道掘进。在掘进巷道的初期开口阶段，当送风距离不太大时，开一台电机，单叶轮运转；当送风距离逐步加大时，两台电动机同时运转，风机工作风压增大，其送风距离将加大。FD-1系列对旋局部通风机的主要性能参数如表6-3所示。

FD-1系列对旋局部通风机主要的特点是：通风机在其工作范围区域和最高运转效率下的工作风量变化范围不大，但其压力变化范围比较大，因此其适用范围比较大，当两级叶轮同时运转时，其最大送风距离可达1500m左右。

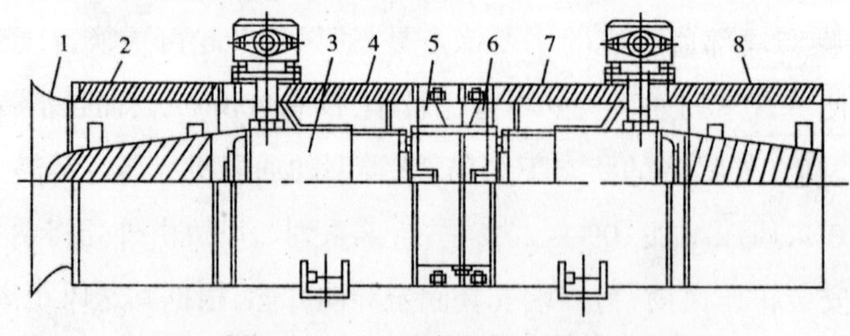

图6-18　FD-1局部通风机结构示意图

1——集风器；2——电动机；3——前机壳；4——电动机；5——Ⅰ级叶轮；
6——Ⅱ级叶轮；7——后机壳；8——后消声层

表6-3　FD-1系列对旋式局部通风机性能参数

技术指标		机号				
		FD-1No5/11	FD-1No5/15	FD-1No5/22	FD-1No6/30	FD-1No6/60
风量(m^3/min)		210～150	250～190	300～230	400～300	400～600
全压Pa		500～2800	700～3200	800～3700	1500～4500	1250～5500
噪声	A声级〔dB(A)〕	≤90	≤90	≤90	≤90	≤90
	比A声级〔dB(A)〕	≤25	≤25	≤25	≤25	≤25
电机型号		YBF132S—2	YBF132S—2	YBF160M—2	YBF160M—2	YBP200L—2
功率(kW)		2×5.5	2×7.5	2×11	2×15	2×30
额定电压(V)		380/660	380/660	380/660	380/660	380/660
额定电流(A)		11.1/6.4	15/8.69	21.5/12.4	28.7/16.6	56.4/32.8
外形尺寸(长×宽×高)(mm×mm×m)		1632×650×1040		2360×950×790		
质量(kg)		360	360	900	900	1800

(四)FD-2对旋式局部通风机

FD-2型是FD-1型的改进型对旋式局部通风机，是该型号通风机的第二代产品，其结构如图6-19所示，通风机的性能参数见表6-4。

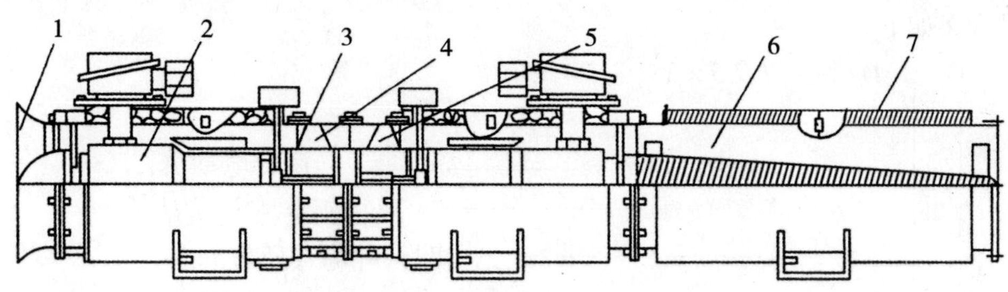

图6-19　FD-2对旋式局部通风机结构示意图

1——集风器；2——电动机；3——机壳；4——Ⅰ级叶轮；5——Ⅱ级叶轮；6——扩散器；7——消声层

表6-4　　　　　　　　　　**FD-2系列局部通风机技术指标**

机号	直径(mm)	风量(m^3/min)	风压(Pa)	效率(%)	噪声[dB(A)]	电动机功率(kW)	推荐使用风筒直径(mm)
No.4	400	120~260	2600~300	80	<10	2×4	450(400)
No.5	500	150~280	3000~350	82	<10	2×5.5	500(450)
		170~300	3550~400	82	<10	2×7.5	
No.5.6	560	220~380	4000~450	83	<10	2×11	600(500)
		235~390	5000~500	85.7	<12	2×15	600
No.6	600	285~465	5700~650	83.2	<12	2×18.5	600
No.6.3	630	300~465	5600~700	80.5	<12	2×22	700(600)
No.6.7	670	420~600	6300~1000	83	<12	2×30	
		420~600	6700~1000	83	<12	2×37	
No.7.5	750	540~800	7000~1500	83	<15	2×45	1000
No.8	800	660~950	7100~1500	80.5	<16	2×55	1200(1000)

注:①表中风量、风压为标准状态下的参数,实际运行参数应根据风机安装地点的空气密度对压力进行换算,风量不变;②括号中的值为短距离(<1000m)通风或使用金属风筒、玻璃钢风筒时选用。

(五)FBD防爆对旋局部通风机

FBD系列防爆对旋局部通风机,由山西运城制造。其配套电机功率由2.2×2KW~55×2KW,风机工作风量由110m^3/min~205m^3/min至720m^3/min~950m^3/min,风机工作风压最低290Pa,最高可达7000 Pa,该系列局部风机全压效率可达83%,噪音≤85dB(A),符合国家有关标准。该系列局部通风机有No4.No5.No5.6、No6.3.No7.1.No8 6个机号共13种型号。其风机符号含义如下:

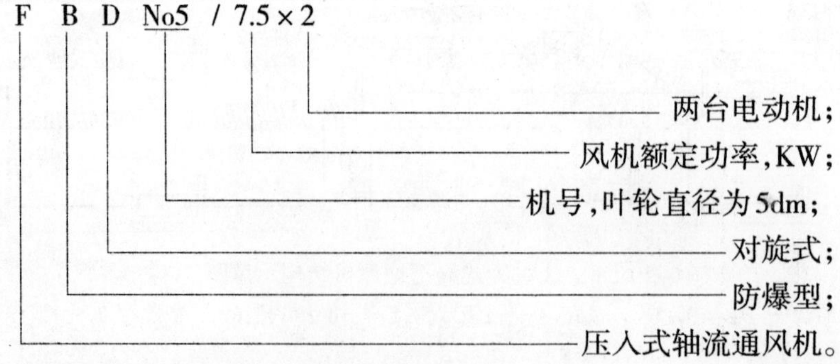

FBD防爆系列局部通风机的配套电机功率,工作风量、工作风压等性能参数见表6-5。

表6-5　　FBD系列防爆对旋局部通风机性能参数

机号	功率(kW)	风量(m^3/min)	风压(Pa)	全压效率(%)	噪声〔dB(A)〕
No4	2.2×2	110～205	1810～290	81	≤85
No4	4×2	120～205	2300～350	81	≤85
No5	5.5×2	160～250	2930～300	81	≤85
No5	7.5×2	170～280	3100～370	81	≤85
No5.6	11×2	250～390	3500～450	83	≤85
No5.6	15×2	280～430	4100～485	83	≤85
No6.3	18.5×2	300～480	4300～600	83	≤85
No6.3	22×2	350～550	5200～800	83	≤85
No6.3	30×2	370～570	5800～800	83	≤85
No7.1	30×2	380～600	5600～760	83	≤85
No7.1	37×2	400～630	6400～850	83	≤85
No8	45×2	620～900	6500～1200	83	≤85
No8	55×2	720～950	7000～1410	83	≤85

二、风筒

将新鲜风流由局部通风机引入掘进工作面的通风设施称为风筒或导风筒。对风筒的基本要求是抗静电、阻燃、漏风小、风阻小、安装方便等。风筒可分为刚性风筒、柔性风筒、骨架式风筒和高性能特殊风筒等。

(一)刚性风筒

刚性风筒主要有金属风筒和玻璃钢风筒。

金属风筒一般是由厚度为2～3mm钢板制成，风筒直径主要有D=400mm；D=500mm；D=600mm等多种规格，节长一般为2～3m。常见的金属风筒规格见表6-6。金属风筒优点主要表现为坚固耐用，其缺点是易腐蚀，而且比较笨重，拆、装、运都不方便，在巷道转弯处拐弯比较困难，成本也比较高。因此矿井中目前已较小使用。玻璃钢风筒比金属风筒抗腐蚀性能好，但其成本要高于金属风筒。

表6-6 铁风筒规格参数表

直径(mm)	节长(m)	壁厚(mm)	垫圈厚(mm)	风筒每米质量(kg/m)
400	2,2.5	2	8	23.4
500	2.5,3	2	8	28.3
600	2.5,3	2	8	34.8
700	2.5,3	2.5	8	46.1
800	3	2.5	8	54.5
900	3	2.5	8	60.8
1000	3	2.5	8	68.0

(二)柔性风筒

柔性风筒,即软风筒,主要有塑料风筒、人造革风筒、胶布风筒和帆布风筒等。胶布风筒的规格如表6-7所示。

表6-7 胶布风筒规格参数

直径(mm)	节长(m)	壁厚(mm)	风筒每米质量(kg/m)	风筒断面(m^2)
300	10	1.2	1.3	0.071
400	10	1.2	1.6	0.126
500	10	1.2	1.9	0.196
600	10	1.2	2.3	0.283
800	10	1.2	3.2	0.503
1000	10	1.2	4.0	0.785

胶布风筒的节长一般均为10m,其直径主要有D=400mm;D=500mm;D=600mm等不同类型,其主要优点是拆装、搬运比较容易,由于节长较长,因而接头比较少,漏风较小,其主要缺点是易损坏。

柔性风筒之间连接方法很多,常用的连接方法有:单反边接头、双反边接头、多反边接头等。下面我们分别简述其接头方法。

1.单反边接头

连接顺序如图6-20所示,连接方法如下:

第一步:在风筒连接时,将铁环1套入风筒一端再留出200~300mm的反边,然后将铁环1在风筒上缝牢固定。

第二步:顺风方向将缝有铁环1的风筒插入套有铁环2的风筒内,拉紧风筒,使两个铁环拉紧。

第三步:将反边卷到风筒2上即可。

2.双反边接头

其连接方法与单反边连接的第一、二、三步完全全相同,只是在最后一步再将风筒2的反边翻转到风筒1上即完成连接工作,如图6-21所示。

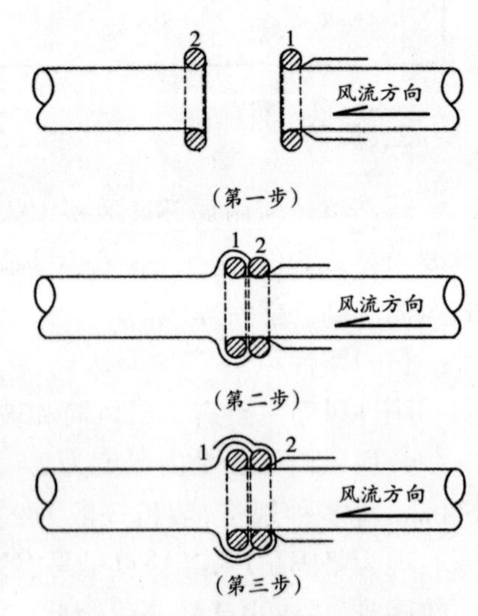

图6-20 单反边接头的连接方法

1——铁环;2——风筒

3.多反边接头

其连接方法是在双反边的基础上进行的,如图6-24所示。

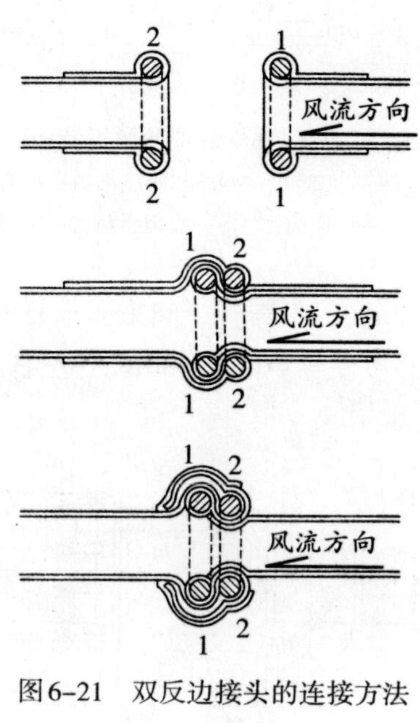

图6-21　双反边接头的连接方法
1,2——风筒

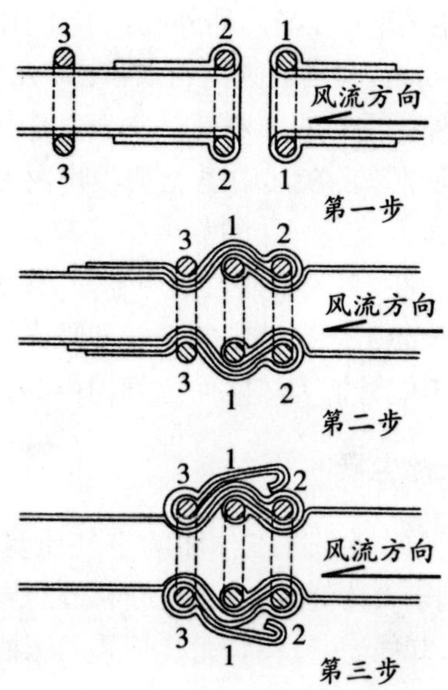

图6-22　多反边接头的连接方法
1,2——风筒;3——活动铁环

第一步:在两节风筒的相邻一端分别套上铁环1和铁环2上,各留出200~300mm的反边,再分别缝牢固定,并在下风侧风筒端的反边外套上铁环3。

第二步:顺风方向将上风侧风筒铁环1插入下风侧风筒铁环2内,将铁环1的反边翻卷包在铁环2的风筒上,并将铁环3套在铁环1和铁环2的反边上面。

第三步:将铁环1和铁环2的反边同时翻压在铁环3上即完成连接工作。

(三)刚性骨架可缩性风筒

采用压抽混合式局部通风机通风,由于有抽出式局部通风机的存在,就需要用整体螺旋弹簧钢丝为骨架的柔性风筒,如图6-23所示。图中1为圈头,2为螺旋弹簧钢丝,3为吊勾,4为塑料压条,5为柔性风筒,6为快速接头软带。常用的风筒直径有D=400mm;D=500mm;D=600mm;D=800mm;D=1000mm等。

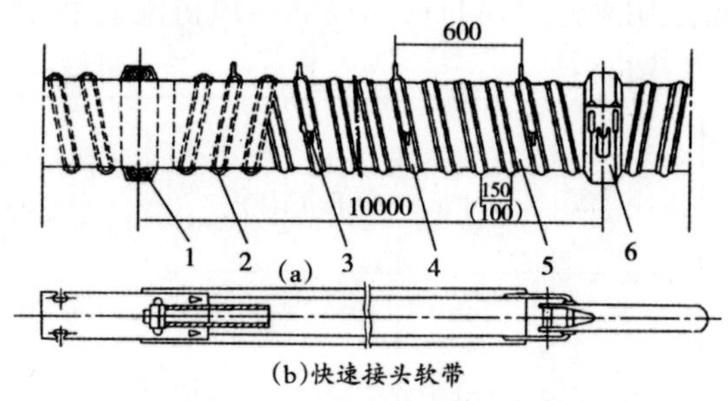

图6-23　刚性骨架可缩性风筒

三、消声器

局部通风机在运转时,有时噪声会很大,有的会高达110dB(A)。《煤矿安全规程》第741条规定:作业场所的噪声,不应超过85dB(A)。大于85dB(A)时需配备个人防护用品;大于90dB(A)时,还应采取降低作业场所噪声的措施。

局部通风机消声器的安装布置如图6-26所示,它是一种能使噪声减弱的装置。具体做法是：在局部通风机的进、出风口各加一节1m长的消声器，消声器的外壳直径与局部通风机进、出风口外壳直径相同，在消声器外壳内套上用穿孔板（穿孔直径为9mm）制成的圆筒，直径比外壳小50mm，在微孔圆与外壳充填吸声材料。消声器中间安设用穿孔板制成的芯筒，在其中也充填吸声材料。在局部通风机外壳也包裹一层的吸声层。其原理是吸声材料具有多孔性，当风流通过消声器时，声波进入吸声材料的孔隙而引起孔隙中的空气和吸声材料细小纤维的振动，由于声音之间来回重复摩擦，使一部分声能转换为热能而达到消声的目的。这种消声器可使噪声降低18dB（A）左右。

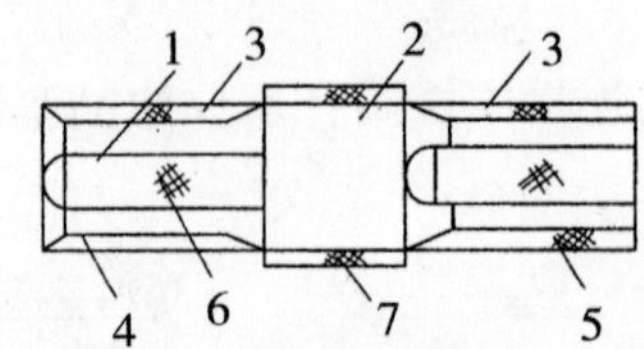

图6-26 局部通风机消声器

1——芯筒；2——局部通风机；3——消声器；4——风筒；5.6——吸声材料；7——吸声层

四、除尘器

为了保证掘进工作面的空气质量和卫生环境，有利于人体健康，应在掘进巷道的局部通风机配备专门的除尘设备。尤其是采用压抽混合式局部通风机工作方式时，为了确保安全，应在抽出式局部通风机配置湿式除尘器。我国研制生产的SCF系列湿式除尘器如图6-27所示。

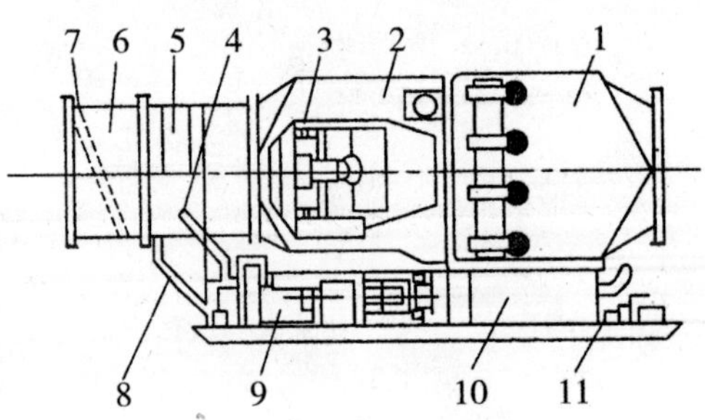

图6-27 SCF-6型除尘风机

1——除尘器及脱水器；2——通风机；3——电动机；4——喷水风筒；5——安全风窗；6——调节风门；7——可调风门；8——喷雾和管路系统；9——泵；10—沉淀水箱；11——底架

SCF-6型除尘风机是由抽出式风机和除尘器两部分组成。它是利用叶轮旋转所形成的负压将含尘空气吸入，在叶轮前喷雾洒水，使其形成尘雨，经除尘器过滤除尘，该系列的除尘风机除尘效率比较高，对浮游粉尘的除尘效率可达99%，对呼收性粉尘的除尘效率可达94%。它可配用刚性风筒与抽出局部通风机配套使用。SCF系列除尘风机的主要性能参数见表6-8。

表6-8 SCF系列除尘风机主要性能参数

型号	风量 (m^3/min)	风压 (kPa)	吸风直径 (mm)	除尘量 (kg/h)	除尘效率(%)		主电机功率(kW)	噪声〔dB(A)〕	质量 (kg)
					全尘	呼尘			
SCF-5	170	22	460	13.6～18.2	99	94	1.5	101	690
SCF-6	225	30	610	27～32	99	94	2.2	<85	1575
SCF-7	410	40	760	63～85	99	94	5.5	113	2200

五、局部通风设备管理

局部通风机的安装和使用，必须符合《煤矿安全规定》第128条关于下列的有关规定：

（1）局部通风机必须由指定人员负责管理，保证正常运转。

(2)压入式局部通风机和启动装置,必须安装在进风巷道中,距掘进巷道回风口不得小于10m;全风压供给该处的风量必须大于局部通风机的吸入风量,局部通风机安装地点到回风口间的巷道中的最低风速:岩巷$v \geqslant 0.15$m/s;煤巷、半煤岩巷$v \geqslant 0.25$ m/s。

(3)高瓦斯矿井、煤(岩)与瓦斯(二氧化碳)突出矿井、低瓦斯矿井中的高瓦斯区的煤巷、半煤岩巷和有瓦斯涌出的岩巷掘进工作面正常工作的局部通风机必须配备安装同等能力的备用局部通风机,并能自动切换。正常工作的局部通风机必须采用“三专”(专用开关、专用电缆、专用变压器)供电,专用变压器最多可向四套不同掘进工作面的局部通风机供电;备用局部通风机电源必须取自同时带电的另一电源,当正常工作的局部通风机故障时,备用局部通风机能自动启动,保持掘进工作面正常通风(即达到双风机、双电源)。

(4)其他掘进工作面和通风地点正常工作的局部通风机可不配备安装备用局部通风机,但正常工作的局部通风机必须采用三专供电;或正常工作的局部通风机配备安装一台同等能力的备用局部通风机,并能自动切换。正常工作的局部通风机和备用局部通风机的电源必须取自同时带电的不同母线段的相互独立的电源,保证正常工作的局部通风机故障时,备用局部通风机正常工作。

(5)必须采用抗静电、阻燃风筒。风筒口到掘进工作面的距离、混合式通风的局部通风机和风筒的安设、正常工作的局部通风机和备用局部通风机自动切换的交叉风筒接头的规格和安设标准,应在作业规程中明确规定。

(6)正常工作和备用局部通风机均失电停止运转后,当电源恢复时,正常工作的局部通风机和备用局部通风机均不得自行启动,必须人工开启局部 通风机。

(7)使用局部通风机供风的地点必须实行风电闭锁,保证正常工作的局部通风机停止运转或停风后能切断停风区内全部本质安全型电气设备的电源。正常工作的局部通风机故障,切换到备用局部通风机工作时,该局部通风机通风范围内应停止工作,排除故障;待故障被排除,恢复到正常工作的局部通风机通风后方可恢复工作。使用2台局部通风机同时供风的,2台局部通风机都必须同时实现风电闭锁。

(8)每10天至少进行1次甲烷风电闭锁试验,每天应进行1次正常工作的局部通风机与备用局部通风机自动切换试验,试验期间不得影响局部通风,试验记录要存档备查。

(9)严禁使用3台以上(含3台)局部通风机同时向1个掘进工作面供风。不得使用1台局部通风机同时向2个作业的掘进工作面供风。

《煤矿安全规程》第129条规定:使用局部通风机通风的掘进工作面,不得停风;因检修、停电、故障等原因停风时,必须将人员全部撤至全风压进风流处,并切断电源。恢复通风前,必须由专职瓦斯检查员检查瓦斯,只有在局部通风机及其开关附近10m以内风流中的瓦斯浓度都不超过0.5%时,方可由指定人员开启局部通风机。

第二部分 专业核心知识点

本章核心知识点主要有以下内容

1.掘进通风的三类不同的方法；

2.矿井全风压通风的四种方法及适用条件；

3.局部通风机通风的三种不同工作方法,《规程》对局部通风机工作方法使用方面的规定；

4.掘进工作所需风量的计算方法。

复习题

1.压入式局部通风机工作方法有哪些优缺点?

2.压入式局部通风机和启动装置应安装在什么位置?

3.《规程》对局部通风工作方法的使用如何规定?

4.什么是引射器通风？其主要优缺点是什么?

5.在何种情况下可采用扩散通风?

6.什么是平行巷道通风？其适用条件如何?

7.风筒导风包括哪三种不同的方式?

8.什么是钻孔通风?

9.局部通风机的工作方法从理论上分为哪三种不同的工作方法？在实际生产中我们主要采用哪一种工作方法？为什么?

10.风筒主要有哪些类型?《规程》规定局部通风机必须使用什么风筒?

11.《规程》对掘进通风的方法是如何规定的?

讨论题

1.如何防止局部通风机形成循环风?

2.对局部通风机的管理方面应注意哪些事项?

3.引射器通风各有哪些利弊?

第七章　矿井通风管理

第一部分　系统理论知识

矿井的生产条件是随着生产的发展而变化的，如矿井产量的变化、矿井延深或改造、采区的不断向前推进和深入、采煤方法与采煤工艺的改进、顶板管理方式的改变、瓦斯涌出量及矿井气候条件的变化、生产工艺的改进等。因而对矿井通风系统、矿井所需风量、通风压力与通风阻力的变化、矿井主要通风机工况点等都要进行相应的调整。因此加强生产矿井的通风管理工作是各级通风管理部门的主要工作任务。

第一节　风量调节计算

把所需风量分别送到井下各用风地点所采取的各种措施，叫做风量调节。

风量调节的意义：

随着井巷的延深、采掘工作面的不断推进、瓦斯涌出量的变化、矿井气候条件的变化及矿井的延深与改造等，需要调整原来的配风量，以满足生产上的需要。

风量调节的方法：

①局部风量调节；

②矿井总风量调节。

一、局部风量调节

矿井局部风量调节法，主要是对采掘工作面之间、采区与采区之间、生产水平与生产水平之间、矿井两翼之间的风量调节。

局部风量调节的方法主要有3种，即增阻调节法（亦称为风门、风窗调节法）降阻调节法（即扩大井巷通风断面积）和增压调节法（即辅助通风机调节法）。

(一)增阻调节法

增阻调节法又称为风窗调节法。如图7-1所示。在风门或风墙的上部（尽量靠近巷道顶板附近）安设一个可移动窗板控制的小窗口来控制和调节风量。

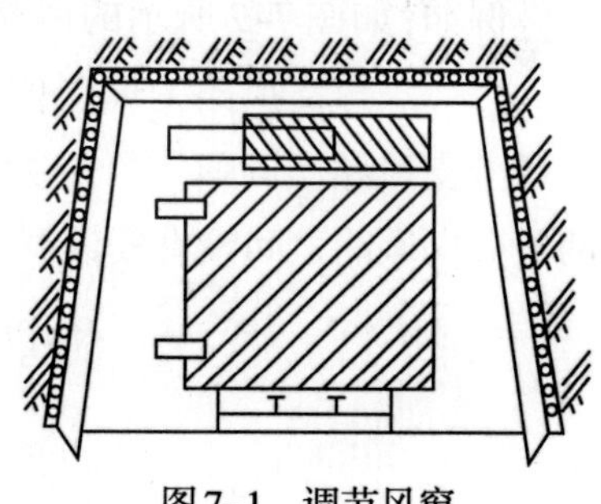

图7-1　调节风窗

1.优点

简单、易行、操作方便。是采区内部之间风量调节的主要方法。

2.缺点

这种调节方法，增大了采区风阻，甚至使全矿井总风阻值增加，使矿井总进风量减少。

3.适用条件

增阻调节法，适用于调节的风量本身不太大、使用期限不长的采区并联分支风流。

4.增阻调节的实质

在并联风路中，以阻力（风阻）较大的风路的阻力为依据，在阻力较小的分支风路中增加一项局部阻力。使并联风路中各条分支风路的阻力达到平衡，从而保证各条分支路上都能达到其本身实际所需要的风量值。

5.注意事项

①风窗必须安设在风门上部尽量靠近巷道顶板附近，以免在风墙两侧巷道顶板附近形成局部瓦斯积聚；

②风窗窗口控制的断面大小，对于两条分支风路之间的风量调节，可采用实测实验法来确定，用风表测风速乘以井巷通风断面积，也可用下面的计算公式来求得，其计算公式为：

当$S_W/S \leqslant 0.5$时，

$$S_W=\frac{QS}{0.65Q+0.84S\sqrt{h_w}},\ m^2 \tag{7-1}$$

$$或S_W=\frac{S}{0.65+0.84S\sqrt{R_w}},\ m^2 \tag{7-2}$$

当$S_W/S>0.5$时，

$$S_W=\frac{QS}{Q+0.759S\sqrt{h_w}},\ m^2 \tag{7-3}$$

$$或S_W=\frac{S}{1+0.759S\sqrt{R_w}},\ m^2 \tag{7-4}$$

式中　S_W——调节风窗的窗口断面积，m^2；

S——安设调节风窗分支风路巷道的实际通风断面积，m^2；

Q——安设调节风窗分支风路实际所需要的风量，m^3/s；

h_w——风窗增加的局部阻力，pa；

R_w——风窗增加的局部风阻，$N\cdot s^2/m^8$。

例如：如图7-2所示的两条并联分支风路，其中一条分支风路的风阻值为$R_1=0.8N\cdot s^2/m^8$。另一条分支风路的风阻值为$R_2=1.2N\cdot s^2/m^8$，当$S_W/S>0.5$时，若总进风量为$Q=30m^3/s$，第一条分支风路实际所需风量为$Q_1=5m^3/s$，第二条分支风路实际所需风量为$Q_2=25m^3/s$。如果两条分支风路之间没有安设调节风窗，则其自然分配的风量为（第一条分支风路）：

$$Q_1'=\frac{Q}{1+\sqrt{\frac{R_1}{R_2}}}=\frac{30}{1+\sqrt{\frac{0.8}{1.2}}}=16.5\ m^3/s$$

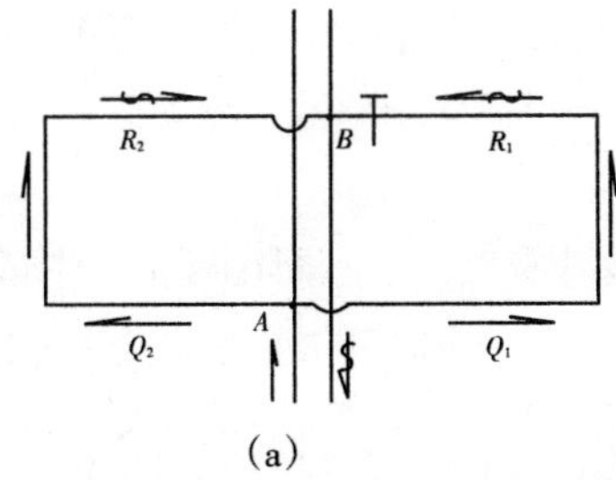

(a)

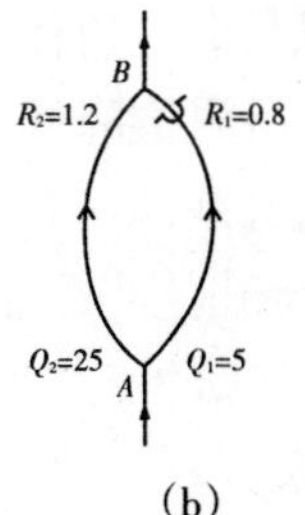

(b)

图7-2　并联网络增阻调节

那么第2条分支风路自然分配的风量即为：

$$Q_2'=30-16.5=13.5\ m^3/s。$$

而按生产实际需要，第1条分支风路的风量为$Q_1=5m^3/s$，第2条分支风路实际所需风量为$Q_2=25m^3/s$，显然自然分配的风量满足不了生产上的实际需要。按生产上实际所需要的风量，两条分支路上的通风阻力应分别为：

$$h_1=R_1Q_1^2=0.8\times5^2=20Pa$$

$$h_2=R_2Q_2^2=1.2\times25^2=750Pa$$

为此，我们可以明显地看出：需要在第1条分支风路（通风阻力较小的分支风路）的回风区段设置一调节风门风窗，且调节风窗本身所产生的阻力应为：

$$h_w=h_2-h_1=750-20=730\ Pa$$

若第1条分支风路回风区段（需要设置风门、风窗）处的巷道通风断面积为$S=4m^2$，则可用下式计算出调节风窗的窗口断面积为：

$$S_W=\frac{Q_1S_1}{0.65Q_1+0.84S_1\sqrt{h_w}}=\frac{5\times4}{0.65\times5+0.84\times4\sqrt{730}}\ =\ 0.21m^2$$

以上计算表明：在上例中，如在第1条分支风路的回风区段设置一个面积为$0.21m^2$的调节风门、风窗，就能保证第1条和第2条分支风路上都得到它们实际所需要的风量$Q_1=5m^3/s$，$Q_2=25m^3/s$。

由于井下采区内部之间的巷道长度随时都可能发生变化，因而其风阻值和通风阻力值也随之发生变化，使各条分支风路上实际通过的风量也随时都可能发生变化。因而当其变化值比较大时，就要随时进行必要的风量调节。

通过前面所学的知识，我们知道，并联风路风压相等，风阻值较小的分支风路自然分配的风量大，而风阻值较大的分支风路自然分配的风量小。这往往与各分支风路上实际所需要的风量相差较大。因而我们搞风量分配计算，就是不能让其自然分配，而必须实现按需分配。由于采掘生产的不断进行，巷道长度时刻在发生变化，当巷道长度发生变化时，并联各分支风路的风量会随时发生变化。这就要求每天每班都要随时进行测风。当发现其变化范围较大时，就要随时进行必要的风量调节。

（二）降阻调节法

降阻调节法的原理正好与增阻调节法相反。增阻调节法是在风阻值较小的分支风路中安设调节风窗，人为增大该分支风路的局部阻力，是其通过的风量值减小，以增大并联另一分支风路的风量。而降阻调节法是扩大风阻值较大的并联分支风路巷道的通风断面积，使该分支风路的风阻值降低，以增加其通过的风量。

其主要做法是：

（1）扩大巷道通风断面，使该分支风路通过的风量增大，它是降阻调节法中最有效的措施。

（2）改变巷道的支护形式和光洁程度，以减少该分支风路的摩擦阻力系数，使其风阻值减小，以增加该分支风路通过的风量。

（3）清除巷道中的杂物，以减小该分支风路的局部阻力，增加该分支风路的风量。

降阻调节法主要有以下优点：

①使全矿总风阻与总阻力值降低；

②使矿井总进风量及矿井主要通风机的工作量有所增加；

③减小了矿井主要通风机的电费消耗。

降阻调节法的缺点主要表现在以下方面：

①扩大巷道通风断面积，工程量大、工程费用高、施工时间长；

②降阻调节法理论上可行，但实际操作比较困难。其原因是井下巷道长度时刻都会发生改变，因而其风阻值也随之发生变化。

降阻调节法的适用条件：

当某一分支风路的巷道通风断面积本身过小，但该巷道服务年限又比较长或因年久失修破坏比较严重需要大量维护时，在维护过程中刷大该分支风路的巷道通风断面积，以降低并联网络该分支风路的风阻值，降低该巷道通风阻力，增大通过该风路的风量值。

（三）增压调节法

增压调节法又称为辅助通风机调节法。具体方法是在主进风巷道旁侧开绕道，安设辅助通风机，并在主巷道内设置两道风门，如图7-3、图7-4所示。

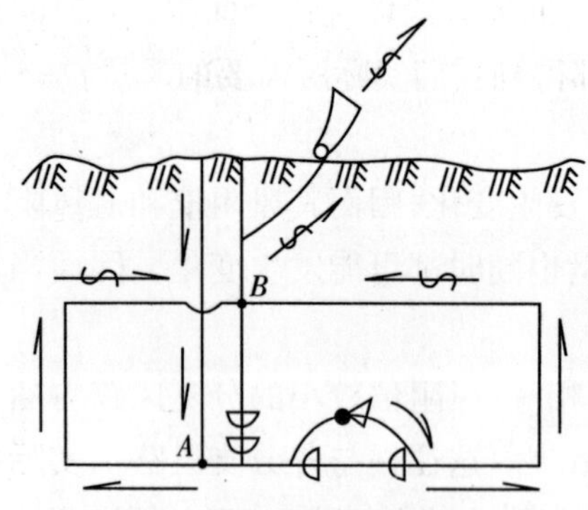

图7-3　辅助通风机调节法

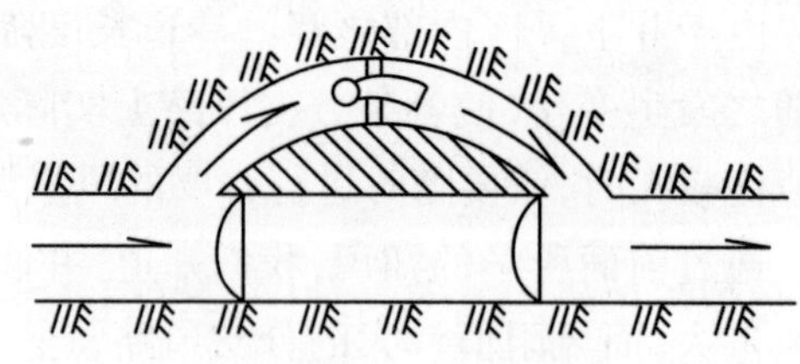

图7-4　辅助通风机的安设

辅助通风机调节法的实质：

辅助通风机调节法，就是以阻力（风阻）较小的分支风路的阻力值（或风阻值）为依据，在阻力（风阻）较大的风路一侧的进风巷道旁侧开绕道，安设辅助通风机（帮助矿井主要通风机工作），用辅助通风机产生的风压克服阻力较大的分支风路上的一部分阻力，使并联连接的两条分支风路的压力达到平衡，从而达到调节风量的目的。

辅助通风机调节法的优点：

增大了井下某一区域的空气压力，使矿井主要通风机压力消耗降低，矿井主要通风机能以较小的风压消耗，提供较大的风量。

辅助通风机调节法主要有以下缺点：

①辅助通风机前后两侧空气的压差太大，容易形成循环风(内部漏风)，经煤岩壁裂缝形成漏风，有引起采空区煤炭自燃的危险性；

②一旦辅助通风机停止运转，则容易形成局部瓦斯积聚，重新启动辅助通风机，有引起瓦斯燃烧或瓦斯爆炸的危险性；

③井下万一发生矿井火灾或瓦斯(煤尘)爆炸事故，易摧毁辅助通风机，再恢复通风较为困难；

④通风管理复杂，增加了设备购置费、安装费、电力费、掘进费等。

辅助通风机调节法的适用条件：

当并联的两条分支风路的风阻值的差距太大时，用风窗调节，风量无法达到要求；用降阻调节法调节时费用又太大。如矿井东翼与西翼巷道长度相差太大时，增阻调节法与降阻调节法都难以解决时，可考虑辅助通风机调节法。

《煤矿安全规程》第125条规定：矿井通风系统中，如果某一分区风路的风阻过大，主要通风机不能供给其足够风量时，可在井下安设辅助通风机，但必须供给辅助通风机新鲜风流；在辅助通风机停止运转期间，必须打开绕道风门。严禁在煤(岩)与瓦斯(二氧化碳)突出矿井中安设辅助通风机。

辅助通风机调节法使用时的注意事项：

①辅助通风机因故停止运转，在重新启动之前，应检查辅助通风机及其启动装置安设地点附近10m以内风流中的瓦斯，当瓦斯浓度不超过0.5%时，方可启动辅助通风机。

②辅助通风机必须安设在新鲜风流巷道中。

③绕道与主巷道之间必须有足够厚度的煤岩柱，以防漏风。因为辅助通风机前后两侧的压差比较大，辅助通风机吸风口为负压、出风口为正压，由于前后压差较大，可通过微小的空隙与裂缝形成漏风。

④要慎重选择辅助通风机的布设地点，尽可能远离封闭的火区或已熄灭的火区，以免由于漏风造成死灰复燃。

⑤两道绕道风门之间的距离，要大于1列车的长度，两道风门尽量采用自动风门。

(四)混合调节法

混合调节法，即同时采用多种风量调节法。如在风量较大的并联分支风路(风阻小)中安设调节风窗，人为增大其局部阻力；而在风量过小(风阻大)的并联另一分支风路中安设辅助通风机增压或采用刷大该分支风路的巷道通风断面积而降低阻力。

混合调节法的适用条件：

当单独采用某一种风量调节法难于满足风量的要求或效果不太理想时，可采用混合调节法。

二、矿井总风量调节

随着矿井的延深或改造，旧采区的报废、新采区的投产，当矿井总风量满足不了矿井生产的实际需要时，就必须对矿井主要通风机的工作风量进行必要的调整。矿井总风量调节的实质就是调整矿井主要通风机的工况点，其具体做法主要是改变主要通风机的特性曲线或者改变主要通风机的工作风阻。

（一）改变主要通风机的工作风阻

利于改变风硐中调节闸门的位置，以增减矿井总风阻，使主要通风机的工况点发生移动，以达到增减矿井总进风量的目的。

如图7–5所示，为某台矿井主要通风机在额定转数n的工作状态下的个体风压特性曲线图。

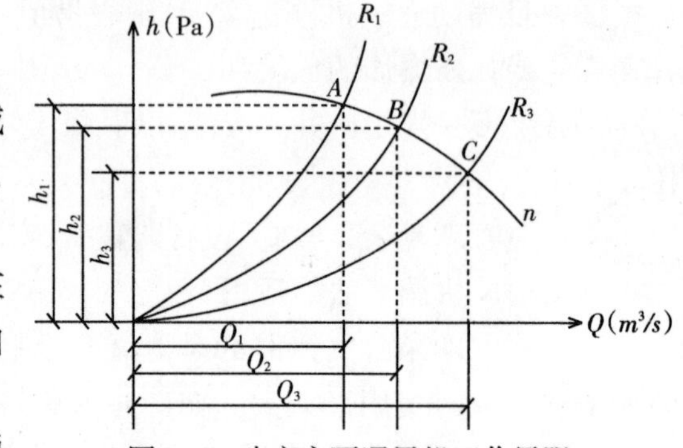

图7–5　改变主要通风机工作风阻

当矿井风阻曲线由R_2增大到R_1时，主要通风机的工况点由B移动A；通风机的工作压由h_2增大至h_3，通风机的工作风量由Q_2降至Q_1，由此可知，当矿井主要通风机的工作风量过大时，将风硐中的调节闸门往下压，使风硐通风断面积减小，增大矿井总风阻，使矿井主要通风机工作风压增加，工作风量降低，以达到减少矿井总进风量的目的。

而将风阻曲线由R_2降至R_3时，通风机的工况点将由B移至C，通风机在此工况点下运转时，其工作风压将由h_2降至h_3，通风机的工作风量将由Q_2增大至Q_3。由此可知，当矿井主要通风机的工作风量满足不了矿井生产需要时，可将风硐中的调节闸门往上提，使风硐的实际通风断面积增大，矿井总风阻将降低，风阻特性曲线向横坐标方向移动，风机在运行过程中，将会以较小的风压消耗，提供较大风量。

由于离心式通风机的输入功率随着风量的减小而降低，因此当离心式通风机工作风量过大时，可利用风硐中的调节闸门增加风阻，以减小通风机的工作风量；相反，当主要通风机的工作风量满足不了矿井生产需要时，可利用风硐中的调节闸门来减小矿井总风阻，使其工作风量增大，离心式通风机的工作风量与输入功率成正比。因此对于离心式通风机而言，用改变通风机工作风阻的方法以增减风量相当合理。

对于轴流式通风机而言，通风机的输入功率与工作风量成反比，即用改变通风机的工作风阻来减小风机的工作风量，工作风量虽然降低了，但通风机的输入功率（即电能消耗）反而增大了。因此一般不用调节闸门来减小轴流式通风机的工作风量。轴流式通风机多用减小叶片的安装角度或降低通风机的转数来减小工作风量。也正是由于此种原因，离心式通风机在启动时，应将风硐中的调节闸门全部关闭，待通风机达到稳定状态时，再将风硐中的调节闸门缓慢往上提，提到通风机的工作风量满足矿井生产需要的风量位置即可；当轴流式通风机在启动时，应将风硐中的调节闸门全部打开，等到通风机运行平稳后，再将风硐中的调节闸门均匀缓慢往下放，放到通风机的工作风量满足矿井实际需要的位置为止。这样做都是为了减小在启动时的电能消耗，以防止烧毁电动机。

(二)改变主要通风机的特性曲线

1.改变主要通风机的转数

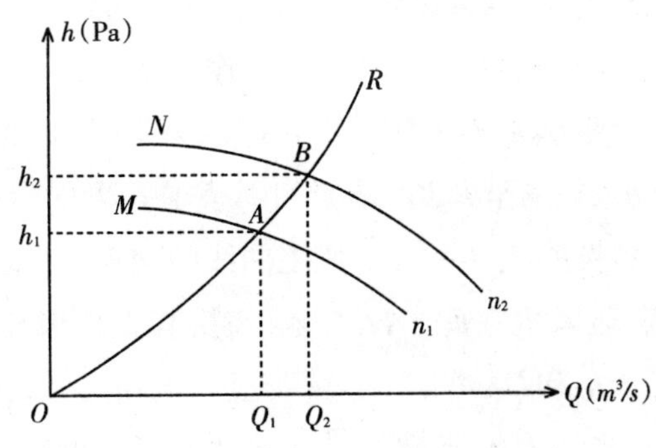

图7-6　改变主要通风机的转速

通风机的工作风量与其转速成正比，工作风压与转速的二次方成正比。因此，改变主要通风机的转数可使通风机的个体风压曲线发生改变，转速愈大，则通风机的工作风量就越大。如图7-6所示。如某台离心式风机在转数为n_1时，对应的风压特性曲线为M。如果在工况点A时，主要通风机的工作风量Q_1满足不了矿井生产的需要(Q_2)时，根据比例定律：

$$\frac{Q_1}{Q_2}=\frac{n_1}{n_2} \text{ 可得：} \tag{7-5}$$

$$n_2=n_1\frac{Q_2}{Q_1}\text{, r/min} \tag{7-6}$$

可求得通风机所需的新的转速n_2，绘制出转速n_2状态下的个体风压曲线N，它与风阻曲线R的交点B即为通风机在转速n_2时的新的工况点。同时还需检查工况点B是否位于通风机的合理工作范围内(即最高风压的90%以下)工作效率的60%以上，并验算电动机的能力是否能够达到要求。

由于离心式通风机的叶片是固定的，无法通过调整叶片安装角来改变其工作特性，因此改变通风机的转速来改变其特性曲线将是其主要的风量调节方法。根据以上所述，当离心式通风机的工作风量过大时，可用降低其转速的方法，达到减小其工作风量。轴流式通风机亦可采用改变通风机的转速，使其特性曲线改变，工况点发生移动，达到增减风量的目的。

改变主要通风机转速的具体方法如下：

①更换其配置的电动机。矿用轴流式主要通风机一般均采用直接传动方式，即通风机与电动机之间采用轴传动，需要改变通风机的转速时，可根据实际需要更换不同转速的电动机，以实现其较大范围的风量调节。

②改变通风机与电动机之间的传动比。当矿井主要通风机与电动机之间采用间接传动时，一般为三角皮带传动。矿用离心式主要通风机与其配置的电动机之间一般均采用这种传动方式，因此离心式通风机用改变传动比来改变通风机的转数。也就是改变皮带轮的直径，使其转数发生改变。这种方法的实质使通风机的特性曲线发生了变化。

2.改变主要通风机叶片安装角

这种调节方法仅适用于轴流式通风机。轴流式通风机的特性曲线是随着其叶轮叶片的安装角度(θ)的不同而改变的，当其叶片安装角增大时，则其工作风压与工作风量同时增大，如图7-7所示。

某台轴流式通风机在其某一额定转速(n)状态下，当其叶片安装角θ=25°时，其个体风压曲线为M，与风阻线R的交点为A，通风机在此工况点运行时，通风机的工作风压与工作风量分别为h_1和Q_1，当其工作风量满足不了矿井实际所需风量时，可将其叶片安装角度θ=25°调至θ=30°，在此叶片安装角度的状态下，其个体风压特性曲线为N，N与风阻曲线的交点B为通风机新的工况点，通风机在此工况点运行时，其工作风压与工作风量分别为h_2和Q_2，由图7-7可明显看到：$h_2 > h_1$；$Q_2 > Q_1$。因此可知，当加大轴流式通风机叶片安装角度时，可以用来增加通风机的工作风量，以满足矿井通风的需要。

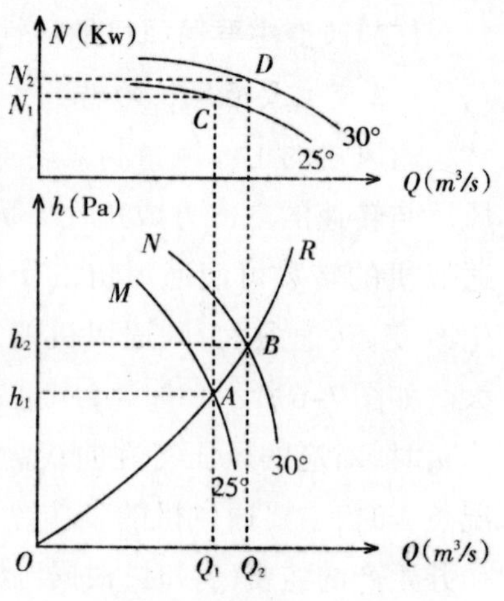

图7-7 改变通风机叶片安装角

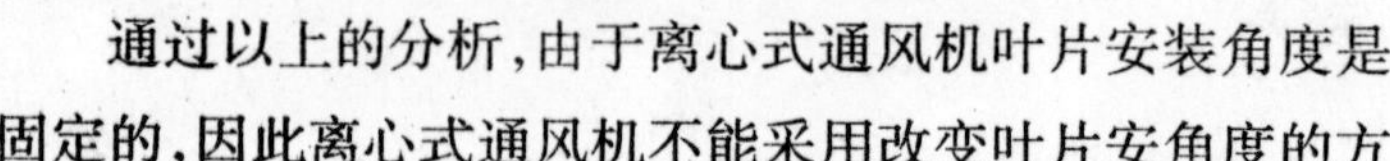

通过以上的分析，由于离心式通风机叶片安装角度是固定的，因此离心式通风机不能采用改变叶片安角度的方法来调节风机的工作风量。它只能通过改变通风机的工作风阻和改变通风机的转数来实现其风量调节；而轴流式通风机在此基础上还可用调节叶片安装角度的方法用于较小范围内的风量调节。从这个意义上来讲，轴流式通风机比离心式通风机风量调节方便。

第二节 矿井漏风及其防治

在矿井通风系统中，送入井巷的风流在没有到达用风地点之前就在沿途漏掉一部分或全部漏掉的现象称为矿井漏风。

一、矿井漏风的危害

(1)漏风会造成采掘工作面有效风量减小，风流中的浮尘不易被带出，而且还会在工作面局部地点形成瓦斯积聚，使工作面气候条件及卫生环境恶化，影响井下工人身心健康，影响工人劳动效率，给矿井造成不安全的隐患。

(2)漏风使矿井通风系统复杂，降低了通风系统的连续、可靠、稳定性，给矿井风量调节造成一定的困难。

(3)一定量的空气漏入采空区，形成了漏风供氧条件，使采空区丢失的煤炭缓慢氧化积热，其积热达到一定的程度，可在采空区引起煤炭自燃，自燃所产生的一氧化碳剧毒气体，可使工作面及其回风巷道工作人员中毒，直接影响采掘工作面工作人员的身体健康和矿井安全生产。

(4)由于大量漏风的存在，使工作面有效风量满足不了生产上的需要，这样就要不断调节矿井主要通风机的工作风量，使通风机的输入功率随之加大，造成电费的极大浪费，增加了吨煤通风成本。

二、漏风的分类

根据漏风程度大小的不同，一般可分为矿井外部漏风和矿井内部漏风。

（一）外部漏风

外部漏风是指矿井内部与地表之间形成的漏风。如抽出式通风矿井，地面空气通过地面的裂缝、塌陷区、断层、地质钻孔、回风井口直接漏入矿井总回风流。外部漏风量越大，则进风井的总进风量将会越小。

（二）内部漏风

内部漏风亦称为井下漏风，它是通过各种通风设施（风门、风桥、风墙等）煤柱及采空区之间形成的漏风，风流短路是其主要的表现形式。

三、漏风的原因分析

漏风的原因很多，其根本原因是由于漏风区域两端存在空气的压差，井下控制风流的设施不健全或质量达不到标准，采空区冒落的岩石未被压实，煤柱压裂破坏或地表存在裂隙、塌陷区，报废的地质钻孔未及时封闭等原因造成的。另外不同的采煤方法和回采工艺对形成内部漏风仍具有一定的影响。

如图7–8所示，当工作面采用后退式开采时，由于工作面进风巷与回风巷之间空气压差的作用，使新鲜空气送入工作面后，稀释了瓦斯与煤尘的回风流直接由回风巷道排出，这种方式相对而言向采空区一侧的漏风量将很少，但如果在采煤工作面后退方向有一贯通巷，当风门不严密时，将会有一部分新鲜风流由进风巷经贯通巷直接漏入工作面回风巷，这样将会使送到工作面的有效风量降低。如测风员在进风巷道贯通巷前方测得进风巷道的配风量为6 m^3/s，而在贯眼后方实测的风量为5.8 m^3/s，这就说明了新鲜风流在没有到达工作面之前就沿贯通巷漏掉了0.2 m^3/s，而实际送到采煤工作面的风量只有5.8 m^3/s，送到工作面的风量（5.8 m^3/s）称为该工作面的有效风量。

如图7–9所示，工作面采用前进式回采，这种方法会由于后方的采空区岩石未被压实，而由进风巷道直接漏入采空区一部分新鲜风流，造成工作面风量不足。一方面有引起采空区煤炭自燃的危险性；另一方面易在工作面上隅角形成局部瓦斯积聚，从而构成安全隐患。因此《煤矿安全规程》第48条明文规定：突出矿井、高瓦斯矿井、低瓦斯矿井高瓦斯区域的采煤工作面，不得采用前进式采煤方法。另外《煤矿安全规程》第230条还规定：开采容易自燃和自燃的煤层（薄煤层除外）时，采煤工作面必须采用后退式开采，并根据采取防火措施后的煤层自然发火期确定采区开采期限。

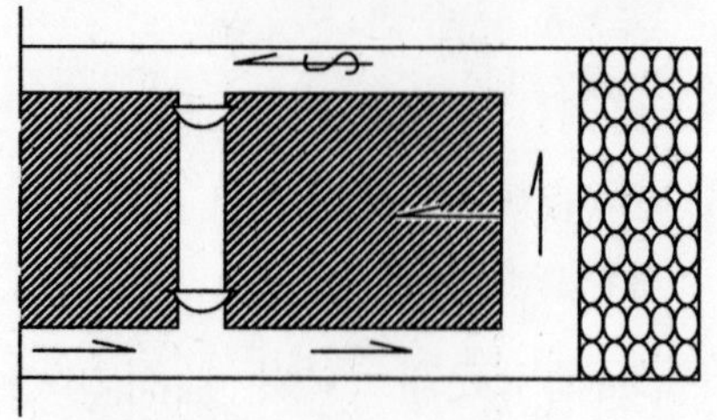

图7-8　工作面后退式

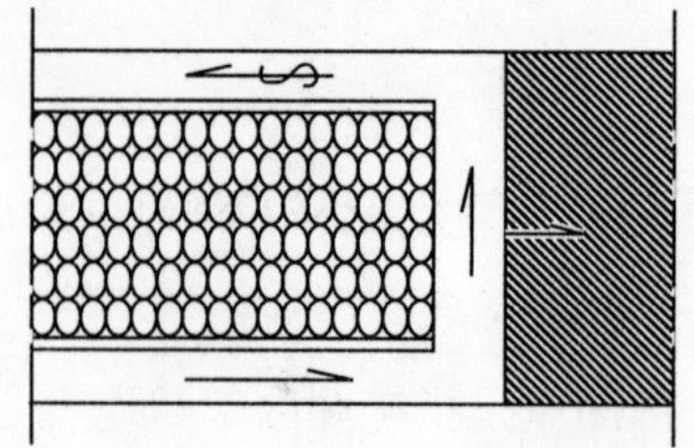

图7-9　工作面前进式

四、反映矿井漏风程度的参数

用某些参数表示矿井漏风程度，对于衡量矿井通风管理工作，有针对性地解决矿井漏风问题，提高矿井有效风量率，是十分必要的。

井下所有独立通风的用风地点（采掘工作面、硐室及其他用风巷道等）实际得到的风量之和，称为矿井的有效风量$\sum Q_{有效}$。相反，未送入用风地点就由矿井主要通风机（抽出式工作方法）排出的总漏风量称为矿井的总漏风量$Q_{总漏}$。若主要通风机的工作风量为Q_f，则有：

$$Q_f = \sum Q_{有效} + Q_{总漏}\ ,\mathrm{m^3/s} \tag{7-7}$$

式中　Q_f——矿井主要通风机的工作风量，$\mathrm{m^3/s}$；

$\sum Q_{有效}$——矿井总有效风量，$\mathrm{m^3/s}$；

$Q_{总漏}$——矿井总漏风量，$\mathrm{m^3/s}$。

因为矿井的总有效风量$\sum Q_{有效}$与矿井总漏风量$Q_{总漏}$的绝对值不能用来比较各个矿井的漏风程度。须用矿井漏风率与矿井有效风量率作为衡量矿井漏风程度的指标。

上述矿井总漏风量包括矿井外部漏风量和矿井内部漏风量，即：

$$Q_{总漏} = Q_{外漏} + Q_{内漏}\ ,\mathrm{m^3/s} \tag{7-8}$$

式中　$Q_{总漏}$——矿井总漏风量，$\mathrm{m^3/s}$；

$Q_{外漏}$——矿井外部漏风量，$\mathrm{m^3/s}$；

$Q_{内漏}$——矿井内部漏风量，$\mathrm{m^3/s}$。

矿井外部漏风量是矿井抽出式主要通风机的工作风量与进风井的总进风量的差值，即：

$$Q_{外漏} = Q_f - Q_{进}\ ,\mathrm{m^3/s} \tag{7-9}$$

式中　$Q_{外漏}$——矿井外部漏风量，$\mathrm{m^3/s}$；

Q_f——矿井主要通风机的工作风量，$\mathrm{m^3/s}$；

$Q_{进}$——矿井进风井的总进风量，$\mathrm{m^3/s}$。

矿井内部漏风量是矿井总进风量与矿井总有效风量之间的差值，即：

$$Q_{内漏} = Q_{进} - \sum Q_{有效}\ ,\mathrm{m^3/s} \tag{7-10}$$

式中　$Q_{内漏}$——矿井内部漏风量，$\mathrm{m^3/s}$；

$Q_{进}$——矿井总进风量，$\mathrm{m^3/s}$；

$\sum Q_{有效}$——矿井总有效风量，$\mathrm{m^3/s}$。

(一)矿井外部漏风率

矿井外部漏风率是矿井外部漏风量与矿井主要通风机工作风量之比的百分数,即:

$$L_{外} = \frac{Q_{外漏}}{Q_f} \times 100\% = \frac{Q_f - Q_{进}}{Q_f} \times 100\% \tag{7-11}$$

式中　$L_{外}$—— 矿井外部漏风率,%;

$Q_{外漏}$——矿井外部漏风量,m^3/s;

Q_f—— 矿井主要通风机的工作风量,m^3/s;

$Q_{进}$—— 矿井总进风量,m^3/s。

《煤矿安全规程》第121条规定:主要通风机必须安装在地面;装有通风机的井口必须封闭严密,其外部漏风率在无提升设备时不得超过5%,有提升设备时不得超过15%。

(二)矿井内部漏风率

矿井内部漏风率是矿井内部漏风量与矿井主要通风机工作风量之比的百分数,即:

$$L_{内} = \frac{Q_{内漏}}{Q_f} \times 100\% = \frac{Q_{进} - \sum Q_{有效}}{Q_f} \times 100\% \tag{7-12}$$

式中　$L_{内}$——矿井内部漏风率,%;

$Q_{内漏}$——矿井内部漏风量,m^3/s;

$Q_{进}$——矿井总进风量,m^3/s;

$\sum Q_{有效}$—— 矿井总有效风量,m^3/s。

(三)矿井总漏风率

矿井总漏风率是矿井外部漏风率与矿井内部漏风率之和,即:

$$L_{总} = L_{外} + L_{内}\ ,\% \tag{7-13}$$

式中　$L_{总}$——矿井总漏风率,%;

$L_{外}$——矿井外部漏风率,%;

$L_{内}$——矿井内部漏风率,%。

将(7-11)(7-12)代入(7-13)式则得:

$$L_{总} = \frac{Q_f - \sum Q_{有效}}{Q_f} \times 100\% = \frac{Q_{总漏}}{Q_f} \times 100\% \tag{7-14}$$

式中　$L_{总}$——矿井总漏风率,%;

Q_f——矿井主要通风机的工作风量,m^3/s;

$\sum Q_{有效}$——矿井总的有效风量,m^3/s;

$Q_{总漏}$——矿井总漏风量,m^3/s。

(四)矿井有效风量率

矿井有效风量率是矿井总有效风量与矿井主要通风机工作风量之比的百分数,即:

$$L_{有效} = \frac{\sum Q_{有效}}{Q_f} \times 100\%\ ,\% \tag{7-15}$$

式中　$L_{有效}$——矿井有效风量率,%;

$\sum Q_{有效}$——矿井总有效风量,m^3/s;

Q_f——矿井主要通风机的工作风量，m^3/s。

按照要求，矿井有效风量率不得低于85%，也就是矿井内部漏风率不得超过15%，即$L_{有效} \geqslant 85$；$L_{内} \leqslant 15\%$。

（五）矿井漏风系数

矿井漏风系数是指矿井总进风量与矿井总有效风量的比值，即：

$$K = \frac{Q_{进}}{\sum Q_{有效}} \tag{7-16}$$

式中 K——矿井漏风系数；

$Q_{进}$——矿井总进风量，m^3/s；

$\sum Q_{有效}$——矿井总有效风量。

由上式可以看出，当K值越大时，则矿井漏风情况也严重；当K值越接近1时，说明矿井漏风量越小，通风状况就越好。

将矿井实测的各种风量值分别代入以上各式，便可算出$L_{外}$、$L_{内}$、$L_{总}$和$L_{有效}$等百分比及漏风系数K，用以衡量矿井漏风程度和采区供风情况是否符合要求。

五、提高矿井有效风量的途径

提高了矿井总的有效风量，那么矿井的有效风量率将会增大，也就减少了矿井内部漏风量和矿井内部漏风率。为此，应通过对矿井漏风问题作周密细致的调查研究，摸清情况，有的放矢地采取措施。因为漏风的必要条件是存在漏风通道及其进、回风两侧之间存在压力差，通道越多、越大，则压差越大，漏风也就越大。因此，减少漏风应从提高漏风区（或矿井通风设施）的严密性或降低其进、回风巷两端的压力差两个方面着手解决。根据矿井现场实际情况，应采取以下主要措施：

（1）选择合理的开拓方式和通风系统。矿井的开拓方式、通风方式与开采方法对矿井漏风有较大的影响，在进风井与回风井的布置方式上，对角式漏风比中央式小；中央分列式的漏风比中央并列式小；在中央并列式中，用立井开拓的漏风比斜井开拓小；采取抽出式通风时进风路线上的漏风比压入式要小。在采区开采顺序和工作面回采顺序方面，后退式的漏风比前进式小；全部充填法的漏风比全部垮落法小；留设煤柱开采的漏风比无煤柱开采小；采区进风与回风巷道布置在岩层中的漏风比布置在煤层中要小等等。因此在矿井设计、建设及生产过程中，应合理选择矿井开拓系统、通风系统、开采顺序和开采方法。服务年限长的主要风巷应布置在稳定的岩层中，采区与采煤工作面尽量采用后退式开采，采用全部垮落法管理顶板时，应适当加大煤柱尺寸或用严密的砖石结构的风墙防止采空区漏风。

（2）防止地面与井下之间形成漏风。为了减少塌陷区与地表之间的漏风，应及时充填地面塌陷坑洞及裂缝，封闭地面报废的小窑及地质钻孔等。

（3）防止通风设施漏风。为了减少井下各种通风设施的漏风，对各种通风构筑物除了认真设计选型、正确选择安装位置、确保工程质量以外，还应加强日常检查、维修，严格管理制度。

（4）降低漏风通道两侧的压差。漏风两端的压差，主要取决于与其并联的用风地点的通风阻力。因此，降低用风地点的风阻，将减少其邻近漏风通道的漏风量。如降低采煤工作面的通风阻力，即可减少其向采空区的漏风量。

第二部分 专业核心知识点

本章核心知识点主要有以下内容

1.矿井局部风量调节的方法；
2.增阻调节法风窗窗口断面大小的计算方法；
3.矿井总风量调节方法。

复习题

1.什么是矿井局部风量调节？局部风量调节具体有哪3种方法？
2.增阻调节的实质是什么？
3.降阻调节主要有哪些优缺点？
4.增阻调节主要有哪些优缺点？
5.辅助通风机调节的实质是什么？
6.辅助通风机调节的适用条件是什么?《规程》对其使用是如何规定的。
7.矿井总风量调节的实质以及具体做法各是什么？
8.矿井总风量调节的具体方法有哪些？
9.什么是矿井漏风？
10.矿井漏风主要有哪些危害？
11.什么是外部漏风？
12.什么是内部漏风？
13.《规程》对矿井外部漏风率是如何规定的？
14.生产矿井计算矿井总需供风量的最终目的是什么？
15.两条并联分支风路上的总风量为20m³/s，若R_1=0.4N·s²/m⁸，R_2=0.8N·s²/m⁸，而R_1分支风路实际所需风量为6m³/s，R_2分支风路实际所需风量为14 m³/s，在R_1分支风路的巷道通风断面积为8m²，请计算应在R_1分支风路上将风窗窗口控制在多少平方米？
16.矿井总进风量为2350 m³/min，矿井主要通风机的工作风量为2340m³/min，回风井专门回风，请计算该矿井外部漏风率为多大？是否符合《煤矿安全规程》之规定？

讨论题

1.在哪些情况下需要进行矿井总风量调节？
2.在何种情况下需要进行矿井局部风量调节？
3.形成外部漏风的因素主要表现在哪些方面？

第八章　矿井瓦斯防治

第一部分　系统理论知识

第一节　矿井瓦斯基础知识

一、瓦斯的定义

矿井瓦斯是指在矿井生产和建设过程中由煤岩体内涌出的以甲烷气体为主的煤层气。因此瓦斯指的是一种混合气体，其组成成分中，主要有CH_4、CO_2、SO_2、NO_2、NH_3、H_2S、H_2、CO等。有时井下还会出现少量的乙烯(C_2H_4)乙炔(C_2H_2)，以及乙烷(C_2H_6)、戊烷(C_5H_{12})、己烷(C_6H_{14})等。但在其组成的成分中，CH_4气体往往占到90%左右，因此从狭义的角度来讲，瓦斯主要是指甲烷，在没有特别说明的情况下，一般所说的瓦斯，实际是指甲烷(CH_4)气体。

二、矿井瓦斯的来源

矿井瓦斯是在煤的形成过程中产生的。古代植物埋藏在地下，在厌氧菌的作用下，经过亿万年的物理、化学以及生物方面的变化，逐渐形成了煤，在形成煤的过程中又裂解出了大量的CH_4、CO_2、H_2S、SO_2、NH_3等有害气体。在理想条件下，1kg的纤维质变成无烟煤的过程中能生成0.257 m^3的甲烷气体，其化学反应过程如下：

$$\underset{\text{植物纤维质}}{4C_6H_{10}O_5} \longrightarrow \underset{\text{甲烷}}{7CH_4} + \underset{\text{二氧化碳}}{8CO_2} + \underset{\text{水}}{3H_2O} + \underset{\text{无烟煤}}{C_9H_6O}$$

通过科学计算，由古代植物每生成1t的烟煤大约可产生600 m^3以上的CH_4，而由1t的烟煤在演变为1t的无烟煤的过程中大约又能产生240m^3以上的CH_4。由此可知，在形成煤的过程中，瓦斯的产生量是十分巨大的。但由于CH_4的渗透能力特别强，它又比空气轻，在漫长的地质年代，绝大部分CH_4都穿过煤层上面的覆盖层扩散到了大气层中，留在煤层中的CH_4已微乎其微了。另外植物纤维质最主要的构成成分是C、H、O，但植物中还含有大量的微量元素，如N、S、P、Fe等，因此在纤维质高分子的裂解和重组中，又可产生NH_3、NO_2、SO_2、H_2S等有害气体赋存于煤、岩体中。

三、瓦斯的主要性质

(1)瓦斯(CH_4)是一种无色、无味、无臭、无毒的气体。因此用人的感觉器官感知不到它的存在，因此更具有危险性。

(2)CH_4比空气轻。它在标准大气状态下的密度为0.7162kg/m³,相对密度为0.554。它比空气轻,容易在巷道冒高处、采煤工作面上隅角、掘进巷道上山头、采空区等处形成局部瓦斯积聚,上行风易将其带出,下行风不利于瓦斯的排除。

(3)CH_4扩散速度快,渗透能力强。通过科学计算,CH_4的扩散速度比O_2的扩散速度大1.6倍,CH_4一旦由煤岩体内放出,便能迅速扩散到周围巷道空气中;其渗透能力特别强,能在煤岩层中互相渗透,甚至能穿过邻近的煤岩层渗透到巷道空气中。

(4)CH_4具有燃烧性、爆炸性。甲烷本身就是一种可燃性气体,当其在空气中达到一定的浓度时,遇到适当的火源便可发生燃烧,甚至爆炸。

另外由于CH_4是窒息性气体,当其浓度达到43%时,混合气体中的O_2将降至12%,使人发生窒息,时间稍长,威胁生命安全;当CH_4达到57%时,其混合气体中的O_2将降至9%,使人立即死亡。

由此可知,甲烷(CH_4)的主要性质有:窒息性、扩散性、渗透性、燃烧性、爆炸性。

四、瓦斯在煤层中的赋存状态

瓦斯在一定的压力状态下,主要以游离和吸附两种状态赋存于煤岩体中。游离状态的瓦斯存在于煤的孔隙和裂隙中,吸附瓦斯根据吸附的程度不同,又分为附着和吸收两种状态,吸收状态是指瓦斯存在于极微小的孔隙中,其形成如同食盐溶解于水中一样,附着状态的瓦斯是指在煤中裂隙和孔隙表面固体分子吸引力的作用下,瓦斯分子被吸附于煤中裂隙的表面,形成很薄的吸收层,如同金属生锈一样。如图8-1所示。

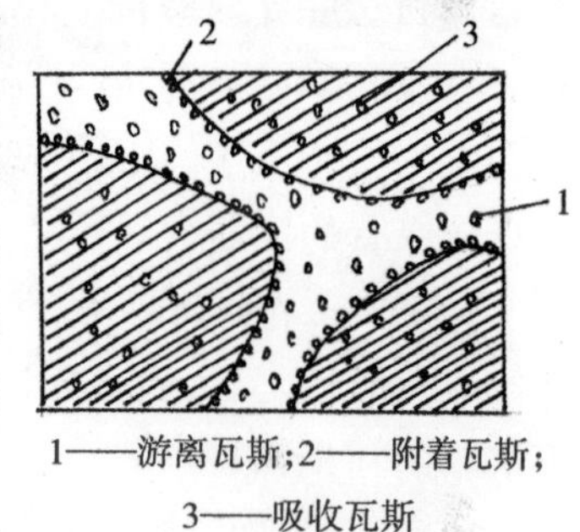

1——游离瓦斯;2——附着瓦斯;3——吸收瓦斯

图8-1 瓦斯的赋存状态

在完整的煤体内游离瓦斯和吸附瓦斯处于一种动态平衡状态,即吸附的瓦斯分子和游离的瓦斯分子处于不断的交换之中,但其总量保持不变。在煤层内,无论是深部还是浅部,吸附状态的瓦斯约占煤层瓦斯含量的80%~90%。游离状态的瓦斯一般只占到其总量的10%~20%,但是在断裂带,游离状态的瓦斯所占的比例将会大幅上升。

当条件发生变化时,煤体中的游离状态和吸附状态的瓦斯的动态平衡状态将会被打破。如在采掘生产过程中,随着煤岩体的破落,积存在煤体中的大量吸附状态的瓦斯会转变为游离状态的瓦斯释放到巷道空气中。再如当空气温度升高或空气压力降低时,一部分吸附状态的瓦斯将会转化为游离瓦斯,我们将其称为解吸过程;如当空气温度降低或空气压力升高时,一部分游离在巷道中的瓦斯将会被压入煤层转化为吸附状态,我们把这种现象称为吸附现象。如在夏季,地面空气温度升高,对于浅井生产来讲,井下空气温度也会随之升高,空气遇热膨胀,空气分子与分子之间的距离变大,空气密度变小,空气重量减小,空气压力随之减小。温度升高,瓦斯获得能量其活动能力增强,压力降低,大量吸附状态的瓦斯会转化为游离状态的瓦斯释放到巷道空气中。因此矿井一般在夏季瓦斯涌出量会增大,这也就是为什么要在每年的7、8月份进行矿井瓦斯等级鉴定的道理之所在。即就是要在瓦斯涌出量最大的时刻进行矿井瓦斯等级鉴定,就高不就低。另一方面,抽出式通风矿井在矿井主要通风机刚停风的一段时间范围内,由于井下空气压力突然升高(由负压变为正压),大量游离在井巷空气中的瓦斯会被压入煤层,转变为吸附状态,因此在矿井主要通风机刚停风的一段时间范围内,井下瓦斯涌出量会降低,因此认为抽出式通风方法对管理矿井瓦斯有利。这也就是我国目前广泛采用抽出式通风方法的原因。

五、煤层瓦斯含量

(一)定义

煤层瓦斯含量是指在单位体积或单位重量的实体煤中实际所含有的瓦斯量。其单位为:m^3/m^3或m^3/t。

(二)影响煤层瓦斯含量的因素

煤层瓦斯含量除与煤在形成过程中本身生成的瓦斯量有关以外,主要取决于煤层瓦斯运动的条件和保存瓦斯的能力。在成煤过程中,伴随1t煤所生成的瓦斯量一般大约为100～400 m^3,有时可高达600～840 m^3,但在现在的实测资料中显示,煤层原始瓦斯含量一般不超过20m^3/t～30 m^3/t,但亦有例外的,如日本太平洋煤矿曾测得煤层原始瓦斯含量为70m^3/t～80m^3/t。由此可见,在成煤过程中生成的瓦斯在漫长的煤田地质史中绝大部分都散失到大气层中去了,煤层中现在保有的瓦斯含量仅仅只有在成煤过程中极少的一部分。目前煤层保有的瓦斯含量主要与下列因素有关:

1.煤田地质史的影响

煤在形成之后,由于煤田地层上升将会使煤层露出地表出现煤层露头,由此大大增强了煤层中的瓦斯沿煤层露头向地面空气中放散瓦斯。当煤田地层下沉时,则煤层又会被新的覆盖层覆盖,从而又阻止了煤层中瓦斯的丢失。

2.地质构造的影响

煤田地质构造是影响煤层瓦斯含量的最主要的因素之一。封闭型的地质构造最有利于瓦斯的存储,而开放型的地质构造有利于瓦斯的散失。

开放型的断层两盘是分离运动,断层为煤层瓦斯散失提供了便利的通道,在这种类型断层附近,煤层瓦斯含量比较小。封闭型的断层由于两盘相互挤压,其本身的透气性比较差,割断了与地表之间的联系,从而使煤层瓦斯含量高。开放型断层一般属于正断层,而封闭性断层多为逆断层。

背斜构造的轴部通常比相同深度的两翼瓦斯含量高,特别是当背斜上部的岩层透气性差或含水充分时,往往在背斜的轴线部位积聚着高压的瓦斯,形成“气顶”。而当背斜的轴部的上覆岩层因张力而形成连通地面的裂隙时,瓦斯则会大量散失,在此情况下其轴部的瓦斯含量反而比较低。

向斜构造由于轴部岩层受到挤压,因此其轴部瓦斯含量一般比两翼高。但是在开采透气性较好的煤层时,向斜轴部的瓦斯涌出量反而比较低,这是因为当工作面接近向斜轴部时,瓦斯的补给区域越来越窄小,是由于补给的瓦斯量减少而造成的。

3.煤层赋存条件的影响

煤层埋藏深度、煤层倾角和煤层是否有露头对煤层瓦斯含量有着极为密切的影响。在同一煤田内，煤层瓦斯含量随深度的增加而增加，它反映了煤层瓦斯由深度向地表运动的规律。由于煤层的透气性比围岩的透气性好，因此煤层倾角越小，瓦斯向地表运动的路线就越长，煤层瓦斯含量就越大。煤层有露头时，瓦斯容易排放，煤层瓦斯含量低；无露头时，则瓦斯容易在煤层中保存，则煤层瓦斯含量高。

4.煤的变质程度的影响

煤的变质程度越高，在形成煤的过程中，其产生的瓦斯量就越大。因此在其他条件相同的情况下，变质程度越大的煤，其煤层瓦斯含量则越高。在同一煤田中，煤吸附瓦斯的能力随煤的变质程度的提高而加大，因此在同样的瓦斯压力和温度下，变质程度高的煤层中往往保存更多的瓦斯。

5.煤层围岩性质的影响

煤层围岩致密、完整、不透气时，瓦斯容易保存，则煤层瓦斯含量高；反之，则不容易保存，煤层瓦斯含量低。

6.水文地质条件的影响

地下水活跃的地区裂隙比较发育，而且处于开放状态，这为瓦斯的散失提供了便利的通道。因此有地下水流过的煤层，煤层瓦斯含量一般都比较低。此外，地下水在漫长的地质历史时期也可以带走大量的瓦斯，降低煤层瓦斯含量。地下水对矿物质的溶解和侵蚀会造成地层的天然卸压，使得煤层及围岩的透气性大大增强，从而会增大瓦斯的散失量。

综上所述，影响煤层瓦斯含量的因素比较多，但起决定性作用的主要有两点：①与煤的变质程度有关；②与瓦斯的保存条件有关。其中瓦斯的保存条件占主导地位。

六、矿井瓦斯的涌出形式

按照瓦斯涌出的形式不同来划分，可以分为普通涌出和特殊涌出两种基本的涌出形式。

普通涌出是指在时间与空间上比较均匀、普遍发生的不间断涌出，它是矿井在正常生产状态下涌出的主要方式。

特殊涌出是指在时间与空间上突然、集中发生的涌出，涌出速度极不均匀，如瓦斯喷出、煤与瓦斯突出等。特殊涌出是一种瓦斯动力现象，在本章第五节的内容中将会重点讲述。在此主要研究瓦斯涌出的一般形式，即普通涌出形式。

矿井瓦斯的普通涌出形式，按照瓦斯源的不同，一般可分为4个方面，即①煤(岩)壁涌出；②采空区涌出；③邻近煤层涌出；④采落煤炭放散的瓦斯。不同的矿井，由于其煤层特性参数及其邻近地层的特性不同，这4个方面所占的比例及矿井瓦斯涌出量也差别很大。明确了瓦斯涌出的规律，针对具体矿井分析确定各涌出源的大小比例，对矿井瓦斯防治具有十分重要的现实意义。

七、瓦斯涌出量及其计算

一个矿井中，在生产过程中涌出到风流中的瓦斯总量称为矿井瓦斯涌出量。矿井瓦斯涌出量的大小通常用两个参数分别来表示，即矿井绝对瓦斯涌出量和矿井相对瓦斯涌出量。

（一）矿井绝对瓦斯涌出量

矿井绝对瓦斯涌出量是指矿井在单位时间内涌出的瓦斯的体积数，用符号 Q_{CH_4} 表示，计量单位分别为：m³/min或m³/d。可用下式计算：

$$Q_{CH_4} = Q_{回} \times C \text{ ,m}^3\text{/min} \tag{8-1}$$

$$\text{或 } Q_{CH_4} = Q_{回} \times C \times 60 \times 24 \text{, m}^3\text{/ d} \tag{8-2}$$

式中 Q_{CH_4} —— 矿井绝对瓦斯涌出量，m³/min 或m³/ d ；

$Q_{回}$ ——矿井总回风量，m³/min；

C ——矿井总回风流中的瓦斯浓度，%；

60——1h为60min；

24 ——1d为24h。

（二）矿井相对瓦斯涌出量

矿井相对瓦斯涌出量是指矿井在正常生产条件下，平均日产1t煤涌出的瓦斯量，符号为：q_{CH_4}，计量单位为：m³/t。可用下式计算：

$$q_{CH_4} = \frac{Q_{CH_4}}{T_d} \text{, m}^3\text{/ t} \tag{8-3}$$

式中 q_{CH_4}—— 矿井相对瓦斯涌出量，m³/ t。

Q_{CH_4} ——矿井绝对瓦斯涌出量，m³/ d 。

T_d —— 矿井月平均日产量，t / d。可用下式计算：

$$T_d = \frac{T_{月}}{n} \quad \begin{cases} T_{月} \text{——矿井月产量，t / 月。} \\ n \text{—— 该月的实际天数，d。} \end{cases}$$

八、矿井瓦斯等级划分

《煤矿安全规程》第133条规定：一个矿井中只要有一个煤（岩）层中发现瓦斯，该矿井即为瓦斯矿井。瓦斯矿井必须依照矿井瓦斯等级进行管理。

矿井瓦斯等级，根据矿井相对瓦斯涌出量 q_{CH_4}矿井绝对瓦斯涌出量 Q_{CH_4}和瓦斯的涌出形式划分为：

（1）煤（岩）与瓦斯（二氧化碳）突出矿井。

（2）高瓦斯矿井：

①矿井相对瓦斯涌出量大于10m³/ t；

②矿井绝对瓦斯涌出量大于40m³/min；

③一个采煤工作面瓦斯涌出量大于5m³/min；

④一个掘进工作面瓦斯涌出量大于3m³/min；

上述四项指标有一项达到即定为高瓦斯矿井。

（3）瓦斯矿井：

①矿井相对瓦斯涌出量小于或等于10m³/ t；

②矿井绝对瓦斯涌出量小于或等于40m³/min；

③一个采煤工作面瓦斯涌出量小于或等于5m³/min；

④一个掘进工作面瓦斯涌出量小于或等于3m³/min。

上述四项指标同时满足即为瓦斯矿井。

九、矿井瓦斯等级鉴定

矿井瓦斯等级鉴定是矿井瓦斯防治工作的基础。所有的生产矿井每年都必须进行一次瓦斯等级的鉴定工作。

(一)矿井瓦斯等级鉴定工作应坚持的原则

(1)煤(岩)与瓦斯(二氧化碳)突出矿井和高瓦斯矿井不需每年进行瓦斯等级鉴定,瓦斯矿井每两年进行1次瓦斯等级鉴定。鉴定结果报省级煤炭行业主管部门审批,报省级煤矿安全监察机构备案。

(2)确定进行矿井瓦斯等级鉴定时,应根据矿井生产和气候条件变化规律,选择在瓦斯涌出量较大的月份进行,一般为每年的7、8月份。

(3)矿井瓦斯等级鉴定要选在正常生产条件下的月份来进行,即生产均衡的月份进行。

(4)进行矿井瓦斯等级鉴定时,应按每一自然矿井、煤层、一翼、水平和采区分别测算相对瓦斯涌出量并取其中的最大值作为矿井相对瓦斯涌出量。但是,被鉴定的矿井、煤层、一翼、水平或采区的产煤量不应低于该地区总产量的60%。

(5)瓦斯等级鉴定,必须在所选定的鉴定月的上、中、下3旬各选1d(间隔时间大约为10d)作为瓦斯等级检定日。

(6)在所选的3个鉴定日中分3班(或4班)分别进行鉴定,在每班中要分别测出回风量及回风流中的瓦斯浓度。

(7)鉴定工作要使用的仪器仪表必须在鉴定工作之前校正好。

(8)抽放瓦斯的矿井,在鉴定日内还需测定相应地区的抽放瓦斯量,并将抽放的瓦斯量计入相应地区的绝对瓦斯涌出量之中。

(二)矿井瓦斯等级鉴定工作程序

1.首先确定鉴定时间

一般在鉴定年的7、8月份选定一个生产均衡的月份作为瓦斯鉴定月,在鉴定月中分上、中、下3旬各选1d作为瓦斯等级鉴定日,其间隔时间大约为10d。如可将5号、15号、25号作为瓦斯等定日。在每个鉴定日中分3班(三八工作制)或4班(四六工作制)分别进行鉴定。

2.确定鉴定区域并选测点

每个矿井、同一矿井中的各生产水平、各翼、各采区是否可作为鉴定区域,关键是看该区域内的产量是否达到该区总产量的60%以上,达到时可作为鉴定区域。测定各区域的绝对瓦斯涌出量的测点应选取在总回风巷道中,如果某一区域进风流中也有瓦斯,那么在该区域进风流中也要设测点,计算该区域的绝对瓦斯涌出量时,必须将进风流中的瓦斯量减掉。对于主要通风机采用抽出式通风方法的,应将测定矿井绝对瓦斯涌出量的测点设在风硐内。

3.基础数据整理汇总

在各测定日分3班(或4班)到鉴定区域的测点进行测定工作。将测定的基础数据填写在表8-1中,并按下式进行统计计算。

$$Q_{CH_4}=Q_{抽}+Q_{排}\ ,m^3/min \tag{8-4}$$

式中 Q_{CH_4}——绝对瓦斯(或二氧化碳)涌出量,m^3/min。

$Q_{抽}$——抽放瓦斯(或二氧化碳)纯量,m^3/min。

$Q_{排}$——3班(或4班)平均风排瓦斯(或二氧化碳)量,m^3/min。可按下式计算。

$$Q_{排}=\frac{1}{n}\sum_{i=1}^{n}Q_{排i}=\frac{1}{100\times n}\left(Q_{回i}\cdot C_{回i}-Q_{进i}\cdot C_{进i}\right)\ ,\ m^3/min \tag{8-5}$$

式中 n——班制,矿井采用3班制时,$n=3$;矿井采用4班制时,$n=4$。

i——测定班序号,采用3班制的矿井$i=1,2,3$;采用4班制的矿井$i=1,2,3,4$。

$Q_{排i}$——第i班的风排瓦斯(或二氧化碳)量,m^3/min。

$Q_{回i}$——第i班回风巷风流中的风量,m^3/min。

$C_{回i}$——第i班回风流中的瓦斯(或二氧化碳)浓度,%。

$Q_{进i}$——第i班进风巷中风流的风量,m^3/min。

$C_{进i}$——第i班进风巷风流中的瓦斯(二氧化碳)浓度,%。

4.确定矿井瓦斯等级

整理完测定基础数据后,应汇总、整理出矿井测定结果报告表,并填写在表8-2中。

矿井绝对瓦斯涌出量包括各通风系统风排瓦斯量和各抽放系统的瓦斯抽放量,绝对瓦斯涌出量取鉴定月的上、中、下3旬进行测定中最大一天的绝对瓦斯涌出量。

在鉴定月的上、中、下3旬测定的3天中,以最大一天的绝对瓦斯涌出量来计算平均日产1t煤的瓦斯涌出量(相对瓦斯涌出量)。相对瓦斯涌出量q_{CH4}可按下式进行计算。

$$q_{CH_4}=\frac{1440Q_{CH_4max}}{T_d}\ ,\ m^3/t \tag{8-6}$$

式中 q_{CH_4}——相对瓦斯(或二氧化碳)涌出量,m^3/t。

Q_{CH_4max}——最大1d的绝对瓦斯涌出量,m^3/min。

T_d——鉴定月中的月平均日产量,t/d。可用下式计算:

$$T_d=\frac{T_{月}}{n}\begin{cases}T_{月}\text{——矿井月产量,t/月。}\\ n\text{——该月的实际天数d。}\end{cases}$$

1440——将min换算为d,即60×24的值。

最后根据鉴定结果,确定矿井瓦斯等级。

表 8-1

瓦斯和二氧化碳测定基础数据表

局(公司) ______矿______井______煤层______翼______水平______采区　　　　______年______月

气体名称	旬别	日期	第一班			第二班			第三班			三班平均涌出量(m^3/min)	抽放瓦斯量(m^3/min)	涌出总量(m^3/min)	月工作天数(d)	月产煤量(t)	说明
			风量(m^3/min)	浓度(%)	涌出量(m^3/min)	风量(m^3/min)	浓度(%)	涌出量(m^3/min)	风量(m^3/min)	浓度(%)	涌出量(m^3/min)						
瓦斯	上																
	中																
	下																
二氧化碳	上																
	中																
	下																

表8-2 矿井瓦斯等级鉴定和二氧化碳测定结果报告表

______(公司)局______矿______井　　　　______年______月

气体名称	矿井、煤层、一翼、水平、采区	3旬中最大1天的涌出量(m^3/min)			月实际工作日数(d)	月产煤量(t)	月平均日产量(t/d)	相对涌出量(m^3/t)	矿井瓦斯等级	上年度瓦斯等级	上年度最大相对涌出量(m^3/t)	说明
		风流	抽放	总量								
瓦斯												
二氧化碳												

矿长　　　　通风区(队)长　　　　制表人

第二节　瓦斯爆炸及其预防

据统计资料显示，我国主要煤矿全部都是瓦斯矿井，其中瓦斯矿井占53.5%，高瓦斯矿井占29.5，煤与瓦斯突出矿井占17%，而瓦斯事故多年来一直是矿井灾害事故中最严重的事故之一。

一、瓦斯爆炸的危害

(一)产生高温气体

瓦斯爆炸属于化学爆炸，是一种剧烈的氧化反应，同时又是一种放热反应。反应速度极快，瞬间放出大量的热量，使空气温度急剧升高。通过实验表明，当混合气体中，CH_4浓度达9.5%时，爆炸后在自由空间空气温度可高达1850℃；而在密闭的空间内，空气温度可高达2150℃~2650℃，因此爆源附近的工作人员会被活活烧死。

(二)产生高压气体

在高温气体的作用下，空气遇热急剧膨胀，随之产生高压气体。根据科学计算，当空气温度达到2150℃~2650℃时，爆炸压力可高达700KPa~1000KPa(约7~10个大气压)，如果发生连续爆炸，由于压力的叠加作用，其爆炸压力将会更大。那么这么高的压力，其破坏力有多大呢？如果达到7~8个大气压，可将井下轨道扭成麻花，将矿车挤扁。如发生生连锁爆炸，压力可高达20~100个大气压。

(三)产生爆炸冲击波

爆炸时产生的高压气体要在井巷内传递，由于气体压力极高，因此传播速度也极快。它能以最高2300m/s的传播速度向外传递，形成爆炸冲击波，破坏井巷、通风设施和电气设备，使矿井通风系统遭到毁灭性破坏。

在瓦斯爆炸产生的冲击波中，一般可分为两种冲击，一是正向冲击，即爆炸后的高温气体以很高的压力自爆源向外扩张。正向冲击往往会将积聚瓦斯冲出，使煤尘飞扬，给二次爆炸创造了条件。二是爆炸发生时，爆源附近的气体向外冲击，加之反应物生成的水蒸气成液态，使体积缩小，在爆源附近形成稀薄的低压区(负压区)。因此，爆炸气体又从外围反向冲回爆源，这种现象称为反向冲击。这种反向冲击虽然比正向冲击力的力量小，但是由于它是在已遭到破坏的巷道的基础上发生的，因此破坏力会更大，即原来的一些巷道遭正向冲击后已经有所松动，反向冲击会将其摧毁。另一方面由于正向冲击在爆源附近形成了负压区，煤层中的一部分瓦斯又会瞬间大量放出，反向冲击夹带着爆炸火焰又返回爆源，会在爆源形成二次爆炸。

(四)引起矿井火灾

瓦斯爆炸伴生的现象，就是引起矿井火灾。一般认为：伴随着冲击波产生的另一危害因素是火焰锋面。火焰锋面是瓦斯爆炸时沿巷道运动的化学反应带和燃烧的气体的总称。其传播速度可在宽阔的范围内变化，从几m/s到最大爆轰速度2500m/s。火焰锋面就像沿巷道运动的活塞一样，把烷类空气收集起来并点燃。这种活塞式的火焰长度从火焰锋面最慢传播时的几十厘米到爆轰时的几十米。火焰锋面通过时，可将人的衣服扯下，造成人体大面积深度烧伤、呼吸器官甚至食道和胃黏膜烧伤；烧毁电气设备与煤炭资源，甚至引燃井巷内的可燃物造成严重的矿井火灾。

（五）引起煤尘连锁爆炸

在爆炸冲击波的作用下，将沉积在井巷四壁处的煤尘吹扬起来，煤尘同时达到爆炸浓度，瓦斯爆炸的火焰锋面一赶到，引起煤尘爆炸。如1991年4月21日山西洪洞某矿特大瓦斯、煤尘爆炸事故，由瓦斯爆炸引起了煤尘的9次连锁爆炸，造成147名矿工遇难。

（六）产生大量的一氧化碳剧毒气体

因为瓦斯爆炸是一种剧烈的氧化反应，瞬间要消耗大量的氧气，如果是完全爆炸，生成物主要是CO_2和H_2O。但是爆炸反应是在极为有限的空间之内瞬间完成的，在此有限的空间范围内，氧气量远远满足不了完全爆炸的要求，也就是瓦斯爆炸一般都属于不完全爆炸，在这种供氧量不足的情况下，一部分CH_4发生完全爆炸，生成CO_2，而另一部分CH_4发生不完全爆炸，生成CO，一般在瓦斯爆炸的气体产物中，大约有2.0%~4.0%的CO。而CO是一种剧毒气体，当其浓度达到0.4%时，人在30min之内死亡；当CO达1.0%时，人立即死亡。由此可知，在瓦斯爆炸事故中，绝大部分遇难矿工都是被CO毒死的。在瓦斯爆炸事故中，如果还有煤尘参与爆炸，CO的生成量将会更大。

二、瓦斯爆炸的条件及其影响因素

（一）瓦斯爆炸的条件

瓦斯爆炸必须同时满足以下3个条件：

（1）瓦斯浓度。首先瓦斯必须在一定的空间范围内达到一定的浓度，其爆炸浓度范围为：5%～16%；

（2）必须有足够的火源温度和一定的持续时间，一般认为：最低引爆温度为650℃～750℃；

（3）必须有足够的氧气，$O_2>12\%$。

以上3个条件缺一不可，当它们同时具备时，便可发生瓦斯爆炸。

（二）影响瓦斯爆炸条件的因素

1.瓦斯浓度的影响

瓦斯浓度是指瓦斯在空气中的体积百分比。如CH_4=0.6%，即表明在100体积（或m^3）的混合气体中，纯净的CH_4气体占到0.6体积（m^3）。

瓦斯爆炸的浓度界限是指在空气中瓦斯遇到火源引起爆炸的浓度范围。瓦斯能发生爆炸的最低浓度称为爆炸下限，最高浓度称为爆炸上限。试验证明，瓦斯的爆炸下限为5%～6%，上限为14%～16%。

当瓦斯浓度低于5%～6%时，混合气体无爆炸性，但遇到火源能发生瓦斯燃烧。

当瓦斯浓度在5%～6%至14%～16%时，混合气体遇到火源能发生爆炸。

当瓦斯浓度大于14%～16%时，混合气体即无爆炸性，也不能燃烧。但在与新鲜风流的接触面上，遇到火源可发生爆炸。

当瓦斯浓度为9.1%～9.5%时，爆炸威力最大。

2.高温火源温度的影响

(1)引爆温度。点燃瓦斯所需要的最低温度称为点燃温度，又时也称为引火温度或引爆温度。一般认为，在正常大气条件下，瓦斯在空气中的点火温度为650℃~750℃。其实瓦斯的点燃温度还要受到瓦斯浓度、大气压力、火源性质等因素的影响。点火温度与瓦斯浓度的关系见表8-3。

表8-3 点燃温度与瓦斯浓度的关系

瓦斯浓度(%)	2	3.4	6.5	7.6	8.1	9.5	11.0	14.7
点燃温度(℃)	810	665	512	510	514	525	539	565

由表8-3中可看出，当瓦斯浓度在7.6%时，其需要的引火温度最低510℃。由此可知：当瓦斯浓度在7%~8%范围内最容易被引爆。

另外瓦斯的点燃温度受压力的影响也比较显著，混合气体压力越大，需要的点火温度将越低。在正常大气压力下的点火温度若为650℃～750℃，那么当混合气体压力增加到20个大气压(2836.4KPa)时，点燃温度将会降至460℃。混合气体的压力越高、温度越高，所需要的点燃温度越低。

还有当火源面积越大则越容易点燃瓦斯。

井下明火、电气火花、吸烟及煤炭自燃都足以引起瓦斯爆炸，甚至摩擦、撞击、静电火花也足以引起瓦斯爆炸。

(2)引火延迟性。达到爆炸浓度的瓦斯气体，遇到火源后，不是立刻就发生爆炸，而是要经历一个时间隔。这一时间间隔称为瓦斯的引火延迟性。引火延迟的时间称为感应期。感应期的长短，在空气压力一定时，取决于瓦斯浓度和火源温度。表8-4是在实验室的条件下测得的瓦斯爆炸的感应期。

由表8-4中可明显看出，瓦斯浓度越高，则感应期越长；火源温度越高，则感应期越短。

表8-4 感应期与瓦斯浓度、热源温度的关系

瓦斯浓度(%)	热源温度(℃)						
	775	825	875	925	975	1075	1175
	感应期(s)						
6	1.08	0.58	0.35	0.20	0.12	0.039	
7	1.15	0.60	0.36	0.21	0.13	0.041	0.010
8	1.25	0.62	0.37	0.22	0.14	0.042	0.012
9	1.30	0.65	0.39	0.23	0.14	0.044	0.15
10	1.40	0.68	0.41	0.24	0.15	0.049	0.018
12	1.64	0.74	0.44	0.25	0.16	0.055	0.020

从表中可看出其最短感应期为10ms(即0.01s)最长感应期为1640ms(即1.64s)，但在正常条件下的意义不大，一般认为只要瓦斯浓度达至爆炸界限，遇到火源即可发生爆炸。但在

特定的情况下的确有着重大的意义，如在井下使用煤矿许用安全炸药时，虽然炸药爆炸的初始温度可达2000℃左右，但其爆炸火焰的存在时间仅只有几个毫秒，远远小于瓦斯爆炸的感应期，因此正常的爆破工作不会引起瓦斯爆炸。虽然如此，但决不能忽视了爆破作业的安全管理，因为合格的炸药爆炸时，能达到零氧平衡，而过期、变质的炸药爆炸时达不到零氧平衡，其中一部分爆炸，另一部分爆燃，有引起瓦斯爆炸的危险性。如1988年5月29日山西霍州某矿由爆破火花引起瓦斯爆炸，继而又引起煤尘连锁爆炸，造成50名矿工遇难。因此在爆破时推广使用水炮泥或水封爆破，以防因炸药变质产生的爆破火花引燃瓦斯。

3.氧浓度的影响

瓦斯爆炸本身就是一种剧烈的氧化反应，没有氧气或者氧气浓度不够时，该反应过程将无法进行。大量实验证明，瓦斯爆炸的界限随氧浓度的下降而缩小。当氧气浓度降低时，瓦斯爆炸下限将缓慢的升高，而上限迅速下降。当氧气浓度低于12%时，瓦斯与空气的混合气体就失去爆炸性。

（三）影响瓦斯爆炸界限的因素

一般认为瓦斯爆炸的界限为5%～16%，但通过大量实验表明：瓦斯爆炸的界限并不是固定不变的，它受到诸多因素的影响，主要有：

1.爆炸初温的影响

爆炸时的初温越高，则爆炸界限就越大。通过实验证明：当初温在20℃时，瓦斯爆炸界限为6.0%～13.4%；初温为100℃时，瓦斯爆炸界限为5.45%～13.5%；而当初温在700℃时，瓦斯爆炸的界限为3.25%～18.75%。

2.爆炸初始压力的影响

爆炸时的初始压力越高，瓦斯爆炸界限则越大。通过实验证明：当爆炸地点的大气压力为1个标准大气压（101325Pa）时，瓦斯的爆炸界限为5.6%～14.3%；当大气压力为125个标准大气压（即126625625Pa）时，爆炸界限为5.7%～45.7%。

3.混入煤尘或其他可燃性气体的影响

煤尘和其他可燃性气体的混入，一般都会使瓦斯爆炸的下限降低，使爆炸界限扩大。当混合气体中混入大量浮游煤尘时，瓦斯浓度达到3%时，就可能引起瓦斯爆炸事故的发生，这是因为煤尘不仅本身具有爆炸性，而且煤尘在遇到火源时还会干馏出可燃挥发分（即可燃性气体）。

当空气中混入其他一些比瓦斯爆炸下限低、上限高的可燃性气体时，则瓦斯爆炸下限将会降低、爆炸上限升高，使瓦斯爆炸界限扩大。矿井空气中其他可燃性气体的爆炸界限见表8-5。

4.混入惰性气体的影响

惰性气体一般都对瓦斯爆炸起到抑制作用，使瓦斯爆炸下限升高、上限降低，从而使瓦斯爆炸界限缩小，从而降低了瓦斯爆炸的危险性。通过实验证明：如果在瓦斯的混合气体中，每增加1%N_2，瓦斯爆炸的下限将会升高0.017%，上限下降0.54%；如果混合气体中N_2的含量超过81.69（正常值为78.13%）时，混合气体即失去爆炸性。

表8-5　　　　　　　　　　**几种可燃性气体的爆炸界限**

气体名称	化学分子式	爆炸下限(%)	爆炸上限(%)
甲烷	CH_4	5.00	16.00
乙烷	C_2H_6	3.22	12.45
乙烯	C_2H_4	2.75	28.60
氢	H_2	4.00	74.20
一氧化碳	CO	12.50	75.00
硫化氢	H_2S	4.30	45.50
戊烷	C_5H_{12}	1.40	7.80
己烷	C_6H_{14}	1.20	7.00

而在瓦斯的混合气体中每增加1%的CO_2时，则瓦斯爆炸下限将升高0.033%，上限将会下降0.26%，而当混合气体中CO_2达到22.8%时，混合气体即失去爆炸性。另外在矿井防灭火中，若向封闭的火区内加入5.4%的二溴二氟甲烷（CF_2Br_2）或加入6.0%的一溴三氟甲烷（CF_3Br），便可实现阻爆作用，这对启封火区时，防止瓦斯爆炸意义十分重大。

三、预防瓦斯爆炸的措施

瓦斯爆炸事故造成的危害，对煤炭生产行业的职工而言，是众所周知的，事故本身造成的损失是巨大的，给煤矿职工及家属造成的伤害是无法弥补的，同时也造成了不利的社会影响，有损于煤炭行业的整体形象。

矿井瓦斯的客观存在早已是不争的事实，瓦斯爆炸事故发生的可能性亦是客观存在的。大量的事实表明：只要我们搞好矿井通风管理工作，就能最大限度地减少事故的发生，同时矿井瓦斯的综合防治工作，加强瓦斯管理和监测检查工作，按照客观规律办事，人人照章办事，不违章指挥、不违章作业、不违章操作、不违反劳动纪律。只有防范措施严密，防止或减少事故的发生是完全有可能的。

煤炭行业的广大科技人员和全体职工，在长期的生产实践中，已积累了丰富的预防和隔绝瓦斯爆炸的工作经验，总结出了许多行之有效的措施。可以归纳为三个方面：①防止瓦斯积聚的措施；②防止引燃瓦斯的措施；③防止瓦斯爆炸事故范围扩大的措施。

（一）防止瓦斯积聚的措施

1.加强矿井通风管理

矿井通风的基本任务之一就是供给井下足够的新鲜空气，将瓦斯、炮烟、粉尘及其他有毒有害气体的浓度降低到《煤矿安全规程》规定和卫生允许的浓度以下，然后由回风井巷排出地面。为此必须确保矿井主要通风机在合理的工况点下进行工作，保证全矿井的总进风量能够满足矿井生产的实际需要，而且还要达到以下有关方面的具体要求：

（1）要合理选择最优的矿井通风系统，通风系统力求简单、稳定、合理；采区与采区之间、生产水平与生产水平之间、矿井两翼之间必须实行分区通风；采掘工作面之间都应采用独立通风；除矿井总进风、总回风以外，采区内部尽量避免角路风路的出现。

(2)矿井必须采用机械通风，备用通风机必须能在10min之内启动，且矿井还必须采用双回路供电。

(3)瓦斯矿井一般均应采用抽出式通风方法，以防万一在矿井主要通风机停止运转期间，造成大量的瓦斯涌入井下巷道。

(4)要将矿井总进风量合理地分配到井下各采区、各采掘工作面、各硐室以及其他用风的巷道，以确保井下各用风点都有足够的风量。

(5)加强矿井通风设施管理，正确选择其安装地点和位置，确保工程质量，加强管理，防止漏风。

(6)在瓦斯矿井中，各采煤工作面及回风巷道都应采用上行通风。

(7)掘进工作面必须采用矿井全风压通风或局部通风机通风，严禁采用扩散通风。

(8)井下临时停工的地点，不得停风，否则必须设置栅栏、揭示警标，切断电源，禁止人员入内。停工区内瓦斯或二氧化碳浓度达到3.0%或其他有害气体超过规程规定不能立即处理时，必须在24h内封闭完毕。

2.加强瓦斯监测、检查工作

加强对矿井通风和瓦斯浓度的监测检查，是及时发现和处理瓦斯超限、瓦斯积聚行之有效的手段。瓦斯检查人员必须按照规定要求检查瓦斯和二氧化碳浓度，严禁空班漏检，必须严格执行瓦斯巡回检查制度和请示报告制度，并认真填写瓦斯检查班报。每次的检查结果都必须记入瓦斯检查班报手册和检查地点的记录牌上，并通知现场工作人员。当瓦斯浓度超过规定时，瓦斯检查工有权责令现场人员停止工作，并撤到安全地点。

(1)《规程》关于监测监控的有关规定：

①瓦斯矿井的采煤工作面，必须在工作面设置甲烷传感器。

②高瓦斯和煤(岩)与瓦斯突出矿井的采煤工作面，必须在工作面及其回风巷设置甲烷传感器，在工作面上隅角设置便携式甲烷检测报警仪。

③若煤(岩)与瓦斯突出矿井采煤工作面的甲烷传感器不能控制其进风巷内全部非本质安全型电气设备，则必须在进风巷设置甲烷传感器。

④瓦斯和高瓦斯矿井的采煤工作面甲烷传感器的报警浓度、断电浓度、复电浓度分别为：

$$\geq 1.0\%;\ \geq 1.5\%;\ < 1.0\%\ CH_4$$

⑤煤(岩)与瓦斯突出矿井的采煤工作面甲烷传感器的报警浓度、断电浓度、复电浓度分别为：

$$\geq 1.0\%;\ \geq 1.5\%;\ < 1.0\%\ CH_4$$

⑥高瓦斯和煤(岩)与瓦斯突出矿井的采煤工作面回风巷的甲烷传感器的报警、断电、复

电浓度分别为：

$\geq$1.0%；$\geq$1.0%；< 1.0% CH_4

⑦煤(岩)与瓦斯突出矿井的采煤工作面进风巷甲烷传感器的报警、断电、复电浓度分别为：

$\geq$0.5%；$\geq$0.5%；< 0.5% CH_4

⑧瓦斯、高瓦斯、煤(岩)与瓦斯突出矿井的煤巷、半煤岩巷和有瓦斯涌出的岩巷掘进工作面甲烷传感器的报警、断电、复电浓度分别为：

$\geq$1.0%；$\geq$1.5%；< 1.0% CH_4

⑨高瓦斯、煤(岩)与瓦斯突出矿井的煤巷、半煤岩巷和有瓦斯涌出的岩巷掘进工作面回风流中甲烷传感器的报警、断电、复电浓度分别为：

$\geq$1.0%；$\geq$1.0%；< 1.0% CH_4

⑩采煤机、掘进机都必须设置机载式甲烷断电仪或便携式甲烷检测报警仪。其报警浓度、断电浓度、复电浓度分别为：

$\geq$1.0%；$\geq$1.5%；< 1.0% CH_4

⑪专用排瓦斯巷风流中的瓦斯浓度不得超过2.5%；在专用排瓦斯巷内进行巷道维修时，其瓦斯浓度必须低于1.0%。专用排瓦斯巷道内甲烷传感器的报警浓度、断电浓度、复电浓度分别为：

$\geq$2.5%；$\geq$2.5%；< 2.5% CH_4

(2)《规程》对瓦斯检查方面的有关规定：

①矿井必须建立瓦斯、二氧化碳和其他有害气体检查制度。

②所有采掘工作面、硐室、使用中的机电设备的设置地点、有人作业的地点都应纳入检查范围。

③矿长、矿技术负责人、爆破工、采掘区队长、通风区队长、工程技术人员、班长、流动电钳工下井时，必须携带便携式甲烷检测仪。

④瓦斯检查工必须携带便携式光学甲烷检测仪。

⑤安全监测工必须携带便携式甲烷检测报警仪或便携式光学甲烷检测仪。

⑥通风值班人员必须审阅瓦斯班报，掌握瓦斯变化情况，发现问题，及时处理，并向矿调度室汇报。

⑦通风瓦斯日报必须送矿长、矿技术负责人审阅，一矿多井的必须同时送井长、井技术负责人审阅。对重大的通风、瓦斯问题，应制定措施，进行处理。

3.及时处理局部积聚的瓦斯

局部瓦斯积聚是指在体积大于0.5m^3的空间范围内瓦斯浓度达到或超过2.0%的现象。煤矿井下容易形成局部瓦斯积聚的地点主要有：采煤工作面的上隅角(回风隅角)和采空区边界；采煤工作面采煤机附近；顶板冒落空洞内；微风巷道的顶板附近及盲巷内。加强对这些积聚处瓦斯的管理并及时将其排出，既是日常瓦斯管理工作的重点内容之一，也是防治瓦斯事故，确保矿井安全生产的一项关键性的工作任务。

(1)采煤工作面上隅角和采空区边界积聚瓦斯的处理方法：

①引导风流带走上隅角和采空区上部边界积聚的瓦斯：

a.在工作面设置风障，如图8-2所示，风幛材料可用帆布或荆条编成的荆笆两边用黄泥抹严等。

b.尾巷排除法，如图8-3所示。其实质是采煤工作面通风系统中的U+L型通风。新鲜风流由采煤工作面进风巷进入工作面后，一部分回风流直接由工作面回风巷排出，而另一部分回风流则由尾巷排出，那么经尾巷排出的风流将会把上隅角及采空区上部边界积聚的瓦斯由尾巷排出。

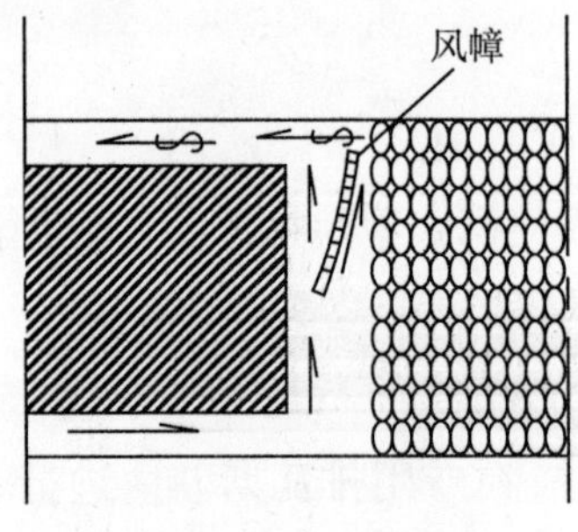

图8-2 风幛法

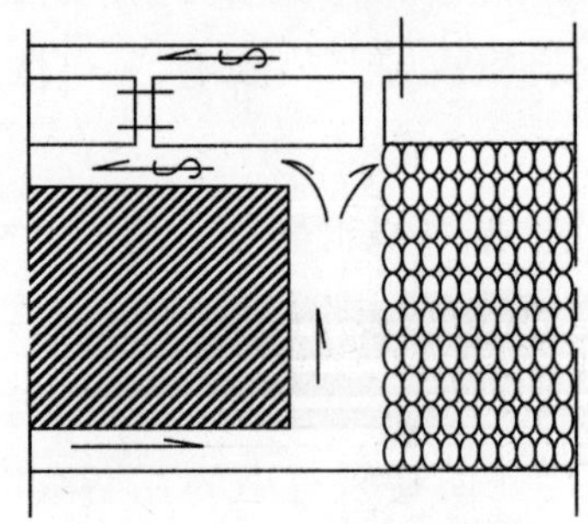

图8-3 尾巷排除法

②利用局部通风机或引射器排除上隅角瓦斯：

a.利用装在进风巷道中的局部通风机，通过风筒将一部分新鲜空气压送到采煤工作面的上隅角及采空区的上部边界附近，将局部积聚的瓦斯排入矿井回风巷道，如图8-4所示。

b.在采煤工作面上隅角附近设置引射器，由高压水管(或高压空气)将高压水流导入喷嘴，由喷嘴向风筒喷入高压水流，将在风筒末端形成负压区，上隅角积聚的瓦斯由风筒末端带入风筒，然后由采煤工作面回风巷道排出，如图8-5所示。

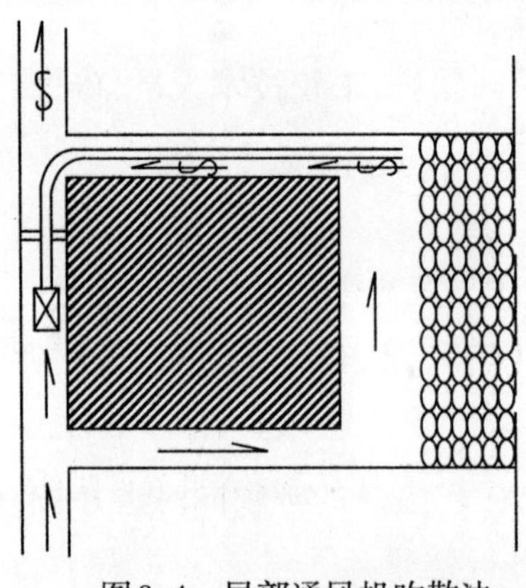

图8-4 局部通风机吹散法

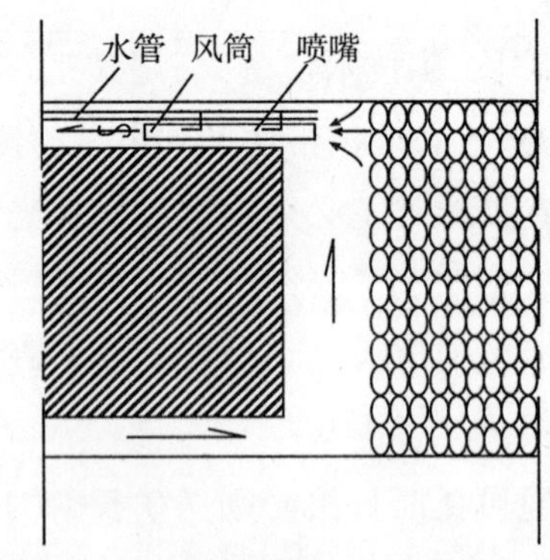

图8-5 引射器负压排除法

③改变采煤工作面通风系统排除上隅角瓦斯：

采煤工作面U型通风系统最大的问题就是容易在工作面上隅角和采空区的上部边界位置形成局部瓦斯积聚，为了从根本上解决这一难题，可以将U型通风改变Z型通风系统，如

图8-6所示。或者将U型通风系统改变为Y型通风系统，如图8-7所示。

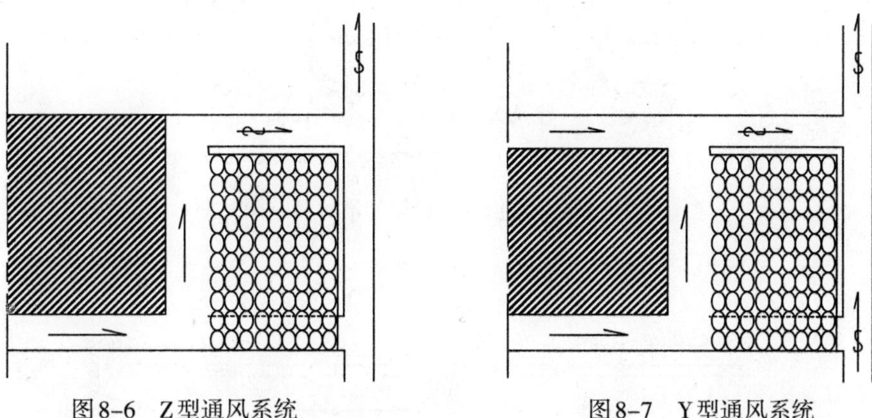

图8-6　Z型通风系统　　图8-7　Y型通风系统

上述两种方法都解决了采煤工作面上隅角和采空区上部边界局部瓦斯积聚的问题，但它们共同存在的问题就是容易向采空区漏风，如果开采的是容易自燃或自燃煤层时，应慎重采用。

（2）采煤机附近积聚瓦斯的处理：

山西已要求所有不同性质的矿井全部实现机械化采煤，因此综放工作面瓦斯超限的问题将会更加突出，其处理方法主要是：加大工作面通风强度。目前有些综放工作面的配风量已达到$20m^3/s \sim 30m^3/s$，但工作面必须有足够的通风断面，以防风速超限。《煤矿安全规程》第101条规定：综合机械化采煤工作面，在采取煤层注水和采煤机喷雾降尘等措施后，其最大风速可超过4m/s，但不得超过5m/s。风量过大，如果通风断面积不足，有可能使风速过高，给综合防尘工作带来一定的困难。若绝对瓦斯涌出量过大时，仅靠采取加大采煤工作面供风量的方法是从根本上解决不了问题的。

（3）掘进巷道顶板冒落空洞内积聚瓦斯的处理方法：

目前常用的处理方法有：

①用黏土充填冒落空洞，如图8-8所示。

②用导风板或导风筒引入风流吹散瓦斯，如图8-9所示。

③局部通风机风筒分岔导入风流吹散瓦斯，如图8-10所示。

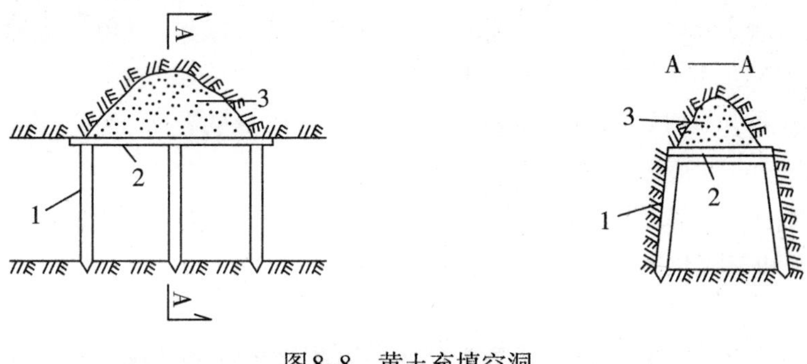

图8-8　黄土充填空洞

1——柱子；2——木板；3——黏土

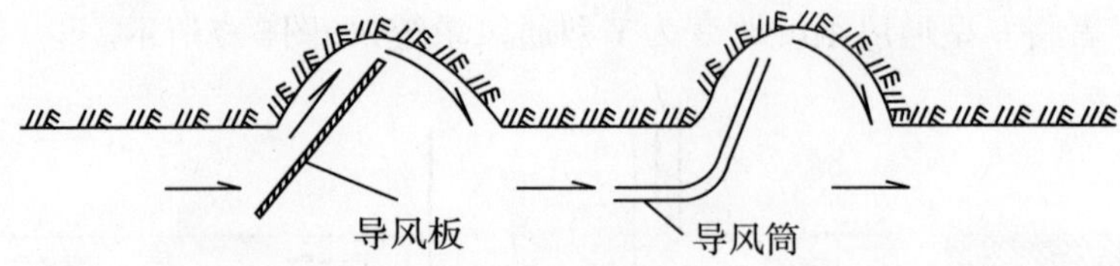

图8-9　导风板或导风筒处理冒落空洞瓦斯

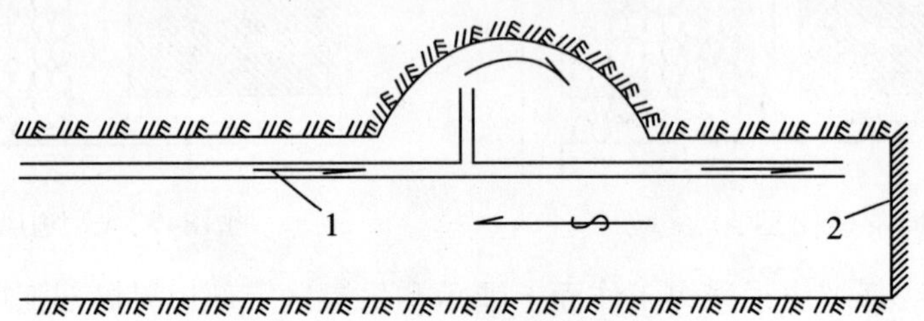

图8-10　局部通风机风筒分岔法

1——局部通风机风筒；2——掘进工作面

(4)盲巷积聚瓦斯的处理：

盲巷一般是指扩散通风距离超过6m的独头巷道。盲巷应及进封闭，盲巷在恢复使用前，首先应将盲巷内积聚的瓦斯排出。盲巷内积聚的瓦斯的排除方法一般均采用局部通风机排除法。如图8-11所示。在处理时应注意下列几点。

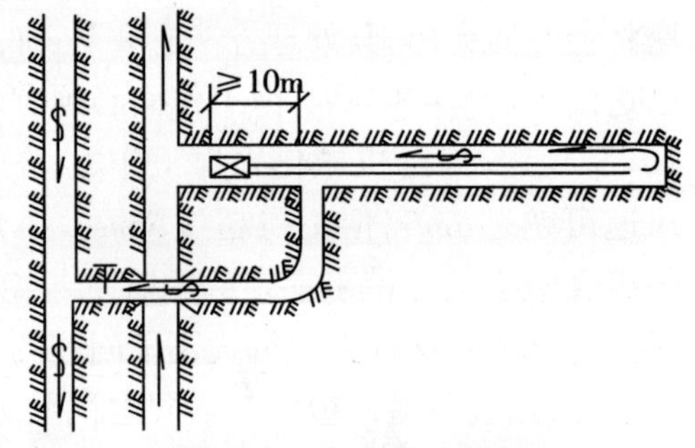

图8-11　恢复盲巷通风

①局部通风机必须安装在新鲜风流巷道中，且距掘进巷道回风口不得小于10m。

②局部通风机在启动前，必须首先检查局部通风机及其开关安设地点10m以内风流中的瓦斯，当瓦斯浓度不超过0.5%时，方可人工开动局部通风机。

③盲巷回风涉及的范围内，机电设备应停止运转、切断电源，并撤出人员。

④处理前应由救护队员检查盲巷内的瓦斯浓度，并计算其积聚量，应由2人进行测定。

⑤矿井全压的供风量必须大于局部通风机的实际吸入风量，以免产生循环风。这一工作主要由掘进巷道回风道内的调节风窗来控制，必须计算好窗口控制断面的大小，以使掘进巷道进风口的进风量不但要满足局部通风机实际工作风量的要求，而且还要保证局部通风机及其开关安设地点巷道处的最低风速在0.25m/s以上。

⑥必须严格控制局部通风机的实际送入风量，严禁“一风吹”，排出的污风在与全风压风流混合处的瓦斯和二氧化碳浓度都不得超过1.5%。

4.瓦斯抽放

瓦斯抽放是瓦斯涌出量大的矿井防止瓦斯积聚积极主动的措施。详见本章第四节。

(二)防止引燃瓦斯的措施

由瓦斯爆的3个必备条件之一，便可知道，瓦斯达到爆炸浓度范围后，必须有高温火源，才能将其引爆。由此可知，只要将一切高温火源控制住或将其消灭于萌芽状态，即可阻止瓦斯爆炸事故的发生。因此，防止引燃瓦斯的措施，其实就是想方设法杜绝一切火源。

1.杜绝明火

(1)所有的入井人员严禁携带烟草和打火品进入煤矿井下。《煤矿安全监察条例》规定：如果安全监察人员发现有人携带烟草和打火品进入煤矿井下，处罚如下：①责令改正；②处两万元以下罚款。

(2)井下严禁使用灯泡取暖和使用电炉。

(3)进风进口应设防火铁门，如果不设，必须有防止烟火进入矿井的安全措施。

(4)井口房和通风机房附近20m内，不得有烟火或用火炉取暖。

(5)井下和井口房内不得从事电焊、气焊和喷灯焊接等工作。如果必须在井下主要硐室、主要进风井巷和井口房内进行电焊、气焊和喷灯焊接等工作，每次必须制定安全措施。并遵守《规程》下列规定：

①指定专人在现场检查和监督。

②电焊、气焊和喷灯焊接等工作地点的前后两端各10m的井巷内，应是不燃性材料支护，并应有供水管路，有专人负责喷水。上述工作地点应至少有2个灭火器。

③在井口房、井筒和倾斜巷道内进行电焊、气焊和喷灯焊接等工作时，必须在工作地点的下方用不燃性材料设施接受火星。

④电焊、气焊和喷灯焊接等工作地点的风流中，瓦斯浓度不得超过0.5%，只有在检查证明作业地点附近20m范围内巷道顶部和支护背板后无瓦斯积存时，方可进行作业。

⑤电焊、气焊和喷灯焊接等工作完毕后，工作地点应再次用水喷洒，并应由专人在工作地点检查1h，发现异状，立即处理。

⑥在有煤(岩)与瓦斯突出危险的矿井中进行电焊、气焊和喷灯焊接时，必须停止突止危险区内的一切工作。煤层中未采用砌碹或喷浆封闭的主要硐室和主要进风大巷中，不得进行电焊、气焊和喷灯焊接等工作。

(6)井下使用的汽油、煤油和变压器油必须装入盖严的铁桶内，由专人押送至使用地点，剩余的汽油、煤油和变压器油必须运回地面，严禁在井下存放。

(7)井下使用的润滑油、棉纱、布头和纸等，必须存放在盖严的铁桶内。用过的棉纱、布头和纸等，也必须放在盖严的铁桶内，并由专人定期送到地面处理，不得乱放乱扔。严禁将废油泼洒在井巷和硐室内。

(8)井下爆炸材料库、机电设备硐室、检修硐室、材料库、井底车场、使用带式输送机或液力耦合器的巷道以及采掘工作面附近的巷道中，应备有灭火器材，其数量、规格和存放地点，应在灾害预防和处理计划中规定。

(9)井下工作人员必须熟悉灭火器材的使用方法，并熟悉本职工作区域内灭火器材的存放地点。

2.防止电气火花

(1)井下所有的电气设备必须具有防爆性能，有煤安标志。

(2)所有的电气设备不得超负荷工作,以免引起过电流。

(3)井下不得带电搬迁电气设备。

(4)所有电气设备的连接电缆的接头必须采用接线盒,严禁采用明接头、鸡爪子、羊尾巴。

(5)要经常检查各种电气设备的防爆性能,发现失爆必须及时处理或予以更换。

(6)严禁在井下拆开、敲打和撞击矿灯,更不得将矿灯短路。矿灯必须有可靠的短路保护装置。高瓦斯矿井使用的矿灯应装有短路保护器。

3.防止爆破火花

(1)井下爆破必须使用煤矿许用炸药和煤矿许用电雷管。炸药的使用必须符合《规程》的如下规定:

①瓦斯矿井的岩巷掘进工作面必须使用安全等级不低于一级的煤矿许用炸药。

②瓦斯矿井的煤层采掘工作面、半煤岩掘进工作面必须使用安全等级不低于二级的煤矿许用炸药。

③高瓦斯矿井、瓦斯矿井的高瓦斯区域,必须使用安全等级不低于三级的煤矿许用炸药。有煤(岩)与瓦斯突出危险的工作面,必须使用安全等级不低于三级的煤矿许用含水炸药。

(2)严禁使用黑火药和冻结半冻结的硝化甘油类炸药。同一工作面不得使用2种不同品种的炸药。

(3)在采掘工作面,必须使用煤矿许用瞬发电雷管或煤矿许用毫秒延期电雷管。使用煤矿许用毫秒延期电雷管时,最后一段的延期时间不得超过130ms。不同厂家生产的或不同品种的电雷管,不得掺混使用。不得使用导爆管或普通导爆索,严禁使用火雷管。

(4)在有瓦斯或有煤尘爆炸危险的采掘工作面,应采用毫秒爆破。在掘进工作面应全断面一次起爆,不能全断面一次起爆的,必须采取安全措施;在采煤工作面,可分组装药,但一组装药必须一次起爆。

(5)严禁在1个采煤工作面使用2台发爆器同时进行爆破。

(6)推广使用水炮泥或水封爆破。

(7)严格执行"一炮三检"的瓦斯检查制度。

(8)严格执行"三人连锁"爆破制。

4.防止摩擦、撞击、静电火花

随着采掘机械化程度的日益提高,摩擦火花引燃瓦斯的问题越来越引起广大职工和科研人员的关注,还有撞击火花的问题。国内外的一些专家、学者都在积极研究和探讨,但时至今日还没有得到有效的控制技术。为了防止摩擦、撞击火花的过热危险,《规程》第69条规定:工作面遇有坚硬夹矸或黄铁矿结核时,应采用松动爆破措施处理,严禁用采煤机强行截割。

对于防止产生静电火花方面,《规程》规定:局部通风机必须使用抗静电阻燃风筒;每一入井人员必须穿全棉、抗静电衣服,严禁穿化纤衣服。

(三)防止瓦斯爆炸事故范围扩大的措施

万一发生了瓦斯爆炸事故,将事故造成的危害控制到最小的范围,将事故造成的损失降低到最小的程度，称之为防止爆炸事故范围扩大的措施，亦称为隔爆措施或限爆措施。主要有以下措施：

(1)矿井每年必须编制切实可行的《矿井灾害预防与处理计划》，并根据具体情况及时修改。灾害预防处理计划由矿长负责组织实施。煤矿企业每年必须至少组织1次矿井救灾演习。

(2)矿井要实行分区通风，采掘工作面都应采用独立通风。通风系统力求简单、稳定、合理。

(3)装有主要通风机的出风井口应安装井口防爆门；建立矿井反风设施；每年至少进行1次反风演习。

(4)所有入井人员必须随身携带自救器。

(5)建立井下避难硐室，避难硐室应有连接矿井压缩空气的三通阀门。

(6)设立隔爆棚。主要隔爆棚的水量，按照巷道面积计算，不得少于400L/m²，水棚组的长度不得小于30m；辅助隔爆棚的水量，按照巷道面积计算，不得少于200L/m²，水棚组的长度不得小于20m。

(7)矿井要加大在通风安全技术项目上的资金投入，以增强矿井的防灾抗灾能力。通风专项资金要做到专款专用，不得挪作他用。

(8)矿山救护队积极投入抢险救灾。万一灾害事故发生，矿方要立即向所在地的矿山救护队求援，矿山救护队接到求援后，要迅速赶赴事故现场，开展积极的救援行动，力争将伤亡和事故造成的损失降到最低程度。

第三节　瓦斯浓度检查与检测

矿井瓦斯浓度检查与检测，是矿井日常瓦斯管理工作的第一要务，是防止瓦斯灾害事故的第一道防线，是煤矿决策层制定防止瓦斯事故的基础数据之一。及时、准确掌握矿井瓦斯浓度的动态变化情况，有针对性地采取各种防范措施，才能确保矿井安全生产。瓦斯检查人员是矿井防治瓦斯事故的侦察兵，其责任重大，必须具有良好的素质和责任心，因为其担负着国家财产和工人生命安全不受侵害的重任。

一、矿井瓦斯检查制度

《煤矿安全规程》第149条规定：矿井必须建立瓦斯、二氧化碳和其他有害气体检查制度。矿井瓦斯检查制度是矿井安全管理制度的重要组成部分，是搞好矿井瓦斯检查工作，确保矿井安全生产的前提条件。瓦斯检查制度主要包括以下几个方面：

(一)瓦斯检查的交接班制度

瓦斯检查工交接班制度的内容主要包括：瓦检工的交接班地点、时间、交接方式等。制定瓦斯检查工交接班制度的目的，主要是为了防止瓦斯检查工迟到、早退甚至旷工等现象的发生，从而导致其检查区域出现空班、漏检现象的出现。瓦斯检查工必须严格执行瓦斯检查工交接制度，以确保矿井安全生产。

1.交接班地点的规定

瓦斯检查工必须在煤矿井下指定的工作地点进行交接班。采掘工作面配备有专职瓦斯检查工时,采煤工作面必须在回风巷入口附近(即回风顺槽与安全出口交接处)的新鲜风流处交接班;掘进工作面必须在局部通风机处交接班;其他瓦斯检查工的交接班地点由矿技术负责人根据矿井的实际情况而定。规定来源于《矿井通风质量准化》。

2.交接班时间

瓦斯检查工的交接班时间由矿技术负责人根据矿井具体的工作制度以及人员出入井实际需要的时间等因素来确定。瓦斯检查必须实行井下手上(现场)交接班,不得提前交班或等候交班。

3.交接班涉及的内容

准备下班的瓦斯检查工要向接班的瓦斯检查工交待清楚如下主要内容:

①分管区域内的瓦斯、粉尘、防火、防突等情况及下一班应采取的措施;

②分管区域内局部通风的现状、存在的问题及下一班应采取的处理措施;

③分管区域内各种通风设施的现状、存在的问题及下一班应采取的相关措施;

④分管区域局部通风设备的运行情况,是否需要维修等情况;

⑤分管区域内各种"一通三防"设施、设备的现状、存在的问题及下一班的注意事项和处理意见等;

⑥有关领导交办工作的落实情况和需要请示的问题等;

⑦其他应该交代的工作任务等。

4.交接班手续

瓦斯检查工在交接班的过程中,交班人员和接班人员要在交接班记录上相互共同签名作为正常交接班任务完成的原始凭证。甚至还有一部分矿井规定,瓦斯检查工在交接班时必须同时用电话向矿井通风部门值班室报告。

(二)对瓦斯浓度检查次数方面的规定

矿井瓦斯浓度检查次数的规定必须符合《煤矿安全规程》的规定。《煤矿安全规程》对井下各个工作地点及其他地点风流中瓦斯浓度检查次数的规定如下:

(1)采掘工作面瓦斯浓度的检查次数如下:

①瓦斯矿井每班至少2次;

②高瓦斯矿井每班至少3次;

③有煤(岩)与瓦斯突出危险的采掘工作面,有瓦斯喷出危险的采掘工作面和瓦斯涌出较大、变化异常的采掘工作面,必须有专人经常检查,并安设甲烷断电仪。

(2)采掘工作面二氧化碳浓度至少检查2次;有煤(岩)与二氧化碳突出危险的采掘工作面,二氧化碳涌出量较大、变化异常的采掘工作面,必须有专人经常检查二氧化碳浓度。

(3)其他地点检查次数的规定:

①本班未进行工作的(非生产班)采掘工作面,瓦斯和二氧化碳应每班至少检查1次。

②可能涌出或积聚瓦斯或二氧化碳的硐室和巷道的瓦斯或二氧化碳应每班至少检查

1次。

③井下停风地点栅栏外风流中的瓦斯浓度每天至少检查1次；挡风墙外的瓦斯浓度每周至少检查1次。

④局部通风机因故障停止运转，在恢复通风前，必须首先检查瓦斯，只有在局部通风机及其开关安设地点附近10m以内风流中，瓦斯浓度不超过0.5%时，方可人工开动局部通风机。

⑤爆破作业必须执行“一炮三检制”，即装药前、爆破前、爆破后都要分别检查瓦斯浓度，当爆破地点附近20m以内流中瓦斯浓度达到1.0%时，严禁爆破。

⑥特殊情况下的瓦斯检查：

《煤矿安全规程》第142条规定：开拓新水平的井巷第一次接近各开采煤层时，必须按掘进工作面距煤层的准确位置，在距煤层垂距10m以外开始打探煤钻孔，钻孔超前工作面的距离不得小于5m，并有专职瓦斯检查工经常检查瓦斯。另外还规定：岩巷掘进遇到煤线或接近地质破坏带时，必须有专职瓦斯检查工经常检查瓦斯，发现瓦斯大量增加或有其他异状时，必须停止掘进，撤出人员，进行处理。

（三）严禁瓦斯检查工空班、漏检、少检、假检

（1）空班。是指瓦斯检查工未下井，或者虽然下了井但未进入自己的分管检查区域履行岗位责任。

（2）漏检。是指瓦斯检查工检查的地点不符合瓦斯检查制度，漏点漏项。

（3）少检。是指瓦斯检查工在分管区域内各测点上的检查次数不符合《煤矿安全规程》的规定。

（4）假检。假检是指瓦斯检查工未进入实际的测定地点进行实地检查，而只是参照上次的检查结果，虚填假记录，汇报假情况。

在矿井瓦斯检查制度中，必须包括严禁瓦斯检查工空班、漏检、少检、假检的规定，一经发现，严惩不贷，重者予以开除。

（四）严格执行瓦斯巡回检查制度和请示报告制度

巡回检查制度，实际是关于瓦斯检查方法方面的规定，它规定了瓦斯检查工在对其分管区域内进行例行的瓦斯浓度检查时，必须按照事先规定的路线和规定的具体测定地点，沿着一定的线路逐个对需要检查的地点分别逐一进行日常的例行检查，绝不能因为怕跑路对一个点连续检查两次或数次，而其他的测点却不去检查，以点顶点，还应规定进行相邻两次检查的最短时间间隔或进行每一次检查的具体时间。

请示报告制度，是规定瓦斯检查工在本班中进行例行报告的次数、报告的具体时间以及报告的相关内容。瓦斯检查工在实际测定工作中遇到特殊情况或特殊问题时必须向有关部门报告。

（五）瓦斯检查必须做到“三对口”

瓦斯检查“三对口”制度，要求瓦斯检查工在瓦斯检查工作中必须认真填写检查地点的记录牌、随身携带的检查手册以及要上报的瓦斯浓度检查记录表（台账）等资料。即必须做到井下记录版板、检查手册和瓦斯台账“三对口”，绝不能出现互相不符、遗漏或自相矛盾的情况。"三对口"的内容还必须包括：检查地点、检查日期、班次、每次检查的具体时间和瓦斯检查工的姓名等，每次的检查结果中必须有反映每个测点的瓦斯浓度、二氧化碳气体浓度和空气温度等参数。

二、瓦斯浓度的检测地点

（一）采煤工作面的瓦斯检查

1.采煤工作面风流的定义

采煤工作面风流是指距煤壁、顶（岩石、煤或人工假顶）底（煤、岩石或充填材料）切顶线各为200mm的采煤工作面工作空间的风流，小于1m厚的薄煤层距顶底板各为100mm。位于采煤工作面上隅角的风流作为采煤工作面风流对待。即正常情况下，采煤工作面的采样点是距工作面煤壁及顶、底板各200mm的距离。

2.采煤工作面测点的设置

正常的采煤工作面应在工作进风巷、工作面、工作面上隅角、高冒处、采煤工作面、采煤工作面尾巷等6个地点设立瓦斯浓度检查点。工作面内部详细的测点布置情况如图8-12所示。

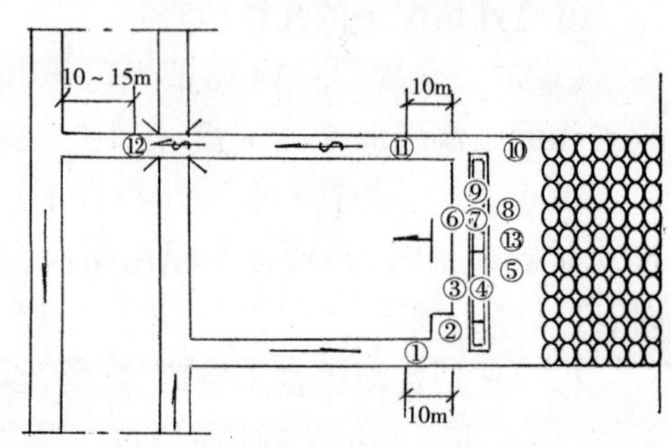

图8-12 采煤工作面测点布置

图中：①——采煤工作面进风流中的测点（距采煤工作面开采线10m）；②——采煤工作面下切口测点；③④⑤——采煤工作下半区的煤壁侧、输送机机道和采空区侧的测点；⑥⑦⑧——采煤工作上半区的煤壁侧、输送机机道和采空区侧的测点；⑨——工作面空气温度的测点（输送机机道中央，距回风巷15m处）；⑩——采煤工作面上隅角处的测点；⑪——距采煤工作面10m处的回风巷道中的测点；⑫——采煤工作面回风巷距采区回风巷前10~15m处的测点；⑬——采煤工作面或工作面进、回风巷高冒处的测点。另外有尾巷的还需在工作面尾巷设测点。

采煤工作面上隅角测点的具体位置应设在切顶线靠采空区一侧，距切顶线的距离一般为1.0~1.5m处。检查时应站在支护完好的地点，离切顶线一定距离，然后逐渐靠近，确保安全。采取气样时可借助长胶管和木棍，不可直接进入切顶线外侧靠采空区一侧直接采样。采煤工作面各测点瓦斯和二氧化碳的取样位置有所不同。瓦斯是由靠顶板附近200mm处取样。而二氧化碳是沿底板附近200mm取样。

采煤工作面各个测点上瓦斯和二氧化碳浓度都要分别测3次，取其最大值。

（二）掘进工作面的瓦斯检查

1.巷道风流的定义

巷道风流，是指距巷道顶板、底板和两帮有一定距离的巷道空间内风流。在设有各类支架的巷道中，是距支架和巷道底板各50mm的巷道空间；在不设支架或用锚喷、砌碹支护的巷道中，是距巷道顶板、底板和两帮各为200mm的空间。

由此可知，在各类有支护的巷道，取样点为距支护和巷道底板各为50mm的地点；在没有支护的巷道测点是在距顶板、底板及巷道两帮各为200mm的地点。

2.掘进工作面风流及其回风流的范围划分

掘进工作面风流是指由风筒出口到掘进工作面煤（岩）壁之间这一段巷道中符合巷道风流定义的风流。

掘进工作面回风流的范围与掘进巷道通风方法及局部通风机的工作方式有关。

（1）单巷掘进采用压入式通风时，掘进工作面风流和回风流范围如图8-13所示。

（2）单巷掘进采用混合式通风时，掘进工作面风流和回风流范围如图8-14所示。

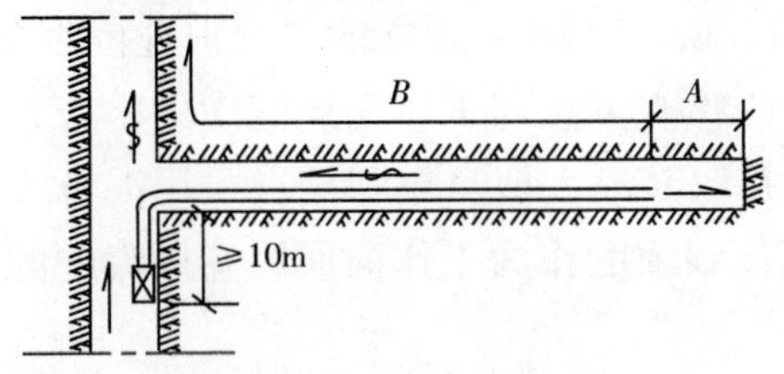

图8-13　单巷压入式通风掘进工作面

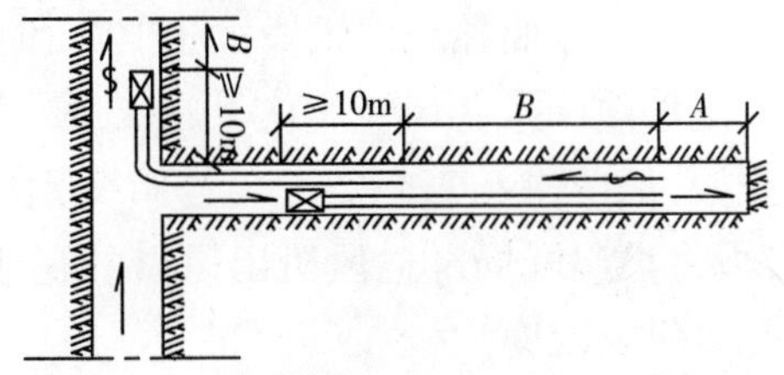

图8-14　单巷混合式通风掘进工作面

（3）双巷掘进采用压入式通风时，掘进工作面风流和回风流范围如图8-15所示。

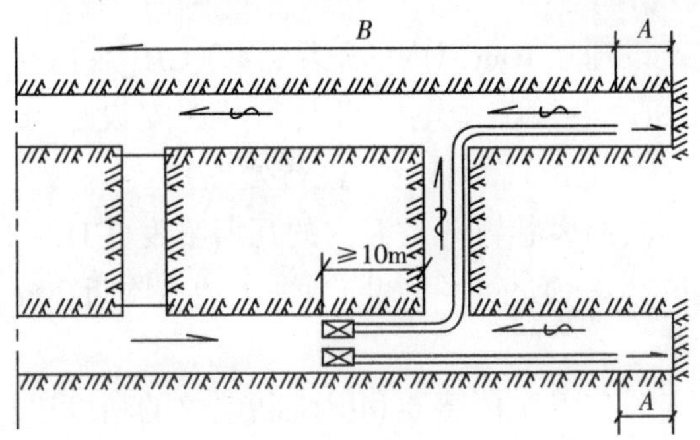

图8-15　双巷压入式通风掘进工作面

以上图中的A均为掘进工作面风流；B均为掘进工作面回风风流。

3.掘进工作面的瓦斯浓度检查方法

（1）掘进工作面风流中瓦斯浓度检查：

在工作面风流中取2～3个点进行检查。

①梯形断面巷道可在工作面迎头的2个顶角分别取1点，具体位置是距顶、帮和工作面煤壁各200mm进行检查。

②其他形状的巷道，可在距顶板和工作面煤壁各200mm处取1个点进行检查。

③还应在工作面未设风筒一侧，距工作面煤壁2.0m，距顶板或支架顶梁200～300m处设1个点进行检查。

最后将以上各点的瓦斯浓度进行比较，取其中的最大值作为掘进工作面风流中的瓦斯浓度。

（2）掘进工作面风流中二氧化碳浓度的检查：

工作面风流中二氧化碳浓度的检查，可在工作面风流内设3个点分别进行检查。其中在工作面迎头的2个底角，分别设1个点进行检查。具体位置是距底板、帮和工作面煤壁各200mm。另外还应在工作面未设风筒一侧，距工作面煤壁2.0m，距底板200～300mm处设一个点进行检查。最后将3个点的二氧化碳浓度值进行比较，取其中的最大值作为工作面风流中的二氧化碳浓度。

(3)掘进工作面回风巷风流中瓦斯及二氧化碳浓度的检查：

具体做法是：应在工作面独立回风段设若干个点进行检查，设点的方法为：

①当工作面独立回风段长度小于100m时，可设2个点进行检查；

②当工作面独立回风段大于100m时，可每隔100m各设1个独立的点分别进行检查。

工作面回风巷风流中的瓦斯、二氧化碳浓度的检查方法与工作面风流中的检查方法基本相同，但要求在每个点上要连续分别检查3次并取其最大值。单巷掘进采用混合式通风时，可将抽出式局部通风机出风口的瓦斯和二氧化碳浓度作为工作面回风巷风流中的瓦斯或二氧化碳浓度。

4.掘进工作面瓦斯检查工的其他检查工作

掘进工作面的瓦斯检查工在对掘进工作面及其回风巷瓦斯浓度进行例行检查的同时，还需检查以下有关内容：

(1)检查局部通风机安设地点10m以内的瓦斯浓度($CH_4 \not> 1.0\%$)。

(2)检查掘进工作面回风巷风流中电动机及其开关安设地点20m范围内的瓦斯浓度(CH_4=1.5%时，停止工作，切断电源，撤出人员，进行处理)。

(3)检查掘进工作面及其回风巷冒落空洞内的瓦斯浓度($CH_4 \not> 1.0\%$)。

(4)在工作面爆破时执行“一炮三检”制度，当爆破地点附近20m以内风流中瓦斯浓度达到1.0%时，严禁爆破。

(5)利用光学瓦斯检定器对甲烷传感器和甲烷断电仪的精度进行检查，并将核定结果报矿通风部门。

(6)检查局部通机的安设位置是否符合《煤矿安全规程》之规定，局部通风机是否存在循环风现象。

(7)检查风筒是否存在漏风现象。

(8)检查工作面防尘设施是否能够正常使用。

(9)检查工作面空气温度是否符合《规程》规定等。

如果是采用爆破落煤的掘进工作面，爆破后至少要等15min(有煤与瓦斯突出危险煤层的工作面要等30min)后，才能开始瓦斯检查工作。检查时应采用由外向里、边检查边前行，当发现瓦斯或二氧化碳浓度超过3.0%时，应停止进入，立即撤到新鲜风流巷道中。在对冒落空洞进行瓦斯检查时，严禁将头伸入空洞，应借助长胶管配合木棍采取气体样品。

(三)矿井总回风巷、一翼回风巷中瓦斯浓度和二氧化碳浓度的检查

1.瓦斯浓度的检查

在距巷道顶板和巷道两帮各200～300mm的巷道风流中采取气样进行检查，要求连续测3次，取其平均值。若是其他支护材料的巷道，距巷道顶梁或两帮各为50mm的地点取样。

2.二氧化碳浓度的检查

在距巷道底板和巷道两帮各200～300mm的巷道风流中采取气样进行检查，同样同一测点要求连续取样3次，分别测定，取其平均值。

（四）爆破作业地点的瓦斯检查

壁式采煤工作面在爆破作业前，应自爆破地点分别向上下风流方向各检查20m范围内的瓦斯浓度，若区域内有冒落空洞，还应检查其中的瓦斯浓度。若该区域内切顶线以外的顶板未能正常冒落，悬顶面积比较大，还应设法检查切顶线以外1.2 m范围的瓦斯浓度。在工作面上隅角附近爆破时，爆破前必须检查上隅角处的瓦斯浓度。采用爆破法处理采空区悬顶时，爆破前必须检查悬顶下部的瓦斯浓度，测定范围应根据工作面采高（或煤层厚度）悬顶范围、采空区通风条件和瓦斯积聚等有关因素来确定，并报矿技术负责人批准。

掘进工作面每次爆破前必须检查工作面附近20m以内巷道风流中的瓦斯浓度，若该范围内有盲巷或冒落空洞，必须检查其中的瓦斯浓度。当瓦斯浓度达到1.0%时，严禁爆破。

关于瓦斯检查仪器的操作和使用方法，见本章专业技能训练知识部分。

第四节　矿井瓦斯抽放

矿井瓦斯抽放就是利用专门的瓦斯抽放设备，把煤层、岩层和采空区内的瓦斯抽放至地面（大型负压抽放设备）或矿井回风系统（移动瓦斯抽放泵站）中。通过矿井瓦斯抽放，可使煤层瓦斯含量降低，在矿井采掘生产过程中由煤岩体内涌入井下巷道的瓦斯量将会减少。

一、瓦斯抽放的条件

对于一个矿井或一个矿井的某些局部区域是否具备瓦斯抽放的条件，主要是取决于该矿井（或该区域）的煤层瓦斯含量、瓦斯储量、产能大小、通风强度以及煤层的透气性等诸多因素。对于那些煤层瓦斯含量较高，但煤层较薄、瓦斯储量亦不大，且无邻近煤层瓦斯来源，同时矿井生产规模又不大，而且矿井本身的通风能力又比较大，这样抽放瓦斯的意义就不大。相反，尽管一些矿井的煤层瓦斯含量不是很大，但由于煤层厚度大，煤层瓦斯储量大，生产规模也比较大，仅靠矿井通风能力难以解决矿井瓦斯问题，这样的矿井便适合瓦斯抽放。

《煤矿安全规程》第145条规定：有下列情况之一的矿井，必须建立地面永久抽放瓦斯系统或井下临时抽放瓦斯系统：

（1）1个采煤工作面的瓦斯涌出量大于5m^3/min或1个掘进工作面瓦斯涌出量大于3m^3/min，用通风方法解决瓦斯问题不合理的。

（2）矿井绝对瓦斯涌出量达到以下条件的：

①大于或等于40m^3/min；

②年产量1.0～1.5Mt的矿井，大于30m^3/min；

③年产量0.6～1.0Mt的矿井，大于25m^3/min；

④年产量0.4～0.6Mt的矿井，大于20m^3/min；

⑤年产量小于或等于0.4Mt的矿井，大于15m^3/min。

(3)开采有煤与瓦斯突出危险煤层的。

二、瓦斯抽放的方法

根据矿井瓦斯来源不同,其抽放方法一般分为:本煤层抽放、邻近煤层抽放和采空区抽放三种基本的方式。

(一)本煤层抽放法

本煤层抽放亦称为开采煤层抽放,是在煤层开采之前或在采掘的同时,用钻孔或巷道对该煤层进行瓦斯抽放。煤层在回采前的抽放属于未卸压(带压)抽放;在受到采掘工作面采动影响范围的抽放,属于卸压抽放。

1.预抽煤层瓦斯

预抽煤层瓦斯属于未卸压(带压)抽放,它适合于透气性比较好的开采煤层的瓦斯抽放。具体做法有巷道法和钻孔法。

(1)巷道法抽放瓦斯:

一般超前于回采1~3年掘出采区准备巷道,然后将巷道封闭,在闭墙上插入抽放瓦斯的管子,进行瓦斯抽放,一直抽到回采开始为止。采用这种抽放方法,巷道周围卸压范围大,煤层暴露面积大,抽放效果比较好。但在瓦斯含量较大的煤层掘进采区准备巷道时,瓦斯涌出量比较大,掘进困难,抽放瓦斯后巷道损毁较为严重,巷道维修的工程量亦比较大。

(2)钻孔法抽放瓦斯:

目前预抽本煤层瓦斯广泛采用钻孔法,其具体做法是:在煤层顶板(或底板)岩层中开一条与煤层走向相平行的巷道,如图8-16所示。

在此巷道中每隔30m掘1条10~15m的短石门作为钻场(有时亦称钻场法)。钻场距离煤层要留有一段距离(一般5~10m),在每个钻场内向煤层打3~5个钻孔。打5个孔要比打3个孔抽放瓦斯量增加20%~40%,为了减少钻孔的工作量和为了便于管理,一般在每个钻场均只打3个钻孔。中间钻孔呈7°倾角,正对煤层(不向左右偏斜),两侧的钻孔均为水平钻孔,3个钻孔在与煤层顶板(或底板)的接点上呈等距离分布状态,即形同等边三角形分布。钻孔应穿透煤层打入岩层0.5~1.0m,钻孔直径一般为70~100mm。抽放负压为500~1500Pa。

开采煤层抽放法适用于开采煤层瓦斯含量大、透气性较好的煤层,至少有2年抽放时间的条件。而对透气性比较差的煤层,为了保证抽放效果,可用水力割缝和水力压裂的新技术、新工艺。

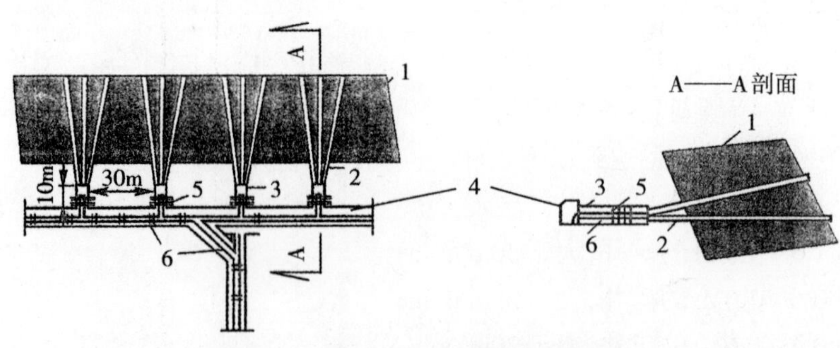

图8-16 钻孔法抽放开采煤层的瓦斯

1——煤层;2——钻孔;3——钻场;4——运输巷;5——密闭墙;6——抽瓦斯管道

(二)邻近层抽放法

邻近层抽放是指在开采煤层群时,开采煤层的上、下邻近层因受采动的影响,形成卸压带,卸压区范围内的煤层瓦斯将会大量涌入开采层的采空区,直接影响煤矿安全生产。因此有必要在开采煤层的回采之前,对邻近的煤层进行煤层瓦斯抽放。邻近煤层抽放可分为上邻近层抽放(即邻近层位于开采煤层的上部)和下邻近层抽放(即邻近层位于开采煤层的下部)。

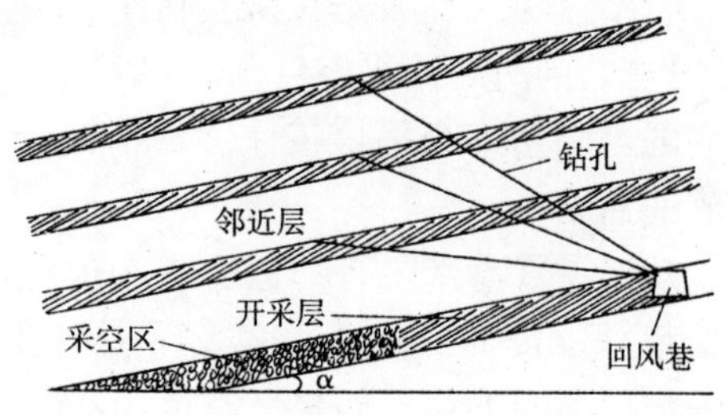

图8-17 上邻近煤层抽放钻孔布置图

1.钻场布置

邻近层抽放的钻场位置选择,是根据邻近煤层的具体位置、开采煤层的开采程序和相关的施工方法来确定。要求能用最短的钻孔,抽出最多的瓦斯,钻场可位于开采煤层的回风巷道内或层间巷道内。图8-17是利用开采层回风巷向上邻近层打钻孔的布置图。

钻场位于回风巷的优点是钻孔长度短,工作面上半段的围岩移动比下半段围岩移动好,再加上瓦斯的上浮力的作用下,抽出的瓦斯量比较多,可减少采煤工作面上隅角的瓦斯积聚。

2.钻孔与钻场的间距

钻孔与钻场之间的有效距离,随煤层赋存情况的不同而不同,有的30~40m,有的100m甚至200m以上。一般来说,上邻近层抽放距离大一些,下邻近层抽放距离小一些,通常为层间距的1~2倍。钻场之间的距离多为30~60m,但在开切眼附近应缩短为15~30m。一个钻场可布置1个或几个钻孔。另外,如果一排钻孔不能达到抽放要求,应在运输水平和回风水平同时打钻抽放,在较长的工作面内,还可由中间平巷打钻抽放。

3.钻孔角度

钻孔角度是指钻孔的倾角(钻孔与水平线的夹角)和偏角(钻孔水平投影线和煤层走向或倾向的夹角),钻孔角度对抽放效果影响很大。抽放上邻近煤层时的仰角,应使钻孔通过顶板岩石的裂隙带进入邻近层充分卸压区。仰角太大,进不到充分卸压区,抽出的瓦斯浓度比较高,但流量却比较小;仰角太小,钻孔中段将通过冒落带,钻孔会与采空区相通,必将会抽入大量的空气,大大降低抽放效果。因此在选择钻孔角度时应根据开采层与上邻近层的层间距离、煤层倾角诸多因素综合考虑,合理选择。一般对下邻近层抽放时的钻孔角度没有严格的要求,因为钻孔中段受开采层影响而遭到破坏的可能性微乎其微。

4.钻孔深度和直径

对于单一邻近层而言,钻孔穿透邻近层即可;对于多邻近层可一孔穿一层或一孔穿几层。

钻孔直径多采用57mm和73mm,钻孔的封孔方法一般用插管法或封孔器封孔法。

5.抽放负压

抽放负压达到一定数值后,其抽放效果将不再提高,我国一般为几个KPa,国外多为13.3KPa~26.6 KPa。

(三)采空区抽放

采煤工作面后方的采空区或老空区常常积存有大量的瓦斯,往往通过矿井漏风被带入采煤工作面或生产巷道,造成工作面及其生产巷道中瓦斯浓度超限,直接影响矿井安全生产。因此,有必要对拥有大量瓦斯的采空区或老空区进行瓦斯抽放,以确保矿井安全生产。

采空区瓦斯抽放可分为半封闭式抽放和全封闭式抽放两大类。全封闭式抽放又可分为密闭式抽放、钻孔式抽放和钻孔与密闭相结合的综合式抽放等。

半封闭式抽放是在采空区上部开掘一条专用巷道,在该巷道中布置钻场向其下部采空区打钻,同时封闭采空区入口,以抽放下部各区段采空区中邻近煤层涌入的瓦斯。抽放的采空区可以是一个采煤工作面或一两个采区的局部范围,也可以是一个生产水平结束后的大范围抽放。

如果冒落带内有邻近层或老顶冒落,当瓦斯涌出量明显增大时,可由回风巷或上阶段运输巷,每隔20~30m向采空区冒落带上方打钻抽放瓦斯,钻孔平行煤层走向或与走向之间有一个较小的夹角。如果采空区内积聚有高浓度的瓦斯,可以通过回风巷密闭接管抽放。

老空区抽放前应将有关的密闭重新整修加固,以防漏风。然后在老空区上部靠近抽放系统的密闭墙外再加砌一道密闭墙,两墙之间用砂土填实,接管进行抽放。采空区抽放时要及时检查抽放负压、流量、抽放出的瓦斯浓度及其成分,抽放负压与流量应与采空区的瓦斯积聚量相匹配,只有这样才能保证抽出瓦斯气体中的CH_4浓度。如果开采的煤层存在有自然危险性,更应该经常检查抽放的瓦斯成分,一旦大量出现CO,或有煤层自然征兆时,应立即停止抽放,采取相应的防止煤炭自燃的措施。

三、抽放设备

瓦斯抽放设备主要有:瓦斯泵、抽放管道、流量计和安全装置等。

(一)瓦斯泵

瓦斯泵多用水环式真空泵和离心式鼓风机。水环式真空泵负压较高,但流量比较小,适用于抽放管路长而抽放量比较小的矿井;离心式鼓风机适用于流量大且采用大管径抽放管道的矿井。瓦斯泵的功率应满足瓦斯抽放期间最大排气量的需求,瓦斯泵的工作负压(相对压力)必须大于抽放管路系统的最大阻力。表8-6是我国沈阳水泵厂生产的各种型号的水环式真空泵的性能参数。

表8-6 水环式真空泵规格性能参数

序号	型号	真空度 0	40%	60%	80%	90%	最高真空度(%)	转速(r/min)	电机功率(kW)	吸气口直径(mm)	排气口直径(mm)	水消耗量(L/min)
		抽气速率(m^3/min)										
1	SZB-4	0.40	0.38	0.30			80	1450	1.7	1″	1″	
2	SZB-8	0.80	0.70	0.50			80	1450	2.8	1″	1″	
3	SZ-1	1.50	0.88	0.50	0.15		90	1450	4.5	70	70	10
4	SZ-2	4.20	2.40	1.55	0.60	0.10	92	1450	10.0	70	70	30
5	SZ-3	11.50	6.80	4.50	2.00	1.00	97	960	28.0	125	125	70
6	SZ-4	27.00	17.60	11.00	5.00	2.00	96	720	70.0	170	150	100
7	SZ-5	55.00	34.00	22.40	10.10	4.70	94	600	145.0	250	220	200

(二)抽放管路

瓦斯抽放管路多用无缝钢管或电焊钢管。地面管路直径一般为250～400mm,井下大巷的为150～250mm,采区的为100～150mm。也可以根据管中流速5m/s～15m/s计算所需管路的直径。为减少抽放管路阻力,管路沿线应尽可能少设弯头。

(三)流量计

为了准确掌握由井下抽出的瓦斯量,在总管路、分支管路和支管上均应安装流量计。测量管路中气体流量的仪器很多,一般常用的有孔板流量计、文德利流量计、浮子流量计和煤气表等。孔板流量计工作原理和结构都比较简单且安装和使用都比较方便,目前抽放矿井一般均采用孔板流量计,其结构示意图如图8-18所示。孔板流量计要安装在管路的直线段内,孔板前后最好有5m以上的直线段,以防局部阻力对其造成的影响。孔板圆孔与管道要同一圆心,端面要与管道轴垂直。

(四)安全装置

1.水封防爆箱

水封防爆箱的结构如图8-19所示,装在瓦斯泵的进入口附近。在其正常工作时,井下抽出的瓦斯由进气口1进入水箱体内,由水中流出,再经出气口3通往瓦斯泵。万一泵站、泵体内或排气管发生瓦斯爆炸,爆炸冲击波冲入防爆箱体内,冲击波将安全盖6冲开,爆炸压力卸掉,爆炸冲击波随之消失。同时箱体内的水可以消除爆炸火焰向井下方向的传播。

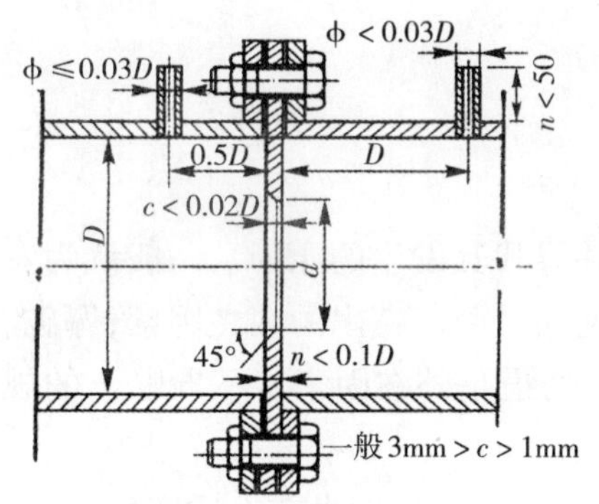

图8-18　孔板流量计

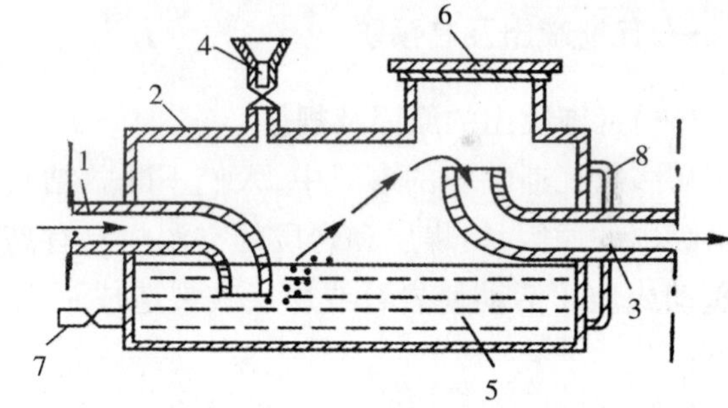

图8-19　水封防爆箱

1——进气管;2——箱体;3——排气管;4——注水管;5——水;6——安全盖;7——放水口;8——玻璃管水位表

2.防回火网

防回火网一般是由4～6层导热性能良好的不易生锈的铜丝网线所组成,网孔约为0.5mm,装在地面泵站附近的管路内,如图8-20所示。万一泵附近发生瓦斯燃烧或爆炸事故,火焰与铜丝网接触时,由于铜丝网线的吸热作用,使火焰难以通过铜网,从而有效阻止了火焰向管内的蔓延。

3.放水器

为了及时方便排除管道内的积水,以防堵塞管路,需在地面和井下管道的下弯处安设放水器。常用的放水器如图8-21所示。在正常的瓦斯抽放时,打开放水器阀门1,将阀门2和3关闭,即可将管道内的积水放掉。

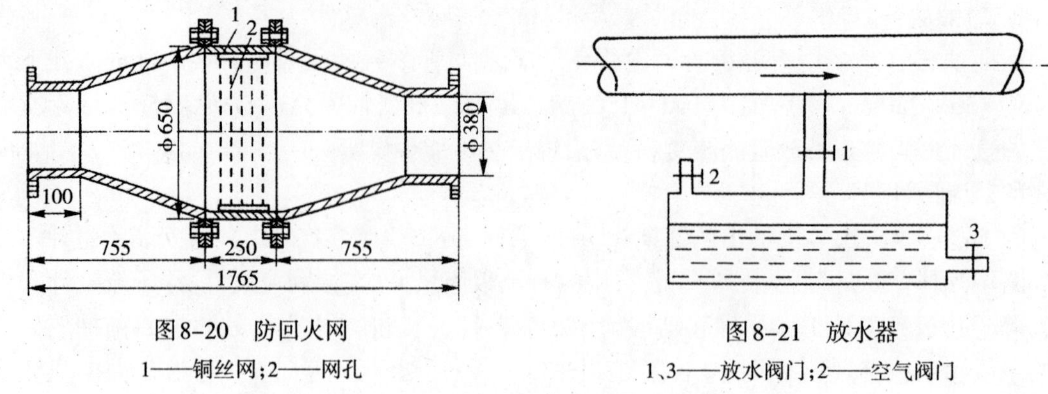

图8-20 防回火网

1——铜丝网;2——网孔

图8-21 放水器

1、3——放水阀门;2——空气阀门

第五节 瓦斯特殊涌出及其防治

瓦斯喷出、煤与瓦斯突出、煤与二氧化碳突出、岩石与二氧化碳突出都属于瓦斯的特殊涌出形式。它们能使工作面或巷道充满瓦斯或二氧化碳,造成窒息事故;破坏矿井通风系统,造成风流紊乱或短时逆转;突出的煤岩能堵塞巷道、破坏支架、设备和通风设施。因此,这种特殊涌出的现象危害极大,严重影响着矿井的安全生产,作为煤矿生产与管理者,必须引起足够的重视。

一、瓦斯喷出及其预防

(一)瓦斯喷出的原因及规律

从多次瓦斯喷出的事故中,人们不断总结其规律并寻找其发生的原因。一般认为发生瓦斯喷出的原因是:煤层和岩层的空洞内具有高压的瓦斯是引起喷出的内在因素;爆破、机械震动或地压活动使岩石或煤层破裂造成瓦斯喷出的通道是外在因素。瓦斯喷出的规律如下:

(1)瓦斯喷出与地质条件发生变化有密切的关系,一般喷出均发生在地质变化区域,如南桐煤矿采煤工作面的喷出就是发生在向斜轴和断层附近。

(2)煤层顶、底板岩层中有溶洞、裂隙发育的石灰岩层,其中存储有大量瓦斯时,则可能发生大规模的瓦斯喷出现象。如1960年重庆中梁山煤矿就是溶洞瓦斯喷出。

(3)喷出前一般均有预兆:地压活动激烈,支架破坏,煤质变软、湿润,底板内部有声响,瓦斯涌出量变大等等。

(4)瓦斯喷出一般具有明显的喷出口或裂隙。

(二)瓦斯喷出的预防措施

从大量的实践活动中总结出预防瓦斯喷出的措施如下:

(1)加强矿井生产的地质工作,摸清矿井地质构造情况,从而根据防止瓦斯喷出的需要决定邻近煤层的开采顺序和顶板管理方法。

(2)探明采掘地段的地质构造。在掘进工作面的前方或两侧打超前探孔,以探明是否存在有断层和溶洞，了解其具体位置、空间大小和瓦斯赋存情况。

(3)排放瓦斯。在探明地质构造后，根据具体情况可采取如下排放措施：自然排放、插管排放、封闭巷道抽放等。

(4)将瓦斯引至回风流或直接由抽放管路抽出地面。当喷出的瓦斯的裂隙小和瓦斯喷出量不大时，可用风筒或金属管道把瓦斯引至回风流或引至回风流距工作面20m以外的巷道中，或直接由瓦斯抽放管路抽出地面，保证工作面掘进爆破的安全。

(5)封堵裂隙。在裂隙小、瓦斯喷出量较小的地点，可用黄泥或其他材料堵塞裂隙，防止瓦斯喷出。

(6)对有瓦斯喷出危险的工作面，要有独立的通风系统，并适当加大供风量，保证工作面瓦斯浓度不超限，不影响其他工作区域。

二、煤与瓦斯突出及其预防

煤与瓦斯突出是一种强烈的动力现象，在极短时间内(几秒至几分钟)大量的煤炭和瓦斯突然由煤体内喷出并伴有巨大的声响和强大的冲击作用。

(一)突出的预兆和预报

1.突出的预兆

煤与瓦斯突出像任何其他事物一样，也有发生和发展过程，因此突出前呈现出一系列的预兆。如：

(1)响煤炮。因地质条件不同，煤炮声音大小、间隔时间也不同。其声响如鞭炮声、巨雷声等。

(2)压力增大。掉渣、片帮、煤壁外鼓、煤壁震动、打钻时夹钎、顶钻、喷煤等。

(3)煤层构造变化。如煤层紊乱、煤层变软、变暗、粉碎、干燥或煤层倾角、厚度变大，煤层分叉等。

(4)瓦斯异常。瓦斯涌出量增大或忽大忽小，使人感到发冷、闷人等。

上述预兆，并不是每次突出前均会出现，而往往是出现一种或几种。掌握预兆，发现苗头，及时撤出人员，对防止人身事故具有现实意义。

2.突出预报

煤与瓦斯突出不是在所有煤层都会发生，即使是在突出煤层中，也不是所有的地点都会发生突出，而往往是集中在某些区域和地点。因此，如果能预先测知其发生的区域和地点，或提前测知将要发生突出，对于掌握矿井安全生产的主动权是非常有意义的。

目前世界各国在研究煤与瓦斯突出的预测方法，归纳起来大致是从以下几个方面进行预测：地质特征、煤层的理论特性、瓦斯因素、围岩应力以及综合因素。例如日本采用综合计算方法，即把各种因素与突出的关系作出标准给分方案，然后把有关因素分别计分，最后计算总分，以分数多少来预报突出。

我国也在进行这方面的研究，如前所述，有的矿用煤的硬度系数f作为突出预报指标，有的矿则用与硬度系数有关的瓦斯压力作为突出预报指标。但是比较全面的方法是根据已发生的大量突出资料，通过调查研究和理论分析，找出突出与地质构造、煤质变化、煤层埋藏深度、采掘集中应力、瓦斯压力等因素的关系，据此推断出新采区或深部区域哪些地点将易发生突出。

到目前为止，尚无比较科学系统的预报煤与瓦斯突出的仪器、仪表，有的利用微震仪来测突出现象的发展情况。我国也在研究和完善突出预报仪。

（二）预防煤与瓦斯突出的主要技术措施

1.区域性防突措施

区域性防突措施主要有开采保护层、预抽煤层瓦斯以及煤层注水等三种不同的措施。其中开采保护层是防突措施中最积极、有效、经济的措施。《煤矿安全规程》第192条规定：对于有突出危险煤层，应采取开采保护层或预抽煤层瓦斯等区域性防治突出措施。《煤矿安全规程》第193条规定：在突出矿井开采煤层群时，应优先选择开采保护层防治突出措施。开采保护层后，在被保护层中受到保护的区域可按无突出危险区进行采掘作业；在未受到保护的区域，必须采取综合防治突出的措施。

（1）开采保护层：

现有的区域性防突措施主要就是开采解放层，根据国内外的实践经验，一致认为开采解放层是目前预防煤与瓦斯突出最积极有效的措施，因此被广泛采用。

①具体做法：在开采有突出危险的煤层群时，超前开采没有突出危险或突出危险小的煤层，就能使有突出危险的煤层免除突出。

②解放层的作用：解放层开采后，破坏了被解放层的原始应力平衡状态，使被解放层提前卸压，煤层瓦斯压力急剧下降，瓦斯涌出量急剧增加，煤岩变化加剧，煤体应力降低，煤的透气性和机械强度有所增加。上述综合作用的结果，起到了使被解放层避免发生突出的作用。

开采解放层后，并不能对突出煤层的各部分都起到解放作用，而是有一定范围的，这就是被解放层的解放范围。很显然解放范围包括沿煤层走向、沿煤层倾斜方向和垂直于煤层层面三个方向。解放范围的大小，主要取决于解放层厚度、解放层与被解放层的相互位置、煤层倾角等因素。具体条件不同，解放范围的大小也不一样，所以要对各地区进行实地考察而定。

（2）预抽煤层瓦斯：

对于无保护层或单一突出危险煤层的矿井，可以采用预抽煤层瓦斯的方法作为区域性防治突出的措施。其实质是，通过一定时间的预抽煤层瓦斯，降低有突出危险煤层的瓦斯压力和煤层瓦斯含量，并由此引起煤层收缩变形、地应力下降、煤层透气性增强和煤的强度增强等综合效应，减小其突出的危险性。

（3）煤层注水：

多年以来，国内外科技工作者都在研究煤层注水防治煤与瓦斯突出的课题。这种方法主要用于采煤工作面。只要能将水均匀地注入煤体，使煤体内的水分达到4%以上，就能防止突出事故的发生。其根源就是水改变了煤的力学性质，增强了煤的可塑性，降低了煤的弹性模量，可降低20%～25%，使应力分布均匀化，弹性能释放的速度变小，降低了释放的功效。水进入煤体的孔隙，降低了瓦斯的排放，可使煤体内瓦斯的放散初速度减小90%，大大降低了瓦斯释放的功效。

这种方法的关键问题在于如何使水均匀润湿煤体。若水压过高，煤体将会在弱面破裂，水流容易失去控制而流失，难以全面润湿煤体；如果水压过低，水则不容易注入，也难以润湿煤体。最近几年国内外都开始采用中压长时注水措施。具体做法是：注入压力低于上覆岩层的静水压力，依靠水压和煤孔隙的毛细力缓慢地将水注入和吸入煤体内部，以使其均匀湿润煤层。为提高注水速度和润湿效果，可在水中加入湿润剂。重复累计注水时间一般不少于500h，才能使一定的水量注入煤体内部。采用反复间歇性注水效果要比连续注水方法的效果好。适当降低注水压力，可使煤体润湿得更加均匀，目前国内外使用的注水压力一般都低于8MPa。

2.预防煤与瓦斯突出的局部性措施

根据我国生产矿井的使用情况，预防煤与瓦斯突出的局部性措施，可以分为两大类型。一类是：大直径超前钻孔、松动爆破、预抽瓦斯等；第二类方法是：震动爆破等。

(1)大直径超前钻孔：

大直径超前钻孔在突出煤层掘进平巷、上山和下山＜30°时，用国产EC-300型钻机向工作面前方打几个大直径(孔径大于200mm，一般为300mm)钻孔，并经常保持5m以上的超前距离，以防止和减弱突出。

当钻孔刚进入煤体时，由于工作面附近煤壁瓦斯已得到充分排放，钻孔涌出瓦斯量较小。在进入煤体2m以后，钻孔进入工作面前方集中带时，瓦斯和煤粉开始喷出，同时巷道也显现压力，煤壁外鼓并发出声响，这说明钻孔使矿山压力和瓦斯压力产生急剧变化，起到了缓和地压和排放瓦斯的作用，因而可以起到防止突出的作用。

掘进工作面一般布置3～5个钻孔，深度10～20m，钻孔布置在软分层中较好。

钻孔的数目和孔深要根据钻孔的排放瓦斯半径而定。而钻孔的排放瓦斯半径又和煤层的裂隙多少、透气性大小和孔径有关。一般在软煤中排放半径为1.0～1.5m，在硬煤中排放半径为0.8m左右。

大直径钻孔也可用于采煤工作面，即在采煤工作面每隔10～15m打一个钻孔，超前距小于5m。

大直径钻孔用于煤层较厚、煤质松软、透气性较好的煤层中效果较好。但有可能出现夹钻、垮孔等现象。

(2)震动性爆破：

震动性爆破是人为诱导突出的一种安全措施，是目前从石门揭开突出煤层的基本手段。其具体做法是：当石门掘进距煤层一定距离后，在工作面布置较多的炮眼，装较多的炸药，撤出人员，远距离起爆，以强力揭开突出煤层。

震动性爆破揭开煤层的效果取决于石门岩柱厚度、炮眼布置、炮眼数目、炸药用量、电源与连接方式等诸多因素。

①石门岩柱厚度：

石门揭开煤层前，掘进工作面到煤层之间必须保持一定距离的岩柱。《煤矿安全规程》第200条规定：a.在工作面距煤层法线距离10m(地质构造复杂、岩石破碎的区域20m)之外，至少打2个前探钻孔,掌握煤层赋存条件、地质构造、瓦斯情况等。b.在工作面距煤层法线距离5m以外,至少打2个穿透煤层全厚或见煤深度不少于10m的钻孔,测定煤层瓦斯压力或预测煤层突出危险性。测定煤层瓦斯压力时,钻孔应布置在岩层比较完整的地方。对近距离煤层群,层间距小于5m或层间岩石破碎时,可测定煤层群的综合瓦斯压力。c.工作面与煤层之间的岩柱尺寸应根据防治突出措施要求、岩石性质、煤层倾角等确定。工作面距煤层法线距离的最小值为:抽放或排放孔3m,金属骨架2m,水力冲孔3m,震动爆破揭开(穿)倾斜或缓倾斜煤层1.5m。如果岩石松软、破碎,还应适当加大法线距离。为了全断面揭开煤层,可将石门工作面做成台阶状或斜面,然后布置炮眼。

②炮眼布置:

炮眼布置应利用充分发挥炸药的爆炸力,提高爆破效果。炮眼布置方式主要取决于掏槽方式。掏槽方式一般有:楔形掏槽、直眼真空掏槽、复式掏槽等。一般多用直眼掏槽。

③炮眼数目:

震动爆破的炮眼数目一般为普通爆破的2~3倍。炮眼数目可用下式计算:

$$N=5.5\sqrt{S}\cdot\sqrt[3]{f^2},个。\tag{8-7}$$

式中 N——炮眼个数,个;

S——石门断面积,m^2;

f——岩石硬度系数。见表8-7。

表8-7　岩石硬度系数一览表

岩石名称	煤质页岩	页岩	硬页岩	砂质页岩	软砂岩	砂岩	硬砂岩	砾岩火成岩
硬度系数f	2	3	4	4~5	5	6~7	8	10~12

也可以采用经验方法,即震动爆破的炮眼为普通爆破炮眼的2倍。

④炸药用量:

单位体积岩体的炸药用量,生产上多按经验数据选择:

当f=3~4时,炸药用量为:4kg/m^3~6kg/m^3;

当f=6~8时,炸药用量为:5kg/m^3~7kg/m^3。

应当指出,各地各矿实际使用炸药量相差较大,故应结合本地本矿个体情况摸索出经验数据。

⑤电雷管:

过去多采用瞬发电雷管一次起爆,目前推广使用毫秒延期电雷管分段起爆。毫秒延期电雷管延期总时间以不超过100~130ms为原则。爆破前,要对电雷管进行测试,电阻差控制在0.2Ω以内,以防阻爆。

使用震动爆破,必须严格执行《规程》有关规定。直接采用震动爆破揭开煤层时,最好是全井人员撤到地面,全井断电,地面起爆。

震动爆破的优点是:简单、方便。缺点是:有时能使小突出变为大突出,增大了井巷的修复工作量,有时会发生延期突出,爆破后需较长时间才能进入工作面。为此震动爆破最好在稳定岩石和坚硬煤层中使用。爆破前应加强支护，并向煤层打钻测定煤层瓦斯压力。当煤层瓦斯压力小于10kg/m²时，适合震动爆破揭开煤层；当煤层瓦斯压力大于10kg/m²时，须采用钻孔抽放瓦斯、钻冲诱控或抽放瓦斯等措施，将瓦斯压力降到10kg/m²以下，然后用震动爆破揭开煤层。

(3)松动爆破：

松动爆破的目的在于借助炸药能量松动煤体卸压，扩大炮眼排放瓦斯范围，迫使巷道前方的集中应力向远方推移，从而达到防止突出的目的。

松动爆破适用于突出危险性小，煤质坚硬、顶板较好的煤层内，可选用煤巷，也可用于采煤工作面。用于煤层平巷掘进时，一般在工作面布置3～5个钻孔，孔径一般为40～60mm，孔深5～10m，每孔装药3～6kg，封孔炮泥长度不小于2.0m，孔底超前工作面不小于5m。爆破后在钻孔周围形成破碎圈和松动圈，如图8-22所示。破碎圈直径约为0.1～0.4m，圈内煤呈碎屑状态，已失去承载地压能力，是排放瓦斯通道。松动圈的直径，硬煤为1.6m左右，在松动圈内，煤呈半破碎状态，亦形成排放瓦斯通道，有利于防止煤与瓦斯突出事故的发生。

采用松动爆破时应注意以下两点：

①当炮眼向外喷煤粉与瓦斯时，应排放瓦斯1个小班后，再装药爆破；

②在松动的煤体内进行钻孔爆破作业时，应保证按设计要求进行松动爆破作业及留足超前距离。

3.预防煤与瓦斯突出的水力化措施

预防煤与瓦斯突出的水力化措施主要有：水力冲孔、水力冲刷、水力压裂以及煤层注水等。

(1)水力冲孔：

水力冲孔是在安全岩柱(或煤柱)的保护下，在采掘工作之前，向煤体打钻孔，用压力水冲击煤体，边钻边冲，使煤、瓦斯和水一起从钻杆孔壁之间的缝隙流出，造成在钻孔中人为有控制地喷出。由于煤粉和瓦斯不断喷出，就使部分煤体向钻孔方向位移，起到了局部卸压和大量排放瓦斯的作用，因而使潜能预先得到释放，起到防止煤与瓦斯突出的作用，而且这种方法还起到减尘的作用。

水力冲孔可作为石门揭煤、煤巷掘进和大面积采煤时的预防突出措施，亦属于矿井局部性防止煤与瓦斯突出措施之一。在煤质松软、突出危险性大的区域，其效果较好。

水力冲孔的工艺流程如图8-23所示。在石门工作面距突出煤层4~5m时，停止掘进，在这段岩柱保护下，用钻机先打110mm直径的岩石孔1m深，安装直径108mm的套管和三通管，然后用90mm的钻头通过三通管和套管一直打到煤层，钻杆与高压水管连接，一边用高压水冲刷，一边旋转并前后往返移动钻杆，进行“钻冲”，直至钻冲到预定的冲孔深度。冲出的煤、水和瓦斯通过三通经射流泵送入沉淀池。冲孔水压为3~5MPa，冲孔水量为

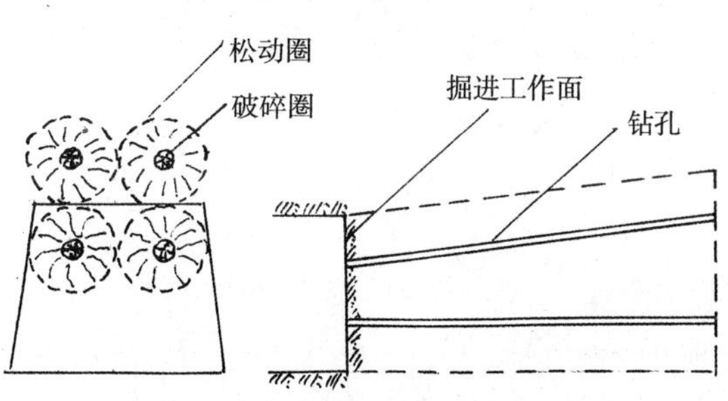

图8-22　松动爆破的破碎情况

15m³/h~20m³/h,射流泵耗水量为25m³/h。冲孔数量决定于突出煤层的危险程度和石门面积,一般为1.0/m²~1.3/m²个孔。每一冲孔的喷煤量和有效卸压排瓦斯范围是不相同的,冲孔的喷煤量越大,其卸压范围就越大。

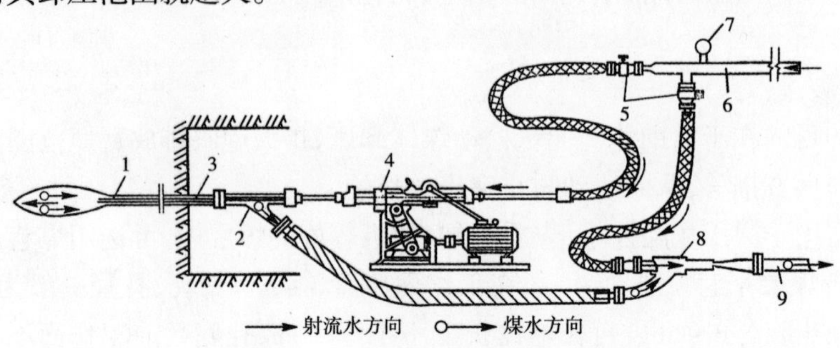

图8-23 水力冲孔工艺流程示意图

1——套管;2——三通管;3——钻杆;4——钻机;5——阀门;6——高压水管;7——压力表;8——射流泵;9——排煤水管

(2)水力冲刷:

水力冲刷的作用与原理与水力冲孔相似,其特点是冲刷一般为敞开式,不使用钻机。

(3)水力压裂:

我国试验了水力压裂预防煤与瓦斯突出,其原理是采用高压、高流量的泵通过钻孔向煤层压水,克服地层压力,从煤中压开很多裂缝,并用石英砂支撑裂缝,以此改变煤的透气性能,达到瓦斯易于排放,防止突出的目的。

(4)煤层注水:

煤层注水在前面区域性防止突出的措施中已作了详细讲述,它也属于防治煤与瓦斯突出的水力化措施之一。

三、安全防护措施

在开采突出煤层时,必须严格执行《规程》有关规定,并有专门的设计。为了防止突出预测失误或防止煤与瓦斯突出的措施失效而发生突出,无论石门揭穿突出煤层或在突出煤层中进行采掘作业,都必须采取相应的安全措施,并应该做到以下几个方面:

(1)必须保持通风系统合理、安全、可靠。

(2)严格电气防爆管理,加强地质、测量工作。

(3)加强矿井安全技术教育及矿山救护工作,提高矿井防灾、抗灾能力。

(4)完善过突出空洞的措施,搞好采掘工程质量。

(5)采用远距离爆破。有突出危险的采掘工作面采用爆破作业时,都必须采用远距离爆破,远距离爆破地点应设在进风侧反向风门之外的全风压通风的新鲜风流中或避难硐室内,距采掘工作面不得小于300m。爆破工起爆的地点,应配备急救袋或自救器。《煤矿安全规程》第212条规定:石门揭煤采用远距离爆破时,必须制定包括爆破地点,避实路线及停电、撤人和警戒范围等的专门措施。煤巷掘进工作面采用远距离爆破时,爆破地点必须设在进风侧反向风门之外的全风压通风的新鲜风流中或避难硐室内,爆破地点距工作面的距离必须在措施中明确规定。远距离爆破时，回风系统必须停电撤人。爆破后，进入工作面检查的时间应在措施中明确规定，但不得小于30min。

(6)在突出危险区域必须设置反向风门。并应做到：①反向风门必须设在石门掘进工作面的进风侧，以防突出时瓦斯向进风系统传播；②反向风门必须牢固，并必须设置两道。

(7)设置避难硐室和压风自救系统。

①井下避难硐室应符合下列要求：

a.避难硐室(或避难所)应设在采掘工作面附近，避难所的数量及距工作面的距离，根据具体条件而定。

b.避难硐室必须设有向外开启的严密的隔离门，室内净高不得低于2m，长度和宽度应根据同时避难的最多人数来确定，每人占用面积不得小于$0.5m^2$。室内支护必须保持良好状态，并设有与矿调度室的直通电话。

c.避难硐室内必须设有供给空气的设施，每人的供风量不得少于$0.3m^3/min$，在用压缩空气供风时，应有减压装置和带有阀门的呼吸嘴。

d.避难硐室应根据最多避难人数，配备足够的自救器。

②对压风自救系统的要求有：

a.压风自救系统安设在井下压缩空气管路上；

b.压风自救系统应设置在距采掘工作面25～40m的巷道内、爆破地点、撤离人员和警戒人员所在位置、回风巷有人作业处。长距离的掘进巷道中，每隔50m设置一组压风自救系统。

c.每组压风自救系统一般可供5～8人使用，压风系统的供给风量不得少于$0.1m^3/min \cdot$人。

(8)进入有突出危险区域的所有工作人员，必须人人佩带隔离式自救器，每天下井前与升井后都必须对自救器进行称重和气密性检查，以保持仪器的最佳良好状态。

第六节　矿井安全监控系统

一、矿用传感器

(一)甲烷传感器

甲烷浓度监测是矿井安全监控的首要内容。当环境中甲烷浓度大于或等于报警浓度时，甲烷传感器发出声光报警信号。当环境中甲烷浓度大于或等于断电浓度时，切断被控区域内的全部非本质安全型电气设备的电源并闭锁。当甲烷浓度低于复电浓度时解锁。因此甲烷传感器是矿井安全监控必备的设备之一。

甲烷传感器按其工作原理的不同可分为催化燃烧式、热导式等。低浓度甲烷检测的可用催化燃烧式，高浓度甲烷监测的主要采用热导式。

(二)风速传感器

矿井风速传感器主要有超声波旋涡式和超声波时差式两种。装备矿井安全监控系统的矿井，每一采区回风巷、一翼回风巷及矿井总回风巷的测风站都应设置风速传感器。

风速传感器应设在巷道前后10m范围内无分支风流、断面无变化、无拐弯和障碍物的地点。

（三）矿井负压传感器

矿井主要通风机的风硐内应设置矿井负压传感器，以测定矿井主要通风机的工作风压，同时还必须在主要通风机房安置U型水柱计。

（四）温度传感器

矿井气候条件中的空气温度，不但影响工人们的身心健康和工作效率，还是矿井火灾的重要指标之一，因此矿井环境温度监测是矿井安全监控系统重要的监测内容之一。温度传感器应设在巷道的上方，距顶板（顶梁）不大于300mm，距巷道侧帮不得小于200mm。温度传感器的报警值为30℃。温度传感器除用于环境监测以外，还可以用于自然发火预测。温度传感器应设置在风流稳定的区域。矿用温度传感器有热电耦式、热电阻式、热敏电阻式、半导体式、红外线式和光纤式等。

（五）设备开停传感器

机电设备开停传感器主要有辅助触点型和电磁感应型两种。辅助触点型传感器是利用机电设备的接触器或继电器中设有被其他电气设备使用的辅助触点的闭合状态来反映机电设备的开停状态，这些辅助触点可能是常开触点，也可能是常闭触点。电磁感应型传感器是通过测量向机电设备馈电的电缆周围有无磁场存在，来间接监测设备的工作状态。

（六）馈电状态传感器

馈电状态传感器用于监测被控开关负荷的馈电状态。

（七）风门传感器

风门开关传感器是一种监测煤矿井下风门开闭状态的传感器。

（八）一氧化碳传感器

有自燃倾向煤层的矿井应设置一氧化碳传感器。应布置在巷道的上方，并应垂直悬挂，距巷道顶板不得大于300mm，距巷道帮不得小于200mm。一氧化碳传感器的报警浓度值为0.0024%。一氧化碳传感器除用于矿井环境监测外，还可用于自然发火的预测。

二、甲烷传感器在采掘工作面及其他地点的安设位置

（一）采煤工作面甲烷传感器的设置位置

为及时监测采煤工作面的瓦斯浓度变化情况，采煤工作面的甲烷传感器应尽量靠近工作面设置，如图8-24所示。采煤工作面的甲烷传感器距离工作面的距离不得超过10m。

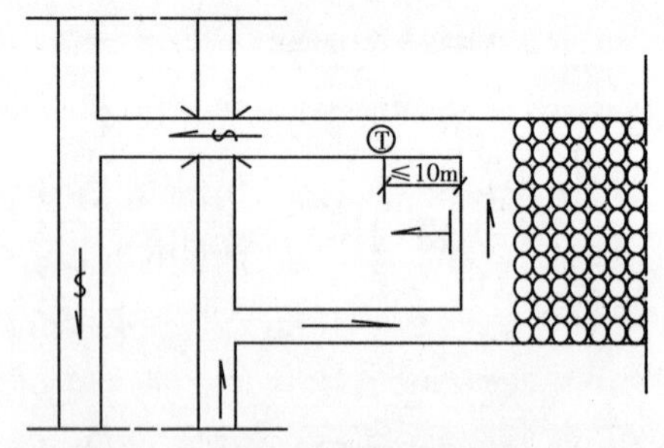

图8-24　采煤工作面甲烷传感器位置

T——采煤工作面甲烷传感器

（二）采煤工作面回风巷甲烷传感器的设置位置

为确保采煤工作面回风巷甲烷传感器能正确反映采煤工作面回风巷内的瓦斯浓度，回风巷甲烷传感器应设置在与采区回风巷混合处的前方位置，如

图8～25所示。设置时甲烷传感器距采区回风巷10～15m左右。

（三）采煤工作面进风巷甲烷传感器的设置位置

开采有煤与瓦斯突出矿井的采煤工作面，还要在采煤工作面的进风巷道中设置甲烷传感器，且应尽量靠近工作面设置，距离采煤工作面的距离不得大于10m，如图8–26所示。

如果采煤工作面采用串联通风时，在进入被串联工作面的进风巷中必须设置甲烷传感器。其位置应在距进风巷道口10～15m处，如图8–27所示。

《煤矿安全规范》第169条规定如下：

（1）瓦斯矿井的采煤工作面，必须在工作面设置甲烷传感器（如图8–24所示）。

（2）高瓦斯和煤（岩）与瓦斯突出矿井的采煤工作面，必须在工作面及其回风巷设置甲烷传感器（如图8–24、图8–25所示），在工作面上隅角设置便携式甲烷检测报警仪。

（3）若煤（岩）与瓦斯突出矿井采煤工作面的甲烷传感器不能控制其进风巷内全部非本质安全型电气设备，则必须在进风巷设置甲烷传感器（如图8–24、图8–25、图8–26中3个地点都应设置甲烷传感器）。

（4）采煤工作面采用串联通风时，被串工作面的进风巷必须设置甲烷传感器（如图8–27所示）。

（5）采煤机必须设置机载式甲烷断电仪或便携式甲烷检测报警仪。

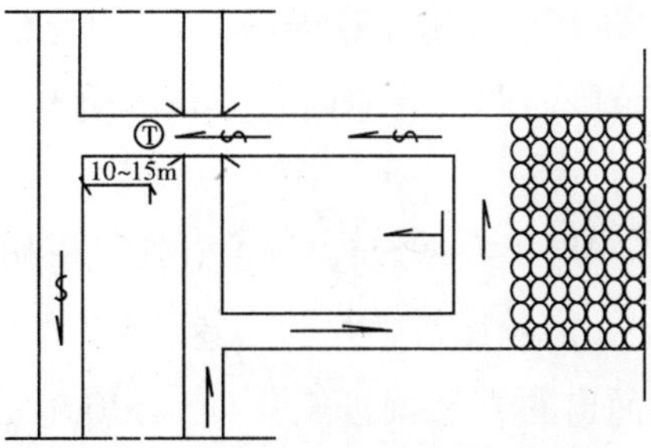

图8–25　采煤工作面回风巷甲烷传感器位置

T——采煤工作面回风巷甲烷传感器

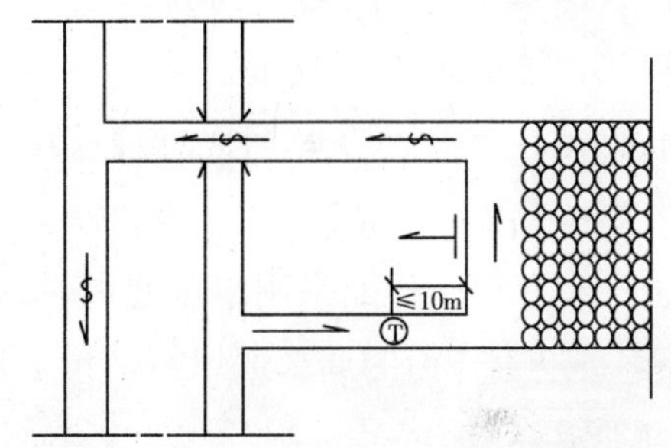

图8–26　采煤工作面进风巷甲烷传感器位置

T——采煤工作面进风巷甲烷传感器

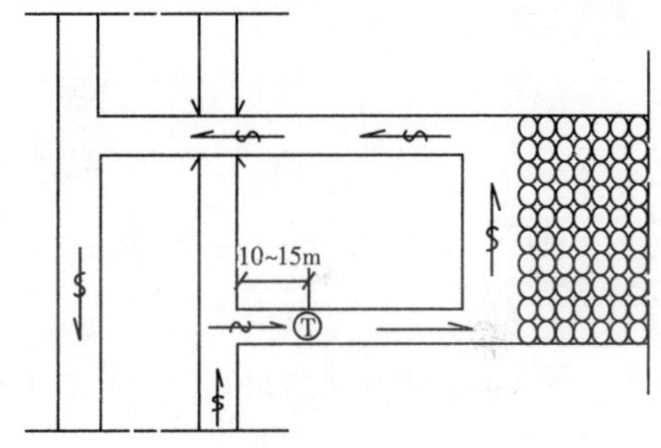

图8–27　串联通风被串联工作面进风巷甲烷传感器位置

T——被串联工作面进风巷甲烷传感器

（四）掘进工作面甲烷传感器的设置位置

为准确及时掌握掘进工作面的瓦斯浓度变化情况，掘进工作面甲烷传感器应尽量靠近工作面设置，如图8–28所示，距离掘进工作面不得大于5m。其报警浓度为1.0%；断电浓度为1.5%。

（五）掘进工作面回风流中甲烷传感器的设置位置

高瓦斯、煤与瓦斯突出矿井的煤巷、半煤岩巷和有瓦斯涌出的岩巷掘进工作面，不但要在工作面设置甲烷传感器，而且还要在其回风流中设置甲烷传感器，其设置的地点是距掘进巷道回风口10～15m处，如图8–29所示。

（六）串联通风被串联掘进工作面进风流中甲烷传感器的设置位置

串联通风的掘进工作面，必须在被串联工作面的局部通风机前设置甲烷传感器，如图

8-30所示。其报警、断电浓度均为0.5%。断面范围为掘进巷道内全部非本质安全型电气设备。

《煤矿安全规程》第170条规定如下：

（1）低瓦斯矿井的煤巷、半煤岩巷和有瓦斯涌出的岩巷掘进工作面，必须在工作面设置甲烷传感器（如图8-28）。

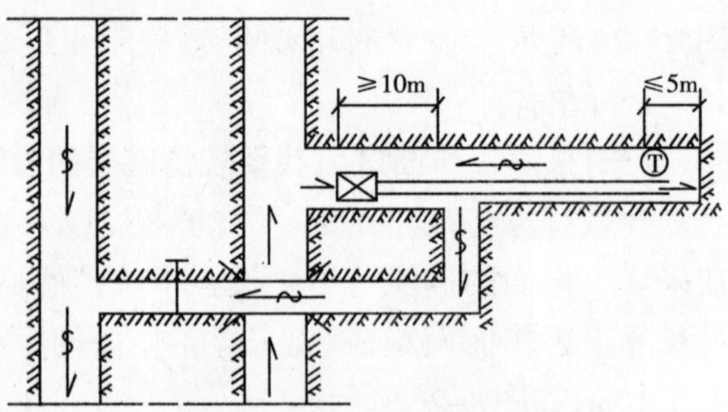

图8-28　掘进工作面甲烷传感器设置

T——掘进工作面甲烷传感器

（2）高瓦斯、煤（岩）与瓦斯突出矿井的煤巷、半煤岩巷和有瓦斯涌出的岩巷掘进工作面，必须在工作面及其回风巷设置甲烷传感器（如图8-28、图8-29）。

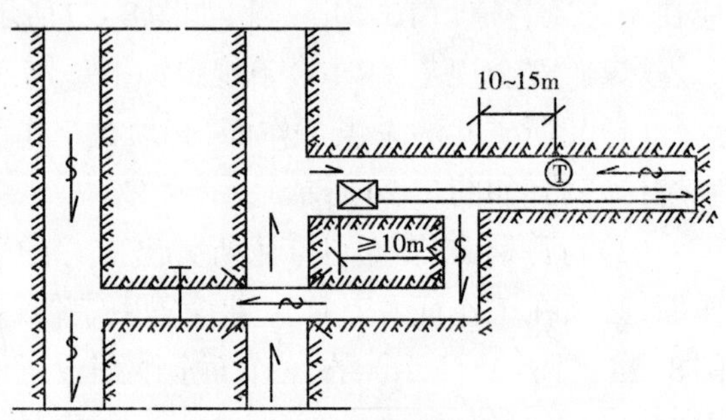

图8-29　掘进工作面回风流甲烷传感器设置

T——掘进工作面回风流甲烷传感器

（3）掘进工作面采用串联通风时，必须在被串掘进工作面的局部通风机前设甲烷传感器（如图8-30）。

（4）掘进机必须设置机载式甲烷断电仪或便携式甲烷检测报警仪。

（七）专用排瓦斯巷甲烷传感器设置位置

《煤矿安全规程》第137条规定：采煤工作面瓦斯涌出量大于或等于20m³/min，进回风巷道净断面8m²以上，经抽放瓦斯达到《煤矿瓦斯抽采基本指标》的要求和增大风量已达最高允许风速后，其回风巷风流中瓦斯浓度仍不符合本规程第136条规定的（即$CH_4 \ngtr 1.0\%$，$CO_2 \ngtr 1.5\%$），由企业主要负责人审批后，可采用专用排瓦斯巷，专用排瓦斯巷的设置必须遵守下列规定：

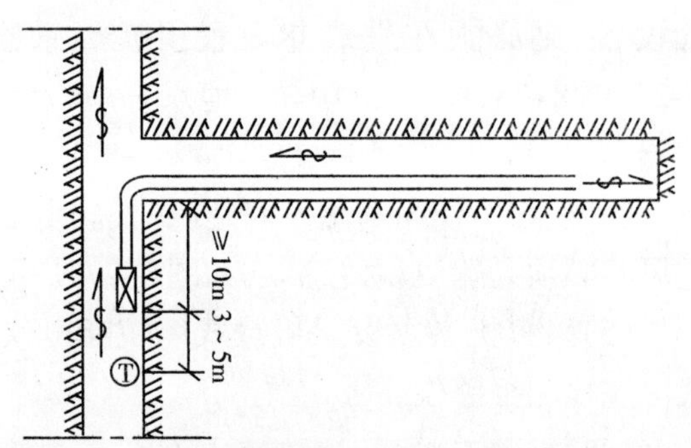

图8-30　被串联掘进工作面局部通风机前设置甲烷传感器

T——局部通风机前甲烷传感器

（1）工作面风流控制必须可靠。

（2）专用排瓦斯巷必须在工作面回风巷道系统之外另外布置，并编制专门设计和制定专项安全技术措施；严禁将工作面回风巷作为专用排瓦斯巷。

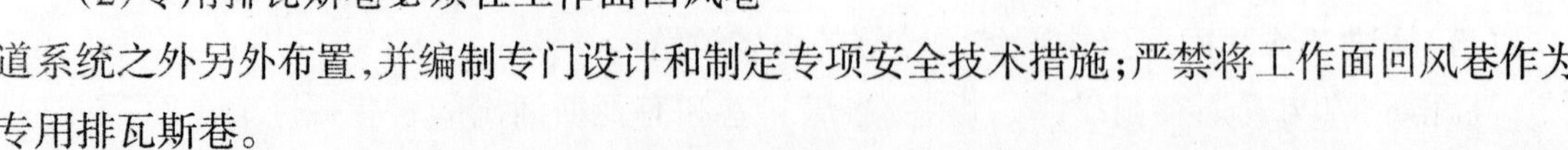

（3）专用排瓦斯巷回风流的瓦斯浓度不得超过2.5%，风速不得低于0.5m/s；专用排瓦斯巷进行巷道维修工作时，瓦斯浓度必须低于1.0%。

（4）专用排瓦斯巷及其辅助性巷道内不得进行生产作业和设置电气设备。

（5）专用排瓦斯巷内必须使用不燃性材料支护，并应当有防止产生静电、摩擦和撞击火花的安全措施。

(6)专用排瓦斯巷必须贯穿整个工作面推进长度且不得留有盲巷。

(7)专用排瓦斯巷内必须安设甲烷传感器，甲烷传感器应悬挂在距专用排瓦斯巷回风口10~15m处(如图8-31所示)，当甲烷浓度达到2.5%时，能发出报警信号并切断工作面电源，工作面必须停止工作，进行处理。

(8)专用排瓦斯巷禁止布置在易自燃煤层中。

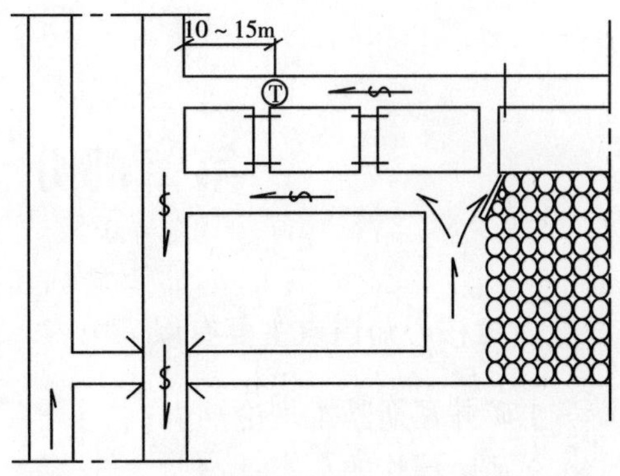

图8-31　专用排瓦斯巷甲烷传感器设置位置
T——专用排瓦斯巷甲烷传感器

第二部分　专业核心知识点

本章核心知识点主要有以下内容

1.矿井瓦斯基本理论知识；
2.瓦斯爆炸的危害；
3.瓦斯爆炸的条件及其影响因素；
4.防止瓦斯爆炸的措施；
5.矿井瓦斯检查制度。

第三部分　专业技能训练

用光学甲烷（瓦斯）检定器检查井下巷道空气中（或用CH_4标准气样）的瓦斯（CH_4）浓度。

一、光学甲烷检定器的构造

目前我国使用的光学甲烷检定器有抚顺安全仪器厂生产的AQG-1型和西安煤矿安全仪器厂生产的GWJ-1型，其结构和工作原理基本相同，下面以AQG-1型予以说明。AQG-1型光学甲烷检测仪主要由气路、光路和电路三大部分组成，如图8-33所示。

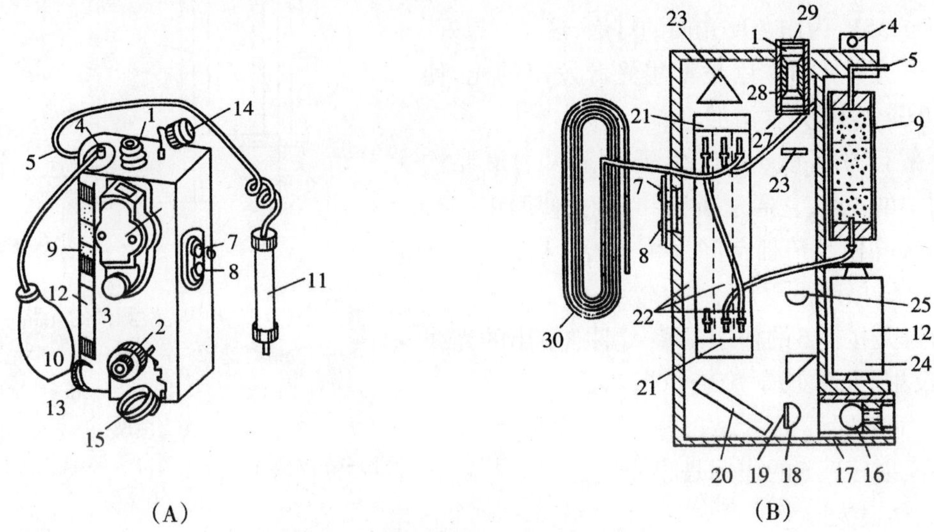

图8-33　AQG-1型光学甲烷检测仪

（A）外形；（B）内部构造

1——目镜；2——主调螺旋；3——微调螺旋；4——吸气管；5——进气管；6——微读数观察窗；7——微读数电门；8——光源电门；9——水分吸收管；10——吸气橡皮球；11——二氧化碳吸收管；12——干电池；13——光源盖；14——目镜盖；15——主调螺旋盖；16——光源灯泡；17——光栅；18——聚光镜；19——光屏；20——平行平面镜；21——平面玻璃；22——气室；23——折光棱镜；24——反射棱镜；25——物镜；26——测微玻璃；27——分划板；28——场镜；29——目镜保护玻璃；30——盘形管

（一）气路系统

AQG-1型光学甲烷检定器的气路系统是由吸气管4、进气管5、水分吸收道9、二氧化碳吸收道11、吸气球10、气室（甲烷室和气室）22、盘形管30等部件所组成。其主要部件作用如下：

（1）气室22中的甲烷室用于贮在所采气样，空气室则用于存贮新鲜空气。

（2）外吸收管，即二氧化碳吸收管11装有苏打石灰（又称碱石灰），其作用是用于吸收空气试样中的二氧化碳气体。外吸收管直接与采样胶皮管相连接。

（3）内吸收管，即水分吸收管9内装有硅胶（或$CaCl_2$），接于外吸收管下部，其作用是吸收空气试样中的水分，使H_2O不能进入瓦斯室，以防仪器的内部结构被腐蚀而生锈。

(4)盘形盘30,亦称之为毛细管。它的一端与空气室22相通,而另一端与仪器所处的大气环境相通,其主要作用是使测定的空气室内气体压力与甲烷室相同,因空气压力不同会造成测定的误差,同时又能防止大气中的有害气体通过盘形管进入空气室,以确保空气室始终保持为新鲜空气。

(二)光路系统

AQG-1型光学甲烷检定器的光路系统如图8-34所示。它主要是由光源灯泡1、光栅2、聚光镜3、平行平面镜4、折光棱镜5、反射棱镜6、物镜7、测微玻璃8、分划板9、场镜10、目镜11、和目镜保护玻璃12组成。在光路系统中主要构件的作用为:

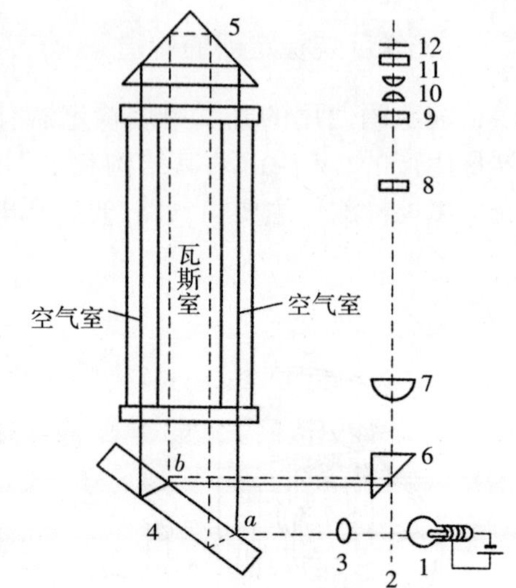

图8-34 光学甲烷检测仪的光路系统

1——光源灯泡;2——光栅;3——聚光镜;4——平行平面镜;5——折光棱镜;6——反射棱镜;7——物镜;8——测微玻璃;9——分划板;10——场境;11——目镜;12——目镜保护玻璃

(1)光源灯泡1是检定器光路系统的光源,额定电压为1.35V,为白色反光面的灯泡,聚光效果好。

(2)聚光镜3的作用是汇集光源发出的光,使其照射范围变小,亮度增加。

(3)平行平面镜4是产生干涉条纹的重要构件,在图中的a点,它通过折射和反射,使两束平行光线转向,并使其传播空间发生重叠,从而形成干涉的必要条件,产生干涉条纹。

(4)折光棱镜5的作用是将气室中射出的光线经两次反射,每次反射旋转90°,将光线的传播方向转180°而返回气室。

(5)反射棱镜6的作用是将光线旋转90°,将光线投射到物镜7上。

(6)物镜7上的光屏用于改善干涉条纹的清晰度,调节物镜7前后的距离,可使干涉条纹在分划板上成像清晰。

(7)场镜10和目镜11等组成目镜组,该组件主要起放大作用,使分划板和干涉条纹有利于观察,当分划板上的刻度线和数字不清晰时,可利用目镜组进行调节。干涉条纹不清晰时,有时亦可利用目镜组进行调节。

(三)电路系统

AQG-1型光学甲烷检定器的电路系统主要由干电池12(1节1号干电池)、光源灯泡16、微读数电门7、光源电门8组成。如图8-33所示。

气路、光路和电路3大系统是光学甲烷检定器的主要组成部分。此外,光学甲烷检定器还包括测微组件和主调螺旋等构件。测微组件主要由测微玻璃26、微读数盘、微调螺旋3、照明灯泡等组成,主要作用是提高读数精度。

二、光学甲烷检定器的工作原理

由光源1发出的白光,经光栅2和聚光镜3变为1束细而亮的光束后投射到了平行平面镜4上(如图8-34所示)。

在平面镜的a点,这束光受平行平面镜4的作用分成两束(图中实线和虚线各表示1束),实线表示的那1束光线经空气室、折光镜5(作用是将光线旋转180°)再次经过空气室后投射到平行平面镜4上。虚线表示的那1束光线经过瓦斯室、折光棱镜5再次经过瓦斯室后也投射到平行平面镜4上。这两束光线经平行平面镜4的作用在b点汇合成“1束”光线,实际上是这两束光线在传播路线上发生了重叠。这两束光线已成为相干光源,会形成干涉现象。当这两束光线经折射棱镜6(将光线折射旋转90°)投射到物镜7上时,通过目镜11和场镜7等组成的望远镜系统,就可看到在物镜7的焦平面上产生的干涉条纹(白色光特有的干涉条纹,亦称为光谱)。干涉条纹由红、绿、黄、黑4色条纹组成,成一定规律分布,其中有两条黑色条纹比较清楚,其中靠左边的1条常作为基准线。如果在仪器的空气室和瓦斯室里都充入同样密度的新鲜空气,并利用分划板和所选取的基准线记下这时的干涉条纹的位置,当瓦斯室中充入含有CH_4的气体时,干涉条纹就会发生位移。这是因为CH_4相对于空气来说是光密介质,折射率大,会使通过瓦斯室的那束光线的光程增大。其位移量与瓦斯室的瓦斯浓度成正比,利用特制的分划板就可将干涉条纹的位移量换算成瓦斯室的瓦斯浓度。

三、AQG-1型光学甲烷检定器的使用方法

(一)使用前的准备工作

1.药品性能检查

应根据药品的使用时间和变化程度来确定药品是否已失效,是否还能继续使用。药品的颗粒的粒径以3~5mm为宜,太小则粉末状药粉易进入气室,太大则不能充分发挥吸收作用。

吸收剂(即药粉)是否失效主要是根据其物理性质进行判断的。内吸收管中的硅胶在完全失效时颜色由蓝色变成白色或很淡的浅红色。外吸收管中的钠石灰(又称碱石灰或苏打石灰)在完全失效时颜色会由粉红色变成淡黄色或青灰色。吸收剂不应等到完全失效后再更换,应适当提前更换,否则会对仪器的检查结果将造成一定程度的影响。更换吸收剂时应注意以下几个方面:

①吸收剂的合适粒度以3~5mm为最佳。

②内吸收管中的细小零件必须按原来的位置摆正、放好,不得丢失或损坏。

③应将吸收管中的脱脂棉与药品一同更换。

2.气密性检查

即气路系统的检查,主要检查以下三个方面:

①检查吸气球是否完好。

方法:一只手捏死吸气管,另一只手捏扁吸气球后立即放松,同时观察吸气球完全膨胀起来实际所需的时间,如超过1min或不能胀起,则可认为吸气球是完好的。

②检查气路系统是否漏气。

方法:一只手将外吸收管(即二氧化碳吸收管)的进气口堵住,另一只手将吸气球捏扁后立即放松,同时观察吸气球是否会膨胀,如果超过1min才会膨胀或不能胀起,则认为气路系

统不漏气。

③检查气路系统是否畅通。

方法：将吸气球捏扁后立即放松，若气球很快膨胀起来，则认为仪器的气路系统是畅通的。

气路系统的检查必须按顺序依次进行，不能将顺序颠倒。首先是检查吸气球是否完好；然后检查气路系统是否漏气，最后检查气路系统是否畅通。

3.光路系统检查

仪器的干涉条纹如果是正常的，则光路系统一般就是正常的。仪器干涉条纹的检查通常从以下两个方面分析进行：

①检查仪器的干涉条纹是否清晰。

方法：按下光源电门，通过目镜观察干涉条纹亮度是否足够清晰、是否有弯曲或倾斜现象。造成干涉条纹不清晰的原因很多，如电池电量不足或已失效、光源灯泡位置不正、光路系统零件松动、灰尘进入气室等。除电池失效可由仪器使用人员更换电池以外，其他问题一般应由仪器专业维修人员进行处理。

②检查干涉条纹的宽度。

方法：通过调整主调螺旋使干涉条纹中最黑的两条条纹中左边的那条与分划板上的零刻度重合，然后从这条黑色条纹向右数，数到第5条黑色条纹时，看是否与7%的刻度重合，如重合则认为仪器精度符合要求。检查干涉条纹的同时还应检查分划板上的刻度线，数字是否清晰，不清晰时可旋转目镜筒进行调整。

4.对零

对零的操作程序可按以下3步完成。

①首先在与待测地点温度相近的进风巷道中，捏放吸气球6~8次，以清洗空气室。

②按下微读电门7，旋转微调螺旋3，观察微读数观察窗6，使微读数盘上的零刻度线与指标线重合。

③旋下主调螺旋盖15，按下光源电门8，观察目镜1中的光谱，选1条黑色条纹，通常选两条最黑条纹中左边的那1条作为基准线，并通过旋转主调螺旋使其与分划板上的零刻度重合，最后盖上主调螺旋盖，再一次观察所选基准线是否在分划板上的零位置，如有变动，第③步的工作应重新再做一遍。基准线确定以后，必须根据其光谱特征牢记它的相对位置。以上三步必须严格按顺序来进行，切不可颠倒。

(二)AQG-1型光学甲烷检定器测瓦斯浓度的方法与步骤

在井下工作面及其巷道空气中用光学甲烷检定器测某点空气中的瓦斯浓度时，应按以下4步来进行。

1.采取空气样品(采样)

用左手将仪器胶皮管的进气口置于待测位置，如果测点过高，可根据需要将进气管换成较长的胶皮管，并用木棒将胶皮管的进气口送至测点。用右手捏吸气球6~8次，使含有瓦斯的气样进入瓦斯室。

2.读数

按下光源电门8，从目镜中观察黑色基线的位置。例如黑色基线位于分划板刻度尺刻度1与2之间，如图8-35中的(b)，那么瓦斯浓度的整数值为1。然后顺时针旋转微调螺旋3，使黑基线退到整数1的位置，如图8-35中的(c)，从微读数盘上读出小数值为0.7，如图8-35中(c)的上图，那么该测定结果为该处的瓦斯度是1.7%。

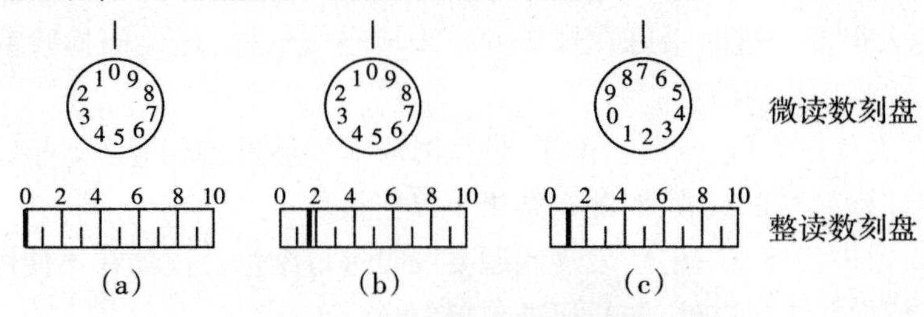

图8-35　整读数刻盘与微读数刻盘

3.计算瓦斯浓度平均值

在煤矿井下同一测点上要分别测定3次，最后算出其平均值，便是该测点此时此刻的瓦斯浓度。如果是在实验室用标准气样进行测定，1次即可。

4.对测定结果进行校正

由于不同的测点空气的压力和温度有所不同，必须根据压力和温度修正系数K，对测定结果予以修正，才是该测点真正的瓦斯浓度值(详见仪器说明书)。

(三)用AQG-1型光学甲烷检定器测二氧化碳气体的方法步骤

用光学甲烷检定器在井下工作面或巷道中测瓦斯浓度时，是沿顶板附近采样。而测二氧化碳气体浓度时，是在同一地点的巷道底板附近采样，这是与测瓦斯浓根本的不同点，初学者一定要千万注意。

测二氧化碳浓度时，可按下面3步完成：

(1)靠近测点巷道帮和底板的距离分别为200mm的地点采样，在此处捏放吸气球6~8次，先测出沿底板附近的CH_4浓度。

(2)卸掉外吸收管(二氧化碳吸收管)在相同地点再次采样，再次捏放吸气球6~8次，测出该测点上CO_2与CH_4的混合浓度。

(3)由第(2)步测出的底板附近CO_2与CH_4的混合浓度，减去第(1)步测出的底板附近的CH_4浓度，再乘以0.955的校正系数，即为该测点的二氧化碳浓度。同样分别测定3次，取其平均值，最后乘以压力和温度校正系数K，即为该测点上二氧化碳浓度的实际值。

(四)光学甲烷检定器的使用与保养

AQG-1型光学甲烷检定器的使用与维护应注意以下有关方面：

(1)携带和使用检定器时，应注意轻拿轻放，防止和有关物体发生碰撞使光学镜片和有关部件的损坏。

(2)若干涉条纹不清晰时，有可能是因为被测地点空气中的水分含量过大，内吸收管不能将气体试样中的水分予以全部吸收，在光学镜片上形成雾滴，还有可能是粉尘吸附于光学镜片之上。当光学系统确有问题时，调动光源灯泡亦无法解决，就需要拆开予以擦拭，或对光源系统进行有效的调整。

(3)若空气中含有CO或H_2S,将会使测定结果偏高。为了消除其对测定结果的影响,应再加1个辅助吸收管,管内装颗粒活性炭可吸收H_2S;装入40%CuO和60%MnO_2的混合物可吸收掉CO。

(4)在严重缺氧地点,如密闭区和火区附近,气体成为变化大,光学甲烷检定器测定的结果将比实际浓度大得多。这时最好在煤矿井下采取空气气样,送地面检验室,用气体分析(光谱分析)的方法测定瓦斯浓度。

(5)高原地区大气压力低,空气密度小,使用时应对仪器进行相应的调整,或根据测定的大气压力或温度计算其校正系数,对测定结果予以校正。

(6)定期对仪器进行检查、校正,发现问题要及时进行维修。仪器在不使用时,要放在干燥通风良好的环境中并取出电池,防止腐蚀仪器。

(五)防止检定仪器零点漂移

光学甲烷检定器在使用过程中,可能会因检查地点的空气压力、温度等原因的不同而出现检定器的零点发生漂移,亦称为跑正或跑负。仪器出现零点漂移时会导致检查结果的不准确。因此应采取措施予以预防。

1.光学甲烷检定器零点发生漂移的主要原因

①仪器空气室内的空气不新鲜。主要原因有:a.仪器空气室和盘形管未清洗或清洗周期太长;b.盘形管因折断而变短;c.盘形管堵塞;d.空气室和瓦斯室之间通气。

②瓦斯室气路存在的问题主要有:a.外吸收管与内吸收管内的药品粒径太小,脱脂棉过厚或压得过紧;b.进气胶皮管受挤压或管路堵塞出现气略不畅通;c.吸气球的排气阀门在吸气时关闭不严;d.胶皮管及吸收气球老化产生裂缝或接头处漏气等。

③对零地点与测定地点空气压力过大或空气温度过高。

2.预防光学甲烷检定器零点漂移的措施

①要经常用新鲜空气清洗空气室。

②在对仪器进行对零时,应尽可能选择与检查地点压力、温度相近的新鲜风流中。

③经常检查仪器气路的气密性,发现问题要及时予以解决。

(六)光学甲烷检定器的校正系数

当被测地点空气的压力和温度值变化较大时,应对所测得的瓦斯浓度和二氧化碳浓度值进行校正。光学甲烷检定器是在1个标准大气状态下(即101325Pa),空气的温度为20℃的条件下所标定的分划板刻度的,当被测地点空气温度和大气压力与标定刻度时的温度和压力值相差较大时(温度超过20±2℃,大气压力超过101325±100Pa),应对测定结果进行校正。校正的方法是将所测量的瓦斯或二氧化碳浓度乘以校正系数K。K值可用下式进行计算:

$$K=345.8\,\frac{T}{P} \tag{8-12}$$

式中　T——被测地点空气的绝对温度,$T=t+273$,K;

　　　P——测定地点大气压力(绝对压力),Pa;

K——压力、温度校正系数。

如测定地点空气温度为23℃、大气压力为99992Pa，实测的瓦斯浓度为0.6%，按照8-12式计算公式进行计算可得，校正系数K为1.02，则实际的瓦斯浓度值应为0.61%。

复习题

1.什么是矿井瓦斯？瓦斯主要是指哪种气体？

2.从安全角度将瓦斯构成成分中的各种气体分为哪三大类型？

3.井下空气成分中，属于窒息性气体的有哪三种气体？

4.井下空气成分中，属于可燃性气体的主要有哪四种气体？

5.井下空气成分中，属于有毒性气体的主要有哪五种气体？

6.甲烷气体在标准大气状态下的密度为多少？其相对密度又为多少？

7.瓦斯主要有哪些性质？

8.按瓦斯在空气中发生燃烧的性状不同，一般将其分为哪三个不同的区间？各区间的瓦斯浓度各为多大范围？

9.按瓦斯在媒体中的赋存和运动状态，可以把煤中的孔隙分为哪五类？各类的孔径范围分别为多少？

10.瓦斯主要以哪两种不同的状态存着于煤体中？

11.在完整的煤体中，游离状态和吸附状态的瓦斯是以一种什么状态存在的？

12.什么是煤层瓦斯含量？影响煤层瓦斯含量的因素有哪些方面？

13.瓦斯在井下空气中的存在状态有哪四种不同的状态？

14.瓦斯的涌出方式分为哪两种不同的方式？

15.什么是绝对瓦斯涌出量，其符号和单位分别是什么？

16.什么是相对瓦斯涌出量，其符号和单位分别是什么？

17.矿井瓦斯按其来源不同，一般分为哪三种不同的涌出？

18.矿井瓦斯等级划分的依据是什么？

19.矿井瓦斯等级是如何划分的？

20.矿井瓦斯等级鉴定的时间一般在每年的哪些月份？

21.瓦斯爆炸的危害有哪些？

22.瓦斯爆炸的条件有哪些？

23.影响瓦斯爆炸浓度的因素主要有哪些方面？

24.瓦斯浓度值为多大时，其爆炸威力最大？为什么？

25.防止瓦斯积聚的措施有哪些？

26.防止引燃瓦斯的措施有哪些？

27.防止瓦斯爆炸事故范围扩大的措施有哪些？

28.什么是局部瓦斯积聚？局部瓦斯积聚的处理方法有哪些？

29.什么是瓦斯涌出不均衡系数？其值如何计算？

30.简述矿井瓦斯等级鉴定的工作程序。

31.《煤矿安全规程》对采掘工作面瓦斯浓度的检查次数是如何规定的?

32."一炮三检"的内容是什么?

33.什么是"三人连锁爆破制"?

34.《规程》规定哪些矿井必须建立地面永久抽放瓦斯系统或井下临时抽放瓦斯系统?

35.瓦斯抽放的方法主要有哪三种方法?

36.《规程》对采掘工作甲烷传感器的布设是如何规定的?

37.矿井瓦斯检制度主要有哪些制度?

38.瓦斯检查的"三对口"是指什么?

39.采煤工作瓦斯浓度检查的地点从宏观上主要有哪几个地点?

40.采煤工作面瓦斯浓的检查地点的测点离顶板与煤壁的距离分别为多少?

41.在巷道中检查瓦斯浓度,测点离顶部与巷道壁的距离分别为多少?

42.在巷道中用光学瓦检仪测空气中的二氧化碳气体浓度时,测点离巷道底板和巷道帮的距离分别为多少?

43.在井下某点用光学瓦检仪测得的瓦斯浓度为7.8%,该测点空气温度为24℃,大气压力为8972Pa,温度与压力调整系数为多少?该点的实际瓦斯浓度为多少?

讨论题

1.为什么在采煤工作面测定瓦斯浓度时,在同一测点上要分别测3次而取其平均值?

2.为什么在掘进工作面测定瓦斯浓度时,在同一测点上要分别测3次而取其最大值?

3.预防煤与瓦斯突出的措施中,区域性防突措施主要有哪几种措施,其最主要的措施是哪一种?为什么?

第九章　矿尘及其防治

第一部分　系统理论知识

矿尘是在矿井生产和建设过程中产生的各种矿物微粒的总称，又称为粉尘。在煤矿井下作业环境及其他地点空气中存在的粉尘主要有煤尘、岩尘和水泥粉尘等。这些粉尘在煤矿井下的实际存在，对井下工作人员的身体健康和矿井的安全生产构成了直接的威胁。

第一节　矿尘基本知识

一、矿尘的产生

在矿井生产和建设过程中，如打眼爆破、采煤机与掘进机的作业、顶板管理、井巷施工、煤的装载与运输等各个生产环节都有可能产生大量的粉尘。

二、矿尘的分类方法

(一)按矿尘的性质不同划分

(1)煤尘。煤尘是从爆炸性的角度来划分的，一般来说，粒径在1mm以下的煤尘都参与爆炸。因此，煤尘是指尘粒粒径在1mm以下的煤炭颗粒。

(2)岩尘。岩尘是从卫生角度来划分的，一般来讲，尘粒粒径在5um以下的尘粒都能进入人的呼吸道与肺部，使人患尘肺病。因此，岩尘是指尘粒粒径在5um以下的岩石颗粒。一般又将5um以下的粉尘称为呼吸性粉尘。

(3)水泥粉尘。一般是指在井下巷道施工(料石砌碹、刷浆)通风设施的施工(砌筑密闭墙、防火墙等)和钻孔封浆过程中产生的水泥尘雾。

(二)按矿尘的存在状态不同划分

煤矿井下各个生产环节产生的粉尘，其中一部分以一种不均质、不规则和不平衡的复杂运动状态悬浮于矿井空气中，随风流的流动而逐渐蔓延开，一部分被风流带出地面，而大部分却留在了井巷与硐室之中。

(1)悬浮粉尘。悬浮在矿井空气中的矿尘，又称为浮尘。

(2)沉积粉尘。因自重而降落，沉积在巷道顶、帮、底板和各种物体上的矿尘，又称为落尘。

浮尘和落尘是相对而言的，当通风强度由小变大时，由于风速的增大，一部分沉积粉尘被强风吹扬起来转化为浮尘；而当通风强度由大变小时，由于风速的降低和粉尘的自重作用，一部分浮尘沉降下来又转化为落尘。从安全角度来讲，沉积粉尘更具有危险性。

三、矿尘的粒度

矿尘的粒度是指粉尘颗粒的大小,又称为粉尘的粒径。因矿尘的形状不规则,一般用尘粒的平均直径或其投影的平均长度来表示粉尘的粒度,单位一般采用微米(um)。

矿尘的粒度越小,则其危害性越大。粒度越小,越易被火点燃;粒度越小,越容易进入人的呼吸道和肺泡组织,引起尘肺病。因此粒度在5um以下的粉尘,习惯上称之为呼吸性粉尘。

四、矿尘浓度

矿尘浓度是指单位体积空气中所含浮尘的质量数或颗粒数,其单位为:g/m^3、mg/m^3或粒/cm^3。

矿尘浓度的表示方法有以下两种:

(1)矿尘的质量浓度。它是指单位体积矿井空气中所含浮尘的质量数。单位为:g/m^3或mg/m^3。亦称质量法。

(2)矿尘的数量浓度。它是指单位体积矿井空气中所含浮尘的颗粒数,单位为:粒/cm^3。亦称计数法。

我国通常采用质量法来表示矿尘浓度。

五、矿尘的主要危害

矿井粉尘的危害主要表现在以下几个方面:

(1)污染井下作业环境、影响人体健康,引发职业病。井下工作人员长期吸入粉尘后,轻者会引起呼吸道疾病,重者会患尘肺病。而且能腐蚀人的皮肤,使人患皮肤病。而尘肺病造成的工人致残和死亡人数在国内外同行业中都十分惊人。据国内一些矿务局调查统计资料表明,尘肺病造成的死亡人数是工伤事故的6倍。据国家统计资料表明,我国每年因尘肺病死亡的人数平均为2500人,国有重点煤矿平均患病率为6.33%,比西方发达国家高出近5个百分点,这与我国经济的高速发展极不相称。目前国内外都在积极开展预防和治疗尘肺病的工作,并已取得了较大的进展。

(2)降低作业场所能见度,影响视力,降低劳动效率,导致工人操作失误,造成工作人员意外伤亡事故的发生。

(3)加快了机械设备的磨损速度,使精密仪器的使用寿命缩短。随着采掘机械化、电气化、自动化程度的日益提高,粉尘对设备的磨损程度和使用寿命的影响将更加突出。因此搞好矿井的减、降尘工作将越来越显得重要。

(4)粉尘中的煤尘在一定的条件下可以发生爆炸。煤尘能够在完全没有瓦斯参与的情况下发生爆炸,而对于瓦斯矿井而言,绝大多数煤尘爆炸是由瓦斯爆炸而引起的。瓦斯、煤尘或瓦斯与煤尘爆炸,都会造成矿井毁灭性破坏,往往会造成矿毁人亡。如1906年3月10日法国柯利尔煤矿发生特大煤尘爆炸事故,造成1099名矿工死亡,是当时最大的矿难事故。教训极其深刻,我们一定要引以为戒,搞好矿井的综合防尘工作,杜绝此类事故再次发生。

第二节　煤尘爆炸及其防治

一、煤尘爆炸的危害

（一）产生高温气体

通过科学实验，可知煤尘爆炸的火焰温度可达1600℃~1900℃，煤尘爆炸时释放出的热量可使产生的气体产物加热到2300℃~2500℃。

（二）产生高压气体

由于高温的作用，将形成高压气体。煤尘爆炸的压力（理论压力）可达736KPa（约为7.36个大气压），但在有大量沉积煤尘的巷道中，爆炸压力将随着距爆源的距离的增大而增加。在矿井煤尘爆炸事故中，一般在距离爆炸源10~30m范围内，爆炸压力比较小，其破坏力和伤亡都比较小。随着距爆源距离的加大，破坏力和伤亡都比较严重。这是因为在煤尘爆炸过程中，一方面是由于在其传播过程中遇到井巷断面的突变和巷道转弯及遇到障碍物后，爆炸压力将会大幅增加；第二个方面的原因是遇到连续爆炸时，将会出现压力的叠加，第二次爆炸的压力理论上是第一次爆炸压力的5~7倍，出现不断的连续爆炸，压力将会更高。因此，煤尘爆炸造成的破坏性和死亡人数将比瓦斯爆炸造成的危害更大。

（三）产生爆炸冲压波

由于爆炸压力的作用，高温高压空气将高速向外传递，形成爆炸冲击波。通过科学计算得知，煤尘爆炸火焰最大传播速度为1120m/s；而通过实验实测的煤尘爆炸的火焰传播速度为610m/s~1800m/s。煤尘在开始被点燃时，产生的冲击波的传播速度与爆炸的火焰传播速度几乎是相同的，随着时间的延长，冲击波的速度加快。通过理论计算可知，煤尘爆炸的传播速度最高可达2340m/s。爆炸冲击波将会破坏井巷、通风设施和设备，使矿井通风系统遭到毁灭性破坏。

（四）引起矿井火灾

煤尘爆炸与瓦斯爆炸伴生的现象都会引起矿井火灾，烧毁资源和设备，造成大量人员伤亡。

（五）连续爆炸

煤尘爆炸与瓦斯爆炸另一个共同点就是爆炸冲击都会产生两种冲击。一是正向冲击，就是在高温高压的作用下爆炸气体和空气向外扩张、扩散而形成强大的正向冲击；二是反向冲击，就是在爆炸地点空气遇热膨胀、密度减小，由于向外冲击的作用而形成负压区，在空气压力差的作用下，空气又逆向流向爆源地点，称之为反向冲击或回程冲击。若该区域内仍存在着可以爆炸的煤尘，回程空气中夹带着的火焰可引起爆炸地点的二次爆炸。另一个方面由于爆炸压力波的传播速度极快，能将爆源前方巷道中的煤尘吹扬起来，使其很快达到爆炸浓度，爆炸火焰（滞后于冲击波）随后赶到，引起前方吹扬起来的煤尘再次爆炸，以此往复便可形成多次的连续爆炸。

(六)产生大量的CO剧毒气体

煤尘爆炸的气体产物中有大量的CO剧毒气体,一般最低可达2%~3%,甚至高达7%~8%。这是造成大量人员死亡的主要原因。

二、煤尘爆炸的特征

这里所说的煤尘爆炸特征,主要是指煤尘爆炸现场与瓦斯爆炸现场的不同之处。

(1)产生皮渣和粘焦。煤尘爆炸时,对于结焦煤尘(肥煤、气煤和焦煤)来说,爆炸时其中一部分被焦化,黏附在巷道四壁的壁面上或支护材料上。这是煤尘爆炸的主要特征,可以用它来判断是煤尘爆炸还是发生了瓦斯爆炸。根据爆炸后皮渣和粘焦在支架上的位置不同,可以判断煤尘的爆炸程度和用以帮助寻找引爆的火源。方法如下:

①较弱的煤尘爆炸时,爆炸火焰及爆炸冲击波的传播速度比较慢,皮渣或粘焦在支柱(或巷道壁)的两侧。

②中等强度的煤尘爆炸时,爆炸火焰与爆炸冲击波的传播速度比较快,皮渣或粘焦在支柱的冲击波传播方向的迎风一侧,并且在其迎面一侧有火烧的痕迹(即有炭化现象)。

②如果是强爆炸时,爆炸火焰与爆炸冲击波的传播速度极快,不但在支柱的迎风侧有皮渣和粘焦,而且在支柱的背风侧也会出现皮渣和粘焦。

(2)爆炸过后,巷道两帮煤体中挥发分含量明显降低。这也是煤尘爆炸与瓦斯爆炸的根本不同之处。用此方法亦可判断是发生了瓦斯爆炸还是煤尘爆炸事故。

(3)煤尘爆炸也有一个感应期,即煤尘受热分解产生足够数量的可燃性气体形成爆炸所用的时间。根据实验可知,煤尘爆炸的感应期主要取决于煤的可燃挥发分含量,一般为40~250ms,挥发分含量越高,感应期越短。

三、煤尘爆炸的条件及其影响因素

(一)煤尘爆炸的条件

煤尘爆炸必须同时具有四个条件:一是煤尘本身要有爆炸性;二是煤尘必须悬浮在空气中并达到一定的浓度;三是必须有引起煤尘爆炸的高温热源;四是要有一定氧浓度的空气。这四个条件缺一不可。

1.煤尘本身必须具有爆炸性

亦就是说,所开采煤层的煤尘首先本身必须具有爆炸性,它是发生煤尘爆炸的内在条件,也是首要条件。

确定一个煤层是否具有爆炸性,必须进行煤尘爆炸性鉴定。《煤矿安全规程》第151条规定:新矿井的地质精查报告中,必须有所有煤层的煤尘爆炸性鉴定资料。生产矿井每延深一个新水平,应进行1次煤尘爆炸性试验工作。煤尘的爆炸性由国家授权单位进行鉴定,鉴定结果必须报煤矿安全监察机构备案。煤矿企业应根据鉴定结果采取相应的安全措施。

2.煤尘浓度

煤尘必须悬浮在空气中并达到一定的浓度,才有可能引起煤尘爆炸。单位体积空气中所含浮游煤尘的最低量称为煤尘爆炸的下限浓度；单位体积空气中所含浮游煤尘的最高量称为煤尘的爆炸上限浓度。煤尘爆炸的浓度范围与煤的成分、煤尘的粒度、引火源的种类、引火温度和试验等条件密切相关。国际上公认的煤尘爆炸浓度范围为：$30g/m^3 \sim 2000g/m^3$；而我国通过对不同的煤种进行煤尘爆炸试验结果表明，我国煤尘爆炸浓度范围实际为$45g/m^3 \sim 2000g/m^3$。因此一般认为煤尘爆炸的下限浓度为$30g/m^3 \sim 50g/m^3$，上限浓度为$1500g/m^3 \sim 2000g/m^3$。一般来讲，在矿井正常生产条件下，很难形成$30g/m^3 \sim 50g/m^3$的悬浮煤尘浓度，尤其是矿井采用了煤层注水、喷雾降尘等综合防尘措施后，在生产的各个环节产尘量都会相应减少，浮游煤尘达到煤尘爆炸的下限浓度都十分不容易。但是当巷道四壁的沉积煤尘受到冲击波冲击的作用，冲击气流将会将沉积煤尘吹扬起来，使其达到爆炸浓度，因此一般来说，沉积煤尘更具有危险性，亦就是说沉积煤尘是煤矿安全生产的最大隐患。

3.引起煤尘爆炸的高温热源

煤尘云的点火温度因其挥发分含量、含硫量、粒度、浓度等的不同，对其点火温度的要求变化范围比较大。经实验我国煤尘爆炸的初始点火温度在610℃～1050℃之间，一般最低引爆温度范围为700℃～800℃。在煤矿井下能够引起煤尘爆炸隐性的高温热源的种类很多，如在爆破作业时，由于炸药过期或变质而产生的爆炸火花，电气设备在运行过程中产生的电弧及电气设备超负荷工作由于过电流而产生的燃烧火焰，提升运输及采掘机械在运行过程中产生的摩擦火花，井下火灾及明火，瓦斯燃烧或爆炸火焰，静电火花，井下火区等。因此在矿井生产过程中，必须加强防爆与防火管理。

4.足够的氧浓度

煤尘爆炸与瓦斯爆炸的共同点，就是他们都属于化学爆炸，是一种剧烈的氧化反应过程。因此，煤尘爆炸必须有一定氧浓度的空气参与，爆炸才可以进行，否则爆炸将会中止或根本就无法进行。实验表明，当井下空气中的氧气浓度大于18%时，煤尘爆炸才能进行，当氧气浓度低于18%时，煤尘爆炸将无法进行。在这里必须注意的是：当井下空气中的氧气浓度虽然低于18%时，却不能阻止空气中的瓦斯与煤尘的混合物发生爆炸。这是由于瓦斯爆炸的需氧量在12%以上，而煤尘爆炸的需氧量在18%以上，因此可知，当空气中的氧含量在12%～18%之间时，既可引起空气中的浮游煤尘与瓦斯的混合物发生爆炸。

(二)影响煤尘爆炸的因素

影响煤尘爆炸的因素很多，如煤尘的粒度、煤的物理化学性质及煤的化学分子组成、煤质中挥发分的含量、煤质中的灰分与水分等。其中有些因素是增强了煤尘爆炸的危险性，如挥发分含量。而另外一些因素是起到抑制煤尘爆炸作用的，如灰分、水分含量等。

1.挥发分的含量

煤质中挥发分含量的大小是影响煤尘爆炸危险性的最为重要的因素。一般来讲，煤质中的可燃挥发分的含量越高，其煤尘的爆炸危险性则越强，反之则越弱或本身不具有爆炸危险性。按照挥发分含量依次递减的顺序为：长焰煤或褐煤、气煤、肥煤、焦煤、贫煤、无烟煤。因此可知：长焰煤和褐煤挥发分含量最高，煤尘爆炸的危险性更大；无烟煤中挥发分含量最低，煤尘爆炸的危险性相对最小。气煤、肥煤、焦煤居中，本身具有一定的煤尘爆炸危险性。

掌握这一规律，结合矿井实际情况加以灵活运用，就能最大限度地减少直至避免煤尘爆炸事故的发生。

2.煤尘粒度

一般来说1mm以下的煤尘都参与爆炸，而粒度在75um以下的煤尘爆炸性最强。因为粒度越小，表面积越大，受热分解释放可燃性气体和氧化速度越快，爆炸性越强。粒度小于60um的煤尘，爆炸性增强的趋势变得平缓。但尘粒粒径太小的煤尘，如小于10um时，其爆炸性反而减弱，这是由于过小的尘粒在空气中很快被氧化而变成灰烬所致，以及过小的煤尘尘粒会分裂成许多成分不同的小粒子而减弱了爆炸性，还有一种观点认为这是由于过小的煤尘凝结成“煤尘团”的原因。

煤尘粒度对爆炸压力亦有明显的影响，实验表明各种挥发分含量的煤尘都随粒度的增大压力在减小。

煤尘粒度对煤尘的引燃温度也有明显的影响，尘粒粒度越小，单位质量煤尘的表面积则越大，引燃温度则越低，而且火焰的传播速度亦越快。

3.煤质中的灰分与水分

煤质中的灰分属于不可燃性物质，它能吸收大量的热能起到降温阻燃的作用，此外灰分增大了煤尘的密度，使其质量变大，有助于使其加速沉降。通过科学实验表明，当煤质中的灰分含量大于40%时，煤尘的爆炸性才显著下降。而根据我国煤炭技术政策规定，灰分含量大于40%的煤，属于不可采煤，不允许开采。井下采用的岩粉棚或者撒布岩粉的方法就是利用了灰分抑制爆炸的原理。

水分对尘粒起到黏结的作用，致使其颗粒增大从而降低了煤尘的飞扬能力，同时又起到了吸热降温阻燃的作用，因此煤质中的水分能起到减弱或阻碍爆炸的作用。但这里必须说明，只有煤质中的水分含量很大时，能达到手捏成团不散的程度才能阻止爆炸。

在矿井生产中，井下采用的岩粉棚、撒布岩粉、水槽棚、隔爆水袋、煤层注水、水炮泥、喷雾洒水、风流净化水幕等措施就是利用了灰分和水分阻燃隔爆的原理。

4.煤尘浓度

煤尘爆炸威力最大的浓度为$300g/m^3 \sim 400g/m^3$。当煤尘浓度小于300 g/m^3直至煤尘爆炸下限浓度时，其爆炸强度依次减弱，这是由于悬浮煤尘全部参与爆炸，而氧气剩余。当空气中煤尘浓度大于400 g/m^3直至爆炸上限浓度时，其爆炸强度也逐渐下降，这是由于空气中的氧气全部参与爆炸，而煤尘有剩余，爆炸时生成的皮渣或粘焦其实就是该原因的真实写照。当煤尘浓度小于30 g/m^3或大于2000 g/m^3时，煤尘将失去爆炸性。

5.空气中的瓦斯含量

由于空气中瓦斯的存在会使煤尘的爆炸下限浓度有所降低，而煤尘的爆炸上限会有所提高，使煤尘爆炸界限扩大，增大了煤尘爆炸的危险性。因此在有煤尘参与的情况下，发生在井下较小规模的瓦斯爆炸事故，往往会演变为大规模的瓦斯煤尘连锁爆炸事故。从另外一个角度上来讲，防止了瓦斯爆炸，也就最大限度地防止了煤尘爆炸事故的发生。

6.高温热源

因煤尘爆炸首先是煤尘在高温的作用下向外放出挥发分，挥发分遇到高温热源后先燃烧,继而引起煤尘爆炸。因此煤尘爆炸必须有一个达到或超过其最低点火温度的引爆热源,温度越高,则能量愈大,就越容易点燃煤尘云,且初始爆炸的强度也越大。相反,点火温度越低,则能量就越小,越难点燃煤尘云,即使能引爆煤尘,煤尘初始爆炸的强度也比较小。因此火源温度对煤尘爆炸的效果有着较为明显的影响。

7.空气中的氧含量

当井下空气中的氧气浓度高时,点燃煤尘云的初始温度有所降低。而当空气中的氧气浓度比较低时,则点燃煤尘云的初始温度将有所提高。当空气中的氧气浓度低于18%时,煤尘将失去爆炸性。由此可知,空气中的氧气浓度对煤尘爆炸具有一定的影响作用。

四、防止煤尘爆炸的技术措施

防止煤尘爆炸的技术措施一般可分为减、降尘措施;防止引燃煤尘的措施;防止煤尘爆炸事故范围扩大的措施等三大措施。

(一)减、降尘措施

减、降尘措施主要有:煤层注水、湿式打眼、使用水炮泥(或水封爆破)喷雾洒水、通风除尘、刷洗岩帮等。其中煤层注水是最积极最有效的措施之一。

1.煤层注水

所谓煤层注水就是在采煤工作面开始回采之前,在煤层中打若干个钻孔,连接矿井压力水系统,将压力水通过钻孔压入煤体,以增加煤体的含水量将煤体预先润湿,以降低采煤工作面在生产过程中煤尘的产生量和浮尘的生成量。

煤层注水的方法主要有深孔注水与浅孔注水两种不同的方法,现分别介绍如下:

(1)深孔注水:

深孔注水亦称为长孔注水,就是在采煤工作面回采之前,在工作回风巷(或进风巷)安设钻机,在煤层中沿平行于工作面方向打钻,打完孔后就进行封孔,封孔的目的使压力水不从孔内流出,迫使水渗入煤体。然后连接矿井压力水系统,将压力水由钻孔压入煤体。如图9-1所示。钻孔布置方式与其他参数如下:

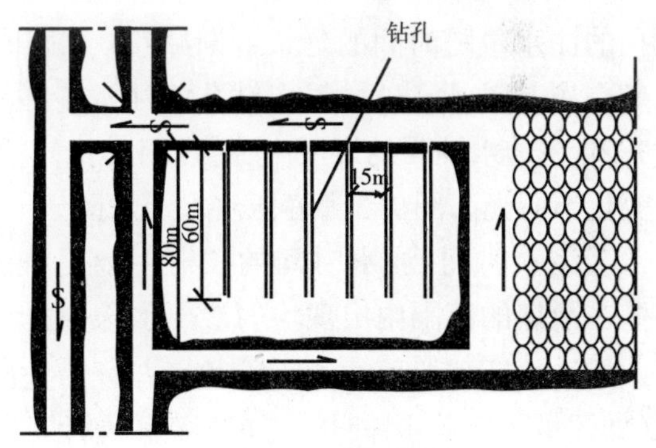

图9-1 深孔注水

①钻孔直径:一般为50~70mm,开口孔直径要适当大一些,一般为75~110mm。

②钻孔位置:当煤层厚度为1.0m左右的急倾斜煤层时,其开孔位置距煤层顶板1/3煤层厚度较为合适。当煤层厚度为2.0m左右的缓倾斜煤层时,开口位置应位于距煤层顶板1/4煤层厚度较为适宜。在开孔时应注意煤层的硬度及围岩性质,在必要的情况下应重新定位钻孔的位置。

③钻孔间距:一般为10~25m之间,钻孔间距取决于钻孔的湿润半径,而钻孔的湿润半

径又与煤层的透水性、裂隙的情况、注水压力、注水时间、煤层厚度、煤层倾角等诸多因素有关。在实际操作时应根据实际情况而定，或通过实际的实验情况来合理确定钻孔之间的距离。

④钻孔长度：钻孔长度一般为工作面长度的2/3～3/4，我国矿井深孔注水的钻孔长度一般在40～100m之间。钻孔长度的选择主要是根据煤层的透水性、工作面长度、注水压力、注水时间、钻机功率、煤层厚度和煤的硬度等因素来确定。

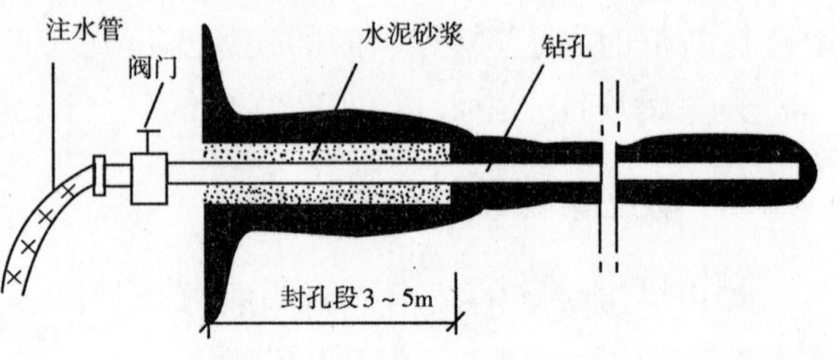

图9-2　水泥封孔

⑤封孔：打完孔后就要进行封孔。封孔的目的是使压力水不能从孔内流出，迫使压力水渗入煤体。封孔的方法一般有两种，一是机械封孔，二是水泥封孔。图9-2为水泥封孔示意图。

一般采用1:1水泥砂浆用水泥泵注入孔开口段3～5m深度。此外还可以采用压风送入和送泥器注入法。

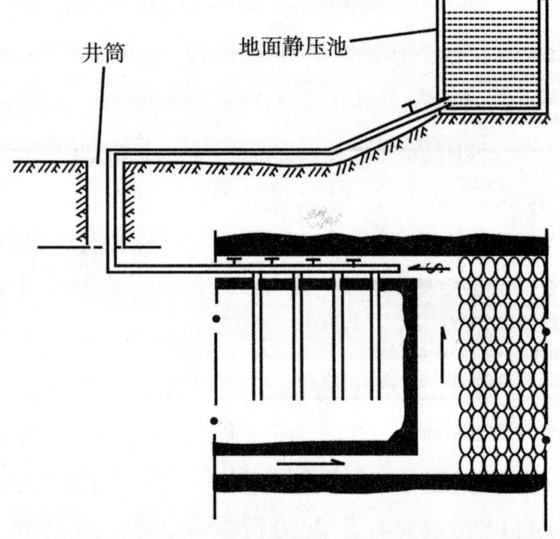

图9-3　深孔静压注水示意图

⑥注水：深孔注水水压一般为2～4MPa。煤体的注水流量是随着注水压力的升高而增大的。但是注水压力过高，超过煤体破裂强度或地层压力时，煤层将产生新的破裂面，此时流量虽大幅度增加，但容易造成泄漏现象，使煤体得不到有效的湿润效果。在等压的条件下，每米钻孔的注水量随时间的延长逐渐减小。如阳煤二矿在9#层注水1d后，每米钻孔的注水量减少60%，但在透水性强的煤层中，随时间延长，注水量变化不明显。图9-3为静压注水示意图。

⑦注水时间：注水时间的长短主要是根据煤壁在预定的范围内出现均匀渗出水珠为止，即经常称为“出汗”现象。但一般为了增强湿润效果往往还需要再注入一段时间方可停止注水。一般情况为加压注水的时间短，静压注水（如图9-3所示）时间长。加压注水的时间一般只有几天，短的仅十几个小时即可。而静压注水的时间一般为3个月，但有的矿是几天或者十几天，要根据实际情况而定。

注水工作必须超前于采煤工作面回采的时间，注水时间除了考虑打钻、封孔凝固时间以外，还必须考虑留有充分的注水时间。若注水时间太短，则煤层有可能得不到充分湿润，各注水孔之间有可能出现注水空白地带，影响减尘效果。一般情况下，注水时间超前工作面回采时间在3个月以上，有时超前工作面回采时间在1个月以上，要视具体情况而定。

(2)浅孔注水：

浅孔注水亦称为短孔注水，其实质就是在采煤工作面准备班内用普通电钻沿着与采煤工作面垂直(或斜交)方向向煤层打钻,然后封孔注水预湿煤体,它是一种边注水边回采的煤层注水方法。如图9-4所示。钻孔的布置方式与其他参数如下:

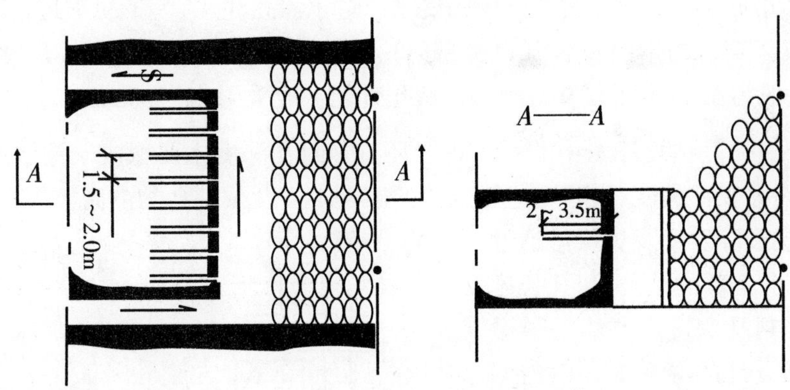

图9-4 浅孔注水

①钻孔深度:钻孔深度以湿润一个循环进度的需要范围大小而定。一般为2.0 ~ 3.5m。

②钻孔间距:钻孔间距是根据煤层的透水性、煤层厚度及煤的硬度等因素而决定的。一般为1.5 ~ 2.0m。

③钻孔直径:一般为45 ~ 52mm。

④注水压力:一般为0.5 ~ 1.0MPa。

⑤ 注水时间:一般为10 ~ 15min,经历了这段时间以后,便可发现煤壁上出现水珠,即煤壁"出汗"现象,这说明在注水范围内的煤体已得到充分湿润。

(3)巷道钻孔注水法:

巷道钻孔注水法是在煤层的顶板或底板巷道向煤层打钻孔注水的方法。

图9-5是由上层煤的巷道底板向下层煤打钻注水。

图9-6是由煤层底板的岩石巷道的顶板向煤层打钻注水。

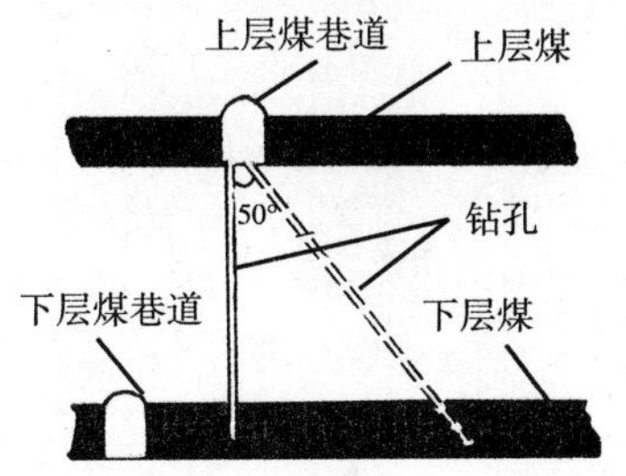

图9-5 由上层煤的巷道底板向下层煤打钻注水

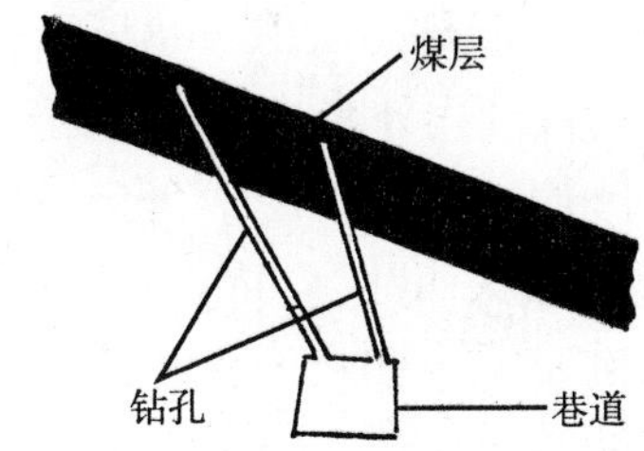

图9-6 由煤层底板的岩石巷道的顶板向煤层打钻注水

(4)煤层注水工艺:

向煤层打钻孔注水湿润媒体的工艺可分为钻孔、封孔、注水三道工序。分别介绍如下。

①钻孔。钻孔是煤层注水的首要工序,无论是深孔注水,还是浅孔注水或巷道注水,要把压力水注入煤层并使煤体充分湿润,以达到减尘目的,合理确定钻孔的位置、打好钻孔及确定注水参数是非常重要的。目前深孔注水所用的钻具种类比较多,广泛使用的有红

旗-150型钻机、TXU-50型钻机和TXU-75型钻机。其选型方法一般是根据煤的硬度和注水钻孔的深度来选择的。浅孔注水一般均使用普通电钻打眼即可。注水钻孔的直径一般要满足施工与封孔方便及钻孔速度快等方面的要求。对于深孔注水，为了便于封孔，一般在封孔长度内使用较大直径的钻头钻出开口孔，开口孔直径一般为75～110mm，开口段长度也就是封孔长度一般为3～5m，如图9-2所示。钻孔直径一般采用50～70mm。

②封孔。封孔是钻孔注水中的一个重要环节。封孔深度主要取决于注水压力、煤的渗透性、煤层的裂隙发育程度、沿巷道边缘煤体的破碎带宽度及钻孔的方向等因素。一般是注水压力高，煤层裂隙发育及煤层渗透性强及向倾斜方向上部的钻孔，封孔长度要尽量大些。封孔深度应在煤层的湿润范围未达到设计的湿润半径以前不得由煤层中向巷道渗水，更不能跑水。封孔深度必须超过破碎带宽度，一般均通过实验的方法来确定合适的封孔深度。我国一些煤层的封孔深度为2.5～10.0m之间，通常采用3.0～5.0m。

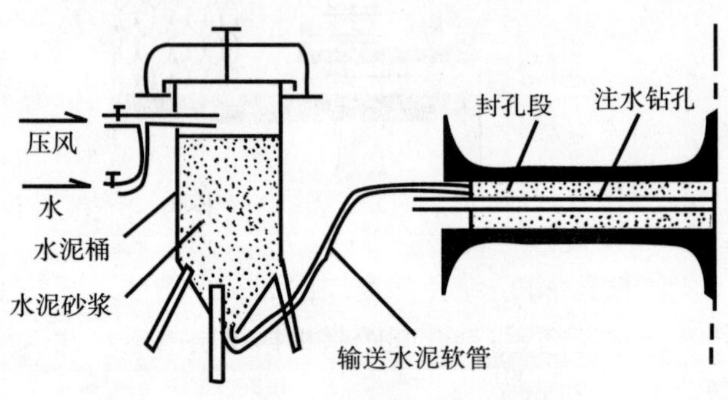

图9-7　水泥砂浆封孔示意图

注水钻孔的封孔方法，目前广泛采用水泥封孔和封孔器封孔两种方法。水泥封孔方法是简单、易行，其缺点是封孔速度比较慢。用封孔器封孔其速度比较快。水泥砂浆封孔如图9-7所示。

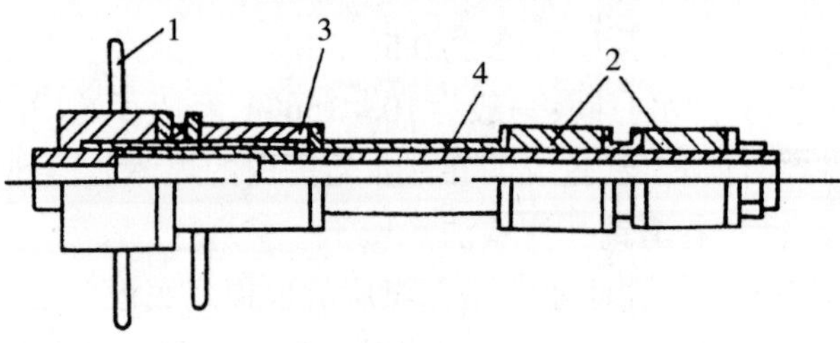

图9-8　螺旋式封孔器

1——手把；2——橡胶圈；3——胶皮套管；4——内套管

封孔器封孔主要有水力压缩式自动封孔器和螺旋封孔器两大类型。封孔器封孔迅速、快捷，目前已被广泛采用。

螺旋式封孔器封孔，如图9-8所示。

摇动把手1使内外套相向运动，通过压板将两个橡胶圈2压成鼓形而将钻孔封住。螺旋式封孔器可用于低压、中压、甚至高压注水，封孔长度一般为3～4m。为了防止封孔器由钻孔内滑出造成伤人事故，应将其予以固定。

水力压缩式自动封口器封孔，如图9-9所示。

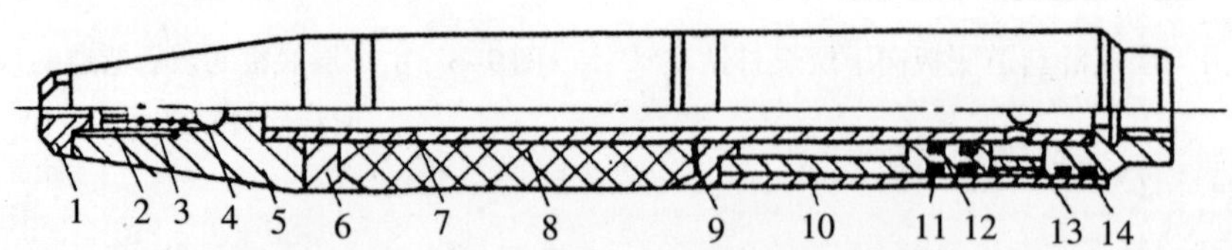

图9-9　ZYY—501型水力压缩式自动封孔器

1——喷嘴；2——调压螺母；3——弹簧；4——钢球；5——头部；6——张紧螺母；7——内管；8——胶筒；9——承体；10——缸；11——O型密封；12——单向活塞；13——下接头；14——压垫

水力压缩式自动封口器的胶管采用合成纤维、镀铜铁丝等材料作为骨架，当压力水流经封孔器胶管时，经封孔器前端的喷嘴喷出，由于喷嘴内径很小，当一定流量的压力水流过时，形成压差，在胶皮管内产生压力，使胶皮管迅速膨胀。随着胶皮管内的水压不断升高，胶皮管膨胀的直径越来越大，直至与钻孔的孔壁贴紧为止。当压力差达到一定的程度时，即实现了封孔的目的。当注水工作结束后，关住注水阀门，封孔器胶管内的压力减小，胶管亦随之收缩，恢复到原来直径状态，即可将封孔器胶管由钻孔内取出，完成封孔工作。

我国矿井目前使用的封孔器有沈阳生产的ZF-1型、ZF-2型橡胶封孔器，重庆生产的YPA型煤层注水封孔器及佳木斯生产的MFD-1型螺旋封孔器等。

③注水。煤层注水可分为静压注水与动压注水两种不同的注水方式。

静压注水：一般是利用地面静压水池与井下注水地点的位压（即压差）将水压入煤体。静压注水系统如图9-3所示。

动压注水：利用高压水泵造成的压力，把水强力压入煤体，使煤体得到湿润。由于我国所有的矿井都有完善的静压供水系统，因此煤层注水广泛采用静压注水。静压供水工序简单，可长期连续注水，不需要动力加压设备。当压差在200～2000KPa之间和压力水的流量在5L/h·m左右时，即能取得良好的湿润作用。如果煤层透气性差，静压注水效果比较差时，则应采用动压注水。

注水压力一般可分为低压注水、中压注水和高压注水。当注水压力小于2.94MPa时，称为低压注水。当注水压力为2.94～9.8MPa时，则称为中压注水。而当注水压力大于9.8MPa时，就称之为高压注水。

注水压力是煤层注水的重要参数之一。注水压力的大小要根据煤层的具体条件来确定，一般来讲，透气性好的煤层采用低压注水；透气性较好的煤层采用中层注水；而透气性差的煤层采用高压注水。另外，钻孔注水量的大小是影响注水效果的决定性因素，钻孔注水量的大小应按钻孔所承担的湿润半径内煤炭储量、需要增加的水分等因素来确定，一般要求煤体净增水分达煤炭储量的1.0%～2.0%，全水分（原生水分与净增水分之和）占煤炭储量的5.0%左右较为合适。

煤层注水是减尘措施中最积极、主动、有效的措施。但不是所有的煤层都适合采用煤尘注水。根据《煤矿安全规程》第154的规定，有下列情况之一的，不适合采用煤层注水：

a.围岩有严重吸水膨胀性质、注水后易造成顶板垮塌或底板变形，或者地质情况复杂、顶板破坏严重，注水后影响采煤安全的煤层；

b.注水后会影响采煤安全或造成劳动条件恶化的薄煤层；

c.原有自然水分或防灭火灌浆后水分大于4%的煤层；

d.孔隙率小于4%的煤层；

e.煤层很松软、破碎，打钻孔时易塌孔、难成孔的煤层；

f.采用下行垮落法开采近距离煤层群或分层开采厚煤层，上层或上分层的采空区采取灌水防尘措施时的下一层或下一分层。

因此，不适合采用煤层注水的方式进行减尘的煤层开采时，应采用其他的减、降尘措施进行防尘。

2.湿式打眼

在矿井采掘生产过程中，都应采用湿式打眼。同煤集团采用侧式供水煤电钻，可降低煤尘产生量的95%以上，实践证明，湿式打眼亦是减尘措施中积极，有效的措施之一。

3.采用水泡泥或水封爆破

采用水泡泥或水封爆破是减少在爆破作业过程中产生煤尘的一种行之有效的方法，这种方法是由钻孔注水湿润煤体演变而来的，它是将注水和爆破有机地结合在一起，借助爆破时产生的压力将水强行压入煤体，不仅起到较好的降尘作用而且还兼有以下作用：

①水是不可压缩的流体物质，在爆炸压力的作用下，水将会强行渗入煤体，间接提高了爆破效果。

②在爆破过程中，大部分水被汽化，这不仅使降尘效果更佳而且还可消除炮烟，溶解由于在爆破过程中产生的NO_2。

③水还可以吸收热量，具有消灭爆炸火焰的作用。

这里需要说明的是：合格的煤矿许用安全炸药，在爆炸时能够达到零氧平衡，不会产生爆炸火焰；而过期变质的炸药在爆炸过程中达不到零氧平衡，一部分炸药在爆炸过程中会由爆炸转化为爆燃，从而产生爆炸火焰，而水封爆破或水泡泥，可起到消除爆炸火焰的作用。

（1）水封爆破：

水封爆破是借助炸药爆炸时产生的压力将水强行压入煤体使之湿润的一种减、降尘措施。由于水的近似不可压缩性，爆破时，水不仅可以渗入煤层，有助于提高爆破效果，而且水的汽化还可起到降尘作用，另外由于水的吸热性，还可以起到消焰的作用。图9-10为水封爆破示意图，其具体的做法是，先将炸药药卷用炮棍送入眼底部位，然后装上黏土炮泥，在眼口部位装上带封口器的注水器。使用的水压应不致冲毁炸药和炮泥，且必须使用防水炸药，亦称为抗水炸药。

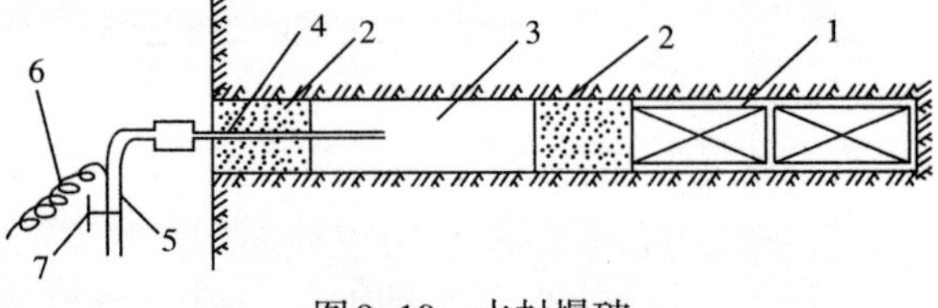

图9-10　水封爆破

1——药卷；2——黏土炮泥；3——压力水；4——细注水管；5——进水管；6——安全链；7——阀门

（2）水炮泥：

水炮泥是生产厂家为矿井生产特制的一种胶皮管，在使用前一般在地面将水装满，带入井下在爆破时使用。爆破时在爆炸压力作用下使水以雾状形式喷洒起来，起到降尘作用。胶皮管的封口方式有人工结扎和自动封口两种不同的形式。图9-11为自动封口式水炮泥，待其装满水后如同自行车内胎的气门芯一样，将管口自行封闭。

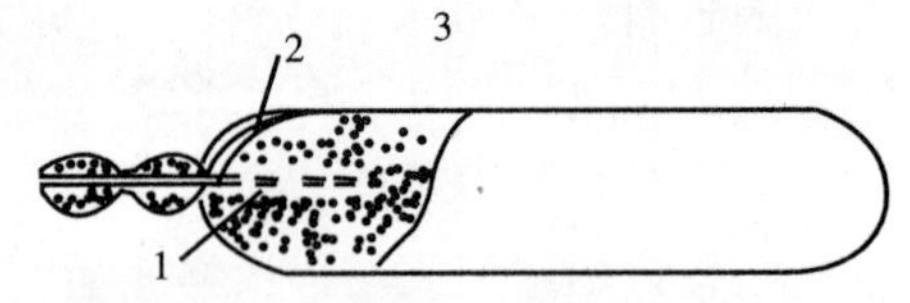

图9-11　自动封口式水炮泥示意图

1——逆止阀注水前位置；2——逆止阀注水后位置；3——水

这里需要说明的是，注满水后逆止阀2将被水挤扁并贴在胶皮管的内壁上，这也就是水加满后不会流出来的道理之所在。

水炮眼在炮眼内的装填方法有两种方法，一是在炮眼的眼底部位先装上炸药药卷，接着装入水炮泥，最后在眼口部位装入粘土炮泥，如图9-12(a)所示；第二种做法是，首先在炮眼的眼底部位装入一节水炮泥，随后装入炸药药卷，紧接着再装入一节水炮泥，最后在眼口部位装入黏土炮泥，如图9-12(b)所示。

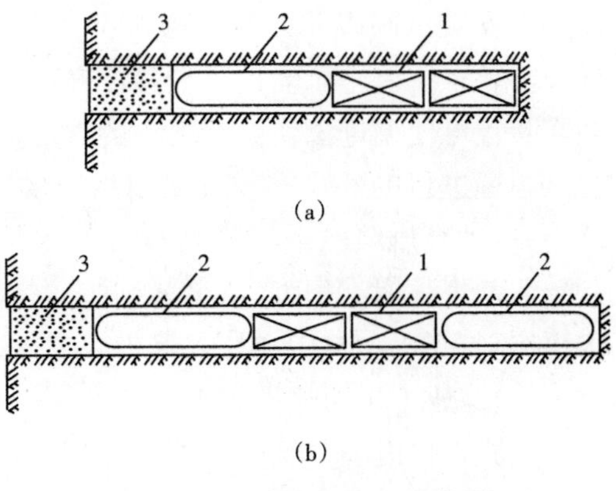

图9-12　水炮泥布置示意图

1——炸药药卷；2——水炮泥；3——黏土炮泥

以上两种不同的装填方式，比较起来，后者效果比较好。另外应该注意，在装填时，要求水炮泥应紧贴炮眼壁，以免在爆破时将其抛出。

4.喷雾洒水

喷雾洒水是将压力水通过喷嘴(亦称为喷雾器)喷向浮尘，如图9-13所示。在旋转或冲击作用下，使水流雾化成细微的水滴喷射于空气中，它的捕尘作用主要表现在以下几个方面：

①在雾体作用范围内，高速作用的水滴与浮尘尘粒碰撞接触后，尘粒被湿润，在重力的作用下使其下沉。

②高速流动的雾体将其周围的含尘空气吸引到雾体内湿润下沉。

③将已沉落的尘粒湿润黏结，不至于造成二次飞扬。

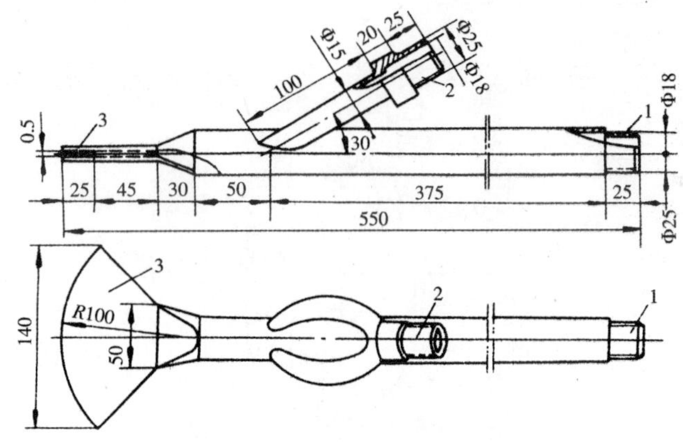

图9-13　鸭嘴式喷雾器

1——进水接头；2——进风接头；3——喷嘴

(1)采煤机喷雾洒水：

采煤机喷雾洒水系统一般分为内喷雾和外喷雾两种方式。采用内喷雾时，水雾由安装在采煤机截割滚筒上的喷嘴直接喷向截齿的切割点，形成湿式截割，消除了因截齿与煤帮摩擦与撞击而产生的煤尘。采煤机采用外喷雾时，水雾由安装在采煤机截割部的固定箱上、摇臂上或挡煤板上的喷嘴喷出，形成水雾覆盖尘源，从而使悬浮煤尘湿润沉降。喷嘴是决定降尘效果的主要部件，喷嘴的形式主要有束形、扇形、伞形和锥形几种不同的形状，内喷雾一般多用扇形喷嘴，亦可采用其他形式。外喷雾多采用伞形或扇形喷嘴，有时亦采用锥形喷嘴。

(2)掘进机喷雾洒水：

掘进机喷雾洒水系统亦分为内喷雾和外喷雾两种不同的方式。内喷雾是通过掘进机切割部上安装的喷嘴将水雾直接喷向割落的煤岩处，在矿尘产生的初始阶段将其予以抑制。外喷雾装置主要用于捕捉已经悬浮在矿井空气中的浮尘，将其湿润，使之沉降。良好的内外喷雾装置可使掘进工作面空气中的含尘量降低85%～95%。

当掘进机的外喷雾装置采用高压水系统进行喷雾捕尘时，高压喷嘴安装在掘进机截割臂上，启动高压泵的远程控制按钮和喷雾开关都安装在掘进机的司机操纵台上。当掘进和开始截割煤体时，开动喷雾装置，进行捕尘。当掘进机停止工作时，关闭喷雾装置。当喷雾水压控制在10～15MPa时，其降尘效果可达75%～95%。

(3)综放工作面喷雾洒水：

综放工作面因其生产能力大，因而产尘量较大，且持续时间长，为了有效控制其产尘量，除了采用煤层注水、采煤机内外喷雾等措施以外，还需对产尘点进行有效的喷雾洒水降尘以控制尘源。主要应在以下各点进行喷雾捕尘：

①转载点喷雾降尘。

通常在采煤工作面与工作面运输巷(运输顺槽)连接处的转载点加设封闭外罩，罩内安装喷嘴进行捕尘，如图9-14所示。为了保证封闭效果，密闭罩进、出煤口应安装半遮式软风帘。

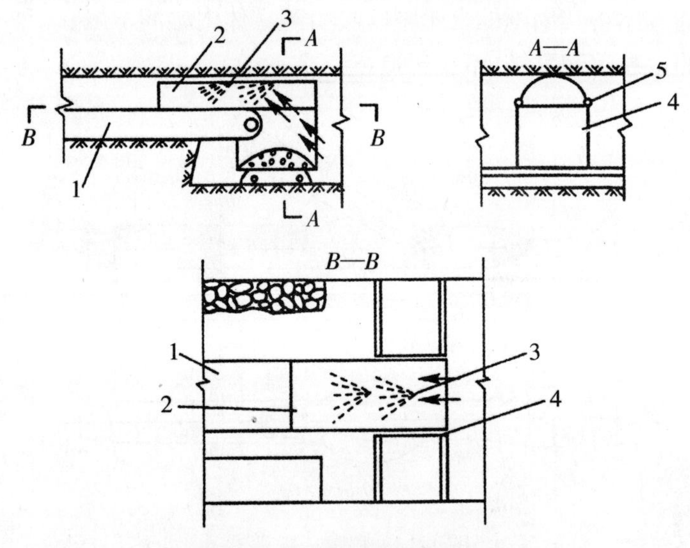

图9-14　输送机转载处防尘罩

1——工作面输送机；2——转载点煤尘罩；3——喷嘴；4——下罩；5——托架

② 放煤口喷雾降尘。

厚煤层顶煤采煤法，在放顶煤支架处的放煤口都应安装喷雾装置。因其在放煤口的瞬间产尘量较大，一般采用双向多喷头喷嘴以扩大捕尘范围。在条件许可的情况下，应在压力水中加入湿润剂或在放煤口处设置半封闭式软质封闭罩，以控制煤尘飞扬扩散的范围，改善水雾的捕尘、降尘效果。

5.合理控制风速

通风除尘的关键是合理控制风速，若风速太低，使悬浮在空气中的粉尘和空气中的瓦斯得不到有效的排除；若风速过高，又容易造成大量的沉积粉尘被吹扬起来。因此，在条件许可的条件下，应将采掘工作面及其巷道中的风速控制在较为合理的范围之内。一般认为最优排尘风速为1.5m/s～2.0m/s。

6.刷洗岩(煤)帮

由于在井下巷道空气中粉尘的飞扬与沉降的相互转化过程，往往容易在井巷四壁及支架上沉积一部分粉尘。这些沉积粉尘的处理有以下几种方法以供参考：

(1)清扫法。

这种方法的基本工作就是将沉积在巷道底板处的沉积粉尘清扫出去。对平硐、斜井、井底车场、主要运输巷道、石门、主要绞车道、运输机道及其他有堆积煤尘的地方，均需定期清扫并运出井外，在清扫过程中应注意尽量避免造成煤尘的二次飞扬。

(2)冲洗法。

冲洗法的基本工作是将矿井主要巷道、采掘工作面以及其他有煤尘沉积的地方定期用水清洗。一般由巷道顶板到巷道两帮冲至底板，必须冲洗干净，特别要注意支架及支架背板后面的沉积煤尘，冲洗后粉尘一般多流入巷道底板的排水沟内，因此要定期清理排水沟，以防堵塞，将清理出的泥状的沉积粉尘要运出井外。

若运输大巷采用架线式电机车或蓄电池电机车运输时，可采用洒水车定期将巷道顶板及巷道两帮的沉积粉尘冲洗至巷道底板的水沟中。

若是其他巷道可用胶皮管连接矿井压力水系统或矿井消防水系统定期冲洗巷道。压力水系统或矿井消防水系统在巷道中每隔一定的距离应设置三通阀门。《煤矿安全规程》第218条规定：井下消防管路系统应每隔100m设置支管和阀门，但在带式输送机巷道中应每隔50m设置支管和阀门。《煤矿安全规程》第152条规定：矿井必须建立完善的防尘供水系统。没有防尘供水管路的采掘工作面不得生产。主要运输巷、带式输送机斜井与平巷、上山与下山、采区运输巷与回风巷、采煤工作面运输巷与回风巷、掘进巷道、煤仓放煤口、卸载点等地点都必须敷设防尘管路，并安设支管和阀门。防尘供水均应过滤。

(3)刷浆。

刷浆是用石灰水或水泥石灰水喷洒在巷道四周使煤尘固结起来，不能飞扬参与爆炸。刷浆后还有利于改善井下环境条件及冲洗煤尘。主要通风井巷一般每6个月刷浆1次。《煤矿安全规程》第155条规定：必须及时清除巷道中的浮煤，清扫或冲洗沉积煤尘，定期撒布岩粉；应定期对主要大巷刷浆。

(二)防止引燃煤尘的措施

防止引燃煤尘的措施其实质就是想方设法杜绝一切火源。在这一点上与防止引燃瓦斯的措施完全相同。就是杜绝明火、防止电气火花、防止爆破火花和防止摩擦、撞击、静电火花。

(三)防止煤尘爆炸事故范围扩大的技术措施

防止煤尘爆炸事故范围扩大的措施，亦称为隔爆措施或限爆措施。就是万一发生了煤尘爆炸事故，将爆炸事故控制在最小范围，防止爆炸事故蔓延扩大，最大限度地减小事故造成的危害和经济损失。

目前我国矿井隔爆设施主要采用岩粉棚、水棚、自动隔爆棚及撒布岩粉等。最近几年隔爆水袋在矿井中得到了比较广泛的应用。

1.设置岩粉棚

(1)岩粉棚的隔爆原理。

当矿井发生煤尘或瓦斯爆炸时,超前于爆炸火焰传播速度的爆炸冲击波将岩粉棚掀翻,岩粉被吹扬分散开来,在巷道空间内形成一段充满岩粉的岩粉云带。当滞后于爆炸冲击波的爆炸火焰到达岩粉云带时,用浓密的岩粉云的吸热冷却作用及隔热作用降低了爆炸火焰的温度,使其冷却熄灭,阻止了爆炸火焰继续向前方传播扩展。

(2)岩粉棚设置方法。

岩粉棚主要由岩粉板和岩粉所组成。如图9-15所示。岩粉棚由架设在巷道顶部的数块岩粉板组成,每块板上都堆放一定数量的岩粉。

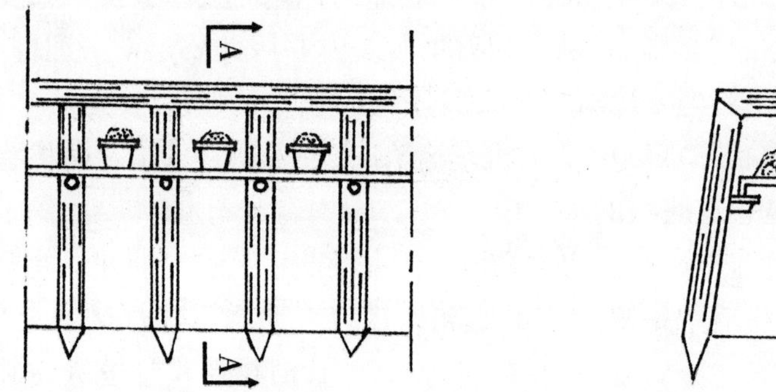

图9-15 岩粉棚设置方法

岩粉棚的设置应符合以下要求:

①岩粉用量根据巷道断面积决定,主要巷道不得少于400kg/m²,其他辅助巷道不少于200kg/m²。

②岩粉板长度为350 ~ 500mm之间,宽度为100 ~ 150mm,两板的间距和岩粉板宽度相等,岩粉板厚度为20mm。

③岩粉板上所堆岩粉的顶部,距巷道顶梁的间距为50 ~ 100mm。

④岩粉板距轨面不得小于1.8m。

⑤岩粉板必须呈倒梯形,能在煤尘或瓦斯爆炸时很快翻落,但在爆破或车辆通过时保持稳定,禁止用铁丝固定岩粉板。

⑥岩粉棚的总长度不得小于20m,且应设置在巷道的直线部分。

⑦岩粉板每米长度的岩粉堆积量。当岩粉板长度为350mm时,为25kg/m;岩粉板长度为500mm时,为45kg/m。

⑧岩粉板端面距巷道侧帮(或侧帮立柱)的空隙为50 ~ 100mm。

(3)对岩粉的质量要求:

①岩粉在日常温度下化学性质稳定，可燃物含量不应超过5%。岩粉每月至少进行1次可燃物含量分析，当其可燃物含量大于20%时，必须立即予以更换。

②岩粉中不含有毒有害物质，颜色以白色最佳。

③岩粉中游离 SiO_2 含量不得超过5%。

④岩粉中不得含有砷，其 P_2O_5 含量不得超过0.01%。

⑤岩粉中CaO含量不得小于45%。

⑥岩粉最好采用石灰岩（$CaCO_3$）制成。

⑦应采用抗湿性岩粉。实验表明，抗湿性岩粉比普通岩粉的使用期限高出10倍以上。抗湿性岩粉是由含0.3%～1.0%的石蜡松香熔块加入石灰岩粉碎而成，而石蜡与松香的比例为2:8。

⑧还有一种活拼式标准型岩粉棚，是由波兰在20世纪60年代研制成功，并得到生产矿井的广泛采用。它的岩粉板是由多块小岩粉板组成，在煤矿井下万一发生煤尘或瓦斯爆炸事故时，这种岩粉棚不是被爆炸冲击波推翻，而是被爆炸气流吹落。这种岩粉棚制作方便，动作灵活、散布岩粉较为均匀，其结构示意图如图9-16所示。

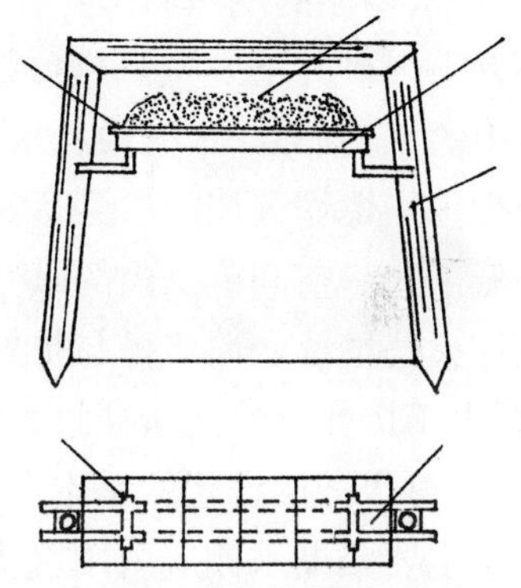

图9-16　活拼式岩粉板

1——拼版；2——框架；3——岩粉；4——棚腿

右图中的(a)为断面图，下图中的(b)为平面图。

2.设置水槽棚

水槽棚的材料一般采用具有一定强度的硬质易碎的聚氯乙烯和聚氨酯塑料制成，水槽的形状为倒梯形，我国矿井常采用40L和80L两种规格的水槽容积。图9-17为最常用的80L的水槽。

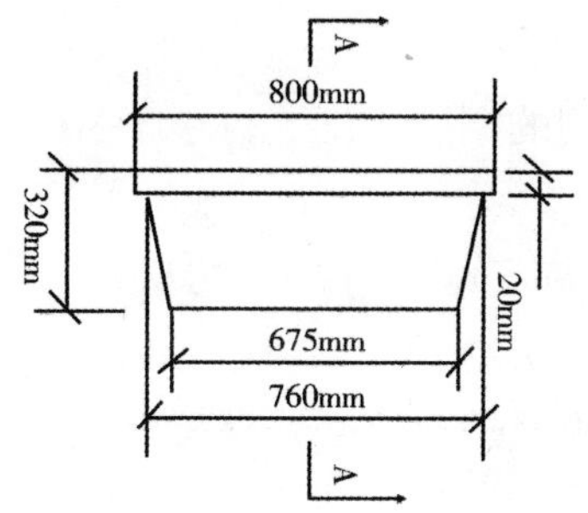

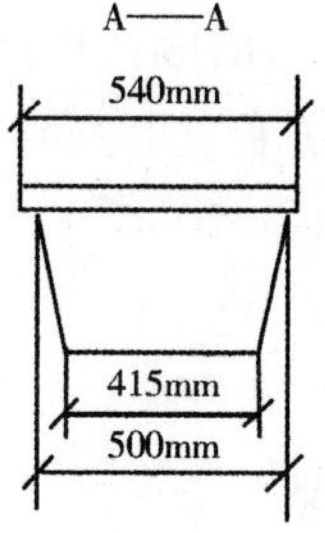

图9-17　80L水槽示意图

水槽在巷道断面的布置方法如图9-18所示。其中(a)为悬挂式，(b)为放置式。

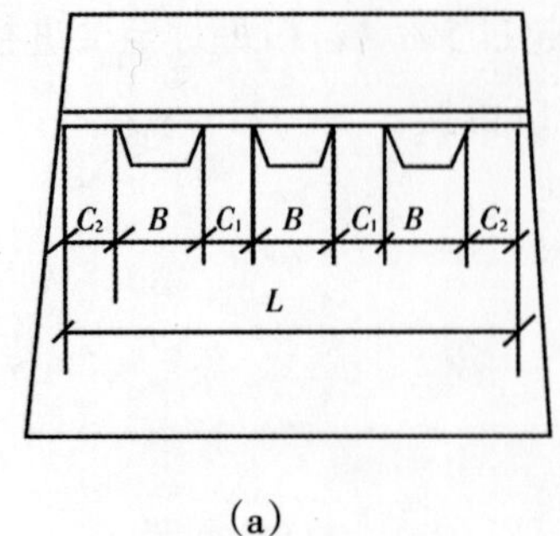

(a)

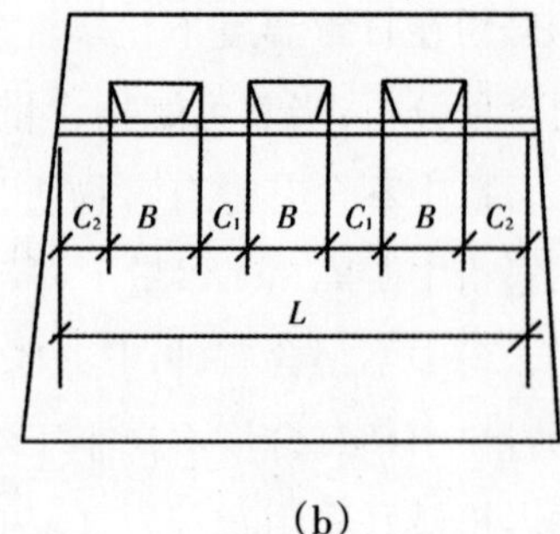

(b)

图9-18　水槽设置示意图

(1)水槽棚的隔爆原理：

万一煤矿井下发生煤尘(或瓦斯)爆炸时,超前于爆炸火焰传播速度的爆炸冲击波将水槽棚中的水槽崩碎,水槽中的水瞬间被抛洒在巷道空气中,在巷道中形成一个高密度的水雾抑制带。当爆炸火焰随后到达时,水雾由爆炸火焰中吸收大量的热能立刻转化为水蒸气,相对降低了这一空间范围内的氧气浓度,从而使爆炸火焰迅速得以冷却而熄灭,从而有效阻止了爆炸火焰继续向前传播与扩展。即使前方沉积的煤尘被爆炸冲击波吹扬起来并达到爆炸浓度,由于爆炸火焰无法穿过水雾封锁带,前方的煤尘也不会爆炸,达到了隔爆的目的。

(2)对水槽棚设置的基本要求：

①主要隔爆水棚应采用水槽棚,隔爆水袋棚一般只能作为辅助隔爆棚使用。

②水槽之间的间隙与水槽同支架上部内缘之间的间隙之和不得大于1.5m,特殊情况下不得大于1.8m。两个水槽之间的间隙不得大于1.2m。

③水槽边缘部位与巷道壁、支架、顶板及构筑物之间的距离不得小于0.1m;水槽底部至巷道顶板(或顶梁)的距离不得大于1.6m,若大于1.6m时,则必须在该水槽上方再增设1个水槽。

④水槽底部距巷道两帮(或支架)的距离不得小于0.1m;水槽底部距巷道轨面的距离不得小于1.8m;水槽应保持同一高度。

⑤水槽棚排间距一般为1.2～3.0m。主要水槽棚的棚区长度不得小于30m,辅助棚的棚区长度不得小于20m。

⑥第一排(靠工作面一方)水槽棚与工作面的距离必须保持60～200m。

⑦水槽棚应设在直线段巷道内。

⑧水槽棚与巷道交叉口、转弯处、变坡点之间的间隔距离必须保持50～75m,与风门之间的间隔距离必须在25m以上。

⑨水槽棚的用水量按巷道断面计算,必须保证主要水槽棚不得小于400L/m²,辅助水槽棚不得少于200L/m²。

⑩当水槽内混入5%的煤尘后应立即换水。

⑪水槽的位置必须符合下列要求：

$$S<10m^2\text{时}, nB/L\times100\%\geqslant35\% \quad (9-1)$$

$$S<12m^2\text{时}, nB/L\times100\%\geqslant50\% \quad (9-2)$$

$$S>12m^2时,nB/L\times100\%\geq65\% \tag{9-3}$$

式中　S——巷道通风断面积(净断面积),m^2

B——水槽上沿宽度,m;

L——设置水槽棚处的巷道宽度,m;

n——排棚上的水槽个数,个。

水槽棚与岩粉棚相比较而言,具有以下优点:

① 水的吸热性能比岩粉大5倍,热容量大,吸热多,吸热速度快,降温速度快。

② 水的密度小于岩粉密度,重量轻,在爆炸冲击波的作用下更容易抛洒于空气中,更容易扩散于整个巷道空间。

③ 水吸热后形成水蒸气,更有利于消灭爆炸火焰。

④ 使用水槽棚卫生、环保。

3.设置自动隔爆棚

自动隔爆棚是利用各种传感器,将瞬间测量的爆炸时的各种物量参数迅速转换成电讯号,指令机构的演算器根据这些电讯号准确计算出火焰传播速度后,选择恰当时机发出动作信号,让抑制装置强制喷撒固体或液体等消焰剂,从而可靠有效地扑灭爆炸火焰,以阻止煤尘(或瓦斯)爆炸事故的蔓延扩大。目前许多国家都在研究自动隔爆装置,并在有限的范围内试验应用。

4.撒布岩粉

撒布岩粉是指在井下一些巷道中定期撒布惰性粉尘,以增加沉积煤尘的灰分含量,抑制煤尘爆炸传播的一项措施。

(1)对惰性岩粉的基本要求:

①在岩粉中可燃物的含量不得超过5%,游离SiO_2含量不得超过10%。

②岩粉中不含有毒有害物质,具有抗湿性能。

③粒度的大小为全部通过50#筛孔(即粒径要全部小于0.3mm),且其中至少有70%能通过200#筛孔(即粒径小于0.075mm)。

(2)撒布岩粉的要求:

①撒布岩粉的长度不得小于300m,如果巷道长度不足300m时,则全部巷道范围内都应撒布岩粉。

②巷道的所有表面,包括顶、帮、底以及背板后侧暴露处,都应用岩粉覆盖。

③巷道中煤尘与岩粉的混合物中,不燃物的含量不得小于80%。

④定期取样检查岩粉的组成成分,并遵守下列要求:

a.在距离采掘工作面300m以内的巷道范围内,每月取样1次。距离采掘工作面300m以外的巷道内每3个月取样1次。

b.每隔300m为1个采样段,每段内设5个采样点,采样点之间的距离为50～60m。在每个采样点内,沿巷道两帮、顶板、底板、背板后分别取样,取样点前后距离为0.2m。

c.将每个采样点内的全部粉尘分别收集起来。1个取样点的粉尘作为一个样品,当样品中粒径大于1.0mm的粉尘应去掉。

d.将样品送化验室分析鉴定。鉴定分析结果应及时报矿技术负责人。如果不燃物含量低于规定值时，则该段巷道内应重新撒布岩粉。

《煤矿安全规程》155条规定：开采有煤尘爆炸危险煤层的矿井，必须有预防和隔绝煤尘爆炸的措施。矿井的两翼、相邻的采区、相邻的煤层、相邻的采煤工作面间，煤层掘进巷道同与其相连的巷道间，煤仓同与其相连通的巷道间，采用独立通风并有煤尘爆炸危险的其他地点同与其相连通的巷道间，必须用水棚或岩粉棚隔开。必须及时清除巷道中的浮煤，清扫或冲洗沉积煤尘，定期撒布岩粉；应定期对主要大巷刷浆。

第三节　矿井综合防尘技术

矿井综合防尘措施是指采用各种技术手段减少矿井粉尘的产生量、降低空气中的粉尘浓度，以积极有效的技术措施防止粉尘对人体健康和矿井生产安全造成的危害。

根据我国矿井几十年积累的防尘经验，将综合防尘技术措施大体上分为煤层注水、湿式打眼、水封爆破或水炮泥、喷雾洒水、通风除尘、风流净化、密闭抽尘、个体防护及一些特殊的除尘、减尘、降尘措施。在这些措施中煤层注水是最积极、最有效的措施之一。

一、煤层注水

煤层注水的实质是在采煤工作面回采之前沿煤层打若干个钻孔，将矿井压力水通过钻孔压入煤体，使其渗入煤体的内部预先湿润煤体，增加煤层的水分含量，从而减少和降低了生产过程中煤尘的产生量和浮尘的生成量。这种防尘措施是采煤工作面防尘措施中最主要的措施。

二、采空区灌水

将水灌入采空区，使其缓慢透到下分层或待采层，使煤体湿润，改变其机械物理性质，以减少在煤层开采时的产尘量。

三、采用水封爆破或使用水炮泥

将矿井压力水或盛气的胶皮管送入炮眼，可减少在爆破过程中粉尘的生成量或产生量，水不但能起到湿润煤体和减、降尘作用，而且还能起到消灭爆炸火焰的作用。

四、湿式凿岩或侧式供水煤电钻

亦称为湿式打眼，边打眼、边将压力水送入孔底，以湿润、冲洗和排除粉尘，使粉尘变成泥浆流出，抑制煤尘的生成及飞扬。湿式凿岩降尘率可达90%以上；煤电钻采用湿式打眼降尘率可达35%～98%。

五、洒水及喷雾洒水

洒水降尘是用水湿润沉积于煤堆、岩堆、巷道周壁、支架等处的矿尘。当矿尘被水湿润以后，尘粒间会互相作用附着凝集成较大的颗粒，吸附性与附着性增大，矿尘就难以飞扬起来。在爆破落煤的采煤工作面与掘进工作面，爆破前后洒水，不仅具有降尘作用，而且还能消除爆破工作中产生的炮烟以缩短通风排烟时间。

煤矿井下洒水，可用人工洒水或喷雾器洒水，对于生产强度高、产尘量大的作业地点和设备安装地点，还可以设置自动洒水装置。

喷雾洒水是将矿井压力水通过喷雾器（亦称为喷嘴）在旋转或冲击作用下，将水流雾化成细微的水滴喷射于矿井空气中，进行捕尘以达到降尘的目的。

（1）掘进机喷雾洒水，一般采用内外喷雾方式。

（2）采煤机喷雾洒水，一般均采用内外喷雾方式。

（3）综放工作面喷雾洒水。在工作面除采煤机以外的其他集中产生煤尘的地方喷雾洒水。综放工作面集中产生煤尘的地点主要有：

①放煤口；

②支架间；

③转载点；

④其他地点。如破碎机附近等。

六、净化风流

（一）水幕净化风流

水幕是在敷设于巷道顶部或两帮的水管上间隔地安上数个喷雾器（喷嘴）而形成的，如图9-19所示。

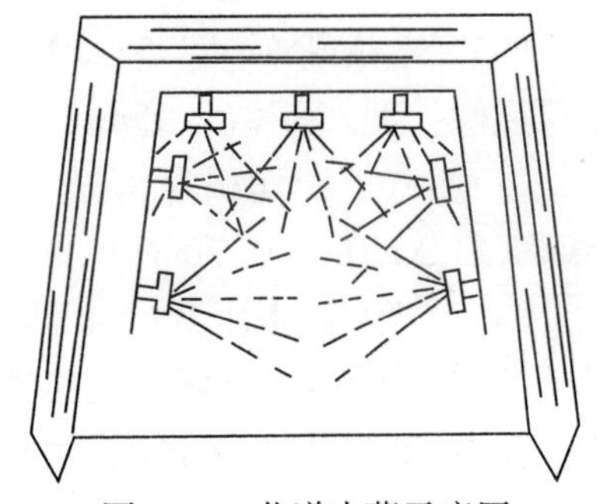

图9-19　巷道水幕示意图

喷雾器的布置应以水幕布满巷道断面尽可能靠近尘源为原则。净化水幕应设在支护完好、壁面平整、无断裂破碎带的巷道段内。安设位置的要求为：

①矿井总进风流中的净化水幕，应设在风流分叉口支流内侧20～100m巷道内。

②采煤工作面回风流净化水幕，应安设在距工作面回风口10～20m范围内的回风巷道中。

③掘进工作面回风流中的净化水幕，应安设在距工作面30～50m的巷道内。

④采区进风流巷道中的净化水幕，应安设在风流分岔口支流内侧20～50m的巷道内。

⑤巷道中产生尘源巷道段中的净化水幕，应设在尘源下风侧5～10m巷道内。

水幕的控制方式可根据巷道具体条件而定。一般采用光电式、触控式或各种机械传动式的控制方式。应坚持既合理又经济的选择原则。

（二）湿式除尘装置

湿式除尘装置又称为湿式除尘器，是指把风流中含有固体粒子分离并捕捉起来的装置。有时亦称之为集尘器或捕尘器。目前我国矿井中常使用的除尘器有国产SCF系列除尘风机、KGC系列掘进除尘器、TC系列掘进除尘器、MAD系列风流净化器以及德国SRM—330掘进除尘设备、奥地利AM—50型掘进除尘设备等。

（三）隔爆水幕

隔爆水幕属于防止瓦斯、煤尘爆炸事故范围扩大的设施，但它亦兼有净化风流的作用。

隔爆水幕的作用原理是雾状水在爆炸高温作用下很快蒸发形成密集的“水雾墙”，大量吸热降温，起到阻止火焰蔓延的作用。但它还兼有降尘净化空气的作用。

隔爆水幕可分为一般型隔爆水幕和自动隔爆水幕两种。一般型（普通型）水幕经常打开压水阀门方能有效，影响生产和行人。因此世界各国目前均在研制科技含量较高的自动隔爆水幕。

自动隔爆水幕是自动隔爆装置中的一种。简单的自动隔爆水幕主要由8～12道梯形管架和120～160个喷嘴及利用冲击波自动打开水源控制装置而组成。如图9-20所示。

图9-20　自动隔爆水幕

1——水泥支架；2——梯形管架；3——供水总管；4——喷嘴；5——迎风板

对隔爆水幕主要有以下具体要求：

（1）当巷道断面积$S<5m^2$时，水幕的总水量≥500L/min；相邻两排水幕的间距l=1.0～1.5m；水幕区段的长度为15m≤L≤20m。

（2）当巷道断面积S=5～10m^2时，总水量≥800L/min；相邻两排水幕间距为l=1.5～2.5m，水幕区段长度20m≤L≤25m。

（3）当巷道断面积为S=10～13m^2时，总水量≥1000L/min；相邻两排水幕间距l=2～3m；水幕区段长度L=20～30m。

（4）水幕的供水压力h≥0.4MPa。

（5）每排水幕中喷嘴的安装数量和安装角度，应使每排水幕的水喷雾能封闭该处巷道的全断面，尤其是巷道的顶部，不得出现无水喷雾的死角。

（6）水幕中各个喷嘴喷出的水雾雾粒的粒径应为50%小于140um。

（7）必须确保在发生爆炸事故时水幕的正常供水，应采取水幕系统独立供水。水幕的供水管路应采用耐爆的钢管，并采取相应的保护措施。

（8）必须保持所有喷嘴的喷雾状态良好，喷嘴损坏或堵塞时必须及时更换和处理。

七、个体防护

个体防护措施主要有防尘口罩和防尘安全帽。

第二部分　专业核心知识点

本章核心知识点主要有以下内容

1.按性质不同,粉尘的划分方法;
2.粉尘在井下的存在状态及互相转化;
3.煤尘爆炸的特征;
4.煤尘爆炸条件;
5.预防煤尘爆炸的技术措施;
6.矿尘浓度及其测定。

复习题

1.按矿尘的性质不同,矿尘一般分为哪三种?
2.什么是煤尘、岩尘?
3.按矿尘的存在状态不同,矿尘一般分为哪两种?
4.按矿尘的来源不同,分为哪两种矿尘?
5.矿尘主要有哪些性质?
6.什么是矿尘的分散度?
7.什么是矿尘浓度?
8.矿尘主要有哪些危害?
9.煤尘爆炸的危害有哪些?
10.煤尘爆炸与瓦斯爆炸的根本区别有哪些(即煤尘爆炸的特征)?
11.煤尘爆炸的条件有哪些?
12.减、降尘措施主要有哪些?
13.什么是深孔注水?
14.什么是浅孔注水?
15.防止煤尘爆炸的三大措施是什么?
16.隔爆措施一般有哪些措施?

讨论题

1.矿井发生爆炸事故时是否有煤尘参与爆炸,如何来进行判断?
2.影响煤尘爆炸的因素有哪些?
3.影响尘肺病发生的原因主要有哪些方面?

第十章　矿井防灭火技术

第一部分　系统理论知识

火灾事故是矿井安全生产的重大威胁之一，一旦发生事故，造成的损失(人员伤亡、设备损坏、资源损失、经济损失等)将是十分巨大的。

第一节　矿井火灾基本理论知识

矿井火灾是指发生在地面井口附近以及煤矿井下的影响矿井安全生产和人员生命安全、健康的火灾事故。如地面绞车房、通用机房及其附近发生火灾后，其火烟均可由井筒导入煤矿井下。井下输送机、爆炸材料库、变电所着火，采空区煤炭自燃等，均属于矿井火灾。

一、矿井火灾的分类方法

(1)按火灾的发生地点不同划分为:

①地面火灾;

②井下火灾。

(2)按火灾的发火原因不同划分为:

①外因火灾;

②内因火灾。

外因火灾是由于某种外在高温热源引起可燃物燃烧而形成的火灾。

引起外因火灾的高温热源主要有以下几个方面:

①明火。主要是吸烟、烤火、电焊、气焊、喷灯焊接、电炉或大灯泡取暖等形成的火源。

②电气火花。主要是由于电气设备防爆性能欠缺、管理不善、使用不当而引起电弧。如煤电钻、电动机、变压器、开关、接线盒、电铃、电缆等损坏或超负荷工作造成过电流短路，而引起电火花或电气设备直接着火。

③爆破火花。由于炸药过期、变质、裸露爆破、用动力电源起爆、炮眼深度不够或不装水炮泥等而引起爆破火花。

④摩擦、撞击、静电火花。如由于输送带跑偏、打滑、运行阻滞与主滚筒摩擦、托辊滞动等引发摩擦着火;采煤机截齿磨损与煤层产生摩擦、撞击火花;局部通风机未采用抗静电、阻燃风筒;入井人员未穿全棉抗静电衣服可出现静电火花。

外因火灾的特点是:没有发火预兆，突然出现明火、来势凶猛，往往使人措手不及，容易引起慌乱，如不及时进行灭火可酿成恶性事故。据调查资料显示，在矿井重特大火灾事故中，90%属于外因火灾。但外因火灾在发火初期阶段，火势与范围一般都不大，如果立即采取一切可能的手段，予以扑灭，可将灾害造成的损失降低到最低程度。因此，《煤矿安全规程》第244条规定：任何人发现井下火灾时，应视火灾性质、灾区通风和瓦斯情况，立即采取一切可能的方法直接灭火，控制火势，并迅速报告矿调度室。

外因火灾事故最容易发生的地点是风流畅通的地点，大多数发生在井口房、井筒、机电硐室及转载点、煤仓、井下爆炸材料库、存放可燃物质（如油类、木材、爆炸材料、机电设备）的硐室以及采掘工作面等地点。

内因火灾也称为自然火灾或煤炭自燃。它主要是由于保安煤柱或采空区丢失的煤炭，在通风不良的状态下与空气中的氧气接触后，发生缓慢氧化反应而引起的一种矿井火灾事故。根据国内外调查统计资料表明，在矿井火灾事故中，90%以上为内因火灾。

内因火灾的特点是火灾的发生、发展速度比较缓慢，在火灾的初期阶段变化过程很不明显，难以早期发现，同时又极难找到火源的准确位置，一旦着火，灭火非常困难。而且在时间上将非常持久，有时可达几年甚至几十年。

容易发生内因火灾的地点主要有：

①采空区。特别是采煤工作面因采出率较低，有大量遗煤而又未及时封闭或封闭不严的采空区。

②巷道两侧受矿压影响被压裂、压酥的煤柱。

③巷道中堆积的浮煤或片帮、冒顶处。

④与老窑或地面塌陷区的连接处。

矿井火灾，除上述两种不同的划分方法以外，还可以根据可燃物质性质不同，分为电气火灾、有用矿物火灾和混合材料火灾等。

二、矿井火灾发生的基本条件

矿井火灾的发火原因和发生地点是多种多样的，但它们的共同点就是必须同时具备三个必要的条件，即可燃物质、高温热源和含有一定氧浓度的空气，三个条件缺一不可，才能使火灾的发生出现可能性，过去常称为火灾三要素。

三、矿井火灾的危害

（一）产生大量有毒、有害气体

矿井火灾在其发生与发展过程中，会产生大量的有毒、有害气体。煤炭燃烧会产生大量的CO、CO_2、SO_2和烟气等；坑木、橡胶、聚氯乙烯制品等有机物的燃烧，也会产生大量的CO、CO_2和醇类、醛类及其他复杂的有机化合物。这些有毒有害气体与高温气流随风扩散，扩大至较大的区域甚至波及整个矿井，直接威胁到井下作业人员的身体健康和生命安全。在这些有毒、有害气体中致命中的气体主要是CO，通过大量的事故调查资料表明，在矿井火灾事故中，95%以上的遇难人员是由于CO中毒而致命的。

（二）造成大量的资源损失

井下火灾事故发生后，使大量的煤炭资源被烧毁或冻结。根据国家有关统计资料表明，我国平均每年因矿井火灾而封闭的工作面或采区被冻结的煤炭资源大约为6000万t左右，这不仅造成煤炭资源的损失和浪费，而且同时缩短了矿井的服务年限和使用寿命，使工作面甚至整个矿井的采掘接替困难。

(三)造成财产损失

煤矿井下发生火灾时,温度往往可达1000℃以上,烧毁设备、支架、通风设施,将昂贵的设备直接烧毁或者使其封闭于火区内。

(四)引起瓦斯(煤尘)爆炸

矿井火灾一方面可使煤、坑木等有机物干馏而释放出可燃挥发分,另一方面为瓦斯、煤尘及其可燃气体混合物发生爆炸提供了高温热源。因此矿井火灾发生的同时,往往能诱发瓦斯、煤尘爆炸事故。

(五)矿井火灾可能形成火风压,使灾情扩大

井下发生火灾时,由于空气遇热膨胀而形成火风压。但在水平巷道着火时不会出现火风压,火风压实质上是空气之间的压差。由于在水平巷道发生火灾时,空气向巷道两端均发生膨胀,即向两端的膨胀压力大小相等,方向相反,互相抵消。只有在倾斜巷道发生火灾时,才会产生火风压,而且火风压的大小与巷道两端的高差及巷道两端的温差有关。火风压的作用方向永远是由下向上的,当火灾发生在上行风通风的采煤工作面时,由于火风压的作用方向与通风压力作用方向相同,本工作面不会出现风流方向,但有可能引起与其并联连接的其他工作面出现风流反向;当火灾发生在下行风通风的工作面时,由于火风压的作用方向与通风压力的作用方向恰好相反,在此情况下,若所产生的火风压大于通风压力时,则必然会造成本工作面的风流反向。同理,当火灾发生在其他下行风的井巷时,则有可能引起矿井某一生产区域的风流方向。由于发生井下火灾时,火风压的实际影响,井下从业者由于一时难以判断火风压的作用方向,在向外撤退时,由于撤退方向与避灾路线方向相反,会引起CO中毒死亡事故,使矿井灾害事故范围扩大。

第二节　矿井防火

矿井火灾防治必须坚持"预防为主,消防并举,综合治理"的防灭火原则。重点在于预防,预防的主要措施有:矿井防火的一般技术性措施、预防外因火灾的措施和预防内因火灾的措施。

一、矿井防火的一般技术性措施

(一)制定防火措施

所有的生产矿井每年都应根据矿井地面与井下的实际情况,制定切实可行的矿井防火措施及火供品管理制度。《煤矿安全规程》第215条规定:生产和在建矿井必须制定井上、下防火措施。矿井所有地面建筑物、煤堆、矸石山、木料场等处的防火措施和制度,必须符合国家有关防火的规定。

(二)建立矿井消防管路系统

生产矿井必须在地面建立消防水池和直达井下各个工作地点的消防管路系统,在矿井正常生产条件下,可用于煤层注水、喷雾洒水和隔爆水幕的供水,当矿井发生外源火灾时,可用来灭火。《煤矿安全规程》第218条规定：矿井必须设地面消防水池和井下消防管路系统。井下的消防管路系统应每隔100m设置支管和阀门，但在带式输送机巷道中应每隔50m设支管和阀门。地面的消防水池必须经常保持不少于200m³的水量。如果消防用水同生产、生活用水共用同一水池，应有确保消防用水的措施。开采下部水平的矿井，除地面消防水池外，可利用上部水平或生产水平的水仓作为消防水池。

（三）采用不燃性材料支护

地面工业广场内主要建筑物和主要的通风井巷都必须采用不燃性材料支护。

《煤矿安全规程》第217条规定：新建矿井的永久井架和井口房、以井口房为中心的联合建筑，必须用不燃性材料建筑。对现有生产矿井用可燃性材料建筑的井架和井口房，必须制定防火措施。

《煤矿安全规程》第221条规定：井筒、平硐与各水平的连接处及井底车场，主要绞车道与主要运输巷、回风巷的连接处，井下机电硐室，主要巷道内带式输送机机头前后两端20m范围内，都必须用不燃性材料支护。在井下和井口房，严禁采用可燃性材料搭设临时操作间、休息间。

（四）设置消防材料库

生产矿井必须在地面和井下建立消防材料列车库。在地面建立消防材料总库，在井底车场建立一定规模和存有一定量消防材料的消防材料列车库，以备井下发生火灾时消防材料的充足供给。因此《煤矿安全规程》第225条规定：井上、下必须设置消防材料库，并遵守下列规定：

（1）井上消防材料库应设在井口附近，并有轨道直达井口，但不得设在井口房内。

（2）井下消防材料库应设在每一个生产水平的井底车场或主要运输大巷中，并应装备消防列车。

（3）消防材料库储存的材料、工具的品种和数量应符合有关规定，并定期检查和更换；材料、工具不得挪作他用。

（五）防止地面火烟由进风井导入井下的措施

地面的木料场、矸石山和炉灰场距离进风井必须有一定的安全距离，还必须在进风井口设置防火铁门，以防地面火烟由进风井导入煤矿井下。

《煤矿安全规程》第216条规定：木料场、矸石山、炉灰场距离进风井不得小于80m。木料场距离矸石山不得小于50m。不得将矸石山或炉灰场设在进风井的主导风向上风侧，也不得设在表土10m以内有煤层的地面上和设在有漏风的采空区上方的塌陷范围内。

《煤矿安全规程》第219条规定：进风井口应装设防火铁门，防火铁门必须严密并易于关闭，打开时不妨碍提升、运输和人员通行，并定期维修；如果不设防火铁门，必须有防止烟火进入矿井的安全措施。

《煤矿安全规程》第220条规定：井口房和通风机房附近20m内，不得有烟火或用火炉取暖。……暖风道和压入式通风的风硐必须用不可燃性材料砌筑，并应至少装设2道防火门。

（六）备足灭火器材，并能熟练操作应用

煤矿井下采掘工作面、机电硐室和其他重要的工业场所必须备有灭火器，井下现场作业人员必须人人熟知灭火器材的存放地点，一旦发生矿井火灾，人人都能熟练操作使用灭火器，在外因火灾发生的初始阶段将其扑灭。《煤矿安全规程》第226条规定：井下爆炸材料库、机电设备硐室、检修硐室、材料库、井底车场、使用带式输送机或液力耦合器的巷道以及采掘工作面附近的巷道中，应备有灭火器材，其数量、规格和存放地点，应在灾害预防和处理计划中确定。井下工作人员必须熟悉灭火器材的使用方法，并熟悉本职工作区域内灭火器的存放地点。

（七）定期检查消防设施和消防器材

应对地面与井下消防设施和消防器材的布置与设置情况及存放条件，进行定期的检查与不定期的抽查，发现问题应及时整改。《煤矿安全规程》第227条规定：每季度应对井上、下消防管路系统、防火门、消防材料库和消防器材的设置情况进行1次检查，发现问题，及时解决。

（八）严格易燃物品及明火管理

杜绝一切明火和加强对易燃物品的管理是防止外因火灾有力的措施之一，因此必须狠抓这些方面的管理，并严格执行《规程》的有关规定。

《煤矿安全规程》第224条规定：井下使用的汽油、煤油和变压器油必须装入盖严的铁桶内，由专人押送至使用地点，剩余的汽油、煤油和变压器油必须运回地面，严禁在井下存放。井下使用的润滑油、棉纱、布头和纸等，必须存放在盖严的铁桶内。用过的棉纱、布头和纸，也必须放在盖严的铁桶内，并由专人定期送到地面处理，不得乱放乱扔。严禁将剩油、废油泼洒在井巷或硐室内。

《煤矿安全规程》第223条规定：井下和井口房内不得从事电焊、气焊和喷灯焊接等工作。如果必须在井下主要硐室、主要进风井巷和井口房内进行电焊、气焊和喷灯焊接等工作，每次必须制定安全措施，并遵守下列规定：

（1）指定专人在现场检查和监督。

（2）电焊、气焊和喷灯焊接等工作地点的前后两端各10m的井巷范围内，应是不燃性材料支护，并应有供水管路，有专人负责喷水。上述工作地点至少备有2个灭火器。

（3）在井口房、井筒和倾斜巷道内进行电焊、气焊和喷灯焊接等工作时，必须在工作地点的下方用不燃性材料设施接受火星。

（4）电焊、气焊和喷灯焊接等工作地点的风流中，瓦斯浓度不得超过0.5%，只有在检查证明作业地点附近20m范围内巷道顶部和支护背板后无瓦斯积聚时，方可进行作业。

（5）电焊、气焊和喷灯焊接等工作完毕后，工作地点应再次用水喷洒，并应由专人在工作地点检查1h，发现异状，立即处理。

（6）在有煤（岩）与瓦斯突出危险的矿井中进行电焊、气焊和喷灯焊接时，必须停止突出危险区内的一切工作。煤层中未采用砌碹或喷浆封闭的主要硐室和主要进风大巷中，不得进行电焊、气焊和喷灯焊接等工作。

由此可知，在主要进风大巷中符合以上有关规定时，才可以从事电焊、气焊和喷灯焊接等工作。严禁在矿井回风井巷中从事以上工作。

《煤矿安全规程》第222条规定：井下严禁使用灯泡取暖和使用电炉。

二、外因火灾的预防措施

预防外因火灾的关键:一是严格控制高温热源,二是尽量采用不可燃性材料支护井巷。主要搞好以下有关方面的管理工作。

(一)杜绝明火

(1)井口房、通风机房和煤矿井下严禁吸烟和使用明火。《煤矿安全监察条例》规定:安全检查人员一旦发现有人携带烟草和打火品进入煤矿井下,将作出如下处罚:①责令改正;②处两万元以下罚款。

(2)井下和井口房内一般不得从事电焊、气焊和喷灯等工作。非用不可的情况下,必须严格执行相关规定。

(3)井下严禁使用灯泡取暖和使用电炉。

(二)防止电气火花

(1)井下使用的电气设备必须具有防爆性能和煤安标志。

(2)井下电缆接头必须采用接线盒接线,严禁明接头或“鸡爪子”、“羊尾巴”式的接头。

(3)井下所有的电气设备严禁超负荷工作。

(4)电缆线必须达到一定的悬挂高度,在主要通风井巷中离底板高度在2.0m以上,在一般巷道中离底板高度在1.8m以上。

(5)井下检修和移动电气设备时,严禁带电作业。

(三)防止爆破火花

(1)必须使用煤矿许用炸药和煤矿许用电雷管。

(2)不得使用过期或严重变质的爆炸材料。不能使用的爆炸材料必须交回爆炸材料库。

(3)严禁使用黑火药和冻结或半冻结的硝化甘油类炸药。同一工作面不得使用2种不同品种的炸药。

(4)严禁裸露爆破。

(5)炮眼封泥应用水炮泥,水炮泥外剩余的炮眼部分应用粘土炮泥或用不燃性、可塑性松散材料制成的炮泥封实。严禁用煤粉、块状材料或其他可燃性材料作炮眼封泥。无封泥、封泥不足或不实的炮眼严禁爆破。

(四)防止摩擦、撞击、静电火花

(1)采煤机、掘进机必须采用内外喷雾洒水,以防截齿磨钝后与煤岩壁产生摩擦、撞击火花。

(2)局部通风机必须采用抗静电、阻燃风筒。

(3)所有入井人员必须穿全棉抗静电衣服,严禁穿化纤衣服。

三、内因火灾(煤炭自燃)的预防措施

在矿井火灾事故中,内因火灾大约占到8%左右,有的矿井甚至高达90%以上,而且一旦发生煤炭自燃,扑灭火将十分困难。因此防止煤炭自燃的发生,将是矿井防灭火工作的重中之重。

煤炭自燃现象早在数百万年之前就已发生，如大同侏罗纪煤层在距今大约200万年之前就开始自燃。从17世纪以来，人们对煤炭自燃现象进行了不懈的研究和探讨，但由于煤的构造、自燃发展过程及其影响因素的复杂性，时至今日还没有一个统一的认识。研究者曾提出了诸多的假说，其主要观点有：黄铁矿作用说、细菌作用说、煤氧复合作用说、酚基作用说等。但目前普遍的观点是煤氧复合作用说，既认为煤炭的自然发火是煤与空气中氧的相互作用（吸附和氧化作用）的发展结果。煤与空气中的氧接触后，会发生氧化作用，放出热量，若氧化生成的热量不能及时散发到周围空气中，则会造成热量积聚，使煤体温度逐渐升高，当煤体温度上升到一定的值（达到煤的燃点，一般为300℃～500℃）时，煤即自燃。

（一）煤炭自燃的基本条件

煤炭自燃必须同时具备以下4个基本条件：

1.煤本身的自燃倾向性

根据煤的自燃倾向性的不同，将煤分为容易自燃煤层（Ⅰ级）；自燃煤层（Ⅱ级）；不易自燃煤层（Ⅲ级）。不同品种的煤在常温下的氧化活性也不同，即容易自燃的煤吸氧能力强，氧化速度快；不易自燃煤层的煤吸氧能力弱，氧化速度慢。有的煤容易自燃，有的煤则不容易自燃。《煤矿安全规程》第228条规定：煤的自燃倾向性分为容易自燃、自燃、不易自燃三类。新建矿井的所有煤层的自燃倾向性由地质勘探部门提供煤样和资料，送国家授权单位作出鉴定，鉴定结果报省级煤矿安全监察机构及省（自治区、直辖市）负责煤炭行业管理的部门备案。生产矿井延深新水平时，必须对所有煤层的自燃倾向性进行鉴定。开采容易自燃和自燃煤层的矿井，必须采取综合预防煤层自燃发火的措施。

2.煤呈破碎状态存在

煤在破碎状态下，其表面积成千上万倍的增加，其吸氧与氧化能力大大增强，氧化速度急剧加快。

3.有连续的供氧条件

煤炭自燃的实质是煤炭与氧气的作用结果，如果没有连续供氧的条件，这种作用结果将难以持续下去，亦不能形成煤炭自燃。

4.有蓄热条件

散失热量的条件越差，则越有利于煤炭蓄热。煤自燃发展过程，也就是热量不断积聚，煤体温度不断升高的过程。只有当产生热量的速度大于散失热量的速度时，才能形成热量积聚，使煤温不断升高，达到煤的着火温度（燃点）时煤就会自燃起来。相反，当产生热量的速度小于散失热量的速度时，即有通风降温条件时，就不会发生煤炭自燃。

同时满足上述4个条件还要超过煤层的自燃发火期，煤就会发生自燃。煤层的自燃发火期是指自煤层揭露之日起，到煤层发生自燃的时间间隔。

（二）煤炭自燃的发展过程

煤的自燃过程是个极其复杂的过程，此过程的发生、发展与化学热力学、化学动力学、物质结构学等理论密切相关，时至今日专家学者们对煤在低温状况下的氧化机理还没有一个统一的观点，目前仅仅只是从煤的温度变化、气体成分方面的变化进行研究。根据这一学说，煤炭自燃的过程大致可划分为如下三个阶段：如图10-1所示。

1.低温氧化阶段

低温氧化阶段又称为潜伏期，是指具有自燃倾向性的煤，在通风不良的常温状态下与空气中的氧气接触后，吸附空气中的氧而生成不稳定氧化物，煤在低温的环境中氧化速度极慢，看不出温升的明显迹象，在这一过程中煤的密度略有增加，着火温度降低，化学活性增大。

2.自热阶段

经过低温氧化阶段以后，煤氧化的速度加快，在低温氧化阶段生成的不稳定的氧化物开始分解成H_2O、CO和CO_2。这时若产生的热量不能传导和散发出去，氧化积热将会使煤进一步升温，当煤温达到某一临界值(一般认为是60℃～80℃)时煤开始出现干馏现象，此时放出芳香族的碳氢化合物(C_mH_n)氢气(H_2)及一氧化碳(CO)等可燃性气体。在这一阶段煤的氧化速度明显加快，温升也比较明显。如果在此阶段内，有较好的通风降温条件，就能将氧化产生的热量充分地释放出来，煤温将会逐渐降下来，从而有效防止了煤由自燃期向燃烧期的转化。此阶段亦称为自热期。

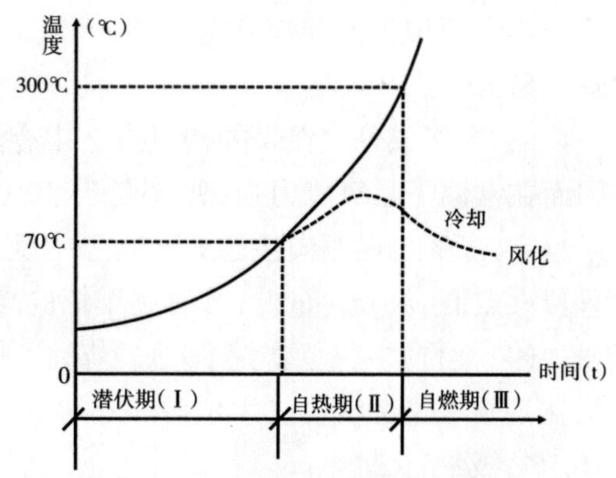

图10-1　煤自燃发展过程示意图

3.燃烧阶段

燃烧阶段亦称为自燃期。经过自热阶段，煤温达到一定值时，如果没有通风散热、降温条件，将会达到煤的燃点(褐煤为t≤300℃；烟煤为t=320℃～380℃；无烟煤为t≥400℃)时，煤就会燃烧起来，即进入煤的燃烧阶段。煤进入燃烧阶段将会产生烟雾，出现明火，并产生大量的CO、CO_2及其他有毒有害气体，火源中心的温度可达1000℃～2000℃。

如果在达到煤的燃点(即临界温度或着火点)之前，改变煤的供氧和散热条件，煤的增温过程就会自行放慢而进入冷却阶段，煤逐渐冷却并继续缓慢氧化甚至发展到风化阶段，已经风化了的煤炭就不再燃烧了。

(三)影响煤炭自燃的因素

影响煤炭自燃的因素一般可分为内在因素和外在因素两个方面。

1.内在因素

(1)煤的化学成分和炭化程度。各种不同种类(即不同化学成分)的煤，都具有自燃倾向性，即都有可能发生自燃。一般认为煤的炭化程度越高，煤质中的挥发分含量则越低，其自燃的倾向性则越弱；相反，变质程度越低的煤，炭化程度就越低，煤质中的挥发分含量就越高，煤的自燃倾向性就越强。自燃倾向性由小到大的顺序一般为：无烟煤、焦煤、肥煤、气煤、长烟煤、褐煤。但是，在同一牌号的煤中，也可能出现有的煤容易自燃，而有的煤则不易自燃，这是由于煤的物理化学性质的多样性所决定的。炭化程度的高低不能作为煤的自燃倾向性强弱的唯一指标。对于所开采煤层的煤是否具有自燃倾向性，必须由国家授权的鉴定机构做出鉴定而最后确定。

(2)煤的物理性质。煤的破碎程度越大，则与空气的接触面积就越大，则煤就越容易被氧化；脆性越大的煤越容易破碎，因而也越容易被氧化自燃。因此，采空区丢失的浮煤和因片帮或冒顶堆积的浮煤容易自燃，而未被破坏的煤是不会自燃的。另外孔隙率越大的煤则越容易自燃。

(3)煤岩成分。在煤的构成成分中有丝煤、暗煤、亮煤和镜煤四种。丝煤具有纤维构造，因而在常温下吸氧能力强，着火点低(190℃～270℃)，可以起到“引火物”的作用所以丝煤含量越高，煤的自燃倾向性越大。暗煤密度大、硬度大，难以自燃。亮煤和镜煤脆性大，易破裂且着火点低，灰分含量低，最有利于煤的自燃。

(4)煤的含硫量。同一牌号的煤，含硫量越高，越易自燃，这是由于硫的氧化速度比煤的氧化速度快，放热量更大的原因。如贵州的六枝矿，煤中含硫量达2.5%～5.5%，最高达10.5%，极易自燃。

(5)煤中的灰分。因灰分是不可燃物质，对煤的氧化起到阻碍作用。所以灰分含量越高的煤，则越不容易自燃。但灰分含量越高的煤，煤质越差，按国家技术政策规定，灰分含量超过40%的煤，属不可采煤，不允许开采。

(6)煤中的水分。煤中的水分，在它尚未蒸发之前，对煤的自燃起到阻化作用。因为煤氧化生成的热量被水吸收而蒸发，起到降温作用，使煤的温度不易上升。但是煤中的水分又能加速含硫矿物(如FeS_2)的水解，引起其他化学反应而促使煤的氧化。根据研究发现，用水处理煤样，可使煤的吸氧能力增强，水的催化作用随温度的上升而提高，原因是水能深入到煤的微小孔隙内，排出里面的CO_2和N_2，使氧与煤分子容易接触。因此煤中的水分和湿气，在一定程度上会促进煤的自燃。综上所述，当煤中含有一定量的水分时，可促进煤的自燃，当煤中的水分含量较大时，水才会起到阻止煤的氧化自燃作用。

2.外在因素

影响煤炭自燃的外在因素主要有地质因素(煤的赋存条件)和开采技术因素。

(1)地质因素

①煤层厚度。实践证明，开采厚煤层时，自燃次数多。因为开采厚煤层时，围岩和煤层容易被破坏，形成裂隙和冒顶，煤炭的采出率低，煤层暴露时间长等。这些都为煤的氧化提供了外部条件，再加上煤本身属于不良导热物，煤层厚度越大就越容易积聚热量。

②煤层倾角。煤层倾角越大，发火的危险性就越大。这是因为急倾斜煤层顶板管理难度大，采空区不易封闭严密，煤柱亦难以留设，造成漏风量比较大，上部已采区经过自燃准备的煤块，容易滑落到下部采煤工作面，成为“引火物”。

③煤层埋藏深度。在恒温带以下，地温随深度增加而升高，埋藏深度越大的煤层，煤层原始温度就高，煤质中的水分含量减小，也将使自燃的危险性增大。

④地质构造。煤层受到地质作用破坏的地区(如断层、褶曲、破碎带和岩浆侵入)，煤炭自燃就比较频繁。这是因为地质构造破坏地区的煤质松散且比较破碎，裂隙比较发育，围岩的裂隙多又容易渗水，使煤的氧化能力增强。在岩浆侵入地区，煤层遭到局部干馏，煤的孔隙率增加，自燃危险性就会增大。

⑤围岩性质。如果煤层顶板坚硬不易垮落，则煤柱易受压破裂，且顶板冒落后的块度比较大，使采空区难以充填密实，漏风量大，为煤炭自燃提供了便利条件。在此条件下，如果供氧条件好，则易于自燃。如果煤层顶板比较松软，冒落后采空区充填严密且能被压实，则采

空区自燃的危险性将会降低。

⑥煤层瓦斯含量。煤层中的瓦斯被抽放或逸散后，煤体就失去了防氧化的掩护层，增大了煤的氧化表面积，增大了煤的自燃倾向性。同时煤层中的瓦斯被抽放后，煤质中的原始水分被带出，煤将会变得干燥，构成了煤易被氧化的要件。

(2)开采技术因素

开采技术因素主要有矿井开拓方式、采煤方法和通风条件等因素。

①矿井开拓系统。如采用石门、岩巷开拓，就能大大减少对煤体的切割，使煤柱的留设量尽可能地减小到最低程度，减少了煤层的暴露面，就可以减小煤层自燃发火的危险性。

②矿井采煤方法。选择合理的开采顺序和采煤方法，加快回采速度，提高工作面采出率，减少采空区的煤炭损失，有利于防止煤炭自燃。

③选择合理的通风系统。选择合理采煤工作面通风系统，尽量缩短风路长度和减少向采空区漏风，有利于防止煤炭自燃。如采煤工作面采用后退式开采，向采空区的漏风量将会大大减少。《煤矿安全规程》第230条规定：开采容易自燃和自燃的煤层（薄煤层除外）时，采煤工作面必须采用后退式开采，并根据采取防火措施后的煤层自燃发火期确定开采期限。在地质构造复杂、断层带、残留煤柱等区域开采时，应根据矿山地质和开采技术条件，在作业规程中另行确定开采方式和开采期限。回采过程中不得任意留设设计外煤柱和顶煤。采煤工作面采到停采线时，必须采取措施使顶冒落严实。

另一方面，采空区必须及时封闭，并且要注意封闭质量，减少向采空区漏风。还应尽量减小封闭的采空区两端的压差，最大限度减小向采空区的漏风量，减小煤炭自然发火的可能性，这对于防止采空区煤炭自燃意义重大。

(四)煤炭自燃初期征兆及预测预报

在容易发生煤炭自燃的地点进行准确的预测预报工作，对矿井防止自燃发火和灭火工作意义十分重要。我国矿井自然火灾的预测预报主要是应用气体分析法和测温法。另外，煤炭氧化发展到自热阶段时，还会出现一些较为明显的外部征兆，可通过人体的肢体感觉器官所感知。

1.人体感觉

(1)视力感觉。煤壁“挂汗”或者在巷道中出现雾气。这是因为煤炭在氧化的初期阶段生成大量的水蒸气，使巷道空气湿度增加，在冷热空气的交汇处，由于温差的作用，而形成雾气。当空气湿度超过100%时，大量的水蒸气遇冷凝结成水珠，挂在煤壁或巷道帮上，这一现象可通过人的眼睛直接观察到。但应该注意的是，在透水来临之前，也会出现此类现象。但它们存在着本质的不同，透水来临之前是由积水通过吸热获得能量后由流体转化为气体的过程，他是一种吸热现象，是个物理过程，由于其吸热现象，往往在透水来临之前，工作面空气温度会降低。而煤炭自燃现象是由于煤炭氧化积热的发展过程，其水雾的形成是由于煤炭氧化的产物中形成的水蒸气，这一过程是个化学过程，而且是个放热过程，属于放热现象。

(2)温度感觉。由自热或自燃处流出的水或空气温度比较高，这是由于煤炭氧化生热造成的。

(3)气味感觉。在采掘工作面巷道中可闻到汽油味、煤油味、煤焦油味和松节油味等火灾气味。这是由于煤炭在氧化过程中产生大量的碳氢化物,也是高分子在高温情况下裂解的原因所致。若闻到煤焦油味时,则说明煤炭自燃已经发展到了一定的程度。

(4)人体不适感。这是由于煤炭在自燃的初期阶段以及自燃过程中产生并放出各种有毒有害气体,这些气体以CO和CO_2为主,其中CO中毒的初期症状主要表现为头痛、胸闷、精神不振、四肢无力等。如果矿井局部区域内多数从业者出现此类症状,就要提高警惕,查明原因,以防煤层自然发火。

2.测量发热物体温度预测自然火灾

为准确及时掌握自燃火区的具体位置及范围,有时采用测温法作为预测煤炭自燃的补充手段。

(1)地面探测法。在自燃火区的上部地面上,利用仪器探测热流量或利用布置在测温钻孔内的温度传感器测定温度,根据测取的温度场用温度反演法来确定自燃火区火源的位置。这种方法常用于火源埋藏深度浅、火源温度高,已经燃烧较长时间的火区。俄罗斯、波兰等国曾经用这种方法探测煤层露头附近的自燃火区范围,探测深度一般为30~50m。

(2)井下探测法。将温度传感器布置在容易形成自燃火区的采空区或煤层内,根据传感器的温度变化情况来确定高温地点的具体位置及发展变化速度。此种方法受外界条件变化的干扰少,准确度较高。只要温度传感器的布设位置合理,就能做到有效探测,这是目前有效、准确的探测方法。山东科技大学已成功研制开发了适合井下使用的MKT-I、MKT-Ⅱ和MKT-Ⅲ自动监控测温仪,这种仪器的特点是测定数据准确,已在我国的一些矿井进行了成功的探测。

(3)红外探测仪

这是目前较为先进的火灾探测设备,它适用于地面煤堆自燃和井下煤炭自燃火源的探测。探测仪器有红外测温仪和红外热成像仪。美国采用红外测温仪和热成像仪探测煤壁和煤柱自燃温度。我国的徐州、开滦等矿区采用红外测温仪测定井下煤壁温度。

红外测温仪是测取点温,红外成像仪是扫描成像测取温度。在我国煤矿井下红外成像仪还未开展使用,而在煤田地质调查、地震预报、地下水探测等方面得到了应用。在隧道和巷道内由岩石应力引起的表面0.2℃左右的温度变化就可被探测到,从而为分析灾害的程度提供有力的数据。红外探测仪的实质是自然界的任何物体只要处于绝对零度(国际温标K)以上,都会自行往外发射红外线。物体温度越高,向外辐射的能量则越大,红外探测仪接收辐射量而转换的辐射温度就越高,因此可以利用红外探测仪对温度的高分辨率来探测井下巷道的准确自燃位置。

3.束管检测系统

束管检测系统是由抽气泵将井下的气样通过多芯束管抽至地面,用分析仪器进行连续分析,并对可能发生自燃的地点快速发出警报的一种装置。它主要由采样系统、控制装置、气体分析、数据储存显示与报警四部分组成。

(1)采样系统。采样系统由抽气泵、取样泵和抽气管路所组成。如图10-2所示,抽气泵采用真空泵,取样泵采用无油真空压缩复合泵。井下各取样点的气体,先由抽气泵全部抽到地面,通过各气路的三通电磁阀转入取样管,再由取样泵以正压状态送入分析仪器进行分析。

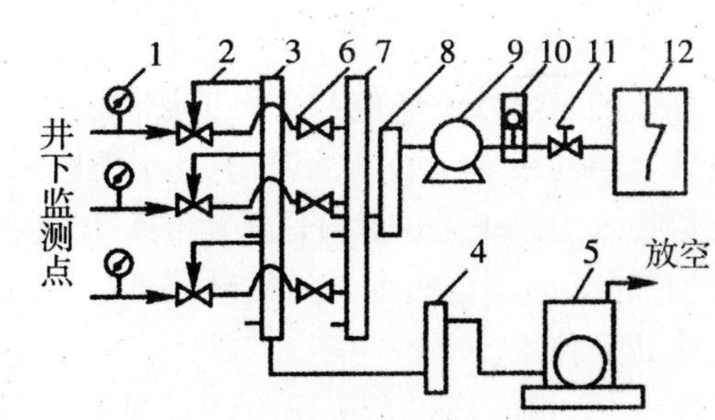

图10-2　束管抽气取样装置示意图

1——负压表；2——三通电磁阀；3——集气支管A；4——滤尘器；5——真空泵；6——二通电磁阀；7——集气支管B；8——滤尘器B；9——无油真空压缩复合泵；10——限压阀；11——针形阀；12——分析仪

管路由地面分析站向井下铺设，通过井筒时要用铠装束管，铠装束管的外形与铠装电缆相似，亦称为管缆，由直径6～9mm的聚乙烯塑料管绞合而成，并加入2mm软铜线3根，用乳胶玻璃布扎紧，外用PVC护套，厚度为3mm左右，每根长500m。总管铺设到井下后，用分管箱与支管相连。支管直径为6～9mm的聚乙烯硬塑料管，支管的末端连接支管取样箱（如图10-3所示）。

束管敷设标准是：束管敷设高度一般不得低于1.8m，用吊台挂钩吊挂，敷设时要做到平、直、稳，与动力电缆之间的间距不得小于0.5m，并要避免与其他巷道交叉。束管入口处必须要设采样器箱，整条束管一般至少安设3个气水分离器。在铺设弯曲管路时，其最小弯曲半径应大于管径的8倍，且不能拉得太紧，以免管子变形。

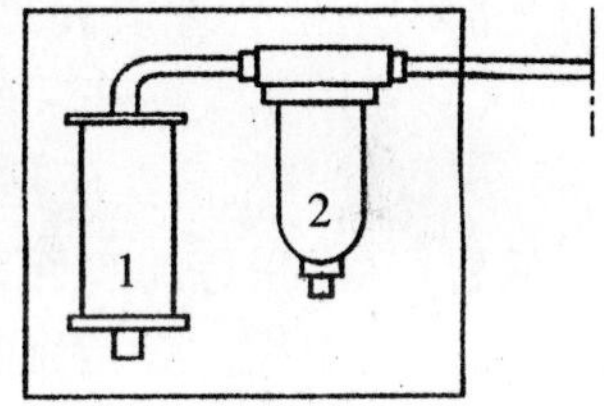

图10-3　支管取样箱

1——过滤器；2——气水分离器

（2）控制装置。控制装置主要有三通电磁阀，对井下多个取样点进行不间断巡回取样。

（3）气体分析。气体分析可使用气象色谱仪，红外气体分析仪。

（4）数据储存、显示和报警。分析出的结果可在分析器配套的记录仪上显示和记录，同时也可以由电子计算机将各取样点的分析结果进行储存、打印和超限报警。

（五）内因火灾（煤炭自燃）的预防措施

预防煤炭自燃的技术性措施主要包括：开采技术措施、预防性灌浆、阻化剂防火、惰性气体防火、胶体材料防火和均压技术防火等措施。

1.开采技术措施

从预防煤炭自燃的角度出发，对开拓、开采技术总的要求和应坚持的基本原则是：最小的煤层暴露面积、最快的回采速度、最大的煤炭采出率、最严密的隔绝封闭效果。为了达到上述基本要求，应采取如下技术措施：

（1）选择合理的矿井开拓方式

主要通风井巷尽量采用岩巷开拓方式。《煤矿安全规程》第229条规定：对开采容易自燃和自燃的单一厚煤层或煤层群的矿井，集中运输大巷和总回风巷应布置在岩层内或不易自燃的煤层内；如果布置在容易自燃和自燃的煤层内，必须砌碹或锚喷，碹后的空隙和冒落处必须用不燃性材料充填密实，或用无腐蚀性、无毒性的材料进行处理。

（2）选择合理的采煤方法

壁式开采体系巷道布置系统简单，采出率高，特别是综合机械化长壁工作面，回采速度快，生产集中，便于管理，在相同产量的条件下，煤壁暴露时间短、暴露面积小，有利于防止煤炭自燃。

合理的采煤方法还包括采煤工作面的推进方式，后退式开采有利于防止煤炭自燃，前进式开采容易向采空区漏风供氧，不利于防止采空区煤炭自燃。

尽管水力采煤是矿井开采方面的一项新技术，但由于其采出率比较低，且通风问题难以解决，有时会形成自然发火的被动局面。因此，对于容易自燃和自燃煤层的开采，尽量不采用此项开采技术。

此外，合理的采煤方法还包括采煤工作面顶板管理方式。不同的顶板管理方式对煤柱和煤壁的完整性及采空区的漏风量都有着很大的影响。一般来说，从防止煤炭自燃的角度来讲，全部充填法优于缓慢下沉法，全部充填法和缓慢下沉法又优于全部垮落法。

对于常用的全部垮落法而言，若顶板岩性松软、易冒落、膨胀系数大，则采空区易于充填密实，在这种情况下，采用全部垮落法管理顶板防火效果还是比较好的。相反，如果顶板岩层比较坚硬、冒落块度大，则采空区难以充填密实，容易形成煤炭自燃，如果在此情况下还采用全部垮落法管理顶板，则必须辅之预防性灌浆或其他防火措施。

(3)采用无煤柱开采技术

无煤柱开采的实质是：水平大巷、采区上(下)山区段集中运输巷和回风巷布置在煤层底板的岩层中，采用跨越回采，取消了水平大巷、采区上(下)山煤柱，采用沿空送巷，取消了区段、采区间煤柱。采用倾斜长壁仰斜推进、间隔跳采等措施，对于抵制煤柱自然发火都起到了十分重要的作用。

(4)加快回采速度，及时封闭采空区

加快采煤工作面回采速度既可提高工作面的产量，又能在时间与空间上减少煤炭与空气中氧气的氧化机会。采用机械化采煤可以有效加快工作面回采速度，有利于防止煤炭自燃。另外，采煤工作面开采结束后，必须及时封闭。《煤矿安全规程》第240条规定：开采容易自燃和自燃的煤层时，……采煤工作面回采结束后，必须在45天内进行永久性封闭。

(5)选择合理的通风系统，防止漏风

开采有自然发火危险的煤层时，应注意根据矿井的具体情况选择合理的采区通风系统。采煤工作面通风系统如图10-4所示。采煤工作面采用前进时回采时，选用图中的(b)有利于防止采空区煤炭自燃；采煤工作面采用后退式回采时，采用图中的(d)可减少向采空区漏风和防止采空区煤炭自燃。对于整个矿井而言，应尽量降低全矿总风压，减少漏风，以利于防止自然发火。根据《煤矿安全规程》第230条规定：开采容易自燃和自燃煤层时，采煤工作面必须采用后退式回采。

另外，还需及时封闭采空区和废弃巷道，以防漏风。

2.预防性灌浆

预防性灌浆就是在采区或采煤工作面开采结束以后，将水和黏土按照一定的比例配制成黄泥浆，然后利用灌浆管路系统将其压送至采空区等可能引起煤炭自然发火的地点，以防煤炭自燃发生的一种技术性措施。其防火原理有以下几点：

①首先泥浆能包裹碎煤，隔绝其与氧的接触；

②泥浆可以堵塞采空区的裂隙，避免漏风；

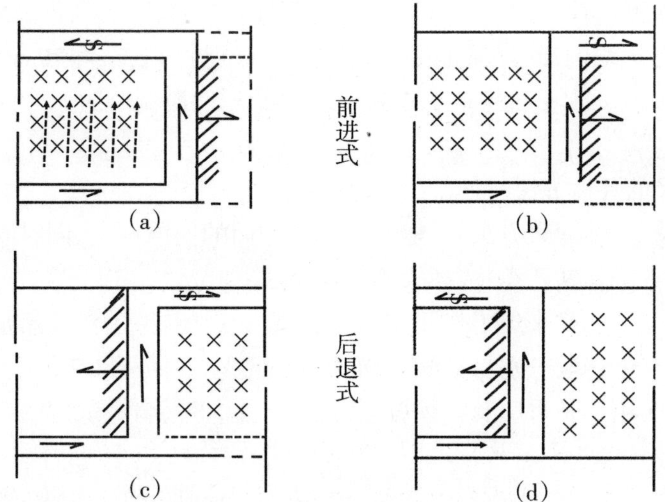

图 10-4　采煤工作面通风系统

③如果发生自热现象时，泥浆还能起到降温冷却的作用；

④泥浆还能促使冒落的岩石形成再生顶板，有利于厚煤层的分层开采。

(1)泥浆中固体材料的选择：

制备泥浆的固体材料一般应满足下列要求：

①渗透性强，且易于脱水；

②具有最小的收缩量；

③与少量的水混合就能制成泥浆；

④不含有可燃物质和催化剂；

⑤黏土的含砂量一般不超过3%，砂粒粒径不超过2mm；

⑥便于开采和制备。

(2)泥浆的制作方法：

①水力采土自然成浆。

用高压水枪冲刷地面黄土层，泥浆沿泥浆沟流入泥浆管道送入煤矿井下，如图10-5所示。

②建立地面泥浆池。

当地面灌浆站附近没有适宜的黏土材料，需由较远的地点取土或灌注泥浆量特别大时，应建立地面灌浆站。如图10-6所示。

地面灌浆站应设在工业广场附近，灌浆池用料石、水泥砂浆砌筑，其水源一般为井下排出的废水，取土场为位于工业广场外土层较厚的地方。用矿车运到灌浆站后，倒入泥浆池内用水浸泡2～

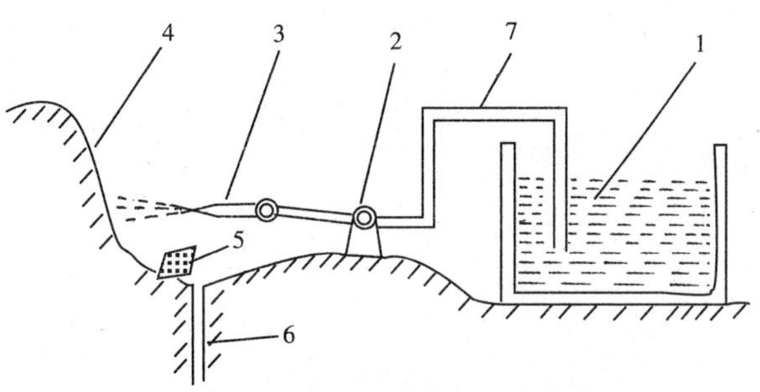

图 10-5　水枪冲刷地表土制浆示意图

1——水池；2——水泵；3——高压水枪；4——采土面；5——孔口铁筛；6——钻孔；7——供水管道

3h，待土质松散后即可搅拌。两个浆池存土浸泡和搅拌交替进行。泥浆浓度由供水管的控制阀来调节，泥浆搅拌均匀后，经浆池出口通过两层分别为15mm和10mm的过滤筛至输浆管，送到井下灌浆地点。水土比一般为3:1，最稀时为6:1，最稠时为1:1，具体的浓度值要根据实际情况而定。

(3)预防性灌浆的具体方法：

①随采随灌法。这种灌浆方法是：随着采煤工作面的向前推进，同时向其后方的采空区进行灌注泥浆。其方法有钻孔灌浆、插管灌浆和喷浆。

②采后灌浆。在采区或采煤工作面采完之后，将其封闭，然后予以灌浆。在地面或邻近巷道向采空区上、中、下三段分别打钻灌浆，亦可通过密闭墙插管灌浆。

③采前灌浆。多用于开采厚及特厚煤层，采空区多，极易自燃煤层的矿井。可利用开掘巷道或钻孔进行灌浆。

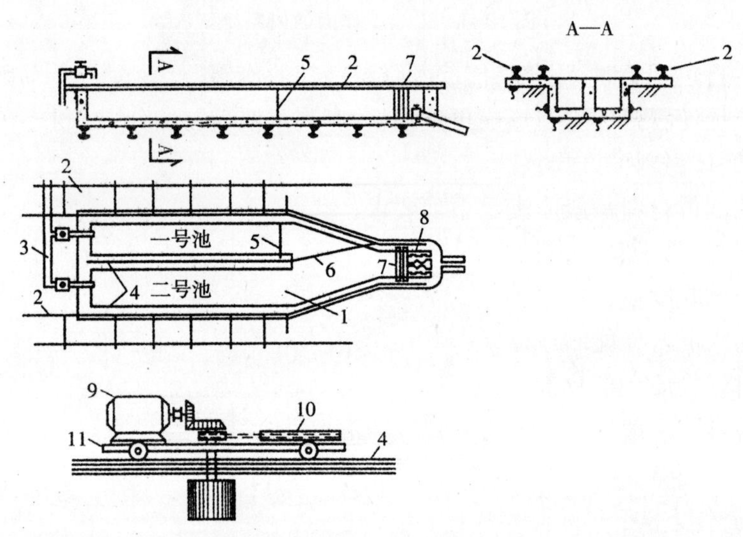

图10-6 地面灌浆站

1——泥浆池；2——运土轨道；3——供水管；4——搅拌机轨道；5——闸板；6——道岔；7——筛子；8——管头筛子；9——电动机；10——皮带轮；11——矿车

(4)预防灌浆时的注意事项：

①在井下巷道中要经常观测出水量变化情况，并做好记录。如果排出的水量小于灌入的水量时，可能在灌浆区形成堵塞，应停止灌注，并采取放水措施；若在排出的水中含泥量明显增大，则说明在采空区可能形成泥浆通道，泥浆不能均匀地充填在垮落顶板岩石的空隙内，而直接由采空区下部排出，在此情况下，应在灌入的泥浆中加入砂子或石灰以堵塞这种通道。

②设置滤浆密闭。在灌浆区下部区段巷道中必须设置滤浆密闭，以便将灌浆区与工作区隔开，将泥浆阻于采空区内而将水放出。防止泥浆由采空区流入工作区而阻塞巷道影响生产和污染工作空间环境。滤浆密闭可用木板、荆笆等材料制成，用支柱加固以防水压过大时被压垮。

③防止地面漏水。开采深度不大的采空区灌浆时,要防止地面漏水;如果地表有塌陷区和钻孔等漏水通道时,要及时予以填塞或封堵。

④打钻放水。《煤矿安全规程》第234条规定:在灌浆区下部区段进行采掘前,必须查明灌浆区的浆水积存情况,发现积存浆水,必须在采掘之前放出。在未放出之前,严禁在灌浆区下部进行采掘工作。

《煤矿安全规程》第233条规定:采用灌浆防灭火时,应遵守下列规定:

A.采区设计必须明确规定巷道布置方式、隔离煤柱尺寸、灌浆系统、疏水系统、预筑防火墙的位置以及采掘顺序。

B.安排生产计划时,必须同时安排防火灌浆计划,落实灌浆地点、时间、进度、灌浆浓度和灌浆量。

C.对采区开采线、停采线、上下煤柱线内的采空区,应加强防火灌浆。

D.应有灌浆前疏水和灌浆后防止溃浆、透水的措施。

3.阻化剂防火

化学阻化剂是一种防止煤炭自燃的新方法。它是采用一种或几种化学物质的溶液或乳浊液喷洒或灌注到采空区、煤柱裂隙中以及高温地点等处,阻止或降低煤的氧化进程,延长其自然发火期。

喷洒工艺及设备。

(1)局部地点阻化液的灌注。如图10-7所示,将阻化剂与水配成要求浓度的水溶液,可用WJ-24型压力泵经钻孔插管将阻化液压注于发热区。

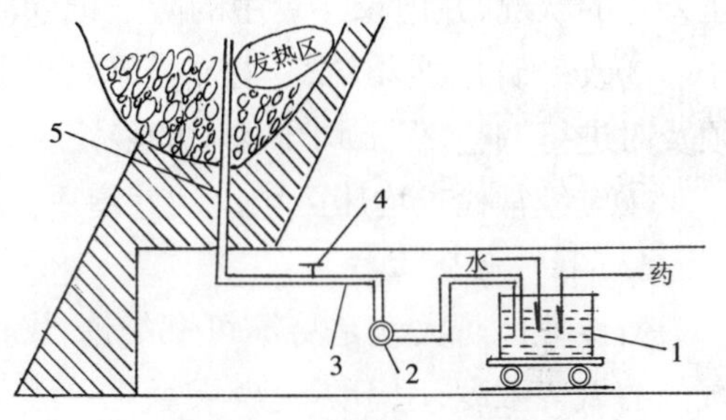

图10-7　阻化液灌注示意图

1——阻化液矿车;2——压力泵;3——管道;4——调节阀门;5——钻孔插管

(2)采煤工作面阻化液的喷洒。向工作面输送阻化液有三种方式:第一种是利用原有的灌浆设备,将由工厂运来的化学废液自地面储液池经管路输送至工作面,用喷枪向采空区喷洒。第二种方式为用矿车将阻化剂运往井下,在井下小水池溶解后,再用往复泵送至工作面喷洒。第三种是将阻化剂在矿车中溶解,用往复泵送至工作面喷洒。往复泵使用3D-5/40型,电机功率为7.5～10KW,最大流量为5m³/h,最大压力为4MPa。每次放顶前,人工手持喷枪,向采空区一侧进行1次喷洒处理。对于上、下隅角处应重点进行喷洒。

《煤矿安全规程》第235条规定:采用阻化剂防灭火时,应遵守下列规定:

①选用的阻化剂材料不得污染井下空气和危害人体健康;

②必须在设计中对阻化剂的种类和数量、阻化效果等主要参数作出明确规定。

③应采取防止阻化剂腐蚀设备、支架等金属构件的措施。

4.凝胶材料防火

通过压注系统将凝胶材料(水玻璃)和促凝剂(铵盐)按一定比例与水混合,注入煤体中凝结固化,起到封堵裂缝和防火的作用。凝胶材料具有固水性、阻化性、热稳定性和吸热降温性等较好的防灭火性能,现已成为主要的防灭火技术之一。

《煤矿安全规程》第236条规定:采用凝胶防灭火时,应遵守下列规定:

①选用的凝胶和促凝剂材料,不得污染井下空气和危害人体健康,使用时井巷空气成分必须符合本规程一百条有关规定。

②编制的设计中应明确规定凝胶的配方、促凝时间和压注量等参数。

③压注的凝胶必须充填满全部空间,其外表面应予喷浆封闭,并定期观测,发现老化、干裂时,应予重新压注。

5.均压防火技术

均压技术防火是通过降低漏风通道两端的压力差,削减漏风的能量来源,以达到最大限度减少漏风防止煤炭自燃的目的。常用的均压技术措施主要有以下三种:

(1)调压气室与连通管配合进行调压;

(2)闭墙、风门配合调压风机进行调压;

(3)改变风流流动路线进行调压。

《煤矿安全规程》第237条规定:采压均压技术防灭火时,应遵守下列规定:

①应有完整的区域风压和风阻资料及完善的检测手段。

②必须有专人定期观测与分析采空区的漏风量、漏风方向、空气温度、防火墙内外空气压差等的状况,并记录在专用的防火记录簿内。

③改变矿井通风方式、主要通风机工况以及井下通风系统时,对均压地点的均压状况必须及时进行调整,保证均压状态的稳定。

④应经常检查均压区域内的巷道中风流流动状态,应有防止瓦斯积聚的安全措施。

6.惰性气体防火技术

惰性气体防火就是将不可燃的惰性气体注入已封闭或有自燃危险性的区域,降低该区域内的氧气浓度,用于防止煤炭氧化自燃。常用的惰性气体有N_2、CO_2和惰性湿气等。

《煤矿安全规程》第238条规定:采用氮气防灭火时,必须遵守以下规定:

①氮气源稳定可靠;

②注入的氮气浓度不小于97%;

③至少有1套专用的氮气输送管路系统及其附属安全设施;

④有能连续监测采空区气体成分变化的监测系统;

⑤有固定或移动的温度观测站(点)和监测手段;

⑥有专人定期检测、分析和整理有关记录、发现问题及时报告处理等规章制度。

第三节　矿井灭火方法

一、发生火灾时应采取的措施

(一)发生火灾时的行动原则

矿井火灾一般在发火的初期阶段,火势不大,如果采取合理的应急措施和灭火方法,便于控制火势和在较短的时间内将火扑灭，消除其危害。因此根据《煤矿安全规程》第244条的规定，首先应采取如下措施：

(1)任何人发现井下火灾时，应视火灾性质、灾区通风和瓦斯情况，立即采取一切可能的方法直接灭火，控制火势，并迅速报告矿调度室。

(2)矿调度室在接到井下火灾报告后，应立即按灾害预防和处理计划通知有关人员组织抢救灾区人员和实施灭火工作。

(3)矿值班调度和在现场的区、队、班组长应依照灾害预防和处理计划的规定，将可能受火灾威胁地区中的人员撤离，并组织人员灭火。

(4)电气设备着火时，应首先切断其电源；在切断电源前，只准使用不导电的灭火器材进行灭火。

(5)抢救人员和灭火过程中，必须指定专人检查瓦斯、一氧化碳、煤尘、其他有害气体和风向、风量的变化，还必须采取防止瓦斯、煤尘爆炸和人员中毒的安全措施。

另外，还应注意：灾区人员，要迎着新鲜风流，沿着避灾路线，有秩序地尽快撤离危险区域，同时还要注意因火风压的影响风流的变化情况。如遇到风流方向改变有可能引起中毒时，应立即佩带自救器，尽快通过附近联络巷道的风门进入新鲜风流巷道中。当确定实在无法撤离危险区时，应迅速进入附近避难硐室或构筑临时避难硐室等待救援。

(二)发生火灾时风流控制措施

在发生火灾事故时，为了防止由于火灾事故而引起瓦斯(煤尘)爆炸和减少人员伤亡，必须采取相应的控风措施。其主要措施与适用条件如下：

(1)保证正常通风，稳定方流方向。

若火灾发生在矿井一翼回风巷或矿井总回风巷道中，应保持矿井正常通风。

(2)维持原风流方向，适当减小供风量。

若火灾发生在采掘工作面及其回风巷道中，保持原风流方向，为了便于灭火和加快灭火速度，应适当减少其供给风量。

(3)维持原风流方向，适当增大供风量。

若在采掘工作及其回风巷道发生火灾，在灭火过程中若发现火区回风侧瓦斯浓度有迅速上升的局势时，应适当加大火区供风量，以防在灭火过程中引起瓦斯爆炸。

(4)短路风流。

若在矿井、区域、采区及工作面进风巷道中发生火灾时，可采取打开联络巷道风门，将火烟直接引入矿井回风系统，以防井下工作人员遭受火烟的侵害。

(5)反风。矿井反风方法包括全矿性反风、区域性反风和局部反风。

①全矿性反风。

若火灾发生在进风井井口、井筒、井底车场及矿井总进风巷道，为防止井下人员一氧化碳中毒，最大限度减少人员伤亡，必须实现全矿井反风。

②区域性反风。

若火灾发生在矿井某一生产水平或某一翼的总进风巷道中。实现某一生产水平或矿井某一翼的风流反向,即称为区域性反风。

③局部反风。

若火灾发生在矿井某一采区或某一采、掘工作面的进风流中,实现某一采区或某一采、掘工作面的方流方向,则称为矿井局部反风。

全矿性反风是利用矿井主要机的反风来实现的。区域性反风和局部反风而是通过调整进下通风设施来实现的。这就要求井巷布置系统合理,风流控制设施也要齐全。如在采煤工作面进风巷中,还必须通过绕道与矿井回风巷道相通,内置风门,若需要实现工作面反风时,打开回风绕道风门,同时将进风巷道封闭,回风巷道与其道理相同,则新鲜风流由原来回风巷道进入,回风流由原进风巷道通过绕道风门排入矿井回风系统。

二、灭火方法

矿井灭火方法一般分为直接灭火法、隔绝灭火法和综合灭火法。

(一)直接灭火法

火灾在其发生的初始阶段,火势范围不大,瓦斯、煤尘等其他新发事故危险性不大的情况下,可首先采用直接灭火法。直接灭火的方法一般采用水、砂子(或岩粉)化学灭火器等方法,将火直接扑灭。

1.用水灭火

(1)水的灭火原理:

①水具有很好的吸热性能,当火遇到高温热源时,会转化为水蒸气,在这一过程中可大量吸收热量,使燃烧物降温。根据实际测定1kg的水在转变为水蒸气的过程中,可吸吸2.632KJ的热量,这就大量降低了火区的温度,起到冷却,降温作用。

②强力水流直接喷射至燃烧物体上,可阻止物体燃烧和火势蔓延扩大。因水的射流具有一定的冲击压力,可将燃烧物体破碎,水可直接浸入燃烧物体内部,可加快灭火速度。

③水在高温作用下迅速蒸发,形成浓密的水蒸气,水蒸气使燃烧物体与空气中的氧气隔绝,使燃烧物体因供氧量不足而熄灭。

(2)用水灭火时的注意事项:

用水灭火,简单易行,经济有效。但在有些情况下,如果使用方法不当,不但在很短时间内将火扑不灭,而且还会使火灾范围蔓延扩大。因此,应注意以下几点:

①不能用水直接扑灭电气火灾。纯净的水是不导电的,但生活与工业用水中含有很多的导电离子,如果用水直接扑灭电气火灾,则会引起中电伤亡事故。要用水扑灭电气火灾,首先必须切断其电源。

②不能用水扑灭油类火灾。因为油的密度比水的密度小,即油比水轻。当水流喷射到着火的油类时,油会浮在水面上继续燃烧,而且油水混合物流到何处,飘浮在水面上的油就会流到此处,火也跟到此处。不但在很短的时间内不能将火扑灭,还会使火灾范围扩大。如果在没有其他灭火器材的情况下,只能使用雾状的细水。

③供水量要充足,并保持连续不断的供给。在用水灭火时,必须有矿井压力水系统来保

障足够的供水量,并不能间隔,直到将火完全熄灭。

④用水灭火时,灭火人员应站在进风一侧,一般不得站在回风一侧,以免遭受火烟的侵害。

⑤不得将水流直接喷射到火源中心。因为水在高温作用下可产生水煤气,水煤气中主要有H_2、O_2和CO。这是因为水在高温作用下可裂解产生H_2和O_2,水与高温可燃物接触可产生CO。H_2和CO本身能燃烧、能爆炸,O_2可帮助燃烧和爆炸。因此,用水灭火时,水流应由火源边缘开始,逐渐向火区中心推进。

2.挖出火源

在火势及范围都不大且人员容易接近的火区,用水降温后将燃烧物直接挖出,消除火情。

3.用沙子或岩粉灭火

用沙子或岩粉直接覆盖火源,将燃物体与空气中的氧气相互隔绝而使火熄灭。因为沙子和岩粉本身属于不可燃物质,而且不导电,可以用来扑灭油类和电气火灾。矿井消防材料列车库,一般都备有2~3节装满沙子或岩粉的矿车,而且消防列车材料库铺设有轨道,并与矿井主要进风井巷内的电机车轨道通过道岔相连。

4.用化学灭火器灭火

目前化学灭火器的种类很多,在矿井中使用的主要有干粉灭火器、泡沫灭火器和灭火手雷等。它们对矿井外因火灾在发火的初期阶段都有较好的抑制作用和一定的灭火效果。

(1)干粉灭火器。

干粉灭火器主要由外钢瓶、内钢瓶、鸭嘴、二氧化碳阀门、喷嘴等构件所构成,如图10-8所示。

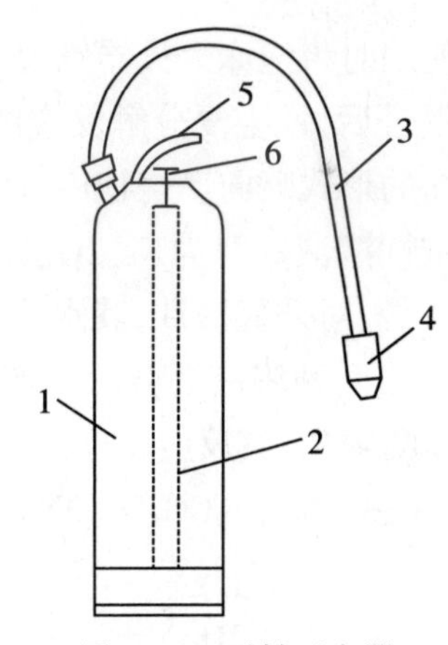

图10-8 干粉灭火器

1——外钢瓶;2——内钢瓶;3——胶皮管;4——喷嘴;5——鸭嘴;6——内钢瓶开关

内钢瓶中装有高压液体CO_2,外钢瓶中装有灭火材料$(NH_4)_3PO_4$。在使用时,将鸭嘴中的金属棒拉出去掉,按下鸭嘴,则会将内钢瓶高压CO_2的阀门打开,在高压CO_2气体的冲击作用下,将$(NH_4)_3PO_4$连同CO_2一起喷向燃烧物体,将火熄灭,其灭火原理主要表现在以下几个方面:

①$(NH_4)_3PO_4$喷射在燃烧物体上,遇热分解出糨糊状的P_2O_5,将燃烧物体的表面包裹起来,从而使燃烧物体与空气中的氧气隔绝使火熄灭。

②CO_2喷射到燃烧物体表面,以降低燃物体周围氧气浓度使火熄灭。

③粉末本身亦有破坏火焰连续反应的能力,阻止燃烧的发展。

④$(NH_4)_3PO_4$在分解过程中能吸收燃烧生成的大量热量,使燃烧物体降温。

⑤在分解过程中产生的NH_3和H_2O,亦能降低燃烧物体周围附近空气中的氧气浓度,阻止燃烧物的氧化发展。

(2)灭火手雷。

灭火手雷的构造如图10-9所示。

灭火手雷内部装有$(NH_4)_3PO_4$盐1kg，总质量为1.5kg，灭火的有效范围为2.5m，一般在井下巷道中可投掷10m左右。其使用方法和扔手榴弹相似，使用时将护盖拧开，拉出引爆火线，立即投向火源，操作时要注意隐蔽防止弹片伤人。在火势较大，灭火人员难以靠近的情况下，可用灭火手雷进行灭火，但因其个体的装药量有限，在使用时要连续不断地向火区投掷。

(3)泡沫灭火器。

泡沫灭火器主要由外钢瓶和内置玻璃瓶组成，如图10–10所示。

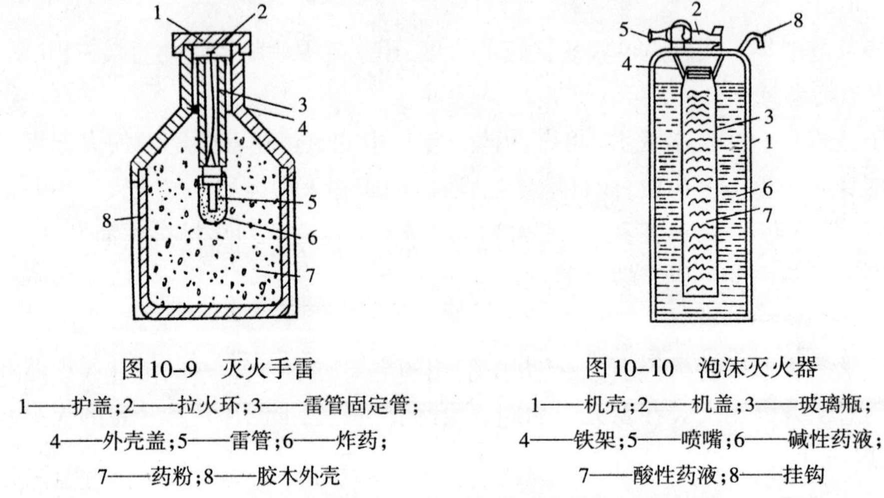

图10–9 灭火手雷

1——护盖；2——拉火环；3——雷管固定管；4——外壳盖；5——雷管；6——炸药；7——药粉；8——胶木外壳

图10–10 泡沫灭火器

1——机壳；2——机盖；3——玻璃瓶；4——铁架；5——喷嘴；6——碱性药液；7——酸性药液；8——挂钩

使用时将泡沫灭火器倒置，使仪器玻璃瓶中的酸性溶液与钢瓶中的碱性溶液混合，两种溶液混合后，发生复分解反应的混合反应，产生CO_2气体，在CO_2气体的压力作用下，将溶液以泡沫的形式喷向燃烧物体，使燃烧物与氧气隔绝，使火熄灭。

碱性溶液一般为Na_2CO_3的水溶液，而酸性溶液一般为$Al(SO_4)_3$的水溶液。Na_2CO_3为强碱弱酸盐，对外显碱性，其水溶液称为碱性溶液；$Al(SO_4)_3$为强酸弱碱盐，其水溶液称为酸性溶液。当两种溶液混合后可产生具有一定压力的CO_2，在CO_2压力作用下，将溶液及CO_2一起由喷嘴喷出，其反应原理如下：

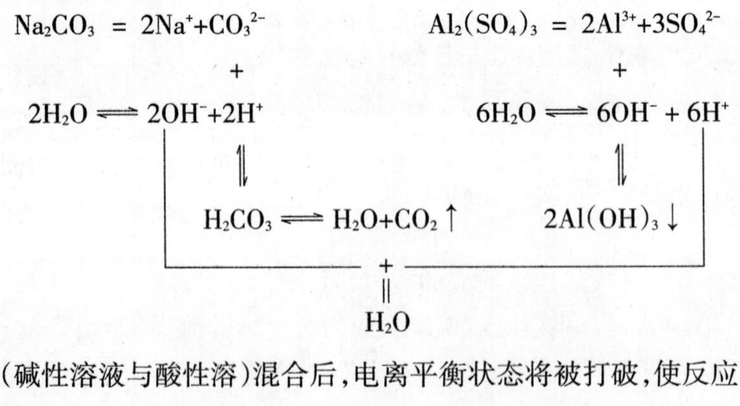

$$Na_2CO_3 = 2Na^+ + CO_3^{2-} \qquad Al_2(SO_4)_3 = 2Al^{3+} + 3SO_4^{2-}$$

$$+ \qquad\qquad\qquad +$$

$$2H_2O \rightleftharpoons 2OH^- + 2H^+ \qquad 6H_2O \rightleftharpoons 6OH^- + 6H^+$$

$$\rightleftharpoons \qquad\qquad\qquad \rightleftharpoons$$

$$H_2CO_3 \rightleftharpoons H_2O + CO_2\uparrow \qquad 2Al(OH)_3\downarrow$$

$$+$$

$$\|$$

$$H_2O$$

两种溶液（碱性溶液与酸性溶）混合后，电离平衡状态将被打破，使反应向右移动，产生具有一定压力的CO_2。

(4)高倍数泡沫灭火。

高倍数空气机械灭火装置，如图10–11所示。

它是用专用防爆通风机配合潜水泵将空气吹入含有泡沫剂的水溶液而产生大量的泡沫进行灭火工作。它产生的泡沫倍数在500~1000倍之间，比化学反应的泡沫倍数高出10~20倍，因此称为高倍数机械发泡机。图10-12为我国自行研制生产的BGP—200型防爆电动发泡装置。工作时，潜水泵在水桶6或矿车中吸水，同时将泡沫剂由盛剂桶5中吸入潜水泵内。泡沫剂和水在水管4中混合后，由旋叶式喷嘴7喷洒在双层棉线网8上。开动风机吹动，在风力的作用下经过棉线网后，即产生大量的泡沫，借助于风力的推动作用，泡沫在向火区运行过程中，泡沫体积不断膨胀，泡沫壁变薄，最后到达火区。其最大的优点是：喷射量大，且能连续地向火区发射。适合于火势较大难于人工接近的火区。

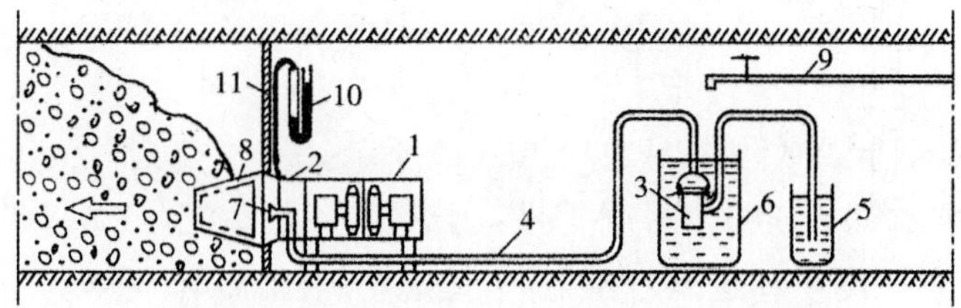

图10-11　高倍数空气机械泡沫灭火装置

1——风机；2——泡沫发射器；3——潜水泵；4——管路；5——盛剂桶；6——水桶；7——喷嘴；8——棉线网；9——水管；10——水柱计；11——密闭

(二)隔绝灭火法

采用直接灭火法进行灭火时，若在很短的时间内把火扑不灭，而且火势还有蔓延、发展、扩大的局势时，就需要采用隔绝灭火法进行灭火，即在火区的进风侧与回风侧分别设置防火墙，将火封闭在一个密闭的空间范围之内，切断其供氧通道，等密闭区内氧气浓度降到一定值($O_2 < 5\%$)时，火将自行熄灭。

1.临时防火墙

临时防火墙的作用是暂时切断风流，阻止火势的发展，在砌筑永久防火墙之前临时使用。主要有以下几种不同的形式：

(1)风障。

多采用帆布，挂风障时，首先要选择合适的布设地点，打好2~3根立柱，用钉子的把风障材料钉在支架和立柱上，周围用小布条钉好，底部用黄土、砂子、石子压紧压实。

此外，还有充气风障和伞形风障。充气风障有整体(如2m直径的布基胶球体)和单元组合两种，在其中充入N_2或CO_2。伞形风障一般用耐火轻质材料制成，它能借助风流压力在巷道内迅速张开隔阻风流。

(2)木板防火墙。

木板防火墙如图10-12所示。

首先在建筑地点的巷道打上2~3根立柱，再沿巷道顶部开始一块压一块往下钉上木板，巷道两帮再钉上小木板条，然后用黄泥抹严板缝和板面。

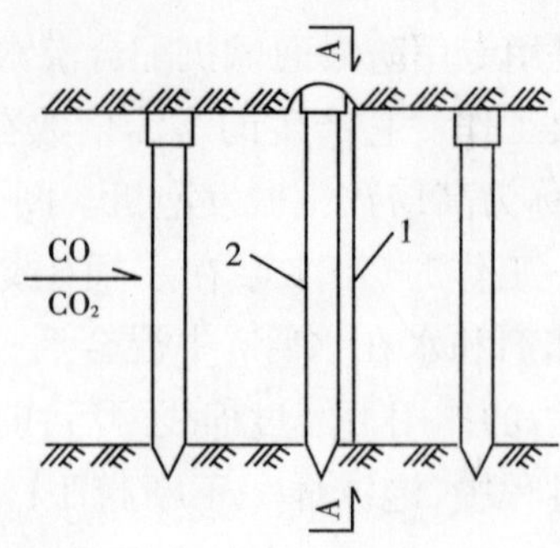

图10-12　木板抹黄泥防火墙

1——木板；2——柱子

(3)木段防火墙。

木段防火墙亦属于半永久防火墙，如图10-13所示。

其材料是用旧坑木锯成0.8m长的木段，一层木段一层黄泥（或黏土）砸紧夯实，然后用楔打紧，黄泥抹面。它适用于巷道围岩压力大，搬运材料困难，作业场所条件差，又要求迅速封闭的火区。

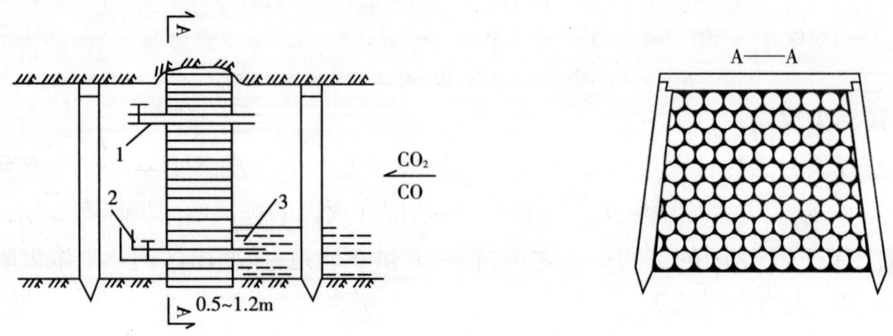

图10-13　木段（或坑木）抹黄泥防火墙示意图

1——观测孔；2——放水管；3——水

(4)泡沫塑料防火墙。

在建泡沫防火墙时，在选定的地点巷道打2～3根立柱，挂上麻袋、草帘等透气性好的编制物作为底料，然后用高压喷枪将硬泡沫塑胶溶液喷到闭墙的底料上，只需几分钟便可发泡成型，形成气密性良好的密闭墙。实验证明，泡沫塑料防火墙能在120℃环境条件下，可持续2h不变形。使用方法简便，建墙速度极快。

(5)木板加土防火墙。

木板加黏土（或黄泥）防火墙，如图10-14所示。

首先在巷道内选择支架完好的地点的2架支架之间，打上3~5根支柱，然后在其内外侧钉上木板（由下向上），在其中间填上黏土，然后用木槌捣实。这种防火墙的隔绝性能好，适用于压力较大的巷道。

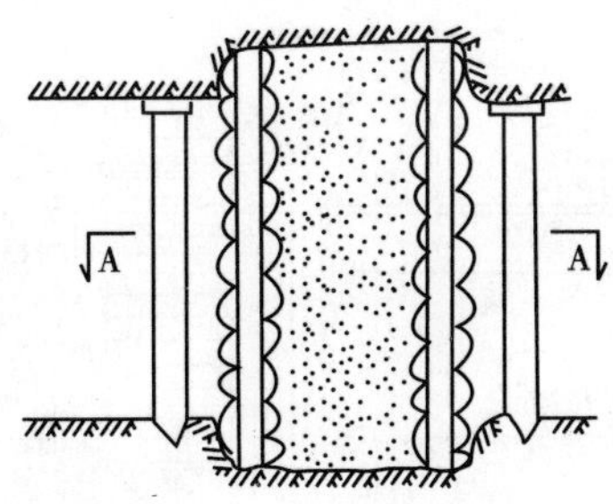

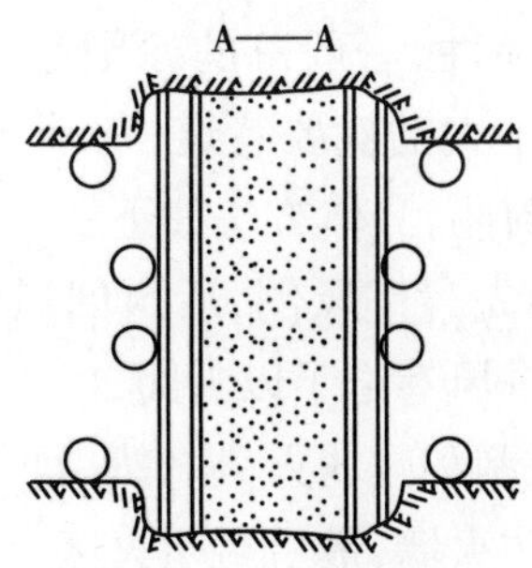

图 10-14　木板黏土防火示意图

2.永久防火墙

永久防火墙是为长期封闭火区而设置的。一般有砖石结构防火墙和混凝土浇灌防火墙两种类型。砖石结构防火墙如图 10-15 所示，砌筑时在其周围挖 0.3~1m 的槽，砌筑完毕后，为增强墙体的严密性，在防火墙面外侧与槽的四周抹上一层砂浆、水玻璃或乳胶液等防漏风材料。同时在墙体上预埋直径为 40~50mm 的钢管，用作检查气温、采集气样和放出积水之用，铁管外要封闭严密，以防漏风。

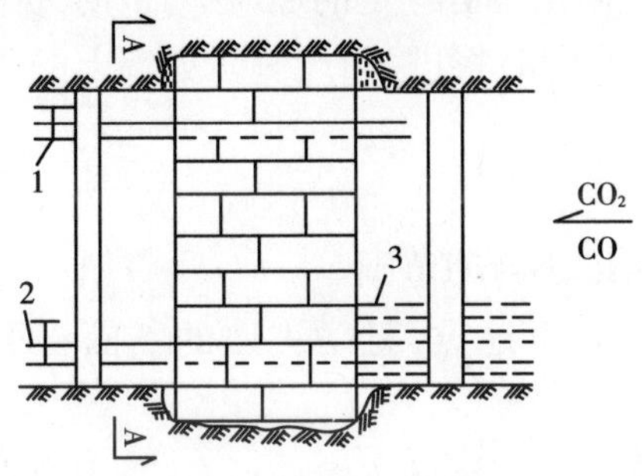

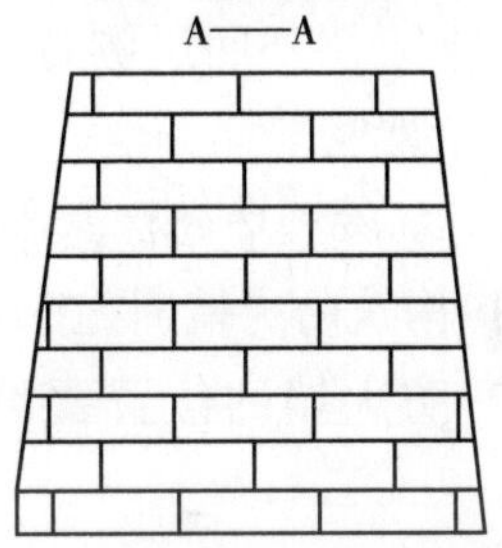

图 10-15　砖石结构防火墙示意图

1——观测孔；2——放水管；3——水

混凝土防火墙在砌筑前，也要在砌筑外掏槽，其要求与砖石结构防火墙基本相同。然后立模板，浇灌混凝土，待其凝固后，便成为抗压强度大、密闭性能好的防火墙。并注意在浇灌中预先在墙体内埋好钢管，以用作为采集气样、测定气温和放水之用，并将钢管外口密封好，以防漏风。

3.耐爆防火墙

在矿井瓦斯含量较高的区域砌筑防火墙时，为防止封闭的火区内部发生瓦斯爆而炸坏墙体，在防火墙的外部可利用堆放沙袋（或土袋）或采用水砂充填方法构筑耐爆防火墙。沙袋（或土袋）耐爆防火墙如图 10-16 所示；水砂充填耐爆防火墙如图 10-17 所示。

4.火区的封闭顺序

火区的封闭工作是一项比较复杂而且具有一定危险性的工作，尤其是在瓦斯矿井，如果处理方法不当，有引起火区瓦斯爆

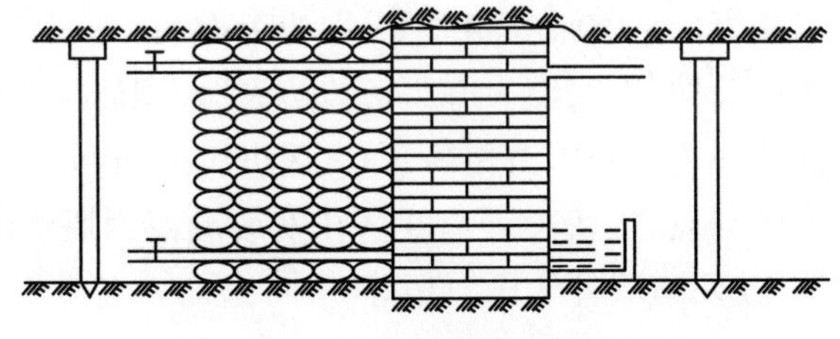

图 10-16　沙袋耐爆防火墙示意图

炸的危险性，一般总的原则是：首先封闭对火区影响不大的次要巷道，留下主要进、回风巷道最后封闭，具体方法如下：

（1）先封进风侧，后封回风侧。即首先将火区的进风巷道予以封闭，以切断氧气的供给通道，控制和减弱火势。然后再在火区回风一侧构筑防火墙，最后封闭火区。之后在临时防火墙的掩护下设置永久防火墙。这种方法适合于没有瓦斯爆危险的火区封闭。

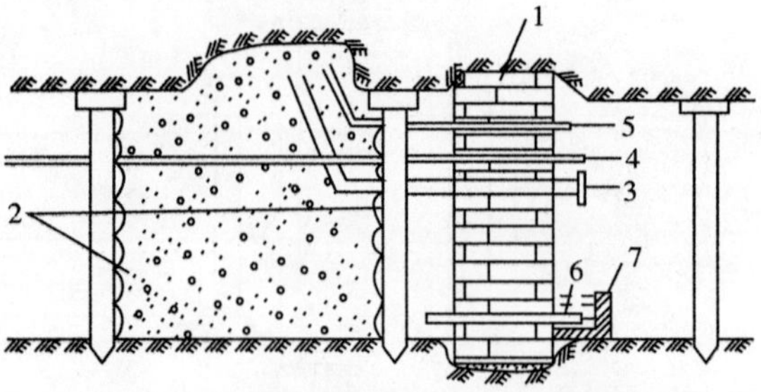

图10-17　水砂充填耐爆防火墙示意图
1——砖（石）墙体；2——秸秆帘子；
3——充填管道；4——观测孔；
5——注浆管；6——放水管；7——返水池

（2）先封回风侧，后封进风侧。这种方法的优点在于阻止了火势沿顺风方向的蔓延扩大，缩小火区范围。缺点主要表现在首先在回风侧砌筑防火墙，工作人员要遭到火烟的侵害，因此必须由矿山救护队来进行此项工作。适用于火势不大、温度不高、无瓦斯爆炸危险的火区封闭。

（3）进、回风侧同时封闭。这种方法适合于有瓦斯爆炸危险的火区封闭，即先构筑进风侧防火墙，只是在防火墙即将建成时，先不急于封严，而是留有一定的通风口，以防火区形成瓦斯积聚。待到回风侧防火墙即将完工时，约定时间，同时将进、回风侧防火墙上的通风口迅速封堵严密。

5.构筑防火墙的注意事项

（1）构筑防火墙时，在确保安全的情况下，要尽量缩小封闭范围。

（2）防火墙的位置要设在距离火区尽可能近的安全地点，且防火墙的断面要尽可能的小。

（3）防火墙设置地点顶板和两帮岩石或煤壁要坚固、完整，防火墙前后5m范围内支架要牢固。

（4）构筑防火墙时，应注意火区风量及风向及瓦斯浓度的变化情况，以防人员中毒和瓦斯爆炸事故的发生。

（三）综合灭火法

综合灭火法是在隔绝灭火法的基础上进行的，是隔绝灭火法与其他灭火手段的综合应用。用隔绝灭火法进行矿井灭火时，为了加快灭火速度，在封闭火区的回风侧（或进风侧）调压或向封闭的火区内加注惰性气体的一种灭火方法。

1.均压灭火

均压灭火就是用以调节封闭的火区进、回风侧空气的压差，使其达到尽可能的最小值，以减少向采空区的漏风量，加快灭火速度的一种灭火方法。最常用的方法是：在火区回风侧防火墙外，再加设一道严密的防火墙，用局部通风机向两道墙之间加压使其压力与火区进风侧防火墙外的压力相等，即火区进风侧与回风侧压力相等（压差$\Delta h\approx 0$），这样就不会出现向火区漏风，加快灭火速度。在安装局部通风机的防火墙外和进风侧防火墙外要安设测压仪器，使两道墙外的压力相等。

2.惰性气体灭火

由防火墙内予埋的管道向火区内注入惰性气体,使火区空气惰性化,降低火区氧含量,冷却火源,增加火区风压,防止外界空气漏入。此外,惰性气体渗入煤岩裂隙后包围燃烧体,阻止其氧化与燃烧。

矿井目前广泛采用的惰性气体主要有液氮(N_2)干冰(固体CO_2)和湿式惰性气体等。

第四节 火区管理与启封

当火区密闭后,一定时间内还不会熄灭,它是矿井安全生产中的一个隐患。另外,即使有的封闭区经采用措施后火已熄灭,但启封后复燃的火区仍占相当大的比例。这种现象在自然发火严重的矿井尤为突出。因此,火区管理对矿井灭火工作至关重要。

一、火区管理

(一)绘制火区位置关系图

煤矿企业必须绘制火区位置关系图,注明所有火区和曾经发火的地点。每一处火区都要按形成的先后顺序进行编号,并建立火区管理卡片。火区位置关系图和火区管理卡片必须永久保存。

(二)建立火区档案

(1)建立火区卡片,详细记录发火日期、发火原因、火区的位置和范围。

(2)发火地点的煤层厚度、煤质、顶底板岩性、瓦斯涌出量、火区封闭煤量等。

(3)发火前后气体分析情况和温度变化情况。

(4)发火前后的状况,如风量、风速、风向等。

(三)防火墙管理

(1)每个防火墙都要进行统一编号,建立卡片,卡片应注明构筑防火墙的时间、材料、厚度等。

(2)每个防火墙附近必须设置栅栏、警示牌,禁止人员入内;并悬挂管理牌板,记录防火墙内外的气体成分、温度、空气压差,测定日期及测定人员姓名。

(3)经常进行漏风检查,如有漏风或火区内有异常状况,必须采取措施及时处理。

(4)所有测定和检查结果,必须记入防火记录簿。

(5)矿井进行较大的风量调整时,应测定防火墙内的气体成分和空气温度。

(6)井下所有永久性防火墙都应编号,并在火区位置关系图中注明。防火墙的质量标准由煤矿企业统一制定。

(四)建立火区监测制度及气体分析制度

(1)检查内容包括O_2、CO_2、CO、CH_4等气体浓度及空气温度。

(2)检查地点在回风侧防火墙外。

(3)检查时间为每班一次,异常情况例外。

(4)检查人员下井时必须随身携带自救器。

(5)检查结果报矿长、通风区长(科长)审阅,每10天进行气体汇总分析一次,如有异常立即查明原因并进行处理。

火区监测记录必须长期保存,直到火区注销为止。

二、火灾熄灭的条件

《煤矿安全规程》第248条规定:火区同时具备下列条件,方可认为火已熄灭:

(1)火区内的空气温度下降到30℃以下,或与火灾发生前该区的日常空气温度相同。

(2)火区内空气中的氧气浓度降到5.0%以下。

(3)火区内空气中不含有乙烯、乙炔,一氧化碳浓度在封闭期间内逐渐下降,并稳定在0.001%以下。

(4)火区的出水温度低于25℃,或与火灾发生前该区的日常出水温度相同时。

(5)上述4项指标持续稳定的时间在1个月以上。

火区内的气温、氧气和一氧化碳的浓度,应在火区回风侧防火墙内测取,出水温度应从防火墙出水口和火区所有出水中测取,均以最大值为准。

三、火区启封方法

启封火区是一项慎重细致的工作,若处理不当,则有可能引起死灰复燃,甚至会引起瓦斯爆炸事故。因此,在决定启封火区前,必须经过认真、细致的观测,真正达到火灾熄灭的条件,确认火源已经熄灭后,制定启封安全措施,经有关部门批准后,方可启封火区。启封火区工作必须由矿山救护队完成。火区启封的方法如下:

(一)通风启封火区法

一般在火区范围不大,复燃可能性较小的情况下采用通风启封火区法。具有措施如下:

(1)首先使用局部通风机风筒、风障对防火墙进行通风。

(2)确定有害气体排放路线,撤出此地路线上及其邻近区域的人员,并切断此路线上的所有电源。

(3)打开1个出风侧防火墙,打开方法是应先打1个小孔,无危险后逐渐扩大,严禁一次全部拆除防火墙。

(4)观察一段时间,火区无异常现象且稳定后,从进风侧小断面打开防火墙,如有异常情况时,立即重新封闭。

(5)当火区瓦斯排放一定时间后,相继打开其他进、回风侧防火墙。

使用通风启封火区法时注意事项如下:

①开启防火墙时,应估计火区是否有瓦斯、二氧化碳等有害气体涌出;

②打开进、回风侧防火墙后短期内要采取强力通风,以迅速降低火区内的瓦斯浓度,防止瓦斯爆炸,应把人员撤到安全地点,至少等1h后再进入原火区工作;

③排放原火区内的瓦斯浓度,应控制在《规程》允许浓度以内。

(二)锁风启封火区法

锁风启封火区就是在保持火区密闭的情况下,由外向里、向火源逐段移动防火墙位置,缩小火区,进入火源,实现火区全部启封的过程。锁风启封法具有防止火区复燃条件,一般在高瓦斯矿井、火区范围很大并封闭有大量可燃气体,火源是否熄灭难以确定时采用。

其方法是:从进风侧在原有的火区防火墙外5~6m的地方构筑一道带风门的防火墙,救护队员佩带仪器进入后将风门关闭,形成一个封闭的空间,再将原有的防火墙打开。救护队员进入火区侦察火情后,根据火区实际情况,再选择适当地点重新构筑带风门的防火墙后,才能打开第一个防火墙风门。恢复通风后,观测火区有无异常。如此逐段启封,逼近发火地点。要求火区始终处于封闭、隔绝状态。

使用锁风启封法时应注意事项如下:

①锁风工作必须在无爆炸危险的条件下进行;

②锁风作业时,要有专人对封闭区内的情况进行监测,发生异常情况,如防火墙外风流方向有变化、烟雾增大等,应立即停止作业,撤出人员,进行观察,无危险后方可重新进入火区。

3.《煤矿安全规程》有关规定如下

(1)启封已熄灭的火区前,必须制定安全措施。

(2)启封火区时,应逐渐恢复通风,同时测定回风流中有无一氧化碳。发现复燃征兆时,必须立即停止向火区送风,并重新封闭火区。

(3)启封火区和恢复火区初期通风等工作,必须由矿山救护队负责进行,火区回风流所经过巷道中的人员必须全部撤出。

(4)在启封火区工作完毕后的3天内,每班必须由矿山救护队检查通风工作,并测定水温、空气温度和空气成分。只有在确认火区完全熄灭、通风等情况良好后,方可进行生产工作。

第二部分　专业核心知识点

本章核心知识点主要有以下内容

1.自然火灾的初期征兆；

2.矿井发生火灾时的风流控制方法及其适用条件；

3.用水灭火时的注意事项；

4.任何人发现火灾时，应迅速采取的措施；

5.确定火区熄灭的条件；

6.防止煤炭自燃的措施。

第三部分　专业技能训练

干粉灭火器与泡沫灭火器的操作使用方法(详见本章第三节)。

复习题

1.矿井火灾按其发生地点不同,分为哪两种不同的火灾?
2.矿井火灾按其发火原因不同,分为哪两种不同的火灾?
3.引起外因火灾的高温热源主要有哪几个方面?
4.外因火灾的特点是什么?
5.任何人发现井下火灾时,应迅速采取哪些措施?
6.内因火灾的特点是什么?
7.矿井哪些地点容易发生内因火灾?
8.矿井火灾发生的基本条件有哪些?
9.矿井火灾的危害有哪些?
10.矿井防灭火必须坚持的原则是什么?
11.防止外因火灾主要有哪些措施?
12.煤炭自燃的基本条件有哪些?
13.煤炭的自燃发展过程要经历哪三个阶段?
14.预防内因火灾,在开采技术方面应采取哪些措施?
15.矿井灭火的主要方法有哪些?
16.用水灭火时的注意事项有哪些?
17.直接灭火的方法主要有哪些?
18.封闭的火区,熄灭的条件有哪些?
19.火区启封的方法有哪些?

讨论题

1.影响煤炭自燃的因素有哪些方面?
2.在灭火过程中,在风流控制方面应采取哪些措施?
3.影响煤炭自燃的因素在开采技术方面的影响因素主要表现在哪些方面?

第十一章　矿井防治水

第一部分　系统理论知识

在矿井生产和建设过程中，若井巷有涌水通道与地面和地下水源相贯通，则水流就会不断涌入井下巷道。当矿井涌水量超过矿井排水能力时，就可能酿成矿井水灾事故。充足的水源和突水通道是造成矿井水灾事故的两个必备条件，因此，对于矿井水害的防治工作，应从这两个方面予以重点研究。

第一节　矿井水来源及涌水通道

一、矿井涌水的水源

矿井涌水的水源有地面水和地下水两大类型。

(一)地面水源

1.大气降水

大气降水主要来源于自然界中的水循环过程。在太阳热的作用下，水从海面、河湖水面、地球表面和植物叶面蒸发和蒸腾，变成水蒸气升到大气圈中，并随大气移动，在适宜条件下，遭遇冷空气后凝结成液态或固态水，以雨、雪、雹、雾、霜等形式降到地面。降到地面的水，一部分以地表水的形式汇入河流，流入海洋；一部分则渗入到地下，形成地下水，地下水又以地下径流或泉的形式流入河流、湖泊和大海。最后一部分则又再度蒸发，回入大气层中。这样，自界中的水在太阳辐射热的作用下，进行着不间断的循环。

由大气层降到地面的雨雪水是地下水的补给来源，同时也可以通过裂隙或其他通道直接进入井下巷道。根据现场实际观测，大气降水量对矿井涌水量有很大的影响，降水量较多的地区往往矿井涌水量大，降水量较少的地区则相反。矿井在雨季期间，矿井涌水量明显增大。这种影响，对于分布在河谷、洼地，并且煤层上部有透水层、溶洞、裂隙或塌陷裂缝的浅井影响尤为显著。

2.地表水

地表的河流、湖泊、池塘、水库、水井和积水洼地等地表水，可以通过井筒、塌陷裂缝、断层、裂隙、溶洞和地质钻孔等直接进入井下，造成淹井事故；也可以作为地下水的补给水源，经过地下水与井巷的涌水通道进入井下，造成透水事故。图11-1所示，为一起地面河流水涌入井下造成透水淹井事故示意图。河北井陉三矿在新中国成立前，由于掘进工作在施工时，与导水断层贯通，而该断层又与地面河流相通，河流水经断层直接涌入井下巷道，造成了重大透水事故。直到20世纪的70年代初期组成工程技术人员与施工队伍，由地表向导水断层打钻孔，逐步灌注加入速凝剂的水泥砂浆将其封堵，即先切断涌水通道，再进行矿井排水，最后逐步恢复了生产。

又如1983年7月30日上午10时左右，山西昔阳某矿由于地面排洪涵洞被洪水冲塌，将水路堵塞，造成水位上涨，逐步涨至井口高程以上，导致洪水直接由井口涌入井下巷道，造成一起淹井事故。此次事故造成6名矿工遇难。

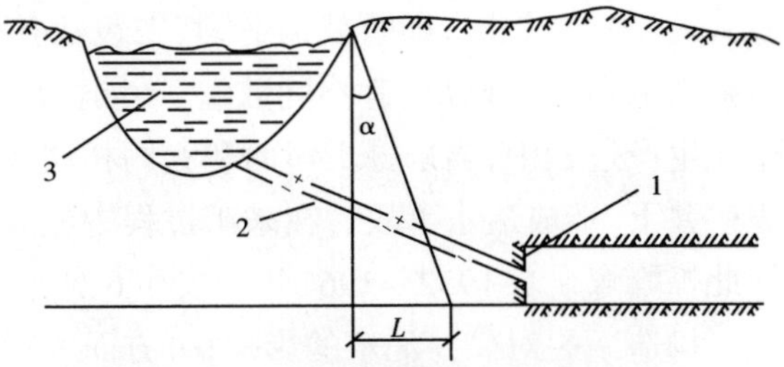

图11-1　河流水涌入井下巷道示意图

1——掘进工作面；2——断层；

3——河流；L——抗水隔离煤柱

(二)地下水源

地下水源主要有含水层水、断层水和采空区积水。它们都可以通过涌水通道涌入煤矿井下。因此，地下水亦是矿井涌水的主要水源。

1.含水层水

煤层本身一般不含水，但其邻近岩层往往具有大小不等、性质不同的空隙，其中常含有地下水，当它们有通道与采掘工作面连通时，就会成为井下涌水的水源。根据含水岩层空隙的性质不同，这些地下可分为孔隙水、裂隙水和岩溶水。

2.断层水

断层地带岩石破碎，易于积水。特别是当断层与积水和含水层相通时，就会造成矿井水灾事故。如图11-1所示。

3.老空水

井下采空区或煤层露头附近的古井、小窑等常有积水。如果在矿井开采过程中与之相通，就会造成透水事故。因此，在矿井开采范围内有古井、古采空区和小窑时，在矿井开采过程中应特别注意。

综上所述，地下水往往是矿井涌水最直接、最常见的主要水源。涌水量的大小及变化情况，取决于围岩的富水性和补给条件。地下水流入矿井通常包括静储量和动储量两部分。开采初期或水源补给不充沛的条件下，往往是以静储量为主。随着生产的不断进行，长期排水和采掘范围不断扩大，静储量逐渐被消耗，动储量的比例就相对增加。

二、矿井涌水通道

水源只是可能构成矿井涌水的一个方面。矿井是否涌水还取决于另一个重要的方面，即矿井是否存在涌水通道。根据涌水途径的类型和地下水的水力特征，通常将涌水通道分为以下几种：

(一)岩层的孔隙

这种通道多存于疏散未胶结成岩的岩石中。其透水性能取决于孔隙的大小和连通情况，而不是取决于孔隙度。岩层的孔隙大、连通程度好，则巷道贯穿时，涌水量大；否则涌水量就小。

单纯的孔隙水，只有在煤层围岩是大颗粒的松散岩层并有固定的强大补给水源或围岩本身是饱水的流沙层时，才能造成灾害性的透水事故。

(二)岩层的裂隙

岩层的风化裂隙、成岩裂隙、构造裂隙都能构成矿井涌水的通道。对矿井涌水具有严重威胁的是构造裂隙,即断裂构造,其中包括各种节理、断层和巨大的断裂破碎带。所有矿井所揭露的地层,都分布有不同数量、不同性质、不同规模和不同时期所形成的构造断裂。在采掘生产过程中,当采掘工作面和它们相遇或接近时,与其有关的水源往往会通过它们导入煤矿井下,造成透水事故。在采矿过程中,遇见最多、危险性最大的是各种中、小型断裂。如河北峰峰煤矿自1952~1961年共发生6次透水事故,都与构造断裂有关。

构造断裂对矿井涌水的影响,一方面表现在它本身的富水性;另一方面它往往又是种种水源进入采掘工作面的天然途径。

为了便于在生产中加深对断裂带透水性的认识,根据断裂带的透水性能,可将其划分以下两种:

(1)隔水断裂带。

主要是指断裂带本身及两侧的含水层有水力联系而言。此种类型的断裂带多出现在较松软的黏塑性岩层中,多数是由压应力及部分扭力作用而形成的,少数是张性及张扭性断裂被后期充填而胶结成致密的破碎带。因此,此类断裂带本身不含水,还可使被切断的含水层之间无水力联系。

在这里应该指出的是,隔水断裂带的隔水性,在水平和垂直剖面上经常是不一样的,这种变化与隔水断裂带的规模和穿过的岩层性质有关。在此类断裂带中,根据开采后的表现情况不同,又可分为以下两种情况:

①开采后仍然能起到隔水作用的。

②开采后透水的。它是指开采后的静水压力和矿山压力作用下,促使断裂带进一步破碎或因其中的松散充填物被冲蚀掉而变为透水断裂带。

(2)透水断裂带。

透水断裂带多数是张性和张扭性断裂,少数是压性和压扭性断裂。根据其中是否有补给水源,又可分为以下两种:

①与其他水源无联系的。本身具有透水性而与其他水源没有联系的断裂带,由于它不与固定水源(地表水体、老空水、巨大含水层等)相联系,因而成为孤立的含水断裂带。主要是一些分布在裂隙不太发育的细粒沉积岩、岩浆岩和某些变质岩地层中的较破碎的张性断裂带。这种水具有一定的压力,但一般水的储量不大。当巷道接近或揭露这种断裂带时,会突然发生涌水,但通常是开始水量大,以后逐渐减少甚至干涸,对采矿工作影响不大,一般不需采取特别的措施。

②与其他水源有联系的。这种断裂带对采矿工作影响很大,几乎较大的矿井透水事故都与这种断裂有关。因为它不仅本身含有大量的水,而且还与其他水源有水力联系。万一一旦这种断裂带引起矿井透水,补给水源则会通过它不断涌入井巷,水量大而稳定,不易疏干,常常会因透水而引起淹井事故。

(三)岩层的溶隙

这种孔隙主要是由碳酸盐类岩石溶蚀而成。它可以从细小的溶孔直到巨大的溶洞,可以是彼此连通也可以形成单独的管道或似格架状岩溶体,其中可储存大量的水或沟通其他水源,当巷道接近或揭露它们时,易造成灾害性冲溃。

岩洞一般沿断裂带、节理裂隙及层面裂隙发育，这是由于地下水道通过构造破碎带和裂隙面，作用于岩石的结果。岩溶发育的主导因素与岩溶化的程度、地质条件和水动力条件以及地下水交替循环的强烈程度所决定。构造是产生岩溶发育差异的基础，流动着的带有侵蚀性的地下水是其动力来源，二者相辅相成，缺一不可。

岩溶多分布于含水层的浅部及顶部，随深度增加而逐渐减弱。一般岩溶风化面层位的巷道涌水点最多，水量也大。涌水点常向地下水补给源移动。矿井总涌水量随主要巷道长度的延伸和开拓面积的增大而有规律地增大。

三、影响矿井涌水量的因素

(一)覆盖层的透水性及煤层围岩的出露条件

地表水和大气降水能否渗入地下，以及渗入量的大小，与煤层上覆岩层的透水性及围岩的出露条件密切相关。

上覆岩层的透水性越好，则补给水量和井下涌水量也越大。一般认为矿区内若分布有一定厚度(> 5m)稳定的弱透水层时，就可以有效地阻隔地表水和大气降水的下渗。

如煤层上覆围岩的透水性强，且其出露地表的面积越大，则接受降水和地表水下渗补给量就越大，井下涌水量也越大。

在地形平缓的情况下，厚度大的缓倾斜透水层最易得到补给。因此流入井巷的水主要为动储量，其涌水量将长期稳定在某个数值上，且不易防治。

若缺乏补给水源或煤层上覆岩层透水性弱(差)，则流入井巷的水量主要是静储量，这时水量是由大变小，较易防治。

(二)地形的影响

地形直接控制了含水层的出露部分和出露程度，控制着降水和地表水的汇集，因此矿区地形间接影响矿井的涌水程度和涌水量的大小。

当矿井开采深度位于当地侵蚀基准面以上时，涌水量通常较小，而且易排除。当开采深度低于当地侵蚀基准面时，一般文水地质条件比较复杂，涌水量也较大。

(三)地质构造的影响

在煤层分布范围内，受构造体系控制的蓄水构造类型和它的规模既决定了煤层的赋存规律，也决定了汇集地下水的条件，因此，地质构造直接影响矿井涌水量的大小。

地质构造对矿井涌水大小的影响是复杂的，是多种因素决定的。在分析研究矿井涌水条件时，既要看到地质构造决定地下水的埋藏条件，也要看到地质构造控制了地下水的运动规律和对矿井涌水量大小的影响。

四、矿井水灾事故发生的原因

造成矿井水灾事故的原因是多方面的，可归纳为以下主要几点：

(一)水文地质资料不清、盲目开采

如果对井田范围内水源的分布情况掌握不准，如含水层的数目，含水层与地表水的关系，岩层的透水性，断层、裂隙与水源和煤层的关系，古空区或古井的分布以及采空区塌陷情

况等水文地质情况不清，就盲目进行采掘活动，致使掘进巷道接近老空、充水（或导水）断层、强含水层、岩溶洞等水源时，未能事先采取必要的探放水措施，而造成透水或淹井事故。

（二）井筒位置选择不合理

对矿区地形、地貌及当地气象资料掌握不准确，将井口位置选择在当地历年最高洪水位以下的河谷或洼地，一旦暴雨袭来，引起山洪暴发，就可能造成淹井事故。

（三）技术决策失误

由于对断层附近、生产矿井与废弃矿井之间、采空区与新采区之间及地面水体没有留设防水隔离煤柱或煤柱尺寸不够，导致矿井水灾事故发生。

（四）麻痹大意，违章作业

以往许多透水事故案例说明，有相当一部分矿井水灾事故的主要原因不是由于水文地质资料不清或技术措施不正确，而是由于忽视矿井安全工作，麻痹大意、违章作业、违章操作造成的。

另外，防水设施工程低劣，乱掘、乱采、破坏防水隔离煤柱，在有透水危险区域未按要求构筑防水闸门等都是造成矿井水灾事故的直接或间接原因。

矿井发生透水事故的可能性是客观存在的事实，但矿井在采掘活动中，搞好矿井的探水、防水工作，并有针对性地采取各种安全防范措施，齐抓共管，时刻保持清醒的头脑，提高警惕，加强管理，杜绝违章，矿井水灾事故是可以避免的。

五、矿井水的危害

水灾事故是矿井重大灾害事故之一，在矿井生产和建设过程中，经常会遭到矿井水的威胁。轻者会影响到矿井的正常生产和人体健康，重者则会造成国家财产的重大损失和井下从业者的生命安全。具体反映在以下几个方面：

（1）若矿井排水系统不畅通，涌水到处蔓延，泥水横流，必须会恶化井下作业环境，不利于矿井文明生产。

（2）造成顶板淋水加大，增大井下巷道内空气湿度，影响人体健康和工作效率。

（3）由于矿井水中溶解有一定量的腐蚀性气体（如NO_2、SO_2、H_2S等），对矿井机电设备、金属支架和钢轨等，具有一定的腐蚀作用，缩短了设备的使用寿命。

（4）增加了排水设备的购置费、安装费和排水电能消耗，增大了吨煤成本。

（5）矿井涌水量一旦超过矿井排水设备的最大排水能力，轻者会造成矿井局部工作场所被淹，重者则会造成矿井停产甚至矿毁人亡。

（6）由于矿井水的存在，为此需要留设大量的防水隔离煤柱，必然会影响到煤炭资源的充分利用，并给矿井开采工作带来一定的难度。

第二节　矿井防治水

一、地面防治水

大气降水和地表水是矿井涌水的一个重要的渠道。因此，应根据矿井范围内的地形、地貌及工业广场的相对位置，采取相应的措施，防止大气降水和地表水进入煤矿井下。

（一）防止井口进水

矿井所有的井口，必须确保在任何情况下不能被洪水淹没，因此，井口高程必须位于当地历年最高洪水位以上。如果因地形所限，难以找到合适的井位时，应在地面工业广场范围内，修筑堤坝和沟渠，以使井口高程位于当地历年最高洪水位以上，以防暴雨和山洪直接由井口灌入矿井。特别是位于山坡和山前平地的矿井，降水可形成山洪流入矿区，甚至淹没整个矿井，应在井田边界垂直于水流方向挖排洪沟，拦截洪水并将其排出井田以外。《煤矿安全规程》第255规定：井口和工业场地内建筑物的高程必须高于当地历年最高洪水位；在山区还必须避开可能发生泥石流、滑坡的地段。井口及工业场地内建筑物的高程低于当地历年最高洪水位时，必须修筑堤坝、沟渠或采取其他防排水措施。

（二）防止地面渗水

井田范围内的河流、湖泊、水库、沟渠等地表水，可通过裂隙渗透到井下造成水灾事故。因此，应将其疏干或改道移至矿区以外。如鸡西恒山矿将1条2km长的河道移至矿区以外，消除了地表水对井田渗水的威胁。

如不能将河流改道或移出矿区，则应构筑护河堤坝，加固河床，以防汛期水泛滥成灾。当水库、沟渠底部有漏水现象时，可采取局部或全部铺底的方法消除漏水。如北京门头沟煤矿，地面天然沟渠比较多，漏水现象比较严重，采取了在沟渠铺设三层底的方法防止漏水，底层是韧性防漏层，用黏土夯实，厚度在250mm以上；中间采用伸缩层，用厚度为200mm的沙、石混合物铺成（沙、土比为3:7），以防底层翻浆，冬季又可防止沟底冻裂；上层为抗磨层，用水泥砂浆及河卵石铺成，厚度为350mm以上，可承受6m/s的水流冲刷。另外，还应留有足够厚度的防水隔离煤柱。

同样，对于地面可能通向井下的基岩裂隙、溶洞、废弃的地质钻孔及古井等，都必须用黏土填平夯实或用水泥砂浆灌注，以防漏水。

（三）防止地面积水

井田范围内的塌陷区、洼地等易于积水渗水的区域，必须根据矿井具体情况，采取防止积水的措施。一般对于区域不大的洼地，可采用黏土填平并使其高出地面；对于面积较大的区域，可采用开凿沟渠排泄积水或修筑围堤防止积水。必要时，可安设排水设备排除积水。

（四）加强防汛防洪工作

在每年的雨季来临之前，要加强对整个矿区范围内地面防水工程和防洪设施的全面检查工作，发现问题要及时处理。

在雨季来临期间，查看水情、积极应对突发事件，确保矿井安全生产。

二、井下防治水

在煤矿井下生产和建设过程中，常常会遇到不同形式的矿井水的威胁，为了做到安全生产，除了对各种涌水因素进行充分研究以外，还必须根据具体情况，采取相应的预防措施，这些防范措施可概括为：查、探、堵、截、排、放。

（一）查水

查明水源位置及其导水通道。大力开展矿井水文地质工作，调查了解矿区范围内老窑分布情况。对含水层的赋存状况（包括层位、厚度、倾角、地质构造等）岩性及涌水量等情况要调查清楚；对古井、老窑及采空区的位置、范围、积水情况也要进行详细的调查，掌握详细情况，以便于在采掘过程中，制定周密的防范措施。

（二）探水

1.探水原则

对可能涌水的进点，要进行超前探水。《煤矿安全规程》第285条规定：矿井必须作好水害分析预报和充水条件分析，坚持预测预报、有疑必探、先探后掘、先治后采的防治水原则。《煤矿安全规程》第286条规定：采掘工作面遇到下列情况之一时，必须确定探水线进行探水。

（1）接近水淹或可能积水的井巷、老空或相邻煤矿时。

（2）接近含水层、导水断层、涧洞和导水陷落柱时。

（3）打开隔离煤柱放水时。

（4）接近可能与河流、湖泊、水库、蓄水池、水井等相通的断层破碎带时。

（5）接近有出水可能的钻孔时。

（6）接近有水的灌浆区时。

（7）接近其他有可能出水的地区时。

经探水确认无突水危险后，方可前进。

2.探水要求

（1）对探水起点位置的确定。

①矿井文水地质资料不是很清楚，一时难以确定水源的准确位置，由推测的水源边界60m开外，开始打钻探水。

②对古空积水的具体位置及水源边界位置能够确定时，探水起点距水源边缘的最小距离为：岩层中≥20m；煤层中≥30m。

③石门揭开含水层前，探水起点至含水层的最小距离≥20m。

④掘进巷道附近有断层或陷落柱时，探水起点至最大摆动范围预计煤柱线的最小距离≥20m。

（2）钻孔深度、超前距离与帮距的确定。

探水距离必须超前工作面一定距离，即保持一定宽度的煤（岩）柱，以确保安全。如图11-2所示。

探水钻孔通常是按扇形布置。中心孔与外斜孔眼底之间的垂直距离称为帮距；探水后掘进工作面暂停位置与中心孔终点距离称为超前距离。

超前距离与帮距越大，探水工程量也越大，允许的掘进距离则会相应缩短，这样安全系数虽然大，但掘进速度却比较慢，经济上也不合理。因此应合理确定超前距离和帮距，即确保安全，又利于生产。

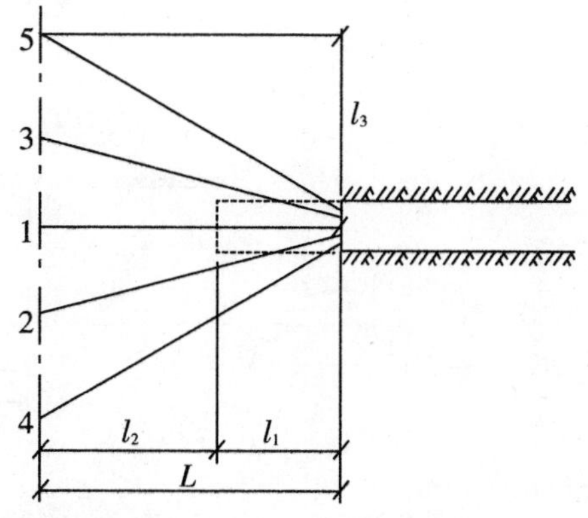

图11-2　探水钻孔超前距离

L——探孔深度；l_1——掘进距离；l_2——超前距离；1——中心孔；2.3——内侧孔；4.5——外侧孔；l_3——帮距

超前距离一般不小于20m。在薄煤层中可适当缩短，但最小不得小于5m。钻孔深度一般为40m左右，这样每打一次钻，可连续向前掘进20~30m。

帮距原则上与超前距离一致，但在实际施工时因受巷道限制，外斜孔与巷道中心线之间的夹角不可能太大，因此根据煤（岩）层的硬度等情况，帮距可以比超前距小1~2m。如超前距为20m时，则帮距不得小于16~18m。

（3）钻孔直径与数目的确定。

如果水源积水量和水压都不大的情况下，可直接由钻孔向外放出积水，因此钻孔直径的大小，即能使积水放出，又不至于冲垮煤（岩）壁。所以钻孔直径以不大于75mm为宜。

探水钻孔的数目要根据实际情况而定，但不得小于3个，有时可高达5~7个。

（4）钻孔布置方式的确定。

探水效果的好坏，从某种程度来讲与钻孔的布置方式存在着必然的联系。因此应根据现场的具体条件采用相应的钻孔布置方式。

①在缓倾斜（或近水平）的薄煤层中，如掘进上山巷道，探水钻孔应布置成扇形，如图11-3所示。若为平巷掘进，探水钻孔应在上帮方向布置成半扇形，如图11-4所示。钻孔之间的夹角一般为10°~15°，开始探水时可打5~7个钻孔，以后根据实际情况可适当减少，但不能少于3个。为了不漏探旧巷积水，要求巷道掘进终止位置处中心孔与帮孔的距离，一般不超过3~5m，如图11-5所示。

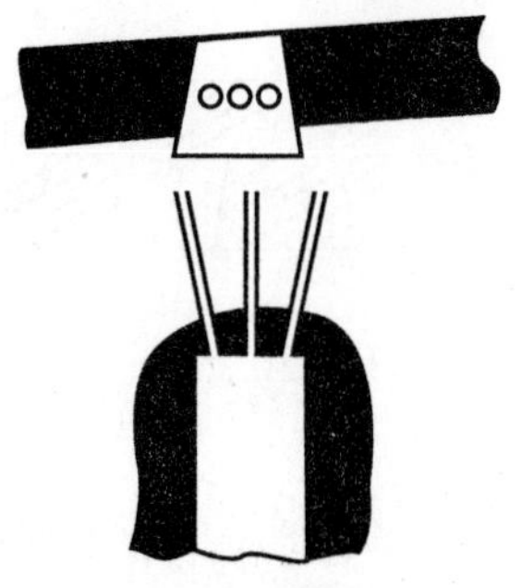

图11-3　扇形布置图

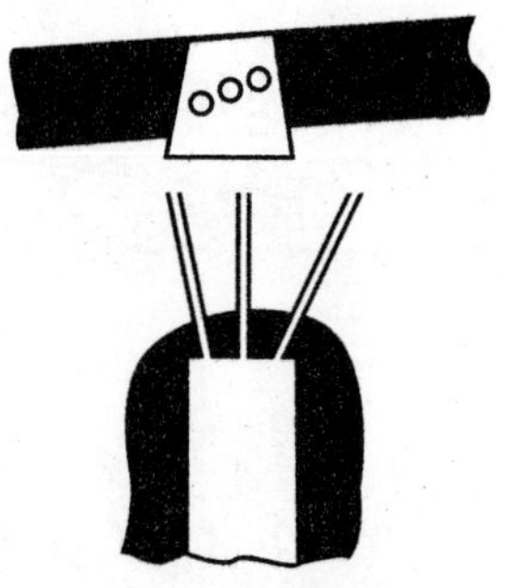

11-4　半扇形布置图

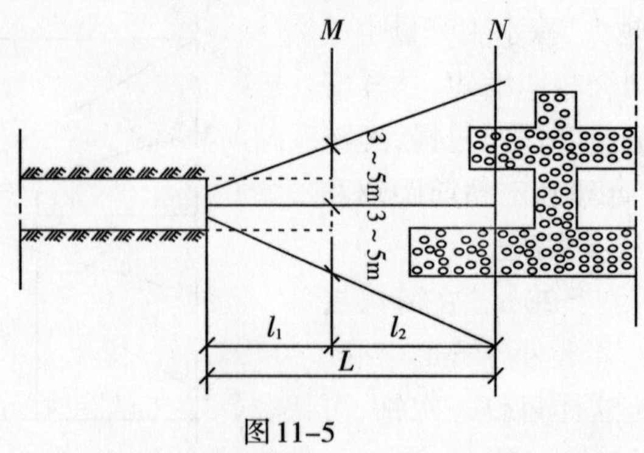

图11-5

L——钻孔深度；l_1——掘进距离；l_2——超前距离；M——掘进巷道终止位置；N——钻孔终止位置

②在急倾斜薄煤层掘进巷道探水时，钻孔应沿垂直方向布置呈扇形，如图11-6所示。

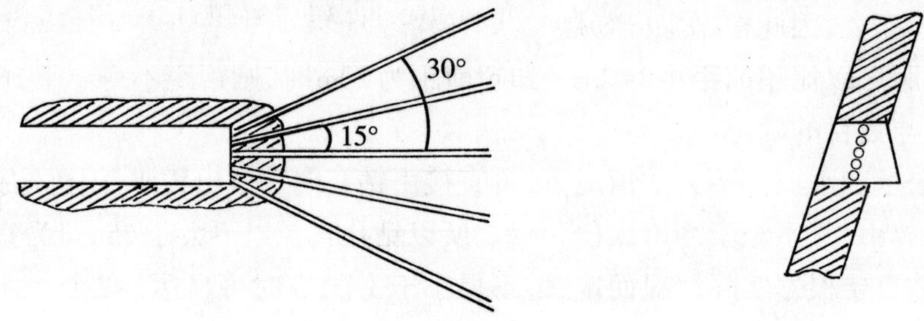

图11-6　急倾斜薄煤层探水钻孔布置

③在中厚或厚煤层巷道探水时，既要防止掘进工作面前方或两帮突然涌水，又要防止顶、底板突然涌水。因此，钻孔的布置要根据煤层厚度和巷道布置来确定。当巷道沿煤层顶板布置时，钻孔布置如图11-7所示。

图11-7　巷道沿煤层顶板布置钻孔布置

中厚或厚煤层巷道沿煤层底板布置时，探水钻孔布置如图11-8所示。

图11-8　巷道沿煤层底板布置钻孔布置

3.探水时的安全技术措施

为确保探水作业人员的人身安全和矿井安全生产，探水时应采取下列安全措施：

(1)加强探水作业地点巷道支护，并在工作面打好坚固的立柱和护板。

(2)挖好排水沟，清理巷道，当探水作业地点巷道位于低洼处时，要预先备好排水设备。

(3)在探水地点附近安设直通矿调度室的专用电话。

(4)根据施工设计,确定探水孔的具体位置、钻孔数目、角度、方位及钻孔深度。

(5)在探水钻进前,预先安好孔口管和控制阀门。

(6)在有透水危险地点打钻时,必须预先建立避难硐室(所),并规定避灾路线。

(7)若发现煤岩松软、片帮、压力突然增大或钻孔内的水压、水量突然增大以及有顶钻等异常情况时,必须停止钻进,但不得拔出钻杆,派人监测水情,并向矿调度室报告。如果情况危急时,必须立即撤出现场作业人员和受水威胁地区的工作人员,然后采取措施,进行处理。

(8)钻孔接近老空前,预计可能有瓦斯或其他有害气体涌出时,必须有矿山救护队员和瓦斯检查工在作业现场值班,检查空气成分。如果瓦斯或其他有害气体超过《煤矿安全规程》规定时,必须立即停止钻进,切断电源,撤出人员,并报告矿调度室。

(三)堵水

当涌水量太大,超过矿井排水能力时,就要采取措施,进行堵水。一般多采用注浆堵水予以处理,即将专门制备的材料(浆液)通过钻孔压入煤(岩)层的裂隙、溶洞或断裂破碎带,使浆液膨胀、凝固、硬化,达到充填、堵塞涌水通道、封堵水源的作用。注浆堵水方法简单、易行,堵水速度快、成本低,是防止钻孔涌水快捷、有效的首选方法。

(四)截水

若钻水探孔与积水区域钻透时,当涌水量过大,超过矿井排水能力时,首选方法是进行堵水。在此情况下,如果水压太大,堵水材料无法封堵时,就要进行截水。此时可利于防水闸门、防水墙、防水煤(岩)柱等防水设施,进行临时或永久性地截住水源,将工作区域与积水区隔开,以使矿井局部地点的涌水不致影响整个矿井的安全生产。

1.防水闸门

防水闸门是截水最方便、最快捷的方法,其结构与风门类似,设置在发生突水时需要截水而平时需要行人和通车的巷道中。

(1)设置防水闸门的目的。

①在有突水危险地区设置防水闸门,是为了进行分区隔离,在掘进巷道或采区发生突水时,防止灾情扩大。

②在井底车场设置防水闸门,主要是为了保护井筒、井底车场和矿井排水设施及排水设备不被水淹没,便于矿井恢复生产。

(2)对防水闸门设置地点与构筑质量的要求。

《煤矿安全规程》第273条规定:水文地质条件复杂或有突水淹井危险的矿井,应当在井底车场周围设置防水闸门或在正常排水系统基础上另外安设具有独立供电系统且排水能力不小于最大涌水量的潜水泵。在其他有突水危险的采掘区域,应当在其附近设置防水闸门,不具备设置防水闸门条件的,必须制定防突水措施,由煤矿企业主要负责人审批。

防水闸门应符合下列要求:

①防水闸门必须采用定型设计。

②防水闸门的施工及其质量,必须符合设计要求。闸门和闸门硐室不得漏水。

③防水闸门硐室前、后两端,应分别砌筑不小于5m的混凝土护碹,碹后用混凝土填实,

不得空帮、空顶。防水闸门硐室和护碹必须采用高标号水泥进行注浆加固，注浆压力应符合设计要求。

④防水闸门来水一侧15~25m处，应加设一道挡物箅子门。防水闸门与箅子门之间，不得停放车辆和堆放杂物。来水时先关箅子门，后关防水闸门。如果采用双向防水闸门，应在两侧各设1道箅子门。

⑤通过防水闸门的轨道、电机车架空线、带式输送机等必须灵活易拆；通过防水闸门墙体的各种管路和安设在闸门外侧的闸阀的耐压能力，都必须与防水闸门所设计压力相一致；电缆、管道通过防水闸门墙体时，必须用堵头和阀门封堵严密，不得漏水。

⑥防水闸门必须安设观测水压的装置，并有放水管和放水闸阀。

⑦防水闸门竣工后，必须按设计要求进行验收；对新掘进巷道内建筑的防水闸门，必须进行注水耐压试验，水闸门内巷道的长度不得大于15m，试验的压力不得低于设计水压，其稳压时间应在24h以上，试压时应有专门安全措施。

⑧防水闸门必须灵活可靠，并保证每年进行2次关闭试验，其中1次应当在雨季前进行，关闭闸门所用的工具和零配件必须专人保管，专地点存放，不得挪用丢失。

老矿井不具备建筑防水闸门的隔离条件，或深部水压大于5MPa，高压水闸门沿无定型设计时，可以不建防水闸门，但必须制定防突水措施。

2.防水墙

防水墙亦属于煤矿井下一种截水、防水的设施，其作用与防水闸门基本相同，是将积水区及透水危险区与井下作业场所相互隔绝的设施。

根据防水墙的作用与服务期限不同，一般可分为临时性防水墙和永久性防水墙两种。临时性防水墙一般作为构筑永久性防水墙和应急之用；永久性防水墙是为了长期封闭水源之用。临时性防水墙一般采用砖石砌筑；永久性防水墙则用混凝土或钢筋混凝土构筑。防水墙的形状有平面、球面和圆柱面三种。平面形状的防水墙施工简单，但抗压强度较差，球面与圆柱面形状的防水墙，施工工艺较为复杂，但抗压强度好。一般多采用圆柱状防水墙，如图11–9所示，在水压特别大的情况下，为增加其坚固性，可采用多段形混凝土防水墙，如图11–10所示。

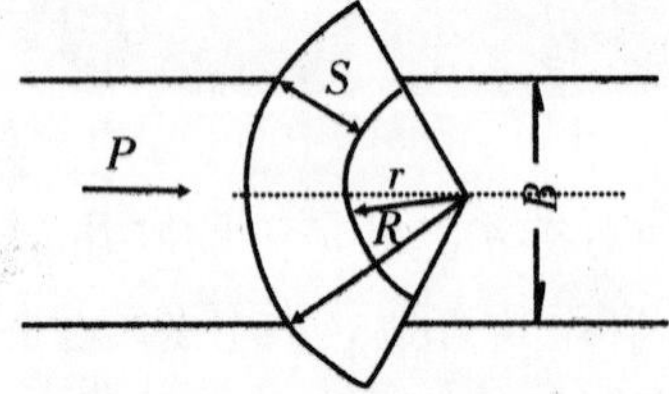

图11–9　圆柱形防水墙

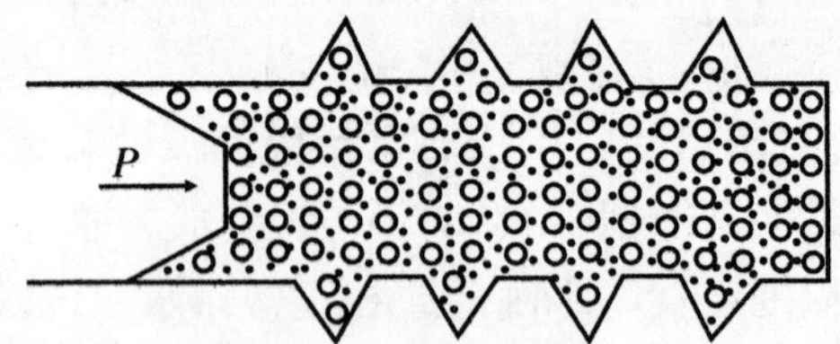

图11–10　多段形混凝土防水墙

防水墙要有足够的厚度。平面形状防水墙的墙体厚度一般不于巷道宽度的一半（1/2B）。圆柱形防水墙的内径的大小，可根据围岩性质与巷道宽度B确定，围岩强度高时，取r=B；围岩强度差时，取r=1.5B。

构筑防水墙时应注意以下事项：

(1)在构筑防水墙地点的岩石应坚固无裂缝,如有风化松软或有裂缝的岩石,应全部予以清除。

(2)防水墙四周要掏槽,直至完整坚固的煤(岩)壁,禁止采用爆破的方式掏槽,应用手镐或风镐掏槽,以免破坏煤(岩)体的完整性。

(3)应尽量选择在断面较小的地点巷道中构筑防水墙,以节省材料和缩短工期。

(4)在构筑防水墙时,四周应予留灌浆孔,墙体构筑完毕后应向四周灌注水泥砂浆,以使墙体与四周围岩紧密结合为一个整体,防止漏水。

(5)为了不影响施工,在建筑防水墙时,应在防水墙下部予埋排水管,以便于墙体在凝固前疏放积水,墙体在凝固后再关闭阀门或加以堵塞。

(五)放水

放水就是在探明矿井水源之后,根据水源的类型采取不同的疏放水方法,有计划、有准备地将威胁矿井安全生产的水源放水疏干,这是防治矿井水最积极、有效的措施。

1.含水层水的疏放方法

(1)地面疏放。在地面向积水区打钻孔,利用安装在地面的排水设备,直接把水抽出地面。

(2)利用巷道疏放。若煤层顶板有含水层,可把采区巷道提前掘出,使含水层水通过裂隙疏放出来。

(3)利用钻孔疏放。若含水层距煤层较远或含水层较厚,可在疏水巷道中每隔一定距离向含水层打放水钻孔进行疏干;若在煤层下部,岩层的储水能力大于上部含水层的泄水量时,可利用泄水或导水钻孔导下下泄,以疏干煤层和上部含水层,这是一种经济实惠的疏干方法。

(4)巷道与钻孔结合疏放方法。即为上述(2)(3)两种方法的综合运用,可加快疏放水的效率。

2.老空水疏放方法

(1)直接放水。当积水区域水量不大时,不至于超过矿井排水能力时,可利用钻孔将水直接放出。

(2)先堵后放。当老空水与岩溶水或其他水源之间存在联系,当动水储量很大时,不先堵住水源则在短时间内排不完或根本不可能排完,这时就应先堵住水源,然后逐步想办法排放积水。

(3)先放后堵。若老空水或被淹井巷虽然与其他补给水源之间存在联系,但在一定时间范围内的补给量不大,或在某一季节没有补给。在此情况下,应抓住有利时机先进行排放,然后进行防漏、堵漏施工。

(六)排水

采区和矿井水仓都必须有一定的储水能力,采区和矿井水泵房必须有足够能力的排水设备和排水能力,以将矿井涌水排出地面。

《煤矿安全规程》第278条规定:主要排水设备应符合下列要求:

(1)水泵:必须有工作、备用和检修的水泵。工作水泵的能力,应能在20h内排出矿井

24h的正常涌水量(包括充填水及其他用水)。备用水泵的能力应不小于工作水泵能力的70%。工作和备用水泵的总能力,应能在20h内排出矿井24h的最大涌水量。检修水泵的能力应不小于工作水泵能力的25%。水文地质条件复杂的矿井,可在主泵房内预留安装一定数量水泵的位置。

(2)水管:必须有工作和备用的水管。工作水管的能力应配合工作水泵在20h内排出矿井24h的正常涌水量,工作和备用水管的总能力,应能配合工作和备用水泵在20h内排出矿井24h的最大涌水量。

(3)配电设备:应同工作、备用以及检修水泵相适应,并能同时开动工作和备用水泵。

有突水淹井危险的矿井,可另行增建抗灾强排能力泵房。

《煤矿安全规程》第280条规定:主要水仓必须有主仓和副仓,当一个水仓清理时,另一个水仓能正常使用。

新建、改扩建矿井或生产矿井的新水平,正常涌水量在1000m³/h以下时,主要水仓的有效容量应能容纳8h的正常涌水量。

正常涌水量大于1000m³/h的矿井,主要水仓有效容量可按下式计算:

$$V = 2(Q+3000)$$

式中　V——主要水仓的有效容量,m³;

Q——矿井每小时正常涌水量,m³。

但主要水仓的总有效容量不得小于4h的矿井正常涌水量。

采区水仓的有效容量应容纳4h的采区正常涌水量。

矿井最大涌水量和正常涌水量相差特大的矿井,对排水能力、水仓容量应编制专门设计。

水仓进口处应设置箅子。对水砂充填、水力采煤和其他涌水中带有大量杂质的矿井,还应设置沉淀池。水仓的空仓容量必须经常保持在总容量的50%以上。

第三节　矿井透水事故处理

一、透水预兆

大量的透水事故调查资料表明,矿井在发生透水之前都有一些共性的预兆。掌握和熟悉这些预兆,及时采取有力的防范措施,保证现场及受水害威胁区域作业人员安全撤出危险区有着重要的意义。广大的工程技术人员和井下作业人员在长期与水害抗争的实践中,总结归纳了许多透水前的预兆现象,主要表现在以下几个方面:

(1)“挂红”。煤壁或巷道壁挂红,这是由于古空积水中溶解有许多矿物杂质所致,如水中含有Fe_2O_3(即铁锈)时,由煤(岩)裂隙渗出的水可在裂缝下断面及巷道底板形成铁锈色的水。

(2)“挂汗”。煤壁或巷道壁的挂汗现象,是由于水渗过微细裂缝,凝结在煤(岩)壁的表面,或当空气湿度超过100%时,一部水蒸气由气态转化为液态,看上去好像是煤(岩)壁出汗一样。

(3)空气变冷,煤壁变凉。与水源接近时,水要吸收大量的热量以获得能量而转化为水蒸气,其结果导致巷道空气与煤(岩)壁温度降低。

(4)煤壁发潮、发暗。原先干燥光亮的煤由于水的渗入,失去了原有的光泽,就变得既潮湿又暗淡。如挖去一层表面,里面仍是如此,即说明里面有积水。

(5)煤壁变形、顶板来压、底板鼓起。这是一方面受到水压的影响;另一方面是由于煤体湿润后体积膨胀原因所致。

(6)出现压力水线。由煤层较为平整且细长的微小裂缝中向外渗水,会出现一条或数条暗淡无光泽且潮湿的压力水线,通过人的视力便可感知到它的存在。

(7)水叫。这是由于水由微小的裂缝向外渗透被挤压所发出的"嘶嘶"声;另一种情况是空洞泄水和掉渣声,离水源很近时,耳朵贴在煤壁上,甚至可听到矸石掉到水里发出的"咚咚"声响,这都是危险的预兆。

(8)有异味。可闻到一股臭鸡蛋的味道,这是由于古空积水中溶解有大量的H_2S所致。

(9)出现雾气。在采掘工作面空气温度较高时,由煤(岩)体渗出的积水会遇热蒸发形成雾气。

(10)有害气体浓度增加。古空积水水面以下溶解有大量的H_2S、SO_2、NH_3等有害气体,水面以上的暴露空间积存有大量的CH_4等有害气体,它们可由煤(岩)壁的微小裂缝渗透出来,扩散到工作面空间空气中。

由于水源的类型不同,出现的透水征兆也不同。根据不同征兆,可以判断各类不同水源,以便于采取不同的措施进行针对性的应对。

①老空水。老空水多属于积水时间长久,水中溶解的杂质多,水量补给较差,一般称为"死水"。其特点是"挂红",水的酸度大,水味发涩,有臭鸡蛋味。这是因为铁锈使水变成暗红色,所含硫化氢有臭鸡蛋味,酸性水发涩。

②断层水。在断层附近岩层较为破碎,所以一般出现工作面来压,淋水增大现象。断层水一般补给比较充足、多属"活水",很少见"挂红",水味不涩而发甜。在岩巷中遇到断层水,有时能在岩缝中见到"游泥",底部出现射流,水呈黄色等。

③冲积层水。在浅部掘凿井筒时,常会遇到冲积层水。如果隔离煤柱留得过小,采煤工作面顶板冒落后,裂隙沟通冲积层,可导致涌水事故。其特点是一般开始时涌水量小,随后涌水量逐渐增大;水色发黄,夹有沙子。

上述征兆,并不是每次透水都会全部出现,而只是出现其中几种,只是压力增大,支柱折断,水突然涌出。又如某矿巷道上部有一盲巷通过老空,并有较厚的淤泥隔水,预兆不明显,但在巷道掘过去之后引起岩石松动,突然透水。

《煤矿安全规程》第266条规定:采掘工作面或其他地点发现有挂红、挂汗、空气变冷、出现雾气、水叫、顶板淋水加大,顶板来压、底板鼓起或产生裂隙出现渗水、水色发浑,有臭味等突水预兆时,必须停止作业,采取措施,立即报告矿调度室,发出警报,撤出所有受水威胁地点的人员。

二、透水时的应急措施

(一)透水现场人员的行动原则

当矿井中某一局部地点发生透水时,现场作业人员一定要发扬临危不惧的精神,沉着冷静,果断有序地采取有效措施妥善处理,具体要求如下。

(1)立即报告矿调度室或矿主要负责人。

(2)设法堵住出水点。在班、组长或老工人的指挥下,尽量就地取材加固工作面(如打木垛和堆集支柱等),设法堵住出水点,防止事故继续扩大。

(3)迅速撤离危险区。如果水势太猛,无法堵住出水点,也来不及加固工作面时,则应有组织地沿着预定的避灾路线迅速撤离至上一水平或地面。切莫惊慌误入独头下山巷道;撤离过程中,当发现有硫化氢等有害气体逸出时要注意防止中毒。

(4)避难待救。井下人员万一来不及撤至安全地点时,可找一独头上山,暂时避难待救。被困待救人员应保持镇静,避免体力过度消耗,如果是多人遇险,应发扬团结互助精神,共同克服一切困难,要坚信组织上一定会设法营救,坚信一定能够安全脱险。

(二)抢救措施

矿调度室和矿主要负责人接到透水报告后应迅速采取下列抢救措施。

(1)立即报告上级有关部门。

(2)通知矿山救护队做好抢险救灾准备,到达指定位置,随时调用,营救遇险人员。

(3)准确核查井下工作人员,如发现有人被堵于井下,首先应制定营救措施,及时组织力量,抢救遇险人员。为此,要判断人员可能的躲避地点,根据涌水量和排水能力,估计排水所需时间。当判断有人被堵在高于积水面的独头上山巷道内时,必要时可通过地面打钻孔向井下输送食物等。

(4)关闭有关的防水闸门,开动全部排水设备,调动一切人力、物力,争取在最短的时间内排出积水,在关闭防水闸门时,必须清查人员是否全部撤出。对尚未关闭但涌水量增大水面升高时需要关闭的防水闸门,要派专人看守检查防水闸门是否灵活、严密;清查淤渣,拆除影响轨道,做好准备,待命关闭。

(5)立即通知泵房人员,将水仓的水位降到最低程度,以争取较长的缓冲时间。

(6)加强通风,排出透水带出的有害气体,并经常检查其浓度变化情况。

(7)地质人员应分析判断突水来源和最大突水量,测量涌水量及其变化,察看水井及地表水位的变化情况,判断突水量的发展趋势,采取必要的措施,防止淹没整个矿井。

(8)检查维护所有排水设施和输电线路,了解水仓现有容量。如果水中携带大量泥沙和浮煤时,应在水仓进口处的大巷内分段建筑临时挡墙,使其沉淀,减少水仓淤塞。在水泵龙头被堵塞时,应组织人员下水清除龙头上的杂物。

(9)根据涌水的发展趋势,及时通知受涌水威胁区域的人员,乃至井下所有人员迅速向安全地点转移,直到安全出井。

三、恢复被淹井巷

(一)排除被淹井巷积水的方法

恢复被淹井巷的工作大致包括:查清水源、堵水、排水、初整巷道,逐段恢复通风以及进一步整修巷道和恢复生产等内容。其主要工作首先是排除积水。为了有效地排除被淹井巷中的积水,必须对水源、水量及涌水通道进行周密的调查研究,然后再采取相应的措施。

排除被淹井巷中积水的方法有以下两种:

(1)直接排干法。

在水量不大、补给水源有限的情况下,可采取增加排水设备,加大排水能力的方法,直接将被淹井巷中的积水排干。

(2)先堵后排法。

当涌水的动储量特别大,补给水源丰富,单纯采用加大排水能力的方法仍不可能排干时则必须先堵住涌水通路,截断补给水源,然后再进行排水的措施。

(二)恢复被淹井巷的注意事项

(1)保持通风,经常检查有害气体含量。随着水位的下降,积存在被淹井巷中的有害气体CO_2、H_2S、CH_4等可能大量逸出。因此,应事先准备好通风设备,随着排水工作的进行,保持良好通风状态,逐段排出有害气体。当井筒中的瓦斯浓度达0.75%时,井筒应停止供电排水,加强通风排除瓦斯。对井巷气体应定期取样分析,通常每班取样1次;当水位接近井底,可能泄出有害气体时,要求每隔2h取样1次,这时排水看泵人员应由矿山救护队员担任。

(2)严禁在井筒内和井口附近使用明火,以防井下瓦斯突然大量涌出而引起爆炸。

(3)在井筒内安装排水管或进行其他工作的人员必须佩戴安全带和自救器。

(4)在修复井巷时,应特别注意防止发生冒顶与坠井事故。

第二部分　专业核心知识点

本章核心知识点主要有以下内容

1.矿井地面防治水的措施；
2.井下防治水的措施；
3.井下透水前的预兆；
4.透水事故发生时的应急措施；
5.透水事故后的处理方法。

复习题

1.地面水源主要有哪些方面?
2.井下水源主要有哪些方面?
3.矿井涌水通道主要有哪些?
4.影响矿井涌水量的因素主要有哪些方面?
5.矿井水的危害主要表现在哪些方面?
6.地面防治水的措施有哪些?
7.井下防治水的措施可用哪几个字予以概括?
8.矿井探放水必须坚持的原则是什么?
9.采掘工作面在哪些情况下,必须确定探水线,进行探水?
10.井下发生透水前主要有哪些方面的预兆?
11.恢复被淹井巷时应注意哪些事项?

讨论题

1.在现阶段开采过程中,造成矿井透水事故的主要原因有哪些?
2.发生透水事故时,现场作业人员应迅速采取哪些措施?
3.发生透水事故时,矿方应迅速采取哪些应急抢救措施?

第十二章　矿山救护

第一部分　系统理论知识

井工开采是地下作业，工作空间狭窄且又经常发生移动变化，同时要还要受到瓦斯、水、火、粉尘、顶板事故等灾害的威胁，从客观上有发生事故的危险性。再加上人们对各种灾害的发生、发展规律还不能全面、深刻地认识和掌握，特别是有时麻痹大意，违章作业等，又人为地加大了发生事故的可能性。为此，在认真贯彻“安全第一”的生产方针，严格执行《规程》及其他有关法规和制度的基础上，还必须对某些可能发生的事故，事先做好周密细致的安排，并编写在《矿井年度灾害与处理计划》中，教育职工在一旦发生事故时，应如何正确保护自己和积极参与救护工作，从而把灾害限制在最小的范围。这就是矿山救护工作的内容和目标。

第一节　矿山救护队

矿山救护队是处理矿井瓦斯、粉尘、火、水、顶板等灾害事故的专业队伍，对预防、消除和处理井下事故、抢救遇难人员、最大限度地缩小灾害和减少人员伤亡、减少资源财产损失等起着极其重要的作用。《煤矿安全规程》第493条规定：所有煤矿必须有矿山救护队为其服务。煤矿企业应设立矿山救护队，不具备单独设立矿山救护队的煤矿企业，应指定兼职救援人员，并与就近的救护队签订救护协议或联合建立矿山救护队；否则，不得生产。矿山救护队至服务矿井的距离以行车时间不超过30min为限。《煤矿安全规程》等494条规定：矿山救护队必须经国家煤矿安全监察局进行资质认证，取得合格证后方可从事矿山救护工作。

一、矿山救护队组织

（一）矿山救护大队

矿山救护大队应由不少于2个中队组成，是完备的联合作战单位，是本矿区的救护指挥中心和演习训练、培训中心。

矿山救护大队设大队长1人，副大队长2人，总工程师1人，副总工程师1人，工程技术人员数人。

矿山救护大队设相应的管理及办事机构（如战训、后勤等），并配备必要的管理人员和医务人员。

（二）矿山救护中队

矿山救护中队应由不少于3个救护小队组成，是独立作战的基层单位。救护中队每天应有2个小队分别值班、待机。

矿山救护中队设中队长1人，副中队长2人，工程技术人员1人，并配备汽车司机、机电维修工、充氧充电工等人员。

（三）矿山救护小队

矿山救护小队是执行作战任务的最小战斗集体，由不少于9人组成。救护小队设正、副小队长各1人。

（四）辅助矿山救护队

煤矿企业可根据需要建立辅助矿山救护队。辅助矿山救护的编制应根据矿井的生产规模、自然条件、灾害情况来确定。

辅助矿山救护队设专职队长及专职仪器装备维修工，负责日常工作。辅助矿山救护队直属矿长领导，业务上受矿山救护队指导。

辅助矿山救护队员，应由符合矿山救护队员条件的工人、工程技术人员和干部兼职组成。

矿山救护队大、中队长应由熟悉矿山救护业务，具有相应的煤矿专业知识，从事煤矿生产、安全、技术管理工作5年以上和矿山救护工作3年以上的人员担任。

矿山救护大队指挥员年龄不应超过55岁，矿山救护中队指挥员不应超过45岁，救护队员不应超过40岁，其中35岁以下队员应保持在2/3以上。指挥员每年应进行1次身体检查。对身体不合格或超龄人员应及时调整。

新招收的矿山救护队员，应具有初中以上文化程度，年龄在25周岁以下，从事井下工作1年以上。

新矿山救护队员必须经过3个月的基础培训，再经过3个月的编队实习，并综合考评合格后，才能成为正式矿山救护队员。

新招收的辅助救护队员必须经过45d的救护知识基础培训，经过考试合格后，才能成为正式辅助救护队员。

矿山救护队员、辅助救护队员、每年必须接受2周的再培训和知识更新教育。

二、矿山救护队的任务

矿山救护队的各项工作必须以救护为中心，以提高战斗力为重点，把抢救遇险、遇难人员和国家财产作为全体指战员的神圣职责。所以要坚持“加强战备，主动预防，积极抢救”的原则，时刻保持高度警惕，平时严格管理，严格训练，深入井下，熟悉井巷、设备、设施，加强检查，消除隐患，能做到“闻警即到，速战能胜”。

（一）专职矿山救护队的任务

（1）抢救井下遇险、遇难人员。

（2）处理井下火、瓦斯、煤尘、水和顶板等灾害事故。

（3）参加危及井下人员安全的地面灭火工作。

（4）参加排放瓦斯、震动性爆破、启封火区、反风演习和其他需要佩戴氧气呼吸器的安全技术工作。

（5）参加审查矿井灾害预防和处理计划，协助矿井搞好安全和消除事故隐患的工作。

（6）负责辅助矿山救护队的培训和业务指导工作。

（7）协助矿井搞好职工救护知识教育。

(二)辅助矿山救护队的任务

(1)做好矿井事故的预防工作,控制和处理矿井初期事故。

(2)引导和救助遇险人员脱离灾区,积极抢救遇难人员。

(3)参加需要佩戴氧气呼吸器的安全技术工作。

(4)协助矿山救护队完成矿井事故的处理工作。

(5)搞好矿井职工自救与互救的宣传教育工作

三、矿山救护队的工作制度

为了能迅速进行救护工作,救护队应经常处于战备状态。中队分别由各小队轮流担任值班队、待机队和休息队,其时间均为24h。值班队在值班时间内,由一名队员担任电话值班员,其余队员集中在队部学习或休息;待机队可在队部从事训练、检修设备或下矿熟悉情况;休息队员必须做到一旦有事能很快接到通知,并立即返回队部。所用的救护设备、救护急用材料及服装等应准备妥善,放在救护车上,以保证接到矿井事故电话时能立即出动。

电话值班队员接到矿井发生灾害事故电话时,应立即发警报,并详细记录发生事故的种类、地点、范围等。值班负责人要迅速集合值班队员,必须在接到事故电话后1min内出动。此时待机队立即转为值班队,休息队转为待机队,做好战斗准备,随时准备出动。

四、矿山救护队主要设备

矿山救护队必须配备能够处理各类灾害事故的技术装备及救护器材。所有技术装备必须有专人保管,定期检查维护,保持完好状态。

《煤矿安全规程》第495条规定:任何人不得调动矿山救护队、救护装备和救护车辆从事与矿山救护无关的工作。

(一)氧气呼吸器

氧气呼吸器是一种与外界空气隔绝、密闭再生式自动调节氧装置,它是矿山救护队员在窒息性或有毒有害气体中进行事故预防或事故处理工作中佩戴的个人防护装备。它可以自动调节供氧量并与外界空气隔绝,保障救护队员的人身安全。

1995年我国引进了美国Biopak—240型正压呼吸器。此后,重庆安全仪器厂与德国德尔格公司联合生产了BG_4正压呼吸器;抚顺煤矿安全仪器厂开发研制了HY_{24}正压呼吸器。这些引进、研制开发的基本目标都是由正压呼吸器取代传统的负压呼吸器,杜绝了由于呼吸器气密问题而导致救护队员自身伤亡事故。

下面主要介绍AHG—4A型、AHY—6型和PB_4型三种呼吸器。

1.AHG—4A型氧气呼吸器

(1)主要技术参数:

①氧气压力在20Mpa时的氧气瓶氧气储藏量为400L。

②定量供氧量:1.1 ~ 1.3L/min。

③自动排气压力:+200 ~ +300Pa。

④自动补给压力:-150 ~ -250Pa。

⑤自动补给流量:不低于50~60L/min。

⑥手动补给流量:在20Mpa时,不低于90L/min。

⑦呼吸器有效使用时间:4h。

(2)结构:

AHG—4A型氧气呼吸器结构如图12-1所示。

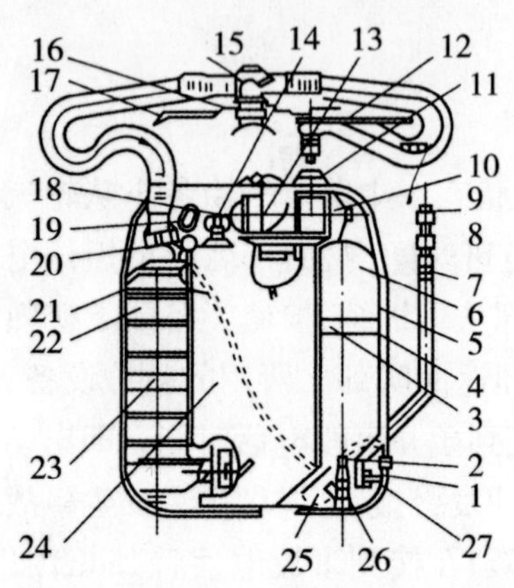

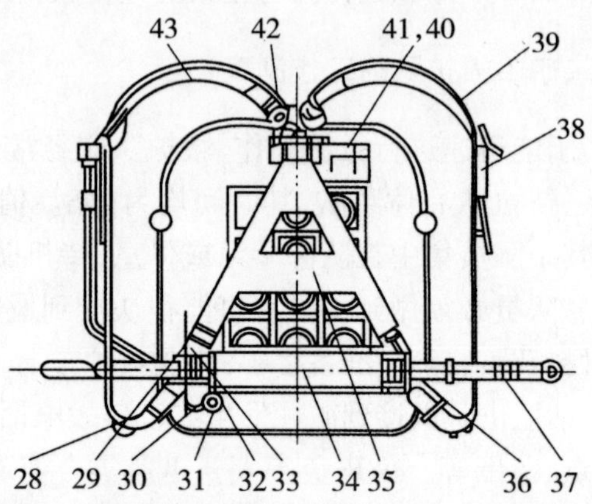

图12-1　AHG—4A型氧气呼吸器

1——外壳;2——手动补给接头;3——氧气瓶左紧带;4——氧气瓶右紧带;5——开口销;6——氧气瓶;7——压力表导管;8——氧气压力表;9——垫圈;10——降温器;11——吸气阀;12——右头带;13——保护片;14——自动排气阀;15——呼吸软管组件;16——口具组件(或全面罩);17——左头带;18——输氧管;19——调节器;20——连调节器导管;21——呼气阀;22——清净罐;23——清净罐束紧带;24——呼吸袋;25——分路器;26——氧气瓶开关;27——连氧气瓶导管;28——调节带;29——钩环螺帽;30——手动补给按钮;31——压力表开关;32——连接螺丝;33——保护管;34——腰垫;35——A型带;36——连接钩环;37——腰带;38——哨子;39——左肩带;40——螺钉;41——垫圈;42——扣环;43——右肩带

①氧气瓶:它是储存氧气的,容积为2L,工作压力为20Mpa。

②唾液盒及呼吸软管:唾液盒是装唾液用的,盒内装有脱脂棉。呼吸软管是两条波形胶管,一端与唾液盒连接,另一端分别与呼气阀和吸气阀连接。

③清净罐里面可装$Ca(OH)_2$呼吸剂1.8kg,以便吸收从人体呼出气体中的CO_2。

④水分吸收器:用于收集由气囊流出的水分,内装脱脂棉,用过一次后需更换。

⑤减压器:把高压氧气压力降到0.25 Mpa~0.3 Mpa,使氧气通过定量孔不断送到气囊中,在氧气瓶内氧气压力由20 Mpa降到2 Mpa时,供气量始终保持在1.1~1.3L/min的范围内。它的另一个作用是:当定量孔供氧量不能满足使用时,从减压器膛室通过自动补给阀向气囊送气。

⑥分路器:可将氧气分别送到减压器和压力表,必要时可用手动补给器向气囊直接送气。

⑦自动排气阀:当减压器供给气囊的氧气超过使用人需用量时,可通过这个阀门自动排气。

⑧气囊:用于储存一定体积的新鲜空气供使用人员呼吸。

⑨压力表:用于指示氧气瓶中的氧气压力。

(3)工作原理:

AHG—4A型氧气呼吸器是利用压缩氧气的隔绝再生式呼吸器,工作人员从肺部呼出的气体经口具、唾液盒、呼气软管及呼气阀而进入清净罐,清净罐内装有CO_2吸收剂,吸收了呼出气体中的CO_2,其他残留气体经水分吸收器进入气囊。氧气瓶中储存的氧气经高压管、减压器也进入气囊,与从清净罐出来的残留气体相混合,组成含氧空气。当工作人员吸气时,含氧空气由气囊经气阀、吸气软管、口具而被吸入人的肺部,完成整个呼吸循环。在这一循环过程中,由于呼气阀和吸气阀均为单向开启的阀门,因此整个气流始终沿着一个方向流动。这种呼吸器具有3种供氧方法:

①定量供氧:高压氧气通过减压器后压力保持在0.25 ~ 0.3 Mpa的范围内,然后经过定量孔以1.1 ~ 1.3 L/min的流量进入气囊,以满足工作人员在普通劳动强度下呼吸。

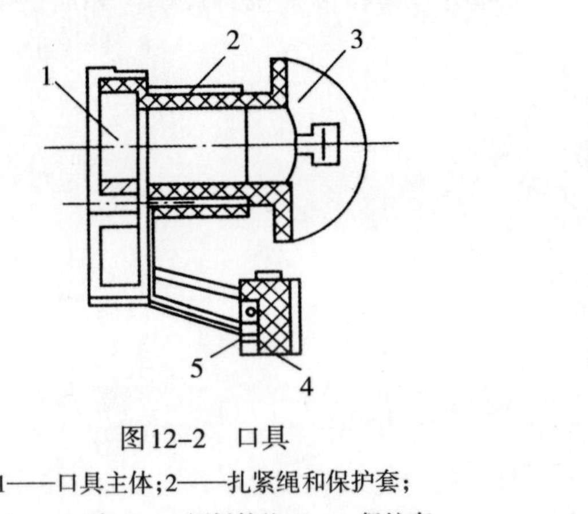

图12-2 口具

1——口具主体;2——扎紧绳和保护套;3——口片;4——颏托软垫;5——保护套

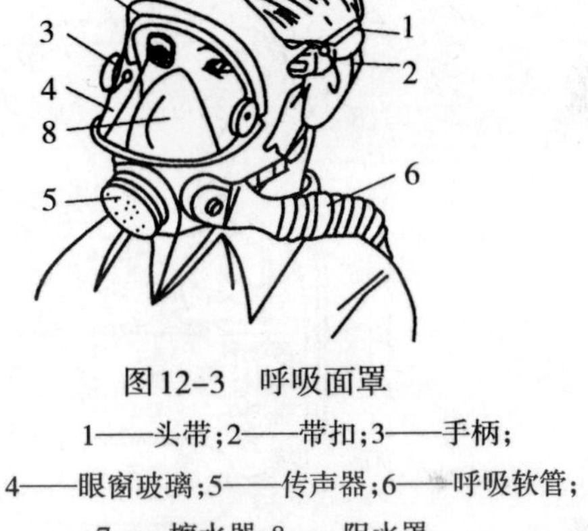

图12-3 呼吸面罩

1——头带;2——带扣;3——手柄;4——眼窗玻璃;5——传声器;6——呼吸软管;7——擦水器;8——阻水罩

②自动补给:当劳动强度增加时,其消耗的氧气也相应增加,从定量孔进入气囊的氧气将不够使用,这时减压器的自动补给装置开始工作,让氧气以不低于60 L/min的流量进入气囊,当气囊充满氧气时,阀门即自动关闭。

③手动补给:若在使用过程中气囊内废气积聚过多需要清除或者在减压器失灵时,可使用手动补给装置,用手按几下分路器的按钮,氧气就以不低于90 L/min的流量进入气囊。

AHG—4A型氧气呼吸器的呼吸连接器,具有口具和呼吸面罩两种形式,如图12-2、12-3所示。当在闷热的井巷里从事较重工作时,选用口具可使面部散热良好,而选用面罩则具有可同时用口鼻呼吸、能说话,对面貌有保护作用等优点。

2.AHY—6型氧气呼吸器

(1)主要技术参数:

①使用时间:在中等劳动强度工作时,防护作用时间不少于4h。

②氧气瓶最高压力:20Mpa。

③氧气储量:当氧气压力为20 Mpa时,氧气储量不少于400L。

④二氧化碳吸收剂$Ca(OH)_2$质量:不少于2kg。

⑤呼吸系统的供氧量：定期供氧量：1.4±0.1L/min；自动肺供氧量：当氧气瓶压力为18～20 Mpa时，不少于100L/min。手动补给供氧量：当氧气瓶压力 为3Mpa时，在36～150L/min范围内。

⑥自动肺开启压力：从呼吸系统吸入的氧气流量为10L/min时，在-200±100Pa范围内。

⑦排气阀开启压力：在200±100Pa范围内。

⑧气囊有效容积：不少于4.5L。

(2)结构和工作原理：

AHY—6型呼吸器结构如所图12-4所示。

呼吸器的呼吸循环系统主要由连接盒1.排唾液泵2.呼吸软管3.呼气阀4.清净罐5.排气阀6.气囊7、带冷却元件(水冰块)17和橡胶密封盖16.冷却器18、吸气阀19和吸气软管20等组成。连接盒保证颜面部分的快速连接，或可用口具和带大视野玻璃窗和通话膜片的呼吸面具。

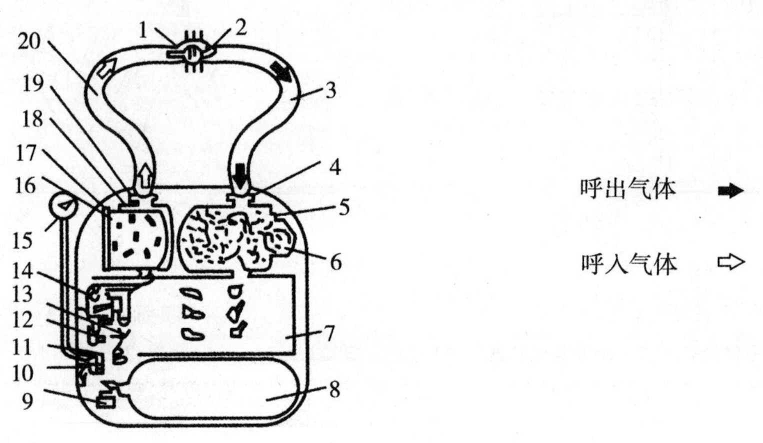

图12-4　AHY—6型氧气呼吸器结构示意图

1——连接盒；2——排唾液泵；3——呼吸软管；4——呼气阀；5——清洁罐；6——排气阀；7——气囊；8——氧气瓶；9——氧气瓶开关；10——压力表开关；11——安全阀；12——手动补给阀；13——减压器；14——自动肺；15——压力表；16——密封盖；17——冷却元件；18——冷却器；19——吸气阀；20——吸气软管

氧气供给系统由带开关9的氧气瓶8与氧气瓶开关相接的氧气分配器部件组成；氧气分配器是由压力表开关10、压力表15.手动补给阀12，带安全阀11的减压器13和自动肺14组成。

呼吸器按如下工作方式进行工作：人体呼出的约含4%CO_2的空气，经颜面部分连接盒1.呼气软管3.呼气阀4.清净罐5，进入气囊7，空气在流经装有$Ca(OH)_2$吸收剂的清净罐时，CO_2被吸收。吸气时，空气从气囊出来，经过冷却器18、吸气阀19、吸气软管20、连接盒1进入人的肺部。呼吸时，借助呼吸阀使空气始终沿着闭合回路向同一方向流动。呼气时，呼气阀4打开。吸气时，吸气阀19打开，呼吸器中气体流动方向如图13-4箭头所示。

在常温条件下(26℃以下)工作时，冷却器18中不放冷却元件17。冷却器不需要密封盖16，冷却元件保存在保温箱内。由于气囊吸入的空气经冷却器和吸气软管时，通过这些部件的壁面向大气中散热而使吸入空气冷却。

当在外界温度高的条件下作业时(高于26℃),要往冷却器内放冷却元件,以保证吸入空气更充分地冷却。氧气由氧气瓶8出来,经过开关、氧气分配器装置、减压器13.自动肺14.手动补给阀12进入冷却器18和气囊7。为了在完成不同劳动强度工作时能自动地保证人体呼吸时所需的氧气量,防止呼吸器系统中积存氧气,采取了联合供氧,即:1.4±0.1L/min的定量供氧(通过减压器13和定量孔供氧)。定量供氧足够完成中等劳动强度的人员呼吸用,而在从事更为繁重的工作时,在吸气末期,通过自动肺向呼吸系统补充氧气。此外,在呼吸器中还有第三条供氧渠道,按手动补给阀按钮12进行供氧,这种供氧方式,在减压器、自动肺失灵或需要用氧气来吹洗呼吸器系统中氮气时使用。

在使用中,当供氧量大于人体需要时,排气阀6的阀门自动开启,将多余的气体排入大气中。

排唾液泵2供排出连接盒中积存的由口具流下来的唾液、冷凝水和从面具流下来的汗水之用。用手指按半球形胶球可使唾液泵动作。

氧气瓶内的氧气压力由压力表15指示,连接压力表与氧气分配器的毛细管若有损坏,或密封不好时,可利用开关10使压力表与氧气分配器隔断,以防止氧气外漏。

3.PB_4正压氧气呼吸器

(1)主要技术参数:

①防护时间:4 h。

②自动补给量:大于160L/min。

③手动补给量:大于80L/min。

④呼吸阻力:0～+700Pa。

⑤排气压力:小于+800 Pa。

⑥定量供氧:1.4±0.1 L/min。

⑦氧气瓶压力:20MPa。

(2)结构及工作原理:

PB_4正压呼吸器结构及工作原理,如图12-5所示。

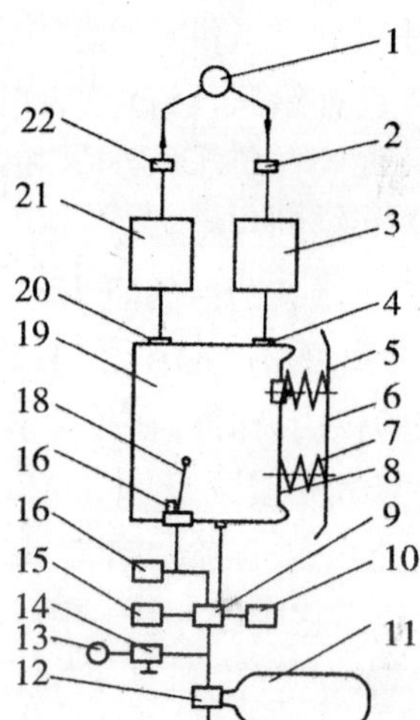

图12-5　PB_4正压氧气呼吸器工作原理示意图

1——呼吸标准接口;2——呼气阀;3——CO_2吸收罐;4——O形接口;5——排气阀;6——支承板;7——弹簧;8——承板;9——减压阀膛室;10——手动补给按钮;11——氧气瓶;12——氧气瓶开关;13——压力表;14——压力表开关;15——中压调节;16——安全阀;17——定量孔;18——自动补给阀;19——呼吸袋;20——O形接口;21——冷却器;22——吸气阀

呼吸器整个工作系统主要由三部分组成,即:低压呼吸循环再生部分、正压自动调节部分和高、中压联合供氧部分。

低压呼吸循环再生系统工作时,佩用呼吸器人员的呼吸气流方向如下:呼气时,呼气口1→呼气单向阀2→CO_2吸收罐3→呼吸袋19;吸气时,呼吸袋19→冷却器21→吸气单向阀22→吸气口1。

正压自动调节部分由呼吸袋19、支承板6.调节弹簧7、承板8、排气阀5.自动补给阀(摇杆供气阀)18组成。

高、中压联合供氧部分由高压氧气瓶11.高压开关12.压力表13.压力表开关14.高压手动补给按钮10、减压阀膛室9、中压调节15.安全阀16.定量孔17、自动补充阀(摇杆阀)18组成。

PB_4正压呼吸器工作原理：当氧气瓶处于关闭状态时，整个供氧源被关闭，此时，弹簧的压力作用将承压板下压造成呼吸袋被压瘪，摇杆阀（自动补给阀）已被承压板下压的力打开。当工作人员佩用呼吸器时，打开氧气瓶开关，呼吸袋内瞬间充氧，弹簧被压缩，在呼吸袋内形成350Pa左右的压力，使摇杆阀自动关闭。在打开氧气瓶开关的同时，定量孔以1.4 L/min的流量向呼吸袋供氧，当工作人员劳动强度小，氧耗量小于1.4 L/min时，呼吸袋承板上移压缩弹簧。当压力达到800Pa时，排气阀开始排气。当工作人员劳动强度大，氧耗量大于1.4 L/min时，承压板自动下降，降至350Pa左右的压力时，摇杆阀又自动供氧。因此，保证呼吸压力始终大于大气压力，这就形成了正压呼吸系统。

（二）氧气呼吸器校验仪

氧气呼吸器校验仪可检查呼吸器的整机及其组件的以下性能：

（1）呼吸器在正、负压情况下的气密程度；

（2）自动排气阀和自动补给阀的启闭动作压力；

（3）呼吸器定量供氧流量；

（4）自动补给氧气流量；

（5）呼气阀在负压（吸气）和正压（呼气）情况下的气密程度；

（6）清净罐的气密程度；

（7）清净罐装药后的阻力。

目前使用的有：AJH-3型氧气呼吸器校验仪由重庆煤矿安全仪器厂生产；AJ-3型氧气呼吸器校验仪由抚顺煤矿安全仪器厂生产。

（三）氧气充填泵

氧气充填泵是将大储量氧气瓶中的氧气充入小氧气瓶内，使后者压力提高到20～30 Mpa的设备。它主要用于矿山救护队，也广泛用在消防、航空、医疗和化工部门。目前使用的有ABD-200型（电机功率1kw）CT-250型（电机功率3kw）和AE-120型（电机功率2.2kw）电动氧气充填泵。

（四）自动苏生器

自动苏生器是一种自动进行正负压人工呼吸的急救装置，它适用于抢救如胸部外伤、中毒、溺水、触电等原因造成的呼吸抑制或窒息的伤员。我国救护队现用的ASE-30型自动苏生器的构造和工作原理如图12-6所示。

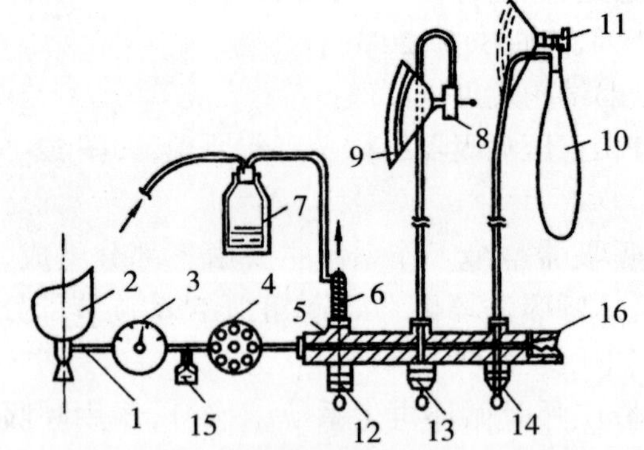

图12-6　自动苏醒器工作原理示意图

1——氧气管；2——氧气瓶；3——压力表；4——减压阀；5——配气阀；6——引射器；7——吸引瓶；8——自动肺；9——面罩；10——储气囊；11——呼吸阀；12.13.14——开关；15——逆止阀；16——安全阀

氧气瓶2中的高压（20MPa）氧气经氧气管1.压力表3进入减压阀4，将压力减到0.5 Mpa以下，然后进入配气阀5。在配气阀5上有3个气路开关，开关12通过引射器6和导管相连，其功能是在苏生前，借引射器中高速气流造成的负压先将被抢救人员口中的泥、黏液、水等抽到吸引瓶7内。开关13利于导气管和自动肺8

相连，自动肺8通过引射器喷出氧气时吸入外界一定量的空气，二者混合后经过面罩9压入被抢救人员肺内，然后引射器又自动操纵阀门将肺内气体抽出，以实现自动进行人工呼吸的目的。当被抢救人员恢复自动呼吸能力后，可由自动人工呼吸改为自主呼吸下的供氧，即将面罩9通过呼吸阀11与储气囊10相接，储气囊通过导气管和开关14相接。储气囊10中的氧气经呼吸阀供被抢救者呼吸用，呼出的气体由呼吸阀排出。

为保证苏生抢救工作中不致中断，应在氧气瓶内的氧气压力接近3Mpa时，换用备用氧气瓶或工业大氧气瓶供氧，备用氧气瓶使用两端带有螺旋的导管接到逆止阀15上。另外在配气阀上还备有安全阀16，它能在减压后氧气压力超过规定数值时泄出一部分氧气以降低压力，使苏生工作能可靠地进行。

（五）矿山救护通信设备

矿山救护通信设备是矿山救护队在抢险救灾过程中不可缺少的通讯联络设备。目前使用的有PXS-1型声能电话机和KJT-75型救灾通信设备。

PXS-1型声能电话机为矿用防爆型，其有效通话距离2～4km。该机由发话器、受话器、声频发电机、扩大器等组成。有手握式对手握式和手握式对面罩式组成无源通话两种安装形式。在抢险救灾时，进入灾区的人员可选用发话器、受话器全装在面罩中，扩大器固定在腰间的安装形式。日常工作联络或指挥用时，可选用手握式电话机。

PXS-1型声能电话机由声能供电，扩大器、对讲扩大器的电源选用6FZZ层叠9V电池供电，该机携带方便、使用可靠，具有防尘、防潮、防爆等特点。

KJT-75型救灾通信设备由主机、副机和袖珍发射机三部分组成。通讯主机供井下基地使用，副机和袖珍发射机供进入灾区的救护队员使用。救护队员通过副机扬声器收听主机传来的话音，使用袖珍发射机向主机发话。救护队员随身携带缠制好的放线包，救灾作业时边行进边放线，并随时和基地的主机保持井下联系（主、副机间的通讯距离为2Km）。通讯导线兼做救护队员的探险绳。基地通讯主机可同时对三路救灾队员实现救灾指挥。

（六）冷却服

冷却服用于救护队员在高温地区工作时免受高温危害和提高工作效率。普通冰冷防热服由冰衣和冰袋组成。冰衣有三层：内层为尼龙编织物，中层为隔热聚酯毡，外层为镀铝玻璃纤维。其袖口、领口和胸带是由加宽编织物制成的，使上身严密不透气。冰袋用纽扣扣在冰衣的内层胸前和背部，由44个隔离的冰槽组成。根据作业环境的温度不同，一般可用1～2h。

（七）寻人仪

在救灾过程中，利用寻人仪能够迅速发现遇险、遇难人员位置，以便尽快地进行抢救。

美国矿业局研制了一种低频无线电收发装置，这个装置体积小，适合井下作业人员系在腰带上。它完全密封，发射机的天线安装在一个小盒内，能够间断产生600～3000HZ的定位信号。由于每台发射机只能产生一个固定频率，故可从其发出的频率鉴别遇险、遇难人员。这套装置除发射机外，还包括一个基因接收器，一个按钮和一个开关。接收器能使遇险矿工收到来自地面的声音信息，它是由地面上的发射机发出的。同时，救护队还能向遇险者询问有关情况，遇险矿工对某些问题用发射器发出几组信号做“是”，或用另外几组做“不是”的回答，这些均用装置上的按钮来完成。收发机通过一个特殊的与矿灯电池连接的电源做动力源，一个充好电的矿灯电池可供收发机使用40h，已用了8h的矿灯电池可供收发机使用

16h。这种信号装置已在美国的93个矿井进行了试验,井筒深度小于600m时效果很好。

我国研制成功KXY型矿井寻人仪,由微型发射器和测向机等组成,可测定遇险遇难人员的方位和距离。微型发射器安装在井下作业人员佩戴的矿灯内,矿灯充电后即可发出呼救信号,其耗电功率小,不影响矿灯的正常照明。测向机用于探测发射器发射信号,确定遇险、遇难人员的方位。

第二节 井下现场自救与互救

矿井发生灾害事故后,矿山救护队不可能立即到达事故地点。若井下工作人员能在事故初期及时采取措施,正确开展自救、互救,就能减小事故危害程度,减少人员伤亡。

所谓自救,就是矿井发生意外灾变事故时,在灾区或受灾变影响区域的每个工作人员避灾和保护自己而采取的措施及方法。而互救则是在有效自救的前提下,为了妥善地救护他人而采取的措施及方法。自救和互救的成效如何,决定于自救和互救方法的正确性。为了确保自救和互救的效果,最大限度地减小损失,每个入井人员都必须熟知以下内容:

(1)所在矿井的灾害预防和处理计划的有关内容;

(2)熟知矿井的避灾路线和安全出口;

(3)掌握避灾方法,会使用自救器;

(4)掌握抢救伤员的基本方法及现场急救的操作技术。

矿井发生灾害事故时,灾区人员正确开展救灾和避灾,就能有效地保证灾区人员的自身安全和控制灾情的扩大。大量事实证明,当矿井发生灾害事故后,矿工在万分危急的情况下,依靠自己的智慧和力量,积极、正确地采取救灾、自救、互救措施是最大限度地减少事故损失的重要环节。

一、事故现场人员的行动原则

(一)及时报告

发生灾变事故后,事故地点附近的人员应尽量了解和判断事故性质、地点和灾害程度,并迅速地利用最近处的电话或其他的方式向矿调度室汇报,并迅速向事故可能波及的区域发出警报,使其他工作人员尽快知道灾情。在汇报灾情时,要将看到的异常情况(火烟等),听到的异常声响,感觉到的异常冲击如实汇报,不能凭主观想象判定事故性质,以免给领导造成错觉,影响救灾,这在我国煤矿救灾中是有过沉痛教训的。

(二)积极抢救

灾害事故发生后,处于灾区内以及受到威胁区域的人员,应沉着冷静。根据灾情和现场条件,在保证自身安全的前提下,采取积极有效的方法和措施,及时投入现场抢救,将事故消灭在初起阶段或控制在最小范围,最大限度地减少事故造成的损失。在抢救时,必须保护统一的指挥和严密的组织,严禁冒险蛮干和惊慌失措,严禁各行其是和单独行动;要采取防止灾区条件恶化和保障救灾人员安全的措施,特别要提高警惕,避免中毒、窒息、爆炸、触电、二次突出、顶帮二次垮落等次生灾害的发生。

(三)安全撤离

当灾害现场不具备事故抢救的条件,或可能危及人员的安全时,应由在场负责人或有经验的老工人带领,根据《矿井灾害预防和处理计划》中规定的撤退路线和当时当地的实际情况,尽量选择安全条件最好、距离最短的路线,迅速撤离危险区域。在撤退时,要服从领导,听从指挥,根据灾情使用防护用品和器具;遇有溜煤眼、积水区、垮落区等危险地段,应探明情况,谨慎通过。灾区人员撤出路线选择的正确与否决定了自救的成败。

(四)妥善避灾

如无法撤退(通路被冒顶阻塞、在自救器有效工作时间内不能到达安全地点等)时,应迅速进入预先筑好的或就近地点快速建筑的避难硐室,妥善避灾,等待矿山救护队的援救,切忌盲动。

二、自救设施与设备

(一)井下避难硐室

避难硐室是供矿工在遇到事故无法撤退而躲避待救的设施。分永久避难硐室和临时避难硐室两种。永久避难硐室事先设在井底车场附近或采区工作地点安全出口的路线上。对其要求是:设有与矿调度室直通电话,构筑坚固,净高不低于2m,严密不透气或采用正压排风,并备有供避难者呼吸的供气设备(充满氧气的氧气瓶或压气管和减压装置)隔离式自救器、药品和饮水等;设在采区安全出口路线上的避难硐室,距人员集中工作地点应不超过500m,其大小应能容纳采区全体人员。临时避难硐室是利用独头巷道、硐室或两道风门之间的巷道,由避灾人员临时构筑的。因此应在这些地点事先准备好所需的木板、木桩、粘土、沙子或砖等材料,还应装有带阀门的压气管。避灾时,若无构筑材料,避灾人员就用衣服和身边现有的材料临时构筑避难硐室,以减少有害气体的侵入。

在避难硐室内避难时应注意以下事项:

(1)进入避难硐室前,应在硐室外留有衣物、矿灯等明显标志,以便救护队发现。

(2)待救时应保持安静,不急躁,尽量俯卧于巷道底部,以保持精力,减少氧气消耗,并避免吸入其他的有毒气体。

(3)硐室内只留一盏矿灯照明,其余矿灯全部关闭,以备再次撤退时使用。

(4)间断敲打铁器或岩石等发出呼救信号。

(5)全体避灾人员要团结互助,坚定信心。

(6)被水堵在上山时,不要向下跑出探望。水被排走露出棚顶时,也不要急于出来以防SO_2.H_2S等气体中毒。

(7)看到救护人员后,不要过分激动,以防血管爆裂。

(二)急救袋

急救袋安设在井下压缩空气管路上,经减压装置后,分设一定数量的带闸门控制的管嘴,每个管嘴处设有塑料薄膜罩,平时卷起,用时放开,罩住人体,闸门打开即可供人呼吸。急救袋应分别设在:进风系统的风流分支处,距采掘工作面25～40m的进风侧巷道内,爆破人员、撤出人员停留处及警戒人员站岗处,回风巷道中有人作业处。急救袋的安设数量,应按该处可能避难的最多人数计算，急救袋的空气供给量为每人按不少于0.3m³/min计算。

(三)自救器

自救器是一种小型的供矿工随身携带的防毒器具，是矿工在井下遇到火灾、瓦斯或煤尘爆炸、煤(岩)与瓦斯突出等灾害事故时进行自救的一种重要装备。

1.化学氧隔离式自救器

化学氧隔离式自救器是一种自生氧闭路呼吸系统的自救装置，佩戴者的呼吸气路与外界空气完全隔绝。化学氧隔离式自救器有碱金属氧化物型和氯酸盐氧烛型两种。我国生产的碱金属超氧化物型自救有AZG-40型、AZG-401型、AZG-40A型、AZH-40型和OSR系列等。下面以AZG-40型为例介绍其结构、工作原理和使用方法。

(1)AZG-40型化学氧隔离式自救器的结构如图12-7所示，主要由外壳、封口带、生氧罐、启动装置、呼吸导管、气囊、降温盒、口具、鼻夹、背带、腰带等组成。

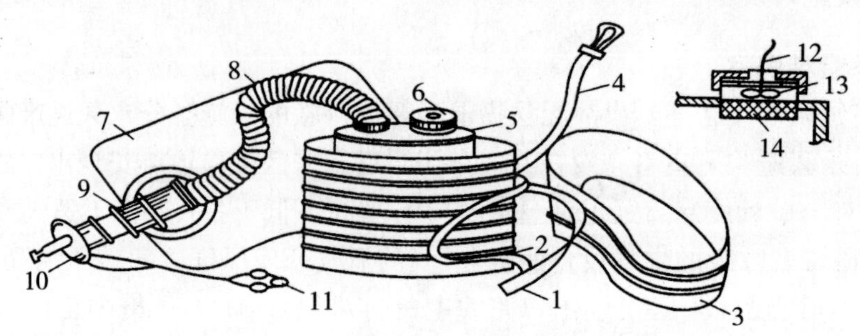

图12-7　AZG-40型隔离式自救器结构示意图

1——背带；2——腰带；3——外壳；4——封口带；5——生氧罐；6——启动装置；7——气囊；8——呼吸导管；9——降温盒；10——口具；11——鼻夹；12——尼龙绳；13——哑铃形硫酸瓶；14——启动药块

①生氧罐。生氧罐内装有生氧剂Na_2O和K_2O共计500g左右，并插有散热片散发反应时生成的热。在药剂的上部和下部各有一层由铁丝和玻璃棉等组成的格网，其中玻璃棉起过滤药剂粉尘作用，防止药粉进入口内刺激呼吸器官。

②气囊与呼吸导管。气囊与呼吸导管分别连接在生氧罐的上部。在呼吸导管的口水降温上安有一排气阀，用伸缩接头安插在气囊中间，但不与气囊内部相通，而且直接通大气。排气阀上有尼龙绳与气囊硬壁相连接。

③降温盒。装在呼吸导管与口具中间，用导热系数大的薄铜板制成，起降低吸气温度的作用，佩戴人员分泌的唾液流入降温盒时，吸入的干热气体与唾液接触使唾液蒸发而降温。

④排气阀。设在降温盒下端，接在气囊中间管状通道的伸缩接头上。拴在排气阀杆上的尼龙绳的另一端系在气囊的硬壁上，当气囊内氧气过多气囊胀到一定程度时，尼龙绳借助气囊硬壁的力量把排气阀片拉开，此时含有CO_2和水汽的呼出气体便由排气阀排出，经气囊中间的管状通道进入大气中。

⑤启动装置。设在生氧罐的上部，安装在启动药块桶上。它主要由启动药块、启动瓶、打击支架、拉销、密封垫、塑料盖及尼龙绳组成。尼龙绳的两端分别系在自救器外壳上盖及拉销上，当脱掉上盖的同时，尼龙绳把拉销从启动装置中拉出，打击支架借弹力夹子的作用

把启动瓶击破，使瓶中的硫酸溶液与启动药块发生化学反应，放出大量的氧气，供佩戴者最初佩用时呼吸用。

⑥外壳。外壳由上、下两部分组成，其接合处用封口带密封。

(2)工作原理

AZG-40型化学氧隔离式自救器的工作原理(如图12-8所示)是：佩戴人员从肺部呼出的气体经口具、降温盒、呼吸导管进入生氧罐。呼出气体中的二氧化碳及水汽和生氧罐中的生氧剂(主要是超氧化钠NaO_2)发生化学反应，吸收CO_2产生大量氧气，清净的含氧气体进入气囊。吸气时气囊中的气体再经过生氧剂、呼吸导管、降温盒、口具而被吸入人体肺部，完成整个呼吸循环。这种气路循环方式称为往复式。

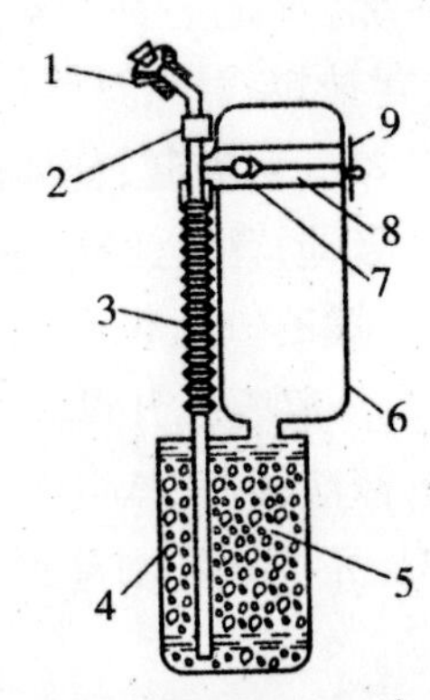

图12-8　AZG-40型化学氧自救器工作原理
1——口具；2——降温盒；3——呼吸导管；
4——生氧罐；5——生氧剂；6——气囊；
7——排气阀；8——尼龙绳；9——硬壁

当气囊中充满气体时，气囊膨胀，借气囊力量拉开排气阀，排出多余的呼出废气，保证气囊在正常压力下工作，并且减少了二氧化碳和水汽进入生氧罐，从而调节了氧气发生速度，延长了使用时间。

快速启动装置可以弥补佩戴初期生氧剂反应速度较慢，生氧不足的问题。为了保证启动迅速可靠，启动装置中拉哑铃形硫酸瓶的尼龙绳绑在上外壳盖上，在佩戴时启动装置里的哑铃形硫酸瓶，随上部外壳的扔掉而被尼龙绳拉破。流出的硫酸和启动药块发生剧烈的反应，放出大量氧气，供佩戴者开始呼吸之用。

(3)优缺点及适应条件

化学氧隔离式自救器的优点是：使用时不受外界空气条件的限制；缺点是：吸气温度高(但不超过60℃)，质量不合格的自救器易引起自动着火爆炸。其主要用途如下：

①井下工作人员遇到煤(岩)与瓦斯(二氧化碳)突出、瓦斯或煤尘爆炸、火灾等自然灾害时，只要没有受到事故的直接伤害，戴上自救器，即可安全脱险。

②因冒顶或水灾井下工作人员被堵在巷道内时，只要没有被埋住，都可以戴上自救器，静坐待救，可维持2.5～3h，防止被巷道内瓦斯不断涌出，氧气含量降低而造成窒息。

③救护队员在灾区内进行救灾时，如果氧气呼吸器出现故障，可佩戴隔离式自救器，安全地撤出灾区。

④事故初起阶段，现场人员可以戴上隔离式自救器进行抢救、互救和自救。

AZG-40型化学氧隔离式自救器的有效使用时间是：中等劳动强度(约相当于步行速度5km/h)情况下，使用时间不少于40min；静坐时使用时间不少于2.5～3h。只能使用一次，不得重复使用，用后即报废。

(4)佩戴方法

隔离式自救器平时背跨在背部靠左腰处，也可系于腰带上。发生灾害事故时可按下列

顺序和方法迅速佩戴:

①取下自救器,扯掉封口带。接到事故警报后,立即以最快的速度取下自救器,扳开压片,右手食指套入封口带的铁环中,将封口带扯掉。

②磕开上下外壳。两手紧握自救器的两端用力在大腿上把上下外壳磕开。

③拉开启动装置。左手抓牢下外壳,右手用力向上垂直猛拉上外壳,带动上外壳上的尼龙绳将启动装置拉销拨出,这时拉击装置将硫酸瓶击碎,硫酸液与启动药块发生化学反应,迅速放出氧气,使气囊鼓起,待佩戴者呼吸用,在上述操作过程中,扔掉上外壳,保留下外壳使气囊向上,呼吸导管贴近胸部,把背带套在脖子上。

④咬口具。拔出口具塞,用牙咬出口具的咬口。

⑤夹上鼻夹。轻轻拉开鼻夹的弹簧,将鼻夹准确地夹住鼻子,用嘴进行呼吸。如果鼻翼有汗,应先擦去汗液;万一鼻夹丢失,可用一只手捏住鼻子,一直到脱离危险区为止。

⑥绑腰带。先把背带调整到适当位置,以戴口具后头能抬起为宜,然后绑好腰带,防止摆动。

⑦绑好口水降温盒带。将口水降温盒两边的绑带沿面部绕过两耳系于头上,戴好安全帽,即可撤离灾区。

2.压缩氧隔离式自救器

它是为防止有毒气体进入人体造成侵害,利用压缩氧气供氧的隔离式呼吸保护器,是一种可反复多次使用的自救器,每次使用后只需要更换新的吸收二氧化碳的氢氧化钙吸收剂和重新充装氧气即可重复使用。用于有毒气体环境或缺氧环境中的作业人员自救逃生或进行必要的工作时使用,还可作为压风自救系统的配套装备。世界各国均生产有不同型号的压缩氧自救器。

我国生产的AZY系列压缩氧自救器的原理结构,如图12-9所示。

自救器的本体平时装在金属外壳内。佩戴使用时,先拉开外壳封口带并取掉上外壳;然后迅速将自救器的本体从下外壳中取出挂于颈部,并佩戴上口具、鼻夹进行呼吸。吸气时,气囊中的定氧空气经清净罐进入气囊、呼吸软管、口具进入人的呼吸器官。呼气时,呼出的气体经口具、呼吸软管、清净罐进入气囊。清净罐装有吸收CO_2的氢氧化钙吸收剂。因在启封自救器取掉上外壳的同时随带牵动了拉环,开关手柄动作,氧气瓶阀门被开启,氧气瓶中的高压氧气即立刻通过减压器及胶管进入气囊,因而

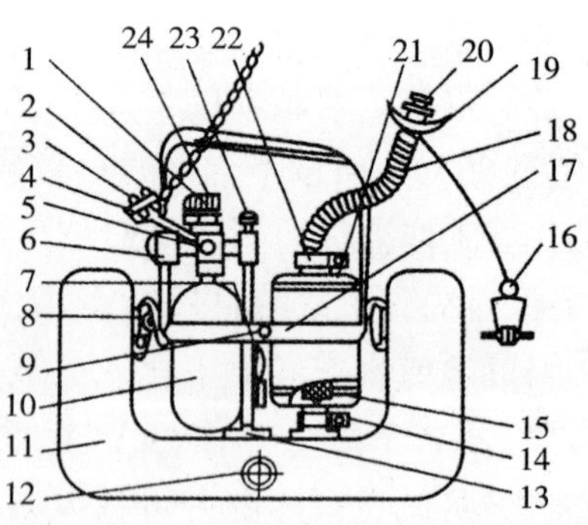

图12-9　AZY系列压缩氧自救器原理结构示意图

1——减压器;2——拉环;3——防松环;4——开关手柄;5——丝堵;6——压力表;7——胶管;8——挂钩;9——紧固螺栓;10——氧气瓶;11——气囊;12——排气阀;13——胶管接头;14——下卡箍;15——盲盖;16——鼻夹;17——紧固带;18——呼吸软管;19——口具;20——口具塞;21——清净罐;22——上卡箍;23——手动补给钮;24——腰勾

佩戴者所吸富氧空气为经清净罐吸收了CO_2的人员呼气同由氧气瓶经减压器输入到气囊中的氧气的混合气体，自救气路系统是一个单管往复的气体闭路循环呼吸系统。呼吸耗氧量大气氧储气不足时，可用手指按动手指补给扭使大量氧气注入气囊进行快速补氧；呼吸耗氧量小气囊储气过大时，气体会自动通过排气阀向外界排出，以降低气囊中气体压力，使其恢复到正常值。

3.佩戴自救器的注意事项

（1）佩戴自救器后，外壳逐渐变热，吸气温度逐渐升高，表明自救器工作正常。绝不能因为吸气干热而把自救器拿掉。

（2）化学氧自救器佩戴初期放氧剂放氧速度慢，如果条件允许（没有被炸、被烧、被埋及被堵的危险时），应尽量缓慢行走，等氧足够满足呼吸时再加快速度。撤退时最好按每小时4～5km速度行走，呼吸要均匀，千万不要跑。

（3）佩戴过程中口腔产生的唾液可以咽下，也可任其自然流入口水降温盒，决不可拿下口具往外吐。

（4）在未达到可靠的安全地点前，严禁取下鼻夹和口具，以防有害气体中毒。

4.自救器的选用原则

对于流动性较大，可能会遇到各种灾害威胁的人员（测风员、瓦斯检查员）应选用隔离式自救器。就地点而言，在有煤与瓦斯突出矿井或突出区域的采掘工作面和瓦斯矿井的掘进工作面，应选用隔离式自救器（因这些地点发生事故后往往是空气中CO_2浓度过低或CO浓度过高）。其他情况下，一般可选用过滤式自救器。

三、各类灾害事故的避灾措施

（一）瓦斯与煤尘爆炸事故发生时免受伤害的措施

首先要沉着、冷静，采取措施进行自救。具体方法是：背向空气震动的方向，俯卧倒地，面部贴在地面以降低身体高度，避免冲击波的强力冲击，并闭住气暂停呼吸，用湿毛巾捂住口鼻，防止将火烟吸入肺部。最好用衣物盖住身体，尽量减少肉体暴露面积，以减少烧伤。爆炸后，要迅速按规定佩戴好自救器，弄清方向，沿着避灾路线，赶快撤退到新鲜风流中。若巷道破坏严重，不知撤退是否安全时，可到支架较完整的地点（或避难硐室）躲避等待救护。

（二）矿井火灾事故发生时免受伤害的措施

（1）首先要尽最大的可能迅速了解或判明事故的性质、地点、范围和事故区域的巷道情况，通风系统、风流及火灾烟气蔓延的速度、方向以及与自己所处巷道位置之间的关系，并根据《矿井灾害预防与处理计划》及现场的实际情况，确定撤退路线和避灾自救的方法。

（2）撤退时任何人无论在何种情况下都不要惊慌，不能狂奔乱跑。应在现场负责人及有经验的老工人带领下有组织地撤退。

（3）位于火源回风侧的人员或是在撤退途中遇到烟气有中毒危险时，应迅速佩戴好自救器，尽快通过捷径绕到新鲜风流中或在烟气没有达到前顺着风流尽快从回风口撤到安全地点；如果距火源较近，而且越过火源没有危险时，也可迅速穿过火区撤到火源的进风侧。

（4）如果在自救器有效使用时间内不能安全撤出时，应在设有储存备用自救器的硐室换用自救器后再行撤退,或是寻找有压风管路系统的地点以压缩空气供呼吸之用。

(5)撤退行动既要迅速果断,又要快而不乱,撤退中应靠巷道有联通出口的一侧行进,避免错过脱离危险区的机会,同时还要随时注意观察巷道和风流的变化情况,谨防火风压可能造成的风流逆转。人与人之间要互相照应,互相帮助,共渡难关。

(6)无论是逆风或顺风撤退都无法躲避火烟可能造成的危害时,则应迅速进入避难硐室。没有避难硐室时应在烟气袭来之前,选择合适的地点就地利用现场条件,快速构筑临时避难硐室,进行避灾自救。

(7)逆烟撤退具有很大的危险性,在一般情况下不要这样做。除非是在附近有脱离危险区的通道出口,而且又有脱离危险区的把握时或是只有逆烟撤退才有争取生存的希望时,才采取这种撤退方法。

(8)在撤退途中,如果有平行并列巷道或交叉巷道时,应靠有平行并列巷道和交叉巷口的一侧撤退,并随时注意这些出口的位置,尽快寻找脱险出路。在烟雾大、视线不清的情况下,要托着巷道壁前进,以免错过联通出口。

(9)当烟雾在巷道里流动时,一般巷道空间上部烟雾浓度大、温度高、能见度低,对人的危害也严重,而靠近巷道底板附近情况要好一些,有时巷道底部还有比较新鲜的低温空气流动。为此,在有烟雾的巷道里撤退时,在烟雾不严重的情况下,即使为了加快速度也不应直立奔跑,而应尽量躬身弯腰,低着头快速前进。如烟雾大、视线不清或温度高时,则应尽量贴着巷道底板和巷壁,摸着铁道或管道等爬行撤退。

(10)在高温浓烟的巷道撤退时应注意利用巷道内的水浸湿毛巾、衣物或向身上淋水等办法进行降温,或是利用随身物件等遮挡头部,以防高温烟气伤害人体。

(11)在撤退过程中,若发现有发生爆炸的前兆时(当爆炸发生时,巷道内的风流会有短暂的停顿震动,应当注意的是这与火风压可能引起的风流逆转的前兆有些相似),有可能的话要立即避开爆炸的正面巷道,进入旁侧巷道或进入巷道内的躲避硐室。如果情况危急,应迅速背向爆源,靠巷道的一帮就地顺着巷道面朝下爬在巷道底板,用双臂护住头部,并尽量减少皮肤的外露部分。如果巷道内有水坑或水沟,则应顺势爬入水中。在爆炸发生的瞬间,要尽力屏住呼吸或是闭气将头浸入水中,防止吸入爆炸火焰及高温有害气体。同时要以最快的动作戴好自救器。爆炸过后应稍事观察,待没有异常变化迹象,就要辨明情况和方向,沿着安全避灾路线,尽快离开灾区,转入有新鲜风流的安全地带。

(三)矿井透水事故发生时免受伤害的措施

(1)透水后现场人员撤退时的注意事项:

①透水后,应在可能的情况下迅速观察和判断透水的地点、水源、涌水量、发生原因、危害程度等情况,根据《矿井灾害预防与处理计划》中规定的撤退路线,迅速撤退到透水地点以上的水平,而不能进入透水点附近及下方的独头巷道。

②行进中,应靠近巷道一侧,抓牢支架或其他固定物体,尽量避开压力水头和水流,并注意防止被水中滚动的矸石和木料撞伤。

③如透水破坏了巷道中的照明和路标、迷失行进方向时,遇险人员应朝着有风流通过的上山巷道方向撤退。

④在撤退沿途和所经过的巷道交叉口,应留设行进方向的明显标志,以提示救护人员的注意。

⑤人员撤退到竖井,需从梯子间上去时,应遵守秩序,禁止慌乱和争抢。行动中手要抓紧梯子扶手,脚要蹬稳,以防坠井。

⑥如唯一出口被水封堵无法撤退时,应有组织地在独头工作面躲避,等待救护人员的营救。严禁盲目潜水逃生等冒险行为。

(2)透水后被围困时的避灾自救措施:

①当现场人员被涌水围困无法退出时,应迅速进入预先筑好的避难硐室避灾或选择合适地点快速构筑临时避难硐室避灾。迫不得已时,可爬至巷道中高冒空间待救,如系老窑透水,则须在避难硐室处建临时挡墙或吊挂风帘,防止被涌出的有毒有害气体伤害。进入避难硐室前,应在硐室外留明显标志。

②在避灾期间,遇险矿工要有良好的精神心理状态,情绪安定、自信乐观、意志坚强。要做好长时间避灾的准备,除轮流担任岗哨观察水情的人员外,其余人员均应静卧,以减少体力和氧气消耗。

③避灾时应用敲击的方法有规律地、间断地发出呼救信号,向营救人员指示躲避处的位置。

④被困期间断绝食物后,即使在饥饿难忍的情况下,也应努力克制自己,决不嚼食杂物充饥。需要饮用井下用水时,应选择适宜的水源,并用纱布或衣物过滤。

⑤长期被困在井下,发觉救护人员到来营救时,避灾人员切不可过度兴奋和慌乱,以防发生血管爆裂等意外情况。

第三节　现场急救

一、伤情判断

(一)判断方法

一旦出现大批伤员时,一般是先救重伤,后救轻伤。伤情轻重的判断,主要是根据伤员受伤的情况和伤情的变化来进行。即首先要检查心跳、呼吸和瞳孔等三大特征,并观察伤员的神志情况。

(1)心跳:

正常人的心跳为60次/min~80次/min;严重创伤大出血的伤员,心跳多增快。

(2)呼吸:

正常人呼吸16次/min~18次/min;重危伤员呼吸多变快、变浅或不规则。

(3)瞳孔:

正常人两眼瞳是等大、等圆的,遇到光线能引起反应。伤势沉重的伤员,神志模糊或出现昏迷,对外来刺激没有反应。

(4)神志:

正常人神志清醒,对外来刺激能引起反应,伤势沉重的伤员,神志模糊或出现昏迷,对外来刺激没有反应。

(二)伤员类别及其处置原则

根据上述4项检查,即可对伤员伤情的轻重作一个初步判断。根据伤情的轻重,大致可将伤员分以下三类:

(1)危重伤员:

中毒性、外伤性窒息以及各种原因引起的心脏骤停、呼吸困难、昏迷、严重休克、大出血等伤员。对这类伤员的处置原则是:先救后送,即必须立即抢救,并在严密观察和继续抢救下,迅速送往医院。

(2)重伤员:

骨折及脱位、严重挤压伤,大面积软组织挫伤、内脏损伤等伤员。对这类伤员的处置原则是:需要立即手术治疗的伤员,应迅速转送医院;可以暂缓手术的伤员,要注意防止休克发生。

(3)轻伤员:

软组织擦伤、裂伤和一般性挫伤等伤员。这类伤员多能行走,其处置原则是:在现场进行一般性处理后,升井或原地休息,不必送医院。

二、现场急救技术

现场创伤急救技术包括人工呼吸、心脏复苏、止血、创伤包扎、骨折临时固定和伤员搬运。

(一)人工呼吸

人工呼吸适用于触电休克、溺水、有害气体中毒、窒息或外伤窒息等引起的呼吸停止、假死状态者。如果呼吸停止不久,大都可以通过人工呼吸抢救过来。

在施行人工呼吸前,先要将伤员运送到安全、通风良好的地点,将伤员领口解开,放松腰带,注意保持体温,腰背部要垫上软的衣服等。在施行人工呼吸前应先清除口中脏物,把舌头拉出来或压住防止堵住喉咙,影响呼吸。各种有效的人工呼吸必须在呼吸道畅通的前提下进行。常用的方法有口对口人工呼吸法、仰卧压胸人工呼吸法和俯卧压背人工呼吸法3种。

1.口对口人工呼吸法

它是效果最好、操作最简单的一种方法。操作前使伤员仰卧,救护者在其头的一侧,一手托起伤员下颌,并尽量使其头部后仰,另一手将其鼻孔捏住,以免吹气时,从鼻孔漏气。自己深吸一口气,紧对伤员的口将气吹入,造成伤员吸气(如图12-10所示)。然后,松开捏鼻的手,并用一只手压其胸部以帮助伤员呼气,如此有节律、均匀地反复进行,每分钟应吹气14~16次,注意吹气时切勿过猛、过长,也不宜过短,以占一次呼吸周期的1/3为宜。

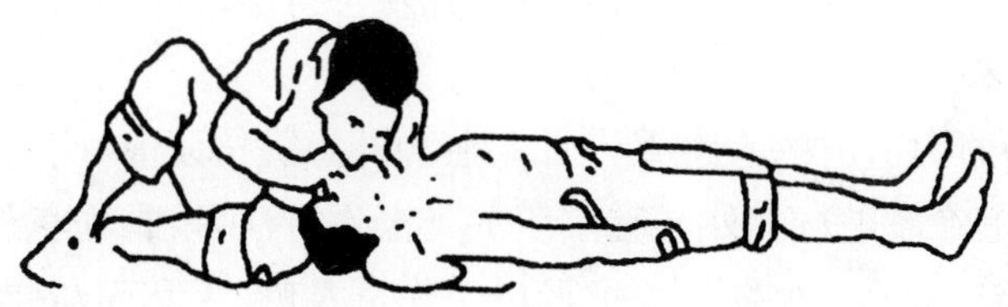

图12-10　口对口人工呼吸法

2.仰卧压胸人工呼吸法

让伤员仰卧,救护者跨跪在伤员大胸两侧,两手拇指向内其余四指向外伸开,平放在其胸部两侧乳头之下,借半身重力压伤员胸部,挤出伤员肺内空气。然后,救护者身体后仰,除去压力,伤员胸部依其弹性自然扩张使空气吸入肺内。如此有节律地进行,要求每分钟压胸16~20次。如图12-11所示。

图12-11　仰卧压胸人工呼吸法

此法不适用胸部外伤或SO_2.NO_2中毒者,也不能与胸外心脏按压法同时进行。

3.俯卧压背人工呼吸法

此法与仰卧压胸法操作方法大致相同,只是伤员俯卧,救护者跨跪在伤员大腿两侧,如图12-12所示。因为这种方法便于排出肺内水分,因而此法对溺水急救较为适合。

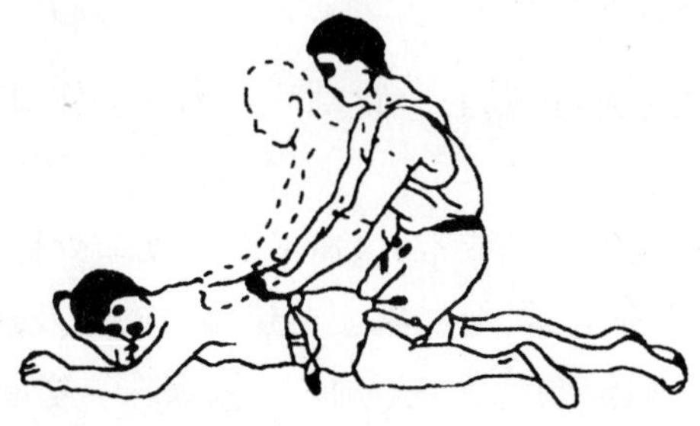

图12-12　仰卧压背人工呼吸法

(二)心脏复苏法

心脏复苏操作主要有心脏区叩击术和胸外心脏按压术两种方法。

1.心脏区叩击术

心脏骤停后立即叩击心前区,叩击力中等,一般可连续叩击3~5次,并观察脉搏、心音。若恢复则表示复苏成功;反之,应立即放弃,改用胸外心脏按压术。操作时,使伤员头低、脚高、施术者以左手掌置其心前区,右手握拳在左手背上轻叩。

2.胸外心脏按压术

此法适用于各种原因造成的心跳骤停者。在胸外心脏按压前,应先用心前区叩击术,如果叩击无效,应及时正确地进行胸外心脏按压。其操作方法是:首先将伤员仰卧木板上或地上,解开其上衣和腰带,脱掉其胶鞋。救护者位于伤员左侧,手掌面与前臂垂直,一手掌面压在另一手掌面上,使双手重叠,置于伤员胸骨三分之一处(其下方为心脏),如图12-13所示。以双肘和臂肩之力有节奏地、冲击地向脊柱方向用力按压,使胸骨压下3~4cm(有胸骨下陷的感觉就可以了),按压后,迅速抬手使胸骨复位,以利于心脏的舒张。按压次数以每分钟60~80次为宜。按压过快,心脏舒张不够充分,心室内血液不能完全充盈。按压过慢,动脉压力低,效果也不好。

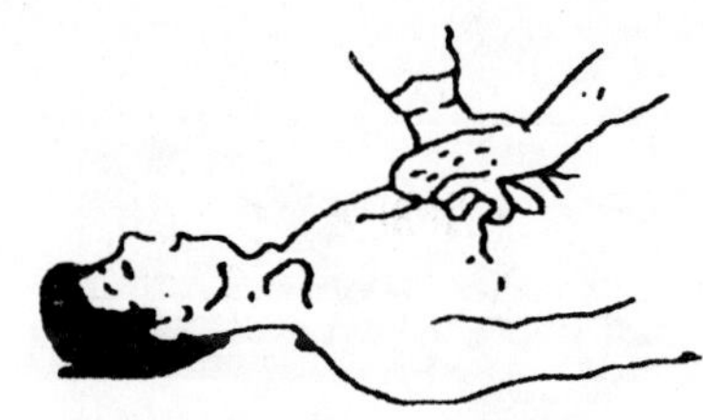

图12-13 心脏按压图

(三)止血

任何外伤都有出血的可能,人体的总血量约为5000~6000mL。急性出血超过800~1000mL时就会有生命危险。因此,争取时间为伤员及时而有效地止血,对挽救伤员的生命具有非常重要的意义。

1.血管的种类及其出血特征

人身上的血管分为动脉、静脉和毛细血管三种。出血是由于血管损伤破裂造成的,损伤的血管不同,出血也有不同特征。

动脉出血的特征:血液颜色鲜红、随心脏跳动的频率从创伤口处向外喷射,血流速度快,时间稍长就会有生命危险。

静脉出血的特征是:血液颜色暗红或紫红,血液从创伤口处徐缓而均匀地外流。静脉血管出血短时间内虽对伤员无生命危险,但如果流血过多也会危及伤员的生命。

毛细血管出血的特征是:血液颜色为红色血液,像水珠一样断续地从伤口处渗出,一般会自行凝固,不会有生命危险。

2.止血方法

止血方法有压迫止血法、加压包扎止血法、加垫屈肢止血法和止血带止血法4种。根据不同血管损伤的出血特征,应有针对性地选择不同的方法进行止血。一般都是先用压迫止血法止住血后。再根据情况改用其他止血法。

①压迫止血法。压迫止血法又称指压止血法。它是最基本、最常用、最简单、最有效的

止血方法。适用于头、颈、四肢动脉大血管出血的临时止血。当发现受伤人员伤口正在流血时，只要立刻果断地用手指或手掌用力压紧伤口附近靠近心脏一端的动脉跳动处，并把血管紧压在骨头上，就能很快起到临时止血的效果。因为压迫止血是一种临时性止血措施，因此在使用此法止血的同时，应迅速寻找止血材料，及时换用其他的止血方法。

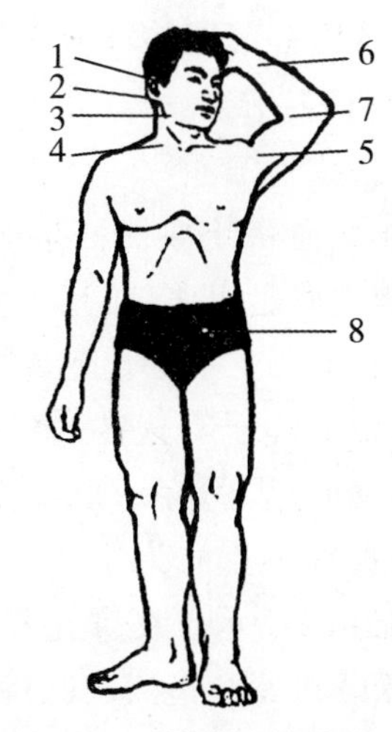

图12-14　人体常用动脉指压点

血管最易被压住而止血的地点为指压点。能否有效止血与正确选准指压点有很大关系。人体常用的指压点有8处，如图12-14所示。

动脉指压点1；枕动脉指压点2；下颌动脉（又称面动脉）指压点3；锁骨下动脉指压点4；肱动脉指压点5；桡动脉指压点6；尺动脉指压点7；股动脉压点8。根据受伤出血部位不同，选择不同的指压点。

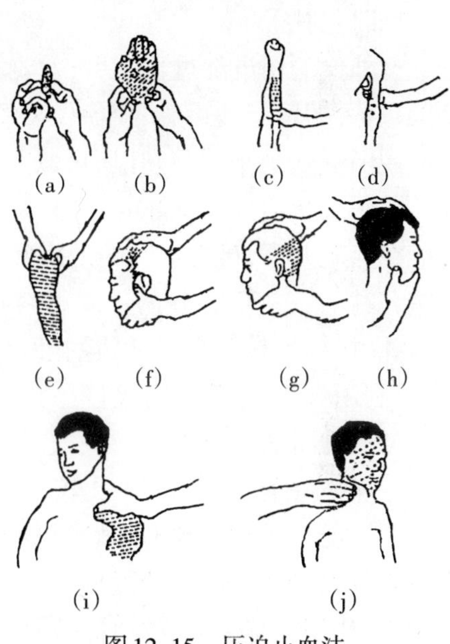

图12-15　压迫止血法

手指的止血压点及其止血区域如图12-15(a)所示的黑点部分；

手掌的止血压点及其止血区域如图12-15(b)所示的虚线部分；

前臂的止血压点及其止血区域如图12-15(c)所示的虚线部分；

肱骨动脉止血压点及其止血区域如图12-15(d)所示黑点部分；

下肢骨动脉止血点及其止血区域如图12-15(e)所示的虚线部分；

前头部止血压点及其止血区域如图12-15(f)所示的虚线部分；

后头部止血压点及其止血区域如图12-15(g)所示的虚线部分；

面部止血压点及其止血区域如图12-15(h)所示的黑影部分；

锁骨下动脉止血压点及其止血区域如图12-15(i)所示的虚线部分；

颈动脉止血压点及其止血区域如图12-15(j)所示的虚线部分。

②加压包扎止血法。加压包扎止血法是较为常用的一种有效止血方法，它主要适用于小血管和毛细血管的止血。操作方法是：先把消毒纱布敷在伤口上（如果没有消毒纱布，也可用干净的毛巾代替），再加上棉花团或纱布卷，然后用绷带、布带或三角巾加以缠绑，以达到止血的目的。若伤肢有骨折，还要另加夹板固定。

③加垫屈肢止血法。加垫屈肢止血法多用于小臂和小腿的止血，它利用肘关节、膝关节的弯曲功能压迫血管达到止血。在肘窝或腘窝内放入棉垫或布垫，然后使关节弯曲到最大

限度，再用绑带把前臂与上臂（或小腿与大腿）固定，如图12–16所示。如果伤肢有骨折，必须先加板固定。

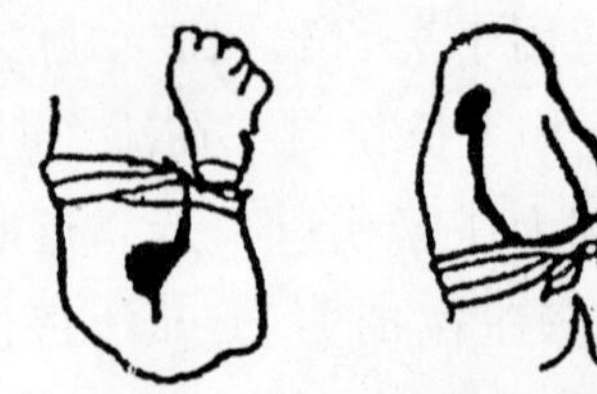

图12–16　加垫屈肢止血法

④止血带止血法。止血带止血法主要适用于四肢大血管出血，尤其是动脉出血。操作方法是：用止血带（一般用胶皮管，也可以用纱布、毛巾、布带或绳子等代替）绕肢体绑扎打结固定或在结内（或结下）穿一根短棒，转动此棒，绞紧止血带，直到不流血为止，然后把棒固定到肢体上如图12–17所示。在绑扎和绞血带时，不要过紧或过松。过紧会造成皮肤神经损伤，过松则不能起到止血作用。

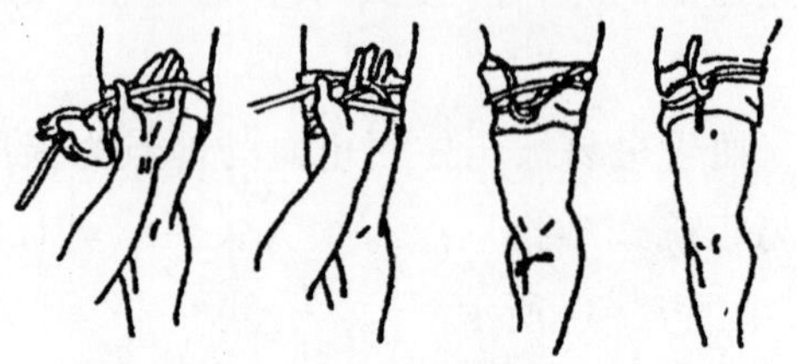

图12–17　止血带止血法

（四）包扎

有外伤的伤员经过止血后，就要立即用急救包、纱布、绷带或毛巾等包扎起来。及时、正确的包扎，即可起到止血的作用，又可保持伤口清洁，防止污物进入，避免细菌感染。对有骨折或脱臼的伤员来说，包扎还可以起到固定敷料和夹板的作用，以减少伤员的痛苦，并为安全转送医院救治打下良好的基础。

在煤矿井下，最常遇到的是头部外伤和四肢外伤。对于这类外伤，一般都采用三角巾和绷带包扎。三角巾包扎的主要材料是一块特制的三角形的布，底长1.4m，高0.7m。用三角巾包扎，操作比较简单灵活，包扎面积也大，所以用得较多。如果抢救现场没有三角巾或绷带，可利用衣服、毛巾等物代替。

（五）骨折的临时固定

在煤矿井下骨折是一种比较常见的创伤。如果伤员的受伤部位出现剧烈疼痛、肿胀、变形以及不能活动等现象时，就有可能是发生了骨折。这时必须用一切可利用的条件，迅速、及时而又准确地给伤员进行临时固定。做骨折临时固定时应注意下列事项：

（1）凡伤员有生命危险时，必须先抢救生命。

（2）如有伤口出血，应先止血并包扎伤口然后再做骨折临时固定。

（3）在井下对伤员做骨折临时固定，目的在于保证伤员可以安全地向地面医院转送。因此对于有明显外伤畸形的伤肢，只要进行大体纠正、临时固定，而不需要按原形安全复位，也不必要把露出的断骨送回伤口，避免给伤员增加不必要的痛苦或因处理不当而使伤情加重。

（4）做骨折临时固定时，要注意防止伤口感染和断骨刺伤血管、神经，避免给以后的救治造成困难。

（5）尽可能就地固定，在固定时要避免过多的检查，也不要无故移动伤员或伤肢。

（6）做临时固定用的夹板或其他固定材料的长度和宽度，要与受伤的肢体相称，夹板应能托住整个伤肢。除了把骨折的上下两端固定好以外，如遇关节处，要同时把关节固定好。

（7）夹板不能与皮肤直接接触，要用棉花、毛巾、布片等柔软物品垫好，尤其是在夹板的两端骨头突出的地方和空隙部位。

(8)固定时不可过紧或过松。四肢骨折应先固定上端,再固定下端,要露出手指或趾尖,以便观察血液循环情况。如发现指(趾)尖苍白、发冷并呈青紫色,说明包扎过紧,要放松后重新固定。

(9)做完临时固定后迅速向地面医院转送。

(六)伤员的搬员

伤员在井下经过抢救、止血、包扎和骨折临时固定后,就要迅速向地面医院转送(即搬运伤员)。

搬运伤员是井下抢救工作中的最后一个环节。搬运工作的质量直接关系到伤员转送到地面后的救治效果。如果搬运不当,不但可能使伤情加重,增加治疗中的困难,给伤员留下痛苦甚至终身瘫痪,而且严重时还可能使整个抢救工作前功尽弃。

井下搬运伤员的方法有:用担架搬运、单人徒手搬运和多人徒手搬运。究竟采用哪种搬运方法要依伤员的伤情、现场条件和抢救人员的力量来确定。

三、急救方法

(一)中毒、窒息急救方法

(1)立即将伤员从危险区抢运到新鲜风流中并安置在顶板良好、无淋水的地点。

(2)立即将伤员口、鼻内的黏液、血块、泥土、碎煤等除去并解开其上衣和腰带,脱掉其皮鞋。

(3)用衣服覆盖在伤员身上以保暖。

(4)根据心跳、呼吸、瞳孔等特征和伤员的神志情况,初步判断伤情的轻重。

(5)对SO_2和NO_2的中毒者只能进行口对口人工呼吸,不能进行压胸或压背法人工呼吸,否则会加重伤情。当伤员出现眼红肿,流泪、畏光、喉痛、咳嗽、胸闷现象时,说明是SO_2中毒;当出现眼红肿、流泪、喉痛及手指、头发呈黄褐色现象时,说明伤员是NO_2中毒。

(6)人工呼吸持续的时间以恢复自主性呼吸或到伤员真正死亡时为止。当救护队到达现场后,应转由救护队用苏生器苏生。

(二)机械性外伤急救方法

凡因机械力量直接或间接作用于人体所造成的人体组织或器官的破坏并发生局部或全身反应的一种外伤,称为机械性外伤。根据损伤轻重和伤口有无机械性外伤,可分为闭合性外伤和开放性外伤两大类。常见机械性外伤的诊断与急救方法如下:

1.创伤性休克

遭受强烈袭击后的伤员,创伤早期由于剧烈疼痛,身体各种脏器和组织细胞供血不足而缺氧,可引起休克。此后因大出血,又可引起出血休克。休克伤员常出现低血压、四肢发凉、出冷汗、呼吸浅快、脉搏快而弱、尿量小或无反应等,严重者出现意识障碍等症状。创伤性休克是造成伤后死亡的原因之一。紧急处理要点为:

①保持安静。现场急救时,要迅速将伤员安置到安全地方,让其安静休息。

②伤员安放要取平卧位,或让头部抬高30°,脚和腿也抬高30°,以增加回流到心脏的血量,改善脑部血液循环。

③保持呼吸道畅通。注意消除呼吸道内的尘土、血快和分泌物等,防止窒息和缺氧。

④解除伤员疼痛。对有骨折的伤员应进行骨折临时固定,以免搬动时刺激神经引起疼痛;伤员剧痛时,可给予适量的镇痛药。

⑤伤口包扎、止血。妥善包扎伤口处,可减少出血。对于内出血,由于现场无法早期止血,应尽快送到医院抢救。

⑥对出现呼吸系统和血液循环系统衰竭的伤员除针对病因予以处理外,必要时可进行口对口人工呼吸和胸外心脏按压等急救处理。

2.颅脑伤

井下冒顶、片帮等外力直接撞击头部可引起颅脑伤。颅脑伤可分为头皮损伤,颅骨损伤,脑震荡,颅内血肿和脑挫伤。颅脑伤总的急救原则是:

①包扎伤口。遇到头部开放伤口可用干净衣服将头部伤口加压包扎。如有脑组织膨出应在膨出组织周围用纱布围好或用搪瓷碗盖上包扎固定。

②调整体位。伤员在担架上应置于侧卧位,用衣服将头部固定防止转运中震荡。

③遇到舌根后坠堵塞呼吸道时,应立即用夹舌钳将舌拉出插入口咽导气管或用安全别针在踞舌尖2cm中线位置穿透,将舌拉出并固定在颈上或胸部衣服上。

3.颈部伤

颈部是人体血管、神经、气管、颈椎、甲状腺的密集分布带,一旦致伤都较为严重,常因血管破裂大量失血迅速引起死亡。血管损伤时,常呈喷射状涌出大量鲜血。颈部大静脉损伤除大量失血外,还可因血管进入空气而引起空气栓塞(即空气进入血管内,将血管堵塞),伤员便立即颜面苍白,大量出冷汗,直至死亡。若颈部神经损伤,伤员可发生声门肌麻痹而死亡。急救处理方法为:

①迅速止血。可压迫颈总动脉或对侧上肢做支架加压包扎,并立即请医生急救。

②气管受伤时无大量出血,可在局部作简单的清洁处理,盖上清洁纱布,立即送医院治疗。

4.胸部伤

胸部伤主要表现为肋骨骨折、血胸、气胸。肋骨骨折除伤处疼痛外,局部可摸到骨折端或有骨擦音。若骨折端刺破胸膜,肺脏损伤时,出现咯血,导致血胸、气胸等严重情况。当伤员胸壁破裂,伤口大而深,呼吸时空气从伤口进出,则形成胸壁破裂开放性气胸。凡此类伤员应对伤口严密消毒,包扎好伤口及时转送医院诊治。胸部伤口小或没有伤口的伤员多因体内肺泡破裂,吸气时气体进入胸膜腔,呼气时气体不能排出,出现伤侧胸壁饱满张力性气胸症状,主要表现为进行性呼吸困难、口唇青紫、脉搏快而细、血压下降等。因此,凡胸部伤不可大意,应尽快转送医院诊断医治。对于出现呼吸困难的转运伤员,可用粗注射针头在伤员乳头上方第2~3肋间刺入胸膜,向外抽气或放气,减轻伤员呼吸困难。针头盖以纱布,并用胶布加以固定。

5.腹部伤

腹部受伤时必须注意有无内脏破裂和肠管损伤。当肝脾破裂时,主要危险是内出血,伤员表现为面色苍白、口渴、出冷汗、脉搏快而细、血压下降、休克等症状。同时,因血液刺激腹膜而有腹膜刺激症状，如腹痛、腹胀、恶心、腹肌紧张并伴有压痛。处理这类伤员，要及时转送医院诊治。送医院前应包扎伤部，如有脏器膨出，不要送回体内，用消毒纱布将脏器围好或用搪瓷碗盖上后包扎。转送途中，伤员置仰卧位，膝下垫高，使腹壁松弛。内出血严重者，应尽早作抗休克治疗。

6.肢体离断伤

肢体离断伤，轻者致残，重者会有生命危险。在处理这类伤员时，需小心谨慎，切不可疏忽大意。处理原则为：

①首先要观察伤员总的情况，积极抢救休克或其他严重损伤。近端肢体应用止血带止血。

②对断肢要用消毒或清洁的敷料包好。如果一时来不及准备，可用干净的布片或毛巾、手帕等代替纱布包扎，也可用干净的塑料袋装好，扎紧口子，并尽快送往医院。做好断肢的现场处理是关系到再植手术成功与否的关键，切不可疏忽大意。

7.冒顶挤压伤

对被煤矸压埋的人员，应尽快将其救出，挖掘时要注意动作轻巧稳妥，以免稍有不慎造成严重损伤，尽可能先挖出头部周围的岩石和煤块使其先露出头部，以利于及时清除口腔、鼻腔内的淤泥等污物，使呼吸道通畅，有条件时给予氧吸入，并迅速掏去伤员周围和身上的煤岩块，立即抬离现场。抬运过程必须小心，严重用手拖拉伤员四肢或采取其他粗鲁动作而加重伤势，对有外伤者要做好止血和包扎以及骨折的临时固定等处理。对呼吸困难还未停止呼吸者，应立即进行人工呼吸。当伤员有背部损伤时，不得作仰卧压胸与俯卧压背人工呼吸，可采用口对口人工呼吸。

（三）溺水急救方法

（1）转送：把溺水者从水中救出以后，要立即送到比较温暖和空气流通的地方，松开腰带，脱掉湿衣服，盖上干衣服，以保持体温。

（2）检查：以最快的速度检查溺水者的口鼻，如果有泥水和污物堵塞，应迅速清除，擦洗干净，以保持呼吸道通畅。

（3）控水：使溺水者取俯卧位，用木料、衣服等垫在肚子下面；或将左腿跪下，把溺水者的腹部放在救护者的右侧大腿上，使其头朝下并压其背部，迫使其体内的水由气管、口腔里流出。

（4）人工呼吸：上述方法控水效果不理想时应立即做俯卧压背式人工呼吸、口对口人工呼吸或胸外心脏按压。

（四）烧伤急救方法

对烧伤人员的急救措施为：

（1）尽快扑灭伤员身上的火，缩短烧伤时间。

（2）检查伤员呼吸、心跳情况。查清是否合并有其他外伤或有害气体中毒；对爆炸冲击烧伤的伤员，应特别注意有无颅脑或内脏损伤和呼吸道烧伤。

（3）伤员因疼痛和恐惧发生休克或发生急性喉头梗阻而窒息时，应进行人工呼吸等急救措施。

(4)为了减少疮面的污染和损伤,在现场检查伤员时,其衣服可以不脱,不剪开。

(5)用较干净的衣服把伤面包裹起来防止感染。在现场,除化学烧伤可用大量流动的清水持续冲洗外,对疮面一般不作处理,尽量不弄破水泡以保护真皮。

(6)运送伤员时动作要柔、行进要平稳并随时观察伤情。

(五)对触电者的急救方法

(1)立即切断电源,使触电者脱离电源。

(2)迅速观察伤员有无呼吸和心跳。如发现已停止呼吸或心音微弱,应立即进行人工呼吸或胸外心脏按压。

(3)若呼吸和心脏都已停止时,应同时进行人工呼吸和胸外心脏按压。

(4)对遭受电击者,如有其他损伤(如跌伤、出血等),应作相应的急救处理。

第四节　事故应急处理

一、矿井灾害预防和处理计划

为了防止事故发生,并在一旦发生事故时能有效地阻止事故扩大和迅速抢救人员,《煤矿安全规程》第9条规定:煤矿企业必须编制年度灾害预防和处理计划,并根据具体情况及时修改。灾害预防和处理计划由矿长负责组织实施。煤矿企业每年必须至少组织一次矿井救灾演习。

(一)《矿井灾害预防和处理计划》的内容

《矿井灾害预防和处理计划》(以下简称《计划》),由文字说明,附图以及消防材料设备和必需工程规划表组成。文字说明既要详尽确切,又要避免繁琐冗长,可尽量采用示意图和表格表示。《计划》必须贯彻预防为主的方针,应能起到防止事故发生,并在一旦发生事故时能有效地防止事故扩大和迅速抢救受灾遇险人员。

1.附图及有关处理各种事故必备的技术资料

(1)矿井通风系统图、反风试验报告以及反风时保证反风设施完好可靠的检查报告。

(2)矿井供电系统图和井下电话的安装地点。

(3)井下消防——洒水管路、排水管路和压风管路系统图。

(4)地面和井下消防材料库位置及其储备的材料、设备、工具的品名和数量登记表。

(5)地面、井下对照图,图中应标明井口位置和标高、地面铁路、公路、钻孔、水井、水管、储水池及其他存放可供处理事故用的材料设备和工作的地点。

2.文字说明

(1)可能发生事故地点的自然条件、生产条件及预防的事故性质、原因和预兆。

(2)出现各种事故时,保证人员安全撤退所必须采取的措施。

(3)预防、处理各种事故和恢复生产的具体技术措施。

(4)负责实施预防措施的单位及负责人。

(5)参加处理事故指挥部的人员组成、分工和其他有关人员名单、通知方法和顺序。《计划》中人员的分工要具体明确，通知召集人的方法要迅速及时。

3.安全迅速撤退人员的措施

(1)及时通知灾区和受威胁地区人员的方法(电话、音响、放特殊气味等)所需材料设备。

(2)人员撤退路线及该路线上需设的照明设备、路标、自救器及临时避难硐室的位置。

(3)风流控制方法，实现步骤及其适用条件。

(4)发生事故后，对井下人员的统计方法，一般采用矿灯牌和考勤记录统计在井下的人数及其姓名。

(5)救护队员向遇灾人员接近的移动路线。

(6)向待救人供给空气、食物和水的方法。

4.处理灾害和恢复生产措施的编制原则

(1)处理火灾事故，应根据已探明的火灾地点和范围制定控制火势的方法，风流调节原则和方法，防止产生瓦斯、煤尘爆炸的措施、步骤，采用的灭火方法，防火墙的位置、材料和修建顺序等。

(2)处理爆炸事故，关键是制定如何迅速恢复灾区通风，用适当风量冲洗灾区，避免出现或消除火源，防止瓦斯连续爆炸的措施。

(3)其他事故(煤与瓦斯突出、冒顶、透水、运输提升和机电事故等)的预防和处理措施，同样应根据本矿井具体情况制定。

为使《计划》尽量与客观事故发展过程相吻合，就需要通过调查研究和集群众智慧，然后根据矿井安全现状和历史教训编制出切实可行的《计划》。而且，随着客观条件的变化(采掘计划的变更，通风系统的改变等)，每季度还要对《计划》作出相应的修改与补充。

(二)《计划》的编制方法、审批程序及其如何贯彻执行

(1)《计划》必须由矿总工程师负责组织通风、采掘、机电、地质等单位有关人员编制，并有矿山救护队参加，还应征得安全监察部门同意。

(2)《计划》必须在每年开始前一个月报煤业集团(有限公司)总工程师批准。

(3)在每季开始前15d，矿总工程师根据矿井自然条件和采掘工程的变动等情况，组织有关部门进行修改和补充。

(4)已批准的《计划》由矿长负责组织实施。

(5)已批准的《计划》应立即向全体职工(包括全体矿山救护人员)贯彻，组织学习，并熟悉避灾路线。各基层单位的领导和主要技术人员应负责组织单位职工学习，并进行考试。没有学习过或者考试不合格，不熟悉《计划》有关内容的干部和工人不准下井工作。《计划》如有修改补充还应组织职工重新学习。

(6)每年必须 至少组织一次矿井救灾演习。对演习中发现的问题，必须采取措施，立即改正。

二、瓦斯、煤尘爆炸事故处理

《煤矿安全规程》第530条规定：处理爆炸事故时，救护小队进入灾区必须遵守下列规定：

(1)进入前切断灾区电源。

(2)检查灾区内各种有害气体的浓度、温度及通风设施破坏情况,发现有再次爆炸危险时必须立即撤离到安全地点。

(3)穿过支架被破坏的巷道时,要架好临时支架。

(4)通过支护不好的地点时,救护队员要保持一定的距离按顺序通过。

(5)进入灾区行动要谨慎,防止碰撞产生火花,引起爆炸。

(6)确知人员已经牺牲时,必须先恢复灾区通风,再进行处理。

三、火灾事故处理

(一)处理原则

(1)控制烟雾的蔓延,不致危及井下人员安全。

(2)防止火灾扩大。

(3)防止引起瓦斯、煤尘爆炸,防止火风压引起风流逆转而造成危害。

(4)保证救灾人员的安全,并有利于抢救遇险人员。

(5)创造有利的灭火条件。

(二)一般措施

(1)组织矿山救护队进入火区侦察,探明火区地点、范围、性质,救灾指挥部根据救护队提供的信息资料和矿井的实际情况确定控制风流方案。

(2)进风井井口、井筒、井底车场、主要进风巷和硐室发生火灾时,为抢救井下工作人员,应进行全矿井反风。指挥部下达反风命令前,必须将火源进风侧的人员撤出,并采取阻止火灾蔓延的措施。

(3)切断通往火灾区域的电源。

(4)火区范围不大时,应积极组织人力、物力控制火势直接灭火。灭火工作必须从火源进风侧进行。用水灭火时,水流应从火源外围喷射,逐步逼向火源中心。必须有充足的风量和畅通的回风巷以防水煤气爆炸。

(5)直接灭火无效时,应采取隔绝法封闭火区,并遵守《煤矿安全规程》第528条之规定。

(6)处理火灾事故过程中,必须指定专人检查瓦斯和煤尘,观测灾区气体和风流变化。

四、水灾事故处理

(一)处理井下水害的一般原则

(1)必须了解突水的地点、性质、估计突水量、静止水位、突水后涌水量,影响范围、补给水源以及有影响的地面水体。

(2)掌握突水灾区范围。如事故前人员分布矿井中有生存条件的地点、进入该地点的可能通道,以便迅速组织抢救。

(3)按积水量、涌水量组织强排,同时发动群众堵塞地面补给水源,排除有影响的地表水必要时采用灌浆堵水。

(4)加强排水与抢救中的通风。切断灾区电源,防止一切火源。防止瓦斯和其他有害气体积聚和涌出。

(5)排水后侦察、抢救中,要防止冒顶和二次突水。

(6)搬运和抢救遇险、遇难者,要防止突然改变伤员已适应的环境和生存条件造成不应有的伤亡。

(二)透水时的应急措施

当井下某一地点发生突水事故时,现场人员除立即报告矿调度室外,如果情况危急,水势很猛,则应采取以下应急措施:

1.现场人员的行动原则

发生透水事故时,现场人员应尽量了解或判断事故的地点和灾害程度,在确保人员安全的条件下,迅速组织抢救,尽可能就地取材,加固工作面,设法堵住出水点,以防止事故的继续扩大。如果无法抢救,则应根据当地当时的具体情况,有组织地沿着规定的避灾路线,避开压力水头,迅速撤退到涌水地点的上部水平或地面,而不能进入出水点附近独头巷道内。如果独头上山下部的唯一出口已被淹而无法撤退时,则可在独头巷道躲避,以免受涌水伤害,这时独头上山附近空气因水位上升逐渐压缩,能保持一定的空间和一定的空气量,井下人员万一来不及全部撤到安全地点,而被堵在其他巷道内,应保持镇静,避免体力的过度消耗,坚信组织上一定会全力营救。

2.透水事故的抢救措施

①各级领导应准确地检查井下人员,如果发现尚有人员被堵于井下,应首先制定营救措施。为此,要判断人员可能躲避的地点,根据涌水量和排水能力,估计排除积水的时间。当判断有人被堵于独头上山时,必要时可以在地面打钻孔向井下输送食物等。只要判断正确,抢救及时,就可以避免或减少人员的伤亡。

②立即通知泵房人员,要将水仓水位降低到最低程度,以争取较长的缓冲时间。

③水文地质人员应分析判断突水来源和最大突水量,测量涌水量大小及其变化,察看水井及地表水位变化,判断突水量的发展趋势,采取必要的措施,防止淹没矿井。

④检查维护所有排水设施和输电线路,了解水仓现有容量,如果水中携带大量泥沙和浮煤时,应在水仓进口处的大巷内分段建筑临时挡墙,使其沉淀,减少水仓淤塞。在水泵龙头被堵塞时,应组织会游泳的人员消除水龙头上的杂物。

⑤检查防水闸门是否灵活、严密,并派专人看守,清理淤渣,拆除短节轨道等,做好准备,待命关闭。在关闭水闸门时,必须查清人员是否全部撤出。

⑥采取上述应急措施仍不能阻挡淹井时,井下人员应向高处撤退,迅速向安全出口转移安全上井。

第二部分　专业核心知识点

本章核心知识点主要有以下内容

1.瓦斯、煤尘爆炸时免遭伤害的措施。

2.矿井发生火灾事故时免遭伤害的措施。

3.透水事故发生后现场人员的注意事项及被困时的避灾自救措施。

4.爆炸事故的应急处理原则。

5.火灾事故的应急处理原则。

6.透水事故的应急处理措施。

7.现场急救的六大内容。

第三部分　专业技能训练

1.过滤式自救器的佩戴方法。
2.隔离式自救器的佩戴方法。

复习题

1.矿山救护队主要有哪些装备?
2.什么是自救?
3.什么是互救?
4.每个入井人员必须熟知哪些内容?
5.事故现场人员的行动原则是什么?
6.矿工自救的设施与设备主要有哪些?
7.在避难硐室内避难时应注意哪些事项?
8.隔离式自救器分为哪两种不同的形式?
9.化学氧隔离式自救器的适用条件是什么?
10.现场急救技术主要包括哪些内容?
11.人工呼吸的方法主要分为哪三种方法?
12.心脏复苏主要有哪两种方法?
13.止血的方法有哪些?
14.做骨折临时固定时应注意哪些事项?
15.井下搬运伤员的方法有哪三种不同的方法?
16.中毒、窒息急救应注意哪些事项?
17.溺水急救的先后顺序是什么?
18.对触电者的急救应注意哪些事项?
19.发生事故时安全迅速撤退人员的措施有哪些?
20.处理爆炸事故时,救护小队进入灾区必须遵守哪些规定?
21.火灾事故处理的原则是什么?
22.处理井下水害的原则是什么?
23.透水事故的抢救措施有哪些?

讨论题

1.佩戴自救器时应注意哪些事项?
2.发生瓦斯爆炸事故时免受伤害的措施有哪些?
3.发生矿井火灾事故时免遭伤害的措施有哪些?
4.发生透水事故时现场人员在撤退时应注意哪些事项?

第十三章　矿井通风与安全新技术、新装备、新工艺简介

第一节　矿井通风新技术在生产中的应用

一、矿井通风系统合理性评价技术

（一）矿井通风系统合理性

造成重特大人员伤亡的事故，一般都与通风系统的不完善有关，或者是通风系统阻力分布不合理，或者是通风系统本身就没有完整地形成，导致矿井抗灾能力差，一旦发生事故，现有系统无力将灾害降低至最低程度。因此，一套合理的通风系统对于保证煤矿安全生产极为重要。

一套合理的通风系统要满足以下的基本要求：

（1）能将足够的风量送往用风地点，通风效果好，风质好，有效风量率高；

（2）通风设备运行可靠，系统简单，稳定性好；

（3）通风阻力小，分布合理，容易调节；

（4）抗灾能力强，平时易于防灾，灾变时能限制灾害扩大，易于控制，易于救灾，易于尽快恢复生产；

（5）经济合理，基建投资、维修和运转费用低。

矿井通风系统的合理性表现在通风系统的安全性、有效性、稳定性和经济性诸多方面。简而言之，凡是符合《煤矿安全规程》的规定，满足对矿井通风系统的基本要求的都属于合理的矿井通风系统，但合理的并非是最优或较优的。

（二）矿井通风系统稳定性和可靠性

矿井通风系统的稳定性是指矿井通风系统在运行过程中保持其正常工作参数值的能力。矿井通风系统风流不稳定表现为井巷中风流方向发生变化或风量大小发生变化，且其变化幅度超过了允许范围。可靠性是指一个元件、设备或系统在规定的时间内，在规定的条件下持续完成规定功能的能力。矿井通风系统的可靠性即通风系统在满足通风条件和要求的前提下，维持井下所必需的清洁空气的持续供给的能力。

矿井通风系统的稳定性与可靠性，其广义的内涵可以归纳为以下3个方面：

（1）在一定条件下能保证各个采区及矿井的通风安全和创造良好的劳动环境，供风量和其他生产环节（采场、提升、运输、排水）的能力相适应即能为合理组织生产提供条件。

（2）通风系统简单、串联风路少，通风设施布置合理、坚固可靠，已采区及其报废的巷道密

闭严密,有利于防止自然发火和防尘,并能对矿井及工作面的风流实行连续监测,抗灾能力强。

(3)主要通风机运行稳定,故障少,无喘振,多风井联合系统之间无严重干扰,通风机工况合理,运行效率应在60%以上。直接的可靠性是要求设计的风量、负压、效率应与实际条件基本符合,即应达到预想的效果。

(三)通风系统风路稳定性评价

在稳定性分析中,矿井通风系统是一种非线性动态变化系统,矿井通风系统的通风网络复杂程度是决定矿井通风系统风路稳定性的根本因素,而角联分支则是划分网络为简单网络还是复杂网络的标志(我们把含有角联分支的网络称为复杂网络,反之则为简单网络)。所以通风系统稳定性评价问题可以归结为通风系统网络复杂度判别问题,也就是说可以通过角联结构的判别评价矿井通风系统的稳定性。

提高矿井合理通风系统稳定性的途径可归纳为以下3个方面:

(1)防止主要通风机工作不稳定;

(2)改善井下风网结构;

(3)灾变时及时掌握灾情,掌握灾变时风流动态变化,防止灾变不稳定风流涉及工作区域而使灾情扩大。

(四)煤矿矿井合理通风系统发展前景

由于矿井通风系统自身的复杂性,仅仅依靠人工凭借经验的手段来进行日常管理和事故救灾决策,实施起来难度非常大,而且可靠性不高,极易出错。因此,借助于现代化的信息管理技术,以计算机作为辅助手段来对矿井通风系统进行管理已是大势所趋。

使用计算机可以对井巷网络进行模拟,通过对巷道的断面、风速等参数进行赋值,可以实现通风系统的数字化、科学化和现代化,然后通过预先编制的程序对其进行处理、计算,输出正确的结果,从而,为工程技术人员提供必要的参考,以辅助决策。

二、局部通风防治瓦斯积聚技术

(1)脉动局部通风机:采用脉动风扇设备,增大采、掘工作面风流的紊流度,使瓦斯较好地混合于风流中,防止瓦斯积聚。

主要技术经济指标:

①风量:40m^3/min~90m^3/min;

②脉动频率:0.2~5Hz,无级可调;

③扩散系数较常规风流提高2~4倍以上;

④有效作用范围:20m;

⑤高压乳化液的压力为20MPa,耗液量20L/min。

(2)无火花风机引排上隅角瓦斯技术及装置能自动调控进入通风机和压入端风筒的瓦斯浓度,确保瓦斯浓度不超过3%。

主要技术经济指标：

瓦斯浓度监测范围：0～4%；

瓦斯浓度控制限量：≤3%；

瓦斯引排量：≤8m³/min；

瓦斯引排距离：≤1800m。

（3）小型液压风扇处理上隅角瓦斯积聚技术其特点如下：

①采用阻燃抗静电玻璃钢，液压马达，轴流式，风量60m³/min，风压500Pa，出口风速大于10m/s；

②配有瓦斯浓度传感器，实现报警、显示和实时监控等功能；

③采用独立的小型液压泵站驱动，吹排上隅角的积聚瓦斯；

④具有全自动盲巷瓦斯排放自控装置。

利用计算机和传感技术，实现盲巷瓦斯排放全部自动化。

（4）利用FSWZ-11B型矿用防爆塑料抽出式局部通风机治理采煤工作面上隅角的瓦斯其特点如下：

①利用相邻采空区排除采煤工作面上隅角瓦斯；

②可直接对采煤工作面上隅角瓦斯进行排放。

第二节　矿井通风通用设备

一、高性能主通风机

（一）大中型矿井用新型主要通风机

（1）FDⅡ型对旋式主要通风机是在FDⅡ型对旋式局部通风机技术基础上发展起来的新一代产品。它可用作中高压矿井的地面主要通风机或井下辅助通风机，亦可用于冶金、石化、电力、铁道、公路隧道等工业领域的通风换气。该风机更能适应矿井通风的阻力特性，能长久保持高效运行，调节范围比普通轴流式风机更宽，反转反风量大，安装方便。

（2）KXL型斜流式主要通风机是煤科总院重庆分院最近开发的新产品，已申请专利。它主要适用于中小型矿井作为地面主要通风机。其主要特点是，运行效率高；轴向尺寸只有普通轴流式的一半多一点，径向尺寸比离心式的小；电机可与风机分离，安装和维护方便；流量调节也十分方便。

（二）小煤矿的新型主要通风机

（1）KZS系列风机。

（2）无驼峰小型矿用轴流风机。

二、新型局部通风机

(一)新型局部通风机发展概况

20世纪90年代,我国的新型局部通风机有了长足的发展。在压入式掘进通风作业中推广了对旋局部通风机;在瓦斯排放和掘进除尘方面又出现了新型抽出式局部通风机和多功能局部通风机;在风机材质方面采用了无摩擦火花和安全摩擦火花材料;在驱动方面,除了传统的防爆电动机外,还采用了气马达;所有新型风机都设计了各种形式的消声结构。

(二)新型压入式局部通风机

目前矿井采用的新型局部通风机主要有以下3种:

(1)FD系列对旋式局部通风机。

(2)FDⅡ系列对旋式局部通风机。

(3)KDZ型对旋式局部通风机。

(三)新型抽出式局部通风机

目前矿井采用的新型抽出式局部通风机主要有以下2种:

(1)无摩擦火花型抽出式局部通风机:

①FSD-2×18.5型塑料叶轮抽出式局部通风机。

②FSWZ-11B型塑料叶轮外电机抽出式局部通风机。

(2)安全摩擦火花型抽出式局部通风机:

FDC-1系列和KDZ型抽出式对旋局部通风机。

三、高性能风筒

(一)阻燃抗静电柔性PVC塑料风筒布

双抗柔性PVC塑料风筒布主要用于制作矿山采掘和隧道工程局部通风的导风筒。其具有阻燃、抗静电性能,比橡胶风筒布质轻、价廉、柔软、风阻小。

(二)煤矿用正压风筒和正压强力风筒

它是为满足大动率、高压头对旋式轴流风机的推广使用。技术特点:阻燃、抗静电、耐寒、耐热。

四、矿井通风参数检测仪表及风门开闭传感器

(一)CW-1型风速传感器(改进型)

不受通风巷道断面大小影响,能很方便地进行安装调校,并且还具有更好的信号远传功能。

(二)KDF9403-1型矿用电子计算式风速计

风速计集风速测量、计算、数据贮存调用和掉电数据保护功能于一体。其结构新颖,体积小,功能齐全,操作简便,抗干扰能力强,便于井下风速测量、风量计算和数据调用。

(三)KG4092型压差传感器

灵敏度高、性能稳定、过载力强,可与多种型号的煤矿监测监控系统配接使用或独立

使用。

（四）KG9501型风流压力传感器

用于煤矿井下巷道及瓦斯抽放管道负压或绝对压力的监测及老塘漏风、隔墙密闭质量的连续监测。能就地以数字方式显示风压及管道压力的变化输出各种模拟量信号。

（五）KG9301型湿温度组合式传感器

将温度和湿度监测电路、显示电路、电源电路等组合在一起，同时输出两路模拟量信号到系统分站，比单独湿度传感器、温度传感器分别向系统分站送信号具有节约资金、材料电缆和工时且使用维护方便等优点。

（六）KG92-1型风门开闭传感器

适用于连续检测煤矿井下通风系统风门的开闭状态，输出多种信号制式，具有现场风门“开”、“闭”状态的指示。可与各类监控系统配套使用。

五、高效节能防爆矿用对旋式主要通风机

其主要有以下优点：

（1）采用三元流动理论和先进的CAD技术；

（2）叶片采用机翼型中空扭曲结构；

（3）结构优化设计，改善了电机轴承散热条件；

（4）设计了高效专用电机，效率高达94.4%；

（5）在带消音器条件下，最高静压效率达80.2%，高效区宽；噪声小于85dB。

六、新型对旋局部通风机

（一）FBDY系列结构一体化对旋局部通风机

风机的驱动电机与风机机壳合二为一，去除了安装电机的安装板及电机的散热筒、散热片，结构更为紧凑、流道更为畅通。因而其噪声更低、运行效率更高。同时，因其机、电一体式结构，免除了原DBKJ风机需办理电机安标证的需求。

（二）DBKJ系列多级对旋隔爆轴流式局部通风机

DBKJ系列隔爆型多级对旋轴流式局部通风机具有结构紧凑、送风距离长、效率高等特点。根据掘进工作面长度和巷道不同的通风要求，既可整机使用，又可分级使用，从而降低能耗，节约能源。

七、KJF-05矿井主通风机在线监控系统

适于中小型煤矿使用的新型矿井通风安全监控及信息管理系统，该系统通过实时监测矿井风压、风量、通风机功率、轴承温度、电机绕组温度以及通风机开停、反风等状态信号及时发现矿井通风异常情况，发出报警信息，传送至信息管理中心，按相关预案使隐患得到及时有效处理。

第三节　矿井通风检测仪表

通风安全检测仪表的产生发展经历了三代:模拟式检测仪表、数字式检测仪表和智能检测仪表。

(1)矿井通风阻力测定中常用的空盒气压计和风表等都属于模拟仪表的范畴。这类仪表不管其原理和结构如何,都有一个共同的特征,就是直接对模拟量进行测量,最终以指针的运动或工作液体液面的变化来显示测量结果。

(2)数字式检测仪表给人以直观的感觉,响应速度和测量精度也比模拟式仪表提高很多。尽管如此,这一代检测仪表的实时功能仍然十分简单,一般不具备记忆、对数据分析处理、可程控以及人机对话这样的高级功能。

(3)独立式智能通风安全检测仪表实际上是一个专用的微型计算机系统,它由硬件和软件两大部分组成。

(4)智能仪表高级发展形式:

虚拟仪器(Virtual Instrumentation)是指通过应用程序将通用计算机与必要的功能化硬件模块结合起来,用户可以通过使用的用户界面来操作这台计算机,虚拟仪器强调软件的作用,提出"软件就是仪器"的理念 。当用户的测控要求变化时,可以方便地由用户自己来增减软硬件模块,或重新配置现有系统以满足要求。

(5)ARM的便携矿井通风参数检测仪:

用以测量矿井通风重要参数,包括温度、湿度、静压和风阻,以及后续数据分析。可以实时存储、即时显示、数据通信、携带方便。

该通风参数便携检测设备自身带有存储器,外带键盘、液晶屏和接口,可以实时采集风井巷道的温度、湿度、静压参数,然后根据通风理论计算出通风风量和巷道风阻,并且可以存储大量测量历史数据,通过接口上传到机中。采用电池供电,携带方便,可以长时间使用。该设备的出现改变了目前国内通风检测繁杂的现状,使所有参数的采集集中在一起,缩短了检测时间,方便了分析,并且有利于历史记录的存储。

第四节　煤矿安全光纤传感监测预警技术简介

一、概况

近两年国家安全总局"四个一批"项目围绕煤矿对灾害检测预警、应急通信、应急信息智能化应用需求,组织研发了光纤甲烷、一氧化碳、乙烯、氧气、二氧化碳、乙炔等光纤传感器,光纤顶板位移、微震、水文、采空区发火、机电设备运行状态等传感器及煤矿灾害智能检测技术研究和工程示范。单个光纤传感器井下分站可以实现对多达200余个光纤温度、水位、顶板、矿压等传感器的实时监测。除分站需要供电外,对工作面顶板、水文、采空区温度、水位,机电设备、皮带机、水泵等实现综合状态监测的光纤传感器都不需要供电。该技术既丰富了煤矿井下安全信息,又大大简化了监测系统的构成,对于提升煤矿安全灾害检测及应急救援装备体系的智能化水平具有重要潜力。

光纤传感器以激光和光纤作为信息采集和传输的媒介,与传统的电子技术相比具有不带电、本质安全、抗电磁干扰、飘移小等突出优点,特别适合于煤矿采空区发火、顶板、机电设备等状态检测。针对矿山应急救援通信和指挥的需求,我们研制了基于无源光纤电话、光纤水位、甲烷传感器的矿井应急通信、应急信息系统。当井下发生灾情停止供电时,无源光纤电话可以保持井下对井上的语音通信依然畅通;光纤水位、甲烷传感器可以向应急救援指挥中心提供井下水位、有害气体等灾情信息,为快速、科学应急决策提供准确及时的灾情变化信息。煤矿安全光纤检测技术在兖矿集团鲍店、东滩、南屯等煤矿,山东能源集团,中煤集团大屯煤电、龙煤、平煤、贵州等五十余个骨干煤矿企业成功地建立了典型单项应用安全检测工程示范,显示出广阔的应用前景。

二、煤矿灾害光纤检测技术及应用简介

瓦斯、顶板、冲击地压、采空区自然发火、水害、机电设备运行隐患等构成我国煤矿安全生产主要灾害。随着煤矿开采逐步向深度拓展,矿压、冲击地压、瓦斯突出等灾害愈加严重。随着煤矿机械化、自动化程度的逐步提升,由于机电设备运行故障引发的发火等安全隐患及次生灾害增加的趋势也十分明显,因此对设备运行状态的在线监测十分必要。当前,煤矿重大灾害监测预警技术水平与安全生产要求之间还存在着较大差距,主要表现在:检测技术落后,传感器可靠性差、维护工作量大、监控系统在信号采集及传输线路中受电磁场干扰严重;由于现在的传感器都需要供电,对诸如煤矿采空区等危险源或密闭区域难以布设,造成煤矿安全监控盲区;煤矿各部门所使用的仪器种类繁多、相互独立,各种灾害监测子系统之间的数据没有充分融合,导致实现煤矿灾害隐患监控预警所需要的信息量不足,对矿山重大灾害隐患的预警能力差。当煤矿井下发生透水等灾情时,井下电源往往会中断,造成应急通信和对诸如水位、温度、有害气体等灾情信息的数据采集和传输系统瘫痪,难以保障应急救援的科学高效实施。因此有必要研究高可靠性的安全监控及应急信息系统。

煤矿安全监控及应急信息系统由传感器、数据传输、数据分析与控制三大部分构成,传感器是制约系统整体水平的技术瓶颈。研发新一代适合煤矿安全领域应用的先进传感器,并以此为基础构建新型煤矿安全灾害监测预警及应急信息系统,消除当前的监控盲区,提升系统的可靠性和应急状态连续监测能力,对于实现煤矿安全发展具有十分重要的意义。

光纤传感器以光波为信息载体,光纤信息采集与传输一体化。具有下列独特的优点:不带电本质安全,适用于煤矿井下易燃、易爆环境;光纤传输损耗小、距离远、不受电磁场干扰和温度湿度影响、传输可靠性高;光纤传感监测系统容量大、易于实现多点多参数在线监测,大大减少设备的种类和数量,系统配置简单,便于维护;光纤传感器具有分布式监测的独特优势,可以实现对光纤沿线各个点的温度应变在线监测,在对较大空间范围的连续监测,具有独特的应用价值。

目前山东省科学院激光研究所、山东微感光电子有限公司开发的光纤安全监测类产品已经在兖矿集团、中煤集团、陕西煤化工集团、黑龙江龙煤集团、吉林通化煤业、山西同煤集团等十余个煤业集团50余家煤矿建立了工程示范，并在山能集团的淄矿集团、新汶矿业、临矿集团、肥矿集团等进行了技术推广。

采空区监测：煤矿采空区是自然发火、水害、有害气体、冲击地压等灾害的重要隐患地。对于自然发火，目前主要采用束管系统将井下采空区的气体抽送到井上，通过气相色谱仪对发火标志性气体进行检测。根据CO、乙烯等气体浓度变化趋势，实现火灾预警。然而束管弯曲、破损等常导致漏气、测量不准确，也难以确定发火位置。光纤分布式测温技术和光纤光栅温度检测技术，可以通过在采空区内布设测温光缆，沿顺槽方向温度空间分布及变化趋势实现连续监测，为采空区发火提供预警信息。对于诸如河下开采需要在汛期停产或因其他原因需要把设备密闭时，光纤温度、水位、瓦斯传感器由于不带电，可以布设在采空区内以提供宝贵的环境信息，以便及时采取措施，保障密闭区内的设备安全。

机电设备状态检测：煤矿机电设备、电缆、提升机、水泵、皮带机驱动等关键装备，运行异常时可能会导致过热、振动、起火、设备损毁或其他次生灾害。煤矿变电站开关柜、电缆主要采用红外测温仪和热成像仪对潜在发热点进行人工巡检。光纤温度传感器，由于光纤是绝缘材料，可以安装在变电站设备、电缆接头等过热隐患点进行状态检测预警。光纤振动、温度传感器可以对水泵、提升机、皮带机减速箱等关键设备进行在线状态检测，当设备发生运行异常征兆时，即可产生报警，实现设备的状态维护。这不但提升了安全系数，减少设备损坏，也可提升生产效率。

煤矿光纤应急通信、应急信息系统：当煤矿井下发生突水、瓦斯等事故时，井下传感器分站、通信基站等将处于断电状态。井下灾情动态信息难以掌握，井上应急指挥部与井下被困人员的通信也将十分困难。光纤甲烷、水位、温度、振动传感器和光纤麦克风，属于无源器件。光纤传感器把井下信息通过光缆与地面的通信/监测仪相连接，在井下断电时依然可以通过光缆实现对井下有害气体、水位、温度等灾情变化信息进行实时监测，并且实现井下到井上的无源通信，为高效准确地组织煤矿应急救援提供宝贵的现场信息和通信手段。

顶板及冲击地压监测：顶板事故是由顶板冒顶造成人员伤亡，占我国煤矿总事故伤亡人数的1/3以上，主要发生在采掘工作面。随着井工煤矿采深增加，冲击地压灾害日益突出。冲击地压指煤岩体急剧破坏造成坍塌冒顶，大量岩石、煤、气体猛烈涌出的动力灾害，监测技术比较复杂，通常采用微震及矿压分布等综合性手段。

基于光纤光栅的光纤顶板位移、矿压以及微震传感器，由于不带电、长期飘移小，与电子技术相比，具有安装维护简单等技术优势。将来工程化技术进一步成熟后，将具有重要的技术创新潜力和应用前景。

第十四章　山西省煤矿“六个标准”涉及内容

一、基本条件

矿井不应存在以下情况：

(1)瓦斯超限作业；

(2)煤(岩)与瓦斯(二氧化碳)突出(以下简称“突出”)矿井，未依照规定实施防治突出措施；

(3)矿井未建立安全监控系统，或者安全监控系统不能正常运行；

(4)未按规定建立瓦斯抽采系统，或瓦斯抽采不达标；

(5)通风系统不独立、不完善、不可靠；

(6)自然发火严重，未采取有效措施。

二、基本要求

(一)通风系统

通风系统应符合以下要求：

(1)采用机械通风，安装2套同等能力的主要通风机装置，实现双回路供电；

(2)按规定进行通风能力核定；

(3)矿井内各地点风速符合《煤矿安全规程》的规定。

(二)局部通风

局部通风应符合以下要求：

(1)局部通风机的安装、使用符合《煤矿安全规程》的规定；

(2)使用抗静电、抗阻燃标准风筒，风筒吊挂平、直、稳，风筒末端到工作面的距离和出风口的风量符合作业规程的规定。

(三)通风设施

通风设施应符合以下要求：

(1)风门、密闭、风桥等通风设施位置合理；

(2)帮、顶、底掏槽深度符合要求，墙面平整；

(3)通风设施前后5米范围内支护完好，无杂物、积水和淤泥等。

(四)瓦斯防治

瓦斯防治应符合以下要求：

(1)设立防治瓦斯领导机构，配备满足工作需要的瓦斯防治专业队伍；

(2)按规定进行矿井瓦斯等级和二氧化碳涌出量鉴定工作；

(3)采掘工作面及其他地点的瓦斯浓度符合《煤矿安全规程》的划定；

(4)按规定测定煤层的瓦斯赋存参数，并绘制瓦斯地质图；

(5)瓦斯检查工持证上岗，井下瓦斯检查地点、瓦斯检查次数及瓦斯检查工交接班等符合相关规定。

（五）突出防治

突出防治应符合以下要求：

（1）进行突出危险性鉴定，有规范的专项设计；

（2）突出矿井应按照《防治煤与瓦斯突出规定》设立防突工作领导小组，配备满足防突工作需要的专业防突队伍和装备；

（3）区域预测结果、区域防突措施应经企业技术负责人审批并严格执行，预抽煤层瓦斯区域防突措施效果检验结果经矿技术负责人和主要负责人审批；

（4）采掘工作面落实区域及局部综合防突措施；

（5）防突装备、仪器、仪表的管理、检定符合相关要求。

（六）瓦斯抽采

瓦斯抽采应符合以下要求：

（1）按规定建立地面永久瓦斯抽采系统、井下临时抽采系统；

（2）抽采瓦斯安全设施、参数监测符合相关规定；

（3）瓦斯抽采矿井建立专门的瓦斯抽采队伍；

（4）瓦斯抽采工作符合《煤矿瓦斯抽采达标暂行规定》的相关要求。

（七）安全监控

安全监控应符合以下要求：

（1）建立安全监控管理机构，配足各类专业人员；

（2）安全监控系统应满足《煤矿安全监控系统通用技术要求》、《煤矿安全监控系统及检测仪器使用规范》和《煤矿安全规程》等的要求；

（3）各类安全监控设备、仪器仪表应按规定进行调校、检定或试验。

（八）防灭火

防灭火应符合以下要求：

（1）建立防灭火管理机构，配备专业人员，建立管理制度；

（2）按规定建立防灭火系统，设置井上下消防材料库；

（3）按规定建立监测系统，开展火灾的预测预报工作，制定防治自然发火的专门措施。

（九）防治粉尘

防治粉尘应符合以下要求：

（1）建立综合防尘管理制度，配足防尘专业技术人员；

（2）按规定制定综合防尘措施，建立防尘供水系统，完善综合防尘设施；

（3）按《煤矿安全规程》和《煤矿井下粉尘综合防治技术规范》的规定测定粉尘浓度、游离二氧化硅含量及分散度等；

（4）测尘仪器、仪表齐全，并定期进行校正、检定。

（十）井下爆破

井下爆破应符合以下要求：

（1）爆炸材料的贮存、运输和爆炸材料库应符合《煤矿安全规程》的规定；

（2）建立和执行电雷管编号制度、爆炸材料防止丢失及销毁制度、爆炸材料领退制度、“一炮三检”和“三人连锁”爆破等制度；

(3)矿井配有足够的爆破专业人员，且持证上岗；

(4)按规定编制爆破说明书，并按其进行爆破作业；

(5)特殊情况下的爆破作业执行相关规定。

(十一)管理制度

管理制度应符合以下要求：

(1)按规定建立通风管理机构，配足专职人员，建立相应的工作责任制；

(2)每月至少组织一次通风隐患排查、至少召开1次通风工作例会；

(3)各类人员按规定参加培训、持证上岗；

(4)通风措施按相关要求进行审批，并严格落实。

三、评分办法

按表14-1评分，通风11个大项每大项标准分为100分，各小项分数扣完为止。

以11项的最低分作为通风得分，按相关规定无须开展突出防治或瓦斯抽采的煤矿，该项不考核。

局部通风以所检查的全部局部通风区域的最低分为该项得分。

通风设施以所检查的单项设施的平均分为该项得分。

项目内容中缺项时，按下列公式进行折算：

$$A=\frac{B}{B-C}\times D$$

式中 A——本项折合分数；

B——本项标准分数；

C——缺项标准分数；

D——本项检查实得分数。

表14-1 煤矿通风安全质量标准化评

项目	内容	基本要求和标准	分值	评分方法
(一)通风系统(100分)	完善系统	1.矿井必须有完整独立的通风系统，改变全矿井通风系统时(包括一翼或一个水平等)应编制通风设计及安全措施，按规定审批；巷道贯通应制定安全技术措施报矿技术负责人审批；井下爆炸材料库、充电硐室、采区变电所应有独立的通风系统，突出矿井严禁在井下安设辅助通风机	20	查资料和现场。对无完整独立的通风系统，突出矿井在井下安设辅助通风机的不得分，改变通风系统无审批措施的扣10分，其他1处不符合要求扣5分
		2.实行分区通风，通风系统中没有不符合《煤矿安全规程》规定的串联通风、扩散通风、采空区通风和采煤工作面利用局部通风机通风(均压通风除外)	20	查图纸和现场。1处不符合要求扣10分
		3.采区应设置专用回风巷，进、回风巷应贯穿整个采区，不能一段为进风巷，一段为回风巷，突出煤层采掘工作面应有独立的回风系统，且回风侧不得设置调节设施	10	查图纸和现场。有1处不符合要求不得分

		4.矿技术负责人每月至少组织1次通风系统审查、每季度至少组织1次反风设施检查；防爆门应符合规定，每半年至少检查1次；每年进行1次反风演习，反风演习计划应按规定审批，反风效果符合《煤矿安全规程》的规定	10	查资料和现场。未进行反风演习的扣5分，其他1处不符合规定扣2分
	风量配置	1.新安装的主要通风机投入使用前，要进行1次通风机性能测定和试运转工作，以后每5年至少进行1次性能测定；矿井通风阻力测定符合《煤矿安全规程》相关规定	5	查资料。通风机性能或通风阻力未测定的不得分，其他1处不符合要求扣1分
		2.矿井按规定进行通风能力核定，不能超通风能力生产；采掘工作面、硐室和其他巷道的供风量符合《煤矿安全规程》的规定	10	查资料和现场测定。未进行通风能力核定的不得分，其他1处不符合要求扣5分
		3.矿井必须按月编制配风计划，按旬进行全面测风，井下通风系统发生变化时必须及时进行测风，全矿井有效风量率不低于87%	5	查资料。未编制配风计划或未进行全面测风的不得分，有效风量率每降低1个百分点扣1分
		4.回风巷失修率不高于7%，严重失修率不高于3%；主要进回风巷道、采煤工作面回风巷实际断面不小于设计断面的2/3；矿井通风系统的阻力应满足《煤矿井工开采通风技术条件》的要求；矿井内各地点风速符合《煤矿安全规程》规定	10	查资料和现场测定。巷道失修率超过规定值，每超过1个百分点扣1分；严重失修率每超过1个百分点扣2分；矿井通风系统阻力每超过1个百分点扣0.2分；局部通风机至掘进回风口段风速不足的1处扣5分；其他1处不符合要求扣1分
		5.矿井主要通风机装置外部漏风率每年至少测定1次，外部漏风率在无提升设备时不得超过5%，有提升设备时不得超过15%	5	查报告和记录。未测定的扣5分，其他1处不符合要求的扣1分
(二)局部通风(100分)	装备和措施	1.局部通风机的安装、使用、最低风速符合《煤矿安全规程》规定，不发生循环风；两台局部通风机同时向1个掘进工作面供风的，两台局部通风机应同时实现风电闭锁	15	查资料和现场。局部通风机发生循环风的扣10分，其他1处不符合要求扣5分
		2.瓦斯喷出区域和突出煤层的掘进通风方式应采用压入式；局部通风机设备齐全，应装消音器(低噪声局部通风机和除尘风机除外)，吸风口有风罩和整流器，高压部位有衬垫；局部通风机及其启动装置应安设在进风巷道中，地点距回风口10m以上，且支护完好、无淋水、无积水、无杂物；局部通风机离地面高度应大于0.3 m；瓦斯浓度不应超过0.5%	15	查现场。瓦斯浓度超过规定的不得分。其他1处不符合要求扣2分

		3.采用局部通风机供风的掘进巷道应安设2台同等能力的局部通风机，实现“三专两闭锁”，具备相互独立的两回路电源，并能实现自动切换	10	查资料和现场。1处不符合要求扣5分
		4.局部通风机应安装开停传感器，且与监测系统联网；专人负责，实行挂牌管理；每天进行自动切换试验和风电闭锁试验，并有记录；不应出现无计划停风，有计划停风前应制定专项通风安全技术措施	10	查资料和现场。1处不符合要求扣2分
	风筒敷设	1.风筒末端到工作面的距离和出风口的风量应符合作业规程规定，巷道中风速应符合《煤矿安全规程》的规定，并保证工作面和回风流的瓦斯浓度不超限	10	查资料和现场测试。1处不符合要求扣5分
		2.使用抗静电、阻燃风筒；接头严密，无破口（末端20m除外），无反接头；软质风筒接头应反压边，硬质风筒接头应加垫并拧紧螺钉	15	查现场。未使用抗静电、阻燃风筒不得分；其他1处不符合要求，扣0.5分
		3.风筒吊挂应平、直、稳，软质风筒逢环必挂，硬质风筒每节至少吊挂两点；风筒不得被摩擦、挤压	15	查现场。1处不符合要求扣0.5分
		4.风筒拐弯处应用弯头或骨架风筒缓慢拐弯，不应拐死弯；异径风筒接头应用过渡节，不准花接	10	查现场。1处不符合要求扣1分
（三）通风设施（100分）	密闭	1.用不燃性材料构筑，严密不漏风，墙体厚度不应小于0.5m	5	查现场。1处不符合要求，该项不得分
		2.密闭前无瓦斯积聚	5	查现场。1处不符合要求，该项不得分
		3.设有统一规格的瓦斯检查牌板、施工说明牌板、栅栏和警标	5	查现场。1处不符合要求，该项不得分
		4.密闭前5m内支护完好，无片帮、漏顶、杂物、积水和淤泥。所有导电体不应进入密闭（瓦斯抽采管路应采取绝缘措施进行处理）	5	查现场。1处不符合要求，该项不得分
		5.密闭内有水时应设反水池或反水管，有自然发火煤层的采空区密闭应设观测孔、措施孔，且孔口设置阀门	5	查资料和现场，抽检至少3次以上，1处不符合要求，该项不得分
		6.密闭周边掏槽（岩巷、锚喷、砌碹巷道除外），应掏至硬帮、硬底、硬顶，并与煤岩接实，四周要有不少于0.1m的裙边	5	查现场。1处不符合要求，该项不得分
		7.墙面要平整、无裂缝、重缝和空缝，并进行勾缝或抹面，每平方米内凸凹深度不应大于10mm	5	查现场。一处不符合要求，该项不得分

	风门风窗	1.每组风门不应少于2道，通车风门间距不应小于1列车长度，行人风门间距不应小于5m，主要进回风之间的风门应设反向风门，其数量不少于2道，通车风门前要设置防撞装置，并正常使用。风门墙上设有规格、字体统一的施工说明牌；防突风门安设地点、质量须符合规定要求	5	查现场。1处不符合要求，不得分
		2.风门能自动关闭，并进行连锁，保证2道风门不能同时打开，主要风门应设置风门开关传感器	5	查现场。1处不符合要求，该项不得分
		3.风门墙应用不燃性材料建筑，厚度不应小于0.5m（防突风门不应小于0.8m），周边应掏槽，掏槽深度符合规定要求，严密不漏风。墙面要平整，无裂缝、重缝和空缝，并进行勾缝或抹面，每平方米内凸凹深度不大于10mm	5	查现场。1处不符合要求，该项不得分
		4.门框应包边沿口，有衬垫，四周接触严密，门扇平整不漏风；调节风窗正规可靠	5	查现场。1处不符合要求，该项不得分
		5.风门水沟应设反水池或挡风帘，通车风门应设底槛，电缆、管路孔应堵严	5	查现场。1处不符合要求，该项不得分
		6.局部通风风筒穿过风门墙体时，应在墙上安装与胶质风筒直径匹配的硬质风筒	5	查现场。1处不符合要求，该项不得分
		7.风门前后5m范围内巷道支护完好，无淋水、杂物、积水和淤泥	5	查现场。1处不符合要求，该项不得分
	风桥	1.用不燃性材料建筑	5	查现场。1处不符合要求，该项不得分
		2.桥面平整不漏风	5	查现场。1处不符合要求，该项不得分
		3.风桥前后各5m范围内巷道支护完好，无杂物、积水和淤泥	5	查现场。1处不符合要求，该项不得分
		4.风桥通风断面不小于原巷道断面的4/5，呈流线型，坡度宜小于30°	5	查现场。1处不符合要求，该项不得分
		5.风桥两端接口严密，四周为实帮、实底，且用混凝土浇灌填实；风桥底部与下部巷道顶板的垂距不小于1.5m	5	查现场。1一处不符合要求，该项不得分
		6.风桥上、下不准设风门、调节风窗等，报废风桥要及时拆除	5	查现场。1处不符合要求，该项不得分

（四）瓦斯防治（100分）	机构设置	矿井应设立瓦斯工作防治领导小组和满足工作需要的瓦斯防治专业队伍，配备一名专职通风副总工程师	10	查设置。无机构或缺专职通风副总工程师不得分；人员不足的，缺1人扣2分
	瓦斯管理	1.采掘工作面及其他地点的瓦斯浓度符合《煤矿安全规程》的规定；瓦斯超限，应立即切断电源、撤出人员，并按照事故处理，查明瓦斯超限原因，落实防治措施	10	查资料和现场。瓦斯超限未比照事故处理的，1次扣5分；检查周期内瓦斯超限，1次扣1分；其他1处不符合要求扣0.5分
		2.矿井应按《煤矿安全规程》的规定测定煤层的瓦斯参数，并按相关规定进行瓦斯等级鉴定	10	查资料。未按规定进行瓦斯等级鉴定扣5分，其他1处不符合要求扣0.5分
		3.瓦斯防治实行"一井一策，一面一策"矿井应编制年度瓦斯治理技术方案、安全措施计划，按规定备案并严格执行；高瓦斯和突出煤层的采掘工作面应制定瓦斯治理专项措施并严格落实，瓦斯治理效果符合相关规定	10	查资料和现场。未编制方案及计划的，1项扣5分；未按规定备案的，1项扣2分；其他1处不符合要求扣1分
		4.井下瓦斯检查地点、瓦斯检查次数及瓦斯检查员交接班等瓦斯检查及管理应符合《煤矿安全规程》规定；无空班、漏检和假检；每月应编制瓦斯检查地点设置计划，报矿技术负责人审查、签字；采掘工作面按规定配备瓦斯检查工	10	查资料和现场。发现空班、漏检或假检的不得分；未按规定配备专职瓦斯检查员的，每处扣2分；其他1处不符合要求扣1分
		5.临时停风地点，应立即停止作业、切断电源、撤出人员、设置栅栏和警示标志；长期停风区应在24小时内封闭完毕。停工区内瓦斯或二氧化碳浓度达到3.0%或其他有害气体浓度超过《煤矿安全规程》的规定不能立即处理时，应在24小时内予以封闭，并切断通往封闭区的电源、管路和轨道等	10	查资料和现场。1处不符合要求不得分
		6.瓦斯排放及启封密闭前，应有经矿技术负责人批准的专门措施，并严格执行，且有记录	10	查资料。无专门措施或未按措施执行的，不得分；其他1处不符合要求扣0.5分
		7.瓦斯检查工应持证上岗，瓦斯检查做到井下记录牌、瓦检手册、瓦斯调度台账"三对口"；通风瓦斯日报、瓦斯监测日报每日上报矿长、矿技术负责人审阅签字，并有记录	10	查资料和现场。未持证上岗的，1处扣5分；其他1处不符合要求扣0.5分

		8.对特殊环节的瓦斯管理，巷道贯通，工作面安装(准备)和回撤、井下摄像等必须符合《煤矿安全规程》规定，制定措施并严格执行。矿井对高冒区、井下煤仓、密闭前、空巷等易积聚瓦斯地点应制定瓦斯防治措施，盲巷必须及时封闭，封闭前应设置栅栏和警标，禁止人员误入	10	查资料和现场。若有一处不符合要求的扣2分
	仪器仪表	瓦斯检查仪器、仪表应完好，并按照规定进行校正和检定	10	查仪器、仪表1台不完好扣5分；其他1处不符合要求扣1分
(五)突出防治(100分)	机构设置	突出矿井应按规定设立防突工作领导小组和满足防突工作需要的专业防突队伍，配备1名专职地测副总工程师	10	查设置。无机构或缺专职地测副总工程师的不得分；人员不足的扣5分
	回风系统	突出矿井的每个采区应设置至少1条专用回风巷，突出煤层采掘工作面应有独立的回风系统	10	查资料和现场。采区无专用回风巷的不得分；其他1处不符合要求扣5分
	突出管理	1.矿井应按规定对煤层的突出危险性进行鉴定。突出矿井应绘制矿井(采区)瓦斯地质图和工作面瓦斯地质图，对非突出矿井在采掘工程中出现瓦斯动力现象的相邻矿井开采的同一煤层发生突出的、煤层瓦斯压力达到0.7MPa以上的，必须立即进行突出煤层鉴定(认定)，在鉴定为完成前，必须按照突出煤层管理	10	查资料。未对煤层的突出危险性鉴定(认定)的不得分(按突出煤层管理的不扣分)；其他1处不符合要求扣2分
		2.突出矿井(采区)应编制专项防突设计、措施计划和事故应急预案，并按相关规定审批验收，否则不得投入生产	10	查资料。1处不符合要求不得分
		3.区域预测结果、区域防突措施应按规定审批，并严格执行；预抽煤层瓦斯区域必须进行防突措施效果检验，检验结果应经矿技术负责人和主要负责人审批	20	查资料和现场。1处不符合要求扣5分
		4.突出煤层采掘工作面局部综合防突措施应经矿技术负责人审批，并严格执行	20	查资料和现场。1处不符合要求扣10分
		5.石门、立井、斜井等揭穿突出煤层前应编制专项防突设计、区域及局部综合防突措施，应按规定审批，并严格执行	10	查资料。1处不符合要求扣5分
	设备设施	压风自救装置、自救器、防突风门、局部通风机的防逆流装置等安全防护设备设施符合相关规定	10	查资料和现场。1处不符合要求扣2分

	资料台账	防突装备、仪器、仪表的管理、检定符合相关要求;防突资料(各种记录、台账、牌板、效果检验报告等)管理应符合规定	10	查资料和现场。1处不符合要求扣2分
(六)瓦斯抽采(100分)	机构设置	瓦斯抽采矿井应有专门的瓦斯抽采队伍,配备3名以上抽采技术人员满足瓦斯抽采要求	10	查队伍。无队伍不得分,人员不足扣5分
	抽采系统	1.瓦斯抽采泵站、抽采管路和抽采设施等应符合相关规定,瓦斯抽采系统在靠近火源点一侧,按规定设置泄爆抑爆装置,瓦斯抽采管路应设置明显的具有反光性能的警示警标,采用不同颜色箭头标明气流方向,控制阀门必须编号管理,阀门开启角度,方向标识清楚	15	查现场。1处不符合要求扣2分
		2.瓦斯抽采工程(包括钻场、钻孔、管路、抽采巷等)应编制设计并按计划施工,抽采钻孔应按,"孔钻好,管探底,水放尽、口封严"的要领施工:施工中对可能造成瓦斯、CO等气体涌出的钻孔,必须在下风侧连续检查瓦斯、CO浓度,竣工后验收合格	15	查资料和现场。1处不符合要求扣2分
	抽采效果	1.定期对瓦斯抽采系统瓦斯的浓度、压力、流量等参数进行测定。泵站每小时测定1次;主、干、支管及抽采钻场每周至少测定1次,并根据实际测定情况对抽采系统及时进行调节。其中:预抽瓦斯钻孔的孔口负压不得低于13KPa,卸压瓦斯抽采钻孔的孔口负压不得低于5KPa	15	查资料。未按规定测定,1次扣5分,其他1处不符合要求扣2分
		2.每旬检查1次抽采系统,并有记录可查。抽采管路无破损、漏气、积水;抽采管路离地面高度不小于0.3m(采面留管除外)。抽采检测装置、仪器、仪表齐全,并定期校正,台账和记录齐全	10	查资料和现场。无记录可查的不得分;其他1处不符合要求扣1分
		3.抽采钻场及钻孔应按规定设置管理牌板,数据填写须及时、准确,并有记录和台账	10	查资料和现场。1处不符合要求扣0.5分
		4.高瓦斯和突出矿井计划开采的煤量不应超出瓦斯抽采的达标煤量,生产安排要与瓦斯抽采的达标煤量相匹配,生产准备及回采煤量和抽采达标煤量保持平衡	15	查资料和现场。1处不符合要求扣10分
		5.矿井必须建立瓦斯抽采达标评价工作体系,制定矿井瓦斯抽采达标评判细则,瓦斯的抽采与利用考核指标应符合《煤矿瓦斯抽放规范》、《煤矿瓦斯抽采基本指标》等相关规定	10	查资料。1处不符合要求扣5分

（七）安全监控（100分）	机构、人员和制度	矿井应建立安全监控管理机构，配足管理人员、工程技术人员；作业人员持证上岗；建立健全安全监控人员责任制、操作规程、值班制度等	10	查资料和现场。无管理机构，不得分；无责任制或操作规程或值班制度，缺1项扣2分；人员不足，缺1人扣1分；其他1处不符合要求扣1分
	装备	1.矿井安全监控系统应具备“风电、瓦斯电、故障”闭锁和手动控制断电闭锁功能；传感器、分站等安全监控设备备用量不少于应配备数量的20%；矿安全监测监控系统要与上级业务主管部门实行联网，并能正常运行：矿井（采区）主要通风机安设监测系统，以监测主要通风机及机电电机的运行情况，并按规定安装正压计、负压计和全压计等监测仪器仪表	10	查资料和现场。未安设通风机监测系统的不得分，未联网或系统不完善扣5分，其他1处不符合要求扣2分
		2.安全监控系统安全装置的种类、数量、位置、报警点、断电点、断电范围、复电点、电缆敷设等符合相关规定，各种监控设备性能、仪器精度符合要求，井下分站实行挂牌管理	10	查报表和资料。现场测试、报警、断电、复电1处不符合要求的扣5分，其他一处不符合要求的扣2分
		3.安全监控系统的主机应双机或多机备份，24小时不间断运行。当工作主机发生故障时，备份主机应在5分钟内投入工作。中心站应双回路供电，并配备不小于2小时在线式不间断电源。中心站设备应有可靠的接地装置和防雷装置。中心站要使用录音电话。井下分站应能实现地面中心站遥控断电	10	查现场。1处不符合要求扣2分
		4.矿长、矿技术负责人、爆破工、采掘区队长、通风区队长、工程技术人员、班长、流动电钳工、安全监测工下井时，或者井下单人进入无人作业区域作业时要携带便携式甲烷检测报警仪或数字式甲烷检测报警矿灯。瓦斯检查工下井时应携带便携式甲烷检测报警仪和光学甲烷检测仪。有自然发火的矿井，按规定配备一氧化碳、氧气、温度等便携式检定仪	10	查仪器和现场。仪器数量不足扣5分，其他1处不符合要求扣2分
		5.分站、传感器等装置在井下连续使用6～12个月应升井全面检修，井下装置的完好率应为100%，待修率不超过20%，并有检修记录	6	查资料和现场。未按规定升井检修1次（台）扣3分，其他1处不符合要求扣1分

	检测试验	安全监测设备每月至少调试、校正1次；甲烷传感器、便携式甲烷检测报警仪等采用载体催化元件的甲烷检测设备，每10天应使用标准气样和空气样进行调校，并有调校记录；每10天应对甲烷超限断电功能进行试验，并有试验签字记录；安全监测仪器仪表按规定定期进行校验、检定	10	查现场和记录。1处不符合要求扣2分
	监测装置	安全系统监测装置运行正常，性能完好，系统中断或出现异常情况，应查明原因，采取措施及时处理；传感器不能正常显示或中断期间，该范围应停止作业，并有记录可查	6	查资料和现场。1处不符合要求扣1分
	资料管理	1.地面中心站值班应设置在矿调度室内，实行24小时值班制度。值班人员要动态掌握监视器所显示的各种信息，详细记录系统运行状态，接收上一级网络中心下达的指令并及时进行处理，填写运行日志，打印安全监控日报表，报矿主要负责人和主要技术负责人审阅；建立监测系统、瓦斯抽采系统数据库，并有备份，其中安全监测、瓦斯抽采系统数据要保存2年以上，人员管理数据要保存1年以上	20	查资料和现场。数据无备份扣5分，数据库缺少1项数据扣5分，其他1处不符合要求扣2分
		2.安全监控系统报表、账卡、图纸资料应符合相关规定	8	查资料。缺少图纸扣5分，缺少1种台账、报表和记录扣2分，其他1处不符合要求扣1分
（八）防灭火（100分）	制度规程	矿井应建立、健全防灭火管理制度及相关人员的岗位责任制和操作规程，并编制火灾应急预案	10	查资料。缺1项扣5分
	防灭火措施	1.按规定进行煤层自然发火倾向性鉴定，并制定防灭火措施	10	查资料。未鉴定或无措施的不得分
		2.开采自燃、容易自燃煤层的矿井，必须编制防灭火设计，按相关规定建立防灭火系统和制定防治自然发火的专门措施，并严格执行采掘工作面作业规程要有防治自然发火的专项措施，地面采空区、冒落空洞等空隙采取灌浆和充填、注氮、喷洒阻化剂、注凝胶，均压等综合防灭火措施(不少于2种)要建立完善的火灾监测系统，开展预测预报工作	10	查资料和现场。无防灭火系统措施的不得分，其他1处不符合要求扣2分
		3.每处火区都应建立符合《煤矿安全规程》规定的火区管理卡片，绘制火区位置关系图，并制定火区管理制度；启封火区应有计划和经批准的安全措施	10	查资料。1处不符合要求扣5分

		1.井上、下要设置消防材料库，并符合《煤矿安全规程》的规定，每季度至少检查1次	5	查资料和现场。未按标准设置消防材料库不得分，其他1处不符合要求扣1分
		2.井下电气焊作业符合《煤矿安全规程》规定，并制定专项安全措施，经企业技术负责人批准执行	5	查资料和现场。对不符合规定进行电气焊的不得分
		3.井下爆破材料库、机电设备硐室、检修硐室、材料库、井底车场，使用带式输送机或液力耦合器的巷道及采掘工作面附近的巷道中，应配备灭火器材，其数量、规格及存放地点，应在灾害预防处理计划中明确规定	10	查资料和现场。1处不符合要求扣2分
		4.矿井应设地面消防水池和井下消防管路系统，每隔100m设置专用支管和阀门；在安装带式输送机的巷道中应每隔50m设置支管和阀门，并保证正常有效。地面消防水池应经常保持不少于200m³的水量，每季度至少检查1次。	10	查资料和现场。无消防水池扣10分；缺支管、阀门，1处扣2分；其他1处不符合要求扣0.5分
	设施设备	5.凡开采自然、容易自燃的矿井，要开展火灾的预测预报工作，建立火灾监测系统。在开采设计中明确选定自燃发火观测站或观测点，观测地点：采空区，回风巷、采煤工作面及上隅角等可能自燃发火点。观测内容：气体成分、温度、密闭内外压差等。观测次数：已封闭的采空区每周至少观测1次，工作面及上隅角每班至少观测1次，其他地点每天至少观测1次，如发现异常，采区措施立即处理	10	查资料和现场。无监测系统不得分，1处（次）预测预报不符合要求扣5分，其他1处不符合要求，扣2分
		6.对开采容易自燃和自燃的单一厚煤层或煤层群的矿井，集中运输大巷和总回风巷、采区回风巷应布置在岩层内或不易自燃的煤层内；如果布置在容易自燃和自燃的煤层内，必须砌碹或锚喷，碹后的空隙和冒落处必须用不燃性材料充填密实，或用无腐蚀性、无毒性的材料进行处理；对于由于受采动影响可能产生与地面导通裂隙的矿井，要加强地面巡查，及时封填地表裂隙，减少漏风，防止采空区自然发火	10	查资料和现场。1处不符合要求扣2分
	控制指标	无一氧化碳超限作业和内、外因火灾事故。消除采空区密闭内及其他地点超过35℃的高温点（因地温和水温影响除外）井口20m范围内无明火	5	查资料和现场。发现一氧化碳超限作业，井口有明火或封闭区冒烟，该项不得分；发现1处温度超限，扣2分

	封闭时限	采煤工作面回采结束后，应在45天内撤出设备和材料，进行永久性封闭	5	查资料和现场。不符合要求不得分
(九)防治粉尘(100分)	制度措施	建立、健全综合防尘管理制度，配足防尘专业技术人员；按规定开展煤尘爆炸性鉴定并备案；制定年度综合防尘措施，建立完善综合防尘系统，并有相关图纸、记录、台账	10	查资料和现场。无管理制度或未鉴定或无综合防尘措施不得分；其他1处不符合要求扣2分
	设备设施	1.按照《煤矿井下粉尘综合防治技术规范》的相关规定建立防尘供水系统；防尘管路吊挂平直，不漏水，管路三通及阀门设在巷道行人侧，并编号管理	15	查资料和现场。未建立系统不得分，缺管路1处扣5分，其他1处不符合要求扣2分
		2.所有运煤转载点应有完善的喷雾装置，采煤工作面进、回风巷及掘进工作面回风流应按规定至少设置2道净化水幕，其他地点的喷雾装置和净化水幕按规定设置	15	查现场。缺设备1处扣5分；其他1处不符合要求扣1分
		3.按要求安设隔爆设施，且每周至少检查1次；隔爆设施安装的地点、数量、水量及质量应符合相关规定	10	查资料和现场。未按规定安设隔爆设施，1处扣5分；其他1处不符合规定扣2分
		4.采掘工作面的采掘机械应有内外喷雾装置，喷雾压力符合要求，且能正常使用；爆破时掘进工作面及回风水幕应开启；综采工作面和放顶煤采煤工作面放煤口应安设喷雾装置，降柱、移架或放煤时设自动同步喷雾，喷雾压力符合要求；破碎机应安装防尘罩和喷雾装置或除尘器；爆破前后洒水和冲洗巷帮；炮掘工作面应安设移动喷雾装置	10	查现场。缺设备1处扣5分，其他1处不符合要求扣2分
	消尘措施	1.采煤工作面应采取煤层注水防尘措施，注水设计及效果符合《煤矿安全规程》相关规定	10	查资料和现场。1个工作面未注水扣5分，其他1处不符合要求扣2分
		2.矿井应编制洗尘计划，定期冲刷巷道积尘。主要进回风大巷每年至少刷白1次，主要大巷、主要进回风巷每月至少冲刷1次积尘，其他巷道每旬清扫一次积尘，并有记录可查，井下巷道不应有连续长度超过5m、厚度超过2mm的煤尘堆积	10	查资料和现场。未编制洗尘计划扣5分，其他1处不符合要求扣2分
		3.矿井应按《煤矿安全规程》和《煤矿井下粉尘综合防治技术规范》的相关规定，定期测定粉尘浓度、游离二氧化硅含量及分散度等	10	查资料和现场。1处不符合要求扣2分

	仪器仪表	测尘仪器、仪表齐全，并定期进行校正、检定	10	查仪器仪表。1处不符合要求扣1分
(十)井下爆破(100分)	爆炸材料管理	1.井下爆炸材料库应符合《煤矿安全规程》规定	10	查现场。1处不符合规定扣5分
		2.爆炸材料领退、电雷管编号、材料丢失及材料销毁等制度健全，贮存符合《煤矿安全规程》要求	10	查资料。缺1项制度扣5分
		3.电雷管在发放前应进行导通试验	10	查现场。电雷管未进行导通试验不得分
		4.爆炸材料运输应符合《煤矿安全规程》规定	10	查现场。1处不符合规定扣5分
	爆破管理	1.爆破作业地点应执行"一炮三检"和"三人连锁"爆破制度	10	查资料和人员。发现1处和1人不符合要求不得分
		2.爆破作业应编制爆破作业说明书，现场设置爆破图牌板，并按说明书进行爆破作业	10	查资料和现场。无爆破说明书不得分，其他1处不符合要求扣2分
		3.爆破工作面应按规定执行停送电制度及撤人、设岗警诫制度	10	查资料和现场。1处不符合要求扣2分
		4.爆破作业时，采用湿式打眼(由于地质构造条件所限不能湿式打眼的，要制定专门措施)和使用水炮泥	10	查资料和现场。未进行湿式打眼或无措施或未使用水炮泥的，1处扣5分；其他1处不符合要求扣2分
		5.矿井配有满足生产需要的爆破专业人员，且持证上岗；现场爆炸材料存放、引药制作应符合有关规定	10	查配置现场。未持证上岗不得分，其他1项不符合要求扣2分
		6.特殊情况下爆破作业，应严格执行相关规定	10	查资料。1处不符合要求扣2分
(十一)管理制度(100分)	机构设置	矿井通风管理机构设置及人员配备满足安全需要，并符合有关规定	10	查配置。机构未设置不得分，其他1处不符合要求扣2分
	工作职责	矿井要建立健全各级领导和各业务部门的通风管理工作责任制，并严格落实；要按年度编制通风安全费用使用计划，并严格执行	10	查资料和现场。无责任制或计划的不得分；1处执行不严扣5分
		2.矿长每月至少主持召开1次通风、抽采或防突工作例会，并有记录可查；矿技术负责人每月至少组织开展1次通风隐患排查，并有记录可查，	10	查资料。1处不符合要求扣2分

	制度资料	1.通风区(队)要有完善的管理制度,各工种要有岗位责任制和操作规程,并严格执行	10	查资料。缺责任制或操作规程不得分;其他1处不符合要求扣2分
		2.矿井要建立瓦斯抽采管理和考核奖惩制度、抽采工程检查验收制度、先抽后采例会制度、技术档案管理制度:编制年,季、月通风工作计划及总结	10	查资料。缺1项计划或总结扣5分,其他1项制度扣2分,其他1处不符合要求扣2分
		3.矿井应编制无计划停电、停风等应急救援预案;贯彻落实通风相关措施,并有贯彻签字记录	10	查资料和现场。缺1项预案扣5分,其他1项不符合要求扣1分
		4.有通风系统立体示意图、通风系统图、分层通风系统图、通风网络图、瓦斯抽采系统图、安全监控系统示意图、防尘系统示意图、防灭火系统示意图等图纸;有通风调度值班记录、通风(反风)设施检查及维修记录、防灭火检查记录、测风记录;有瓦斯调度台账、密闭管理台账、煤层注水台账、瓦斯抽采台账等,并与现场实际相符	20	查资料和现场。缺1种图纸或记录或台账,扣5分;1处与现场不符,扣2分,其他1处不符合要求扣0.5分
	仪器仪表	制定通风仪器仪表的保管、维修和保养制度,定期进行校正和检定	10	查资料。未定期检定和校正的不得分,缺1项制度扣5分
	员工培训	1.瓦斯检查员、防突工、通风监测工、瓦斯抽采工、瓦斯抽采泵司机等人员应按要求定期培训(每次培训应考核,有记录可查),证件应按时复审,做到持证上岗	5	查资料。1处不符合要求扣2分
		2.开展“人人都是通风员”理念培训,让煤矿员工掌握通风技能,达到懂通风基础知识、懂瓦斯基本常识、懂瓦斯防治标准,会使用瓦检仪器、会识别瓦斯隐患、会采取避灾措施和能做到无风微风不作业、做到瓦斯超限不作业、做到粉尘超标不作业的标准要求	5	查资料和现场,现场至少随机抽考5名以上员工,1名员工打不到标准要求扣2分

参考文献

1.国家安全生产监督管理总局,国家煤矿安全监察局.煤矿安全规程.北京:煤炭工业出版社,2010

2.马宏福,郑小欢.矿井通风.徐州:中国矿业大学出版社,2009

3.王永安等.矿井通风.北京:煤炭工业出版社,2005

4.胡献伍.矿井通风与安全检测仪器仪表.北京:煤炭工业出版社,2007

5.靳建伟等.煤矿安全.北京:煤炭工业出版社,2005

6.屈新安.矿井通风与安全技术.北京:煤炭工业出版社,2007

7.张长喜.矿山安全技术.北京:煤炭工业版社,2001

8.国家安全生产监督管理总局宣传教育中心编写.煤矿安全生产管理人员培训教材.北京:冶金工业出版社,2006

9.秦跃平.矿井通风.徐州:中国矿业大学出版社,2002

10.吴兵,郭德勇,张训涛.矿井瓦斯防治.徐州:中国矿业大学出版社,2002

11.傅贵,金龙泽.矿尘防治.徐州:中国矿业大学出版社,2002

12.周心权,方裕璋.矿井火灾防治.徐州:中国矿业大学出版社,2002

13.淮南煤炭学院,焦作矿业学院.矿井地质及矿井水文地质.北京:煤炭工业出版社,1981

14.矿井瓦斯等级鉴定规范 AQ1025-2006

15.俞启香.矿井瓦斯防治.徐州:中国矿业大学出版社,1992

参考文献